曹禺全集

·2·

北 京 出 版 集 团
北京十月文艺出版社

主编：王风

本卷责任编委：段美乔

1933年

1934—1936年曹禺任教天津河北女子师范学院，在此写作《日出》，图为该学院旧照

位于天津商业中心的惠中饭店，系《日出》“xx大旅馆”的原型地

1937年6月《日出》初刊《文季月刊》创刊号

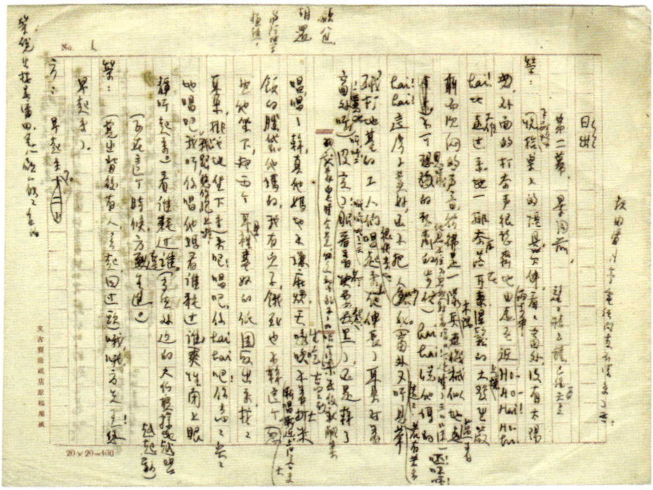

《日出》手稿，北京人民艺术剧院藏

文藝

第二百七十三期

集體批評

「日出」

一個異邦人的意見

H. E. Shadick 謝迪克

我更愛「雷雨」

李廣田

1937年12月27日《大公报》“文艺”
副刊的《日出》“集体批评”

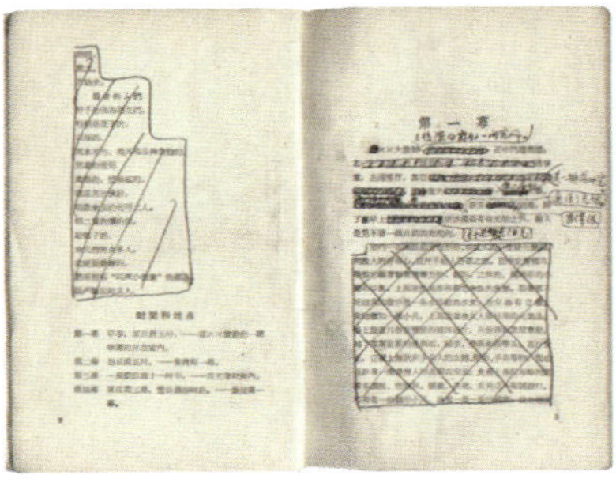

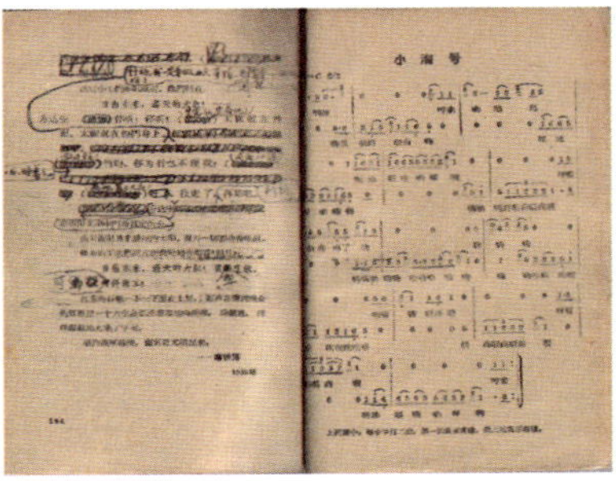

《日出》单行本上的曹禺修订，王仰晨藏

文化生活版《日出》中乐谱《轴号》

文化生活版《日出》中乐谱《小海号》

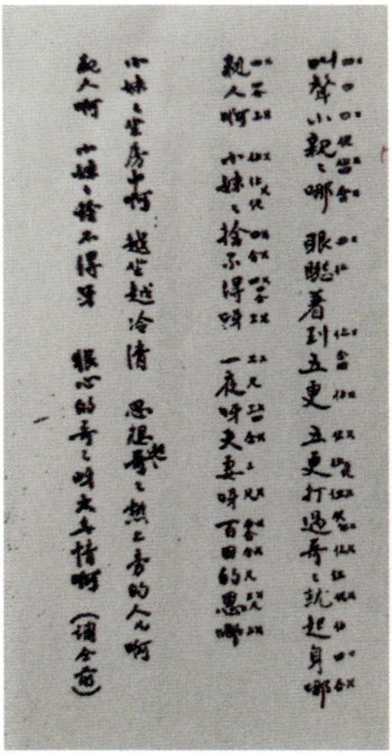

原刊本《日出》中乐谱《叫声小亲亲》

1937年2月上海戏剧工作社
在卡尔登大戏院首演《日出》

1937年上海戏剧工作社的
《日出》演出特刊

1941年延安鲁迅艺术文学院排演《日出》

1956年北京人民艺术剧院首排
《日出》节目单封面

首排《日出》剧照

1981年12月日本民艺剧团
在东京演出《日出》

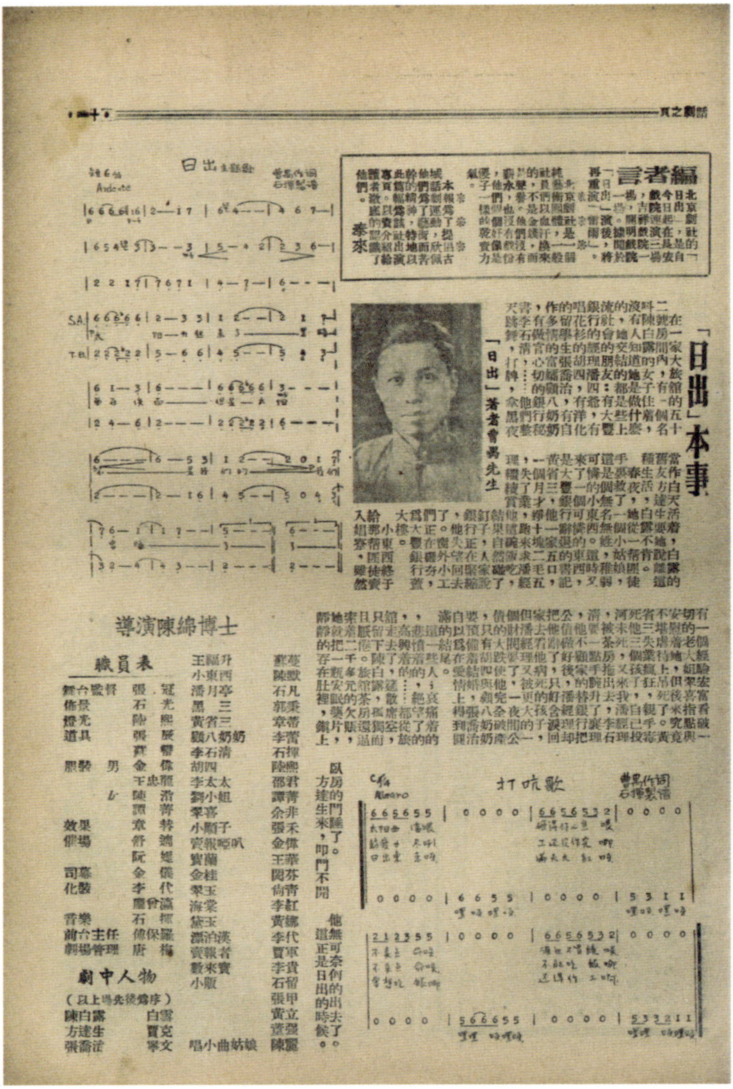

話劇之頁

日出主題歌

編者言

「日出」本事

「日出」著者曹禺先生

陳綿博士導演

職員表

劇中人物

打吭歌

1940年《三六九画报》第2卷第1期，

刊载曹禺作词的《日出》主题歌和《打吭歌》

目　录

版本叙录

段美乔

完成《雷雨》后，曹禺“渐渐生出一种对于《雷雨》的厌倦”，“有些太像戏了”，于是决心“脱开La Piecebien faite一类戏所笼罩的范围”。《日出》是曹禺在戏剧艺术上“试探一次新路”。(《日出·跋》）据曹禺自述，1934年至1935年女演员艾霞、阮玲玉的自杀，1932年与清华教师在山西旅行时看到的底层妓女的惨状等，对《日出》的构思均产生影响。(田本相、刘一军编著《苦闷的灵魂——曹禺访谈录》，江苏教育出版社2001年版，第35、114页）

曹禺原计划“用一年功夫来”完成《日出》(《曹禺写作〈日出〉》，上海《申报》1936年5月16日），但在巴金等人的催促下，四个月内即告完稿。1936年6月至9月《日出》连载于上海《文季月刊》第1期到第4期，一月一幕，连续四期刊载完结（简称原刊本）。因为写作过程“异常仓促”(该本《日出第四幕》“后记”），原刊本近乎边写边调整，疏漏较多，第三幕后的“附记”、全剧完成时的“后记”，均系纠正和说明疏漏与错讹。《日出》中三首曲子的乐谱，其中两首夯歌，据曹禺、陆以循回忆，系请工人唱歌、由陆

以循现场记录而成。（田本相、刘一军编著《苦闷的灵魂——曹禺访谈录》，江苏教育出版社2001年版，第162、246页）

1936年11月上海文化生活出版社出版《日出》单行本，是为初版本（简称文化生活版）。其文本构成：正文外，包括正文前的八段题辞；正文中三首曲子的乐谱；第三幕有“附记”，将原刊本里提到的“小东西没有死成”的结尾完整写出。文化生活版《日出》，较之原刊本，文字异动近300处。这些修改涉及多个方面：几个主要人物的姓名作了改动，如“陈白露”原刊本作“陈露露”；其本名“竹均”原刊本作“文姗”；茶役“王福升”原刊本作“阿根”。而情节跨度时间，原刊本四幕剧情发生在四天之内。文化生活版将第三幕的时间改为“一星期后晚十一时半”，第四幕“时间紧接第三幕，翌日”。另外台词和舞台提示做了或多或少的修改，总体上使得全剧更为精致、合理。

曹禺《我怎样写〈日出〉》发表在1937年2月28日《大公报》“文艺”副刊第304期。同年3月文化生活版第四版，该文作为“跋”收入。5月，《日出》获得天津《大公报》文艺奖。

《日出》初收入文化生活出版社“文学丛刊”第3集。随着曹禺作品增多，1941年该社另设“曹禺戏剧集”，《日出》列第2种。文化生活版《日出》重印次数很多，1953年5月版权页标注为第28版，但实际印次超过28次。比如，1941年5月首度以“曹禺戏剧集”在重庆印行时，标注为“重庆初版”，9月又在上海印行了“文学丛刊”第18版、“曹禺戏剧集”第18版。这些版本，除“桂一版”“第廿六版 新一版”等个别版次以外，使用的都是同一纸型。

1951年8月，开明书店出版《曹禺选集》(简称开明版)，属于“新文学选集”丛书系列。该集收录《雷雨》《日出》《北京人》三剧，均做了大面积的修改。这显然与解放的新形势有关。在《自序》中，曹禺说“《日出》这本戏，应该是对半殖民地半封建的中国旧社会的控诉，可是当时却将帝国主义这个罪大恶极的元凶放过”，所以“趁重印之便”，“根据原有的人物、结构，再描了一遍（有些地方简直不是描，是另写）。”

该版删去正文前的八段题辞、第三幕“附记”和“跋”。本版的时代背景、人物形象、人物关系乃至人物的命运，都有了根本性的改动。例如陈白露的家庭出身从书香世家变成了普通市民家庭：父亲是被辞退的洋行职员，哥哥被保甲长抓了壮丁，家中有弟妹要养。她的前夫从“诗人”变成商人，在“满洲国”做生意。方达生则因为从事救亡运动而不断被国民党特务和日本军方追捕。金八成为仁丰纱厂的总经理，跟国民党特务和日本军方都有关系。小东西名叫“傅连珍”，她的父亲从普通的砸夯工人变成仁丰纱厂工人头领，在组织罢工的过程中被金八杀害。方达生在小东西父亲的工友田振洪等人的帮助下，最终识破了黑三的诡计，救出了小东西，等等。总体而言，这个版本可以看作特殊历史节点的另一部话剧剧本。

1954年6月的人民文学出版社出版《曹禺剧本选》，前后印刷了5次，总印数为17000册。本版《日出》放弃开明版伤筋动骨的人物身份和剧本情节的重写，基本回到原先的故事框架。但也并非如“前言”所说只作了“一些”文字的整理，回归“原来的面貌”。相较解放前的文化生活版，改动有近千处，同时也保留了一百处多开明版的修改。该版《日出》剧本的末尾，曹禺标注作于“一九三五年”，这是个误记，一直到80年代初与万方合作电影剧本《日出》时，经巴金提醒才改回1936年。(《〈日出〉(电影文学剧本)后记》，《收获》1984年第3期)

1957年中国戏剧出版社成立，并以单行本的形式出版“五四以来话剧剧本选”丛书。该年9月出版《日出》，至1960年4月第4次印刷，总印数27500册。该版除恢复文化生活版正文前的8段题辞、第三幕的“附记”和“跋”(略有删节)外，较1954年人文社版《日出》，仅有少量字词的修改。

需要说明的是，有学者称1959年曹禺再次修订《日出》，由中国戏剧出版社出版，并命名为“戏剧二版”。但这一“戏剧二版”遍查无获，有很大可能性并不存在。

1959年12月，人民文学出版社出版单行本《日出》，收入“文学小丛书”第三辑（简称小丛书版），编号为总第86号，印数为33000册。该丛书系文学普及性质的出版物，开本小，携带方便。该版删除了全部题辞、第三幕的“附记”，保留了“跋”(略有删节)和乐谱。总字数减少将近2万8千字，删节约20%。

1961年5月人民文学出版社出版《曹禺选集》，印数较小。该版无题辞，无“跋”，无第三幕的“附记”。本书衬页有“出版说明”：“一九五四年，作者曾对这三个剧本做了一些文字上的整理，编为一集，由本社出版；这次作者又对《雷雨》、《日出》二剧，作了许多重要修改，现据修改本重排印行。”此版基本为小丛书版的重排，仅有极少量字词订正。

新时期以来，曹禺所有剧本渐次得到出版。1979–1985年，四川人民出版社和四川文艺出版社印行“曹禺戏剧集”（简称川版），作者对这个出版系列参与最多。其中《日出》单行本于1985年2月出版，总印数近3万册。该版恢复了8段题辞、第三幕的“附记”和“跋”。新写《〈日出〉重印后记》附于书末。比较可知，川版《日出》是以文化生活版为基础进行修订，所谓“重印”系重印文化生活版。“后记”中写道：“重印《日出》，我改正了一些错字，作了较少的更动和删节。”但实际修改超千处，且有多处整段的添加或删减。

另外，人民文学出版社和中国戏剧出版社都曾重印五六十年代的版本。人民文学出版社1978年《曹禺选集》，系据1961年版重印。中国戏剧出版社1980年出版“现代戏剧创作丛书”，其中《日出》据该社1957年版重印。1988年12月该社4卷本《曹禺文集》，《日出》则据文化生活版重印。1994年9月人民文学出版社的“中国现代名剧丛书”，影响较大，该版《日出》也据文化生活版重印。据说曹禺回答了一些编辑疑问，微有改动。

花山文艺出版社1996年7月开始出版7卷本《曹禺全集》。这是曹禺生前最后一个版本。据该版记录，系据文化生活版排印。

日出

【题注】据1937年3月文化生活出版社第四版“文学丛刊”本排印。通校1936年6月至9月《文季月刊》第一卷第一期至第四期初刊本（校注称“原刊”）、1985年2月四川人民出版社（版权页作“四川文艺出版社”）“曹禺戏剧集”本初版（校注称“川版”）。参校1994年9月人民文学出版社“中国现代名剧丛书”本初版（校注称“1994人文版”）。又，“陈白露”原刊作“陈露露”。“竹均”原刊作“文姗”。“王福升”原刊作“阿根”。黄省三身份，原刊、文化生活诸版均作“小书记”，此后各版渐行改为“小录事”，川版“小书记”和“小录事”混用。以上异文，不一一出注。

天之道其犹张弓与？高者抑之，下者举之；有余者损之，不足者补之。天之道损有余而补不足；人之道则不然，损不足以奉有余。

——老子《道德经》七十七章

上帝就任凭他们存邪僻之心，行那些不合理的事。装满了各样不义，邪恶，贪婪，恶毒。满心是嫉妒，凶杀，争竞，诡诈，毒恨。……行这样事的人是当死的。然而他们不但自己去行，还喜欢别人去行。

——《新约·罗马书》第一章[1]

……我的肺腑啊，我的肺腑啊！我心疼痛，我心在我里面烦躁不安，我不能静默不言。因为我已经听见角声和打仗的喊声。毁坏的信息连络不绝。因为全地荒废。我观看地，不料地是空虚混沌；我观看天，天也无光；我观看大山，不料，尽都震动，小山也都摇来摇去；我观看，不料，无人；空中的飞鸟也都躲避。我观看，不料，肥田变为荒地。一切城邑……都被拆毁。

——《旧约·耶利米书》第四章[2]

……弟兄们……凡有弟兄不按规矩而行，不遵守从我们所受的教训，就当远离他。……我们在你们中间未尝不按规矩而行，未尝白吃

---

1 “第一章”底本作“第二章”，据川版改。

2 “第四章”底本作“第五章”，据川版改。

人的饭。倒是辛苦劳碌，昼夜做工。……我们在你们那里的时候，曾吩咐你们说，若有人不肯工作，就不可吃饭。

——《新约·帖撒罗尼迦后书》第三章

……弟兄们，我……劝你们都说一样的话，你们中间也不可分党。是要一心一意，彼此相合……

——《新约·哥林多前书》第一章

……我是世界的光，跟从我的，就不在黑暗里走，必要得着生命的光。……

——《约翰福音》第八章

……复活在我，生命也在我，信我的人虽然死，也必复活。……

——《约翰福音》第十一章

…………

…………

…………

我又看见一片新天新地，因为先前的天地已经过去了！

——《启示录》第二十一章

剧中人物

陈白露——在××旅馆住着的一个女人，二十三岁。

方达生——陈白露从前的“朋友”，二十五岁。

张乔治——留学生，三十一岁。

王福升——旅馆的茶房。

潘月亭——××银行经理，五十四岁。

顾八奶奶——一个有钱的孀妇，四十四岁。

李石清——××银行的秘书，四十二岁。

李太太——其妻，三十四岁。

黄省三——××银行的小书记。

黑三（即男甲）——一个地痞。

胡四——一个游手好闲的“面首”，二十七岁。

小东西——一个刚到城里不久的女孩子，十五六岁。

（第三幕登场人物另见该幕人物表内。）

时间：早春

第一幕　　在××旅馆的一间华丽的休息室内。——某日早五点。

第二幕　　景同第一幕。——当日晚五点。

第三幕　　在三等妓院内。——一星期后[1]晚十一时半。

第四幕　　景同第一幕。——时间紧接第三幕，翌日晨四时许。[2]

1　“一星期后”原刊作“第三天”。

2　此句原刊作“——第四天晨四时许。”。

第一幕

是××大旅馆一间华丽的休息室，正中门通甬道，右——左右以台上演员为准，与观众左右相反——[1]通寝室，左通客厅，靠后偏右角划开一片长方形的圆线状窗户[2]。为着窗外紧紧地压贴着一所所的大楼，所以虽在白昼，有着宽阔的窗，屋里也嫌过于阴暗。[3]除了在早上斜射过来的朝日[4]使这间屋有些光明之外，整天是见不着一线自然的光亮的。

屋内一切陈设俱是畸形的，[5]现代式的：生硬而肤浅，刺激人的好奇心，但[6]并不给人舒适之感。正中立着烟儿，围着它横地竖地摆着方的，圆的，立体的，圆锥形的小凳[7]和沙发。上面凌乱地放些颜色杂乱[8]的坐垫。沿着那不见棱角的窗户是一条水浪纹的沙发。在左边

---

1 原刊无“——左右以台上演员为准，与观众左右相反——”。

2 “靠后偏右角划开一片长方形的圆线状窗户”川版作“靠前偏右有一扇狭长的弧形窗户”。

3 此句川版作“窗外密密麻麻矗立着一座座高楼，虽在白昼，正面一边是宽阔的窗，屋里也嫌过于阴暗。”。

4 “早上斜射过来的朝日”川版作“天明斜射过来的晨光”。

5 川版无“畸形的，”。

6 川版无“但”。

7 “圆锥形的小凳”川版作“长的小凳”。

8 “颜色杂乱”川版作“颜色鲜艳”。

有立柜，食物柜[1]，和一张小几，上面放着些女人临时用[2]的化妆品。墙上挂着几张很荒唐的裸体画片，月份牌和旅馆章程。[3]地下零零散散的是报纸，画报，酒瓶和烟蒂头[4]。在沙发上，立柜上搁放许多女人的衣帽[5]，围巾，手套等物。间或也许有一两件男人的衣服在里面。[6]食柜上杂乱地陈列着许多酒瓶[7]，玻璃杯，暖壶，茶碗。右角立一架阅读灯[8]，灯旁有一张圆形小几，嵌着一层一层的玻璃，放些烟具和女人爱的[9]零碎东西，如西洋人形[10]，米老鼠之类。

正中悬一架银耀耀[11]的钟，指着五点半，是夜色将尽的时候。幕开时，室内只有沙发旁的阅读灯射出一圈光明[12]。窗前的黄幔幕垂下来，屋内的陈设看不十分清晰，一切丑恶和凌乱还藏在黑暗里[13]。

缓慢的脚步声由甬道传进来。正中的门呀的开了一半。一只秀

---

1 “在左边有立柜，食物柜”川版作“左边有立柜、镜台”。

2 川版无“临时用”。

3 此句川版作“墙上挂着几张裸体油画，风景画，”。

4 川版无“酒瓶和烟蒂头”。

5 “立柜上搁放许多女人的衣帽”川版作“小柜上搁放女人的衣帽”。

6 川版无此句。

7 “杂乱地陈列着许多酒瓶”川版作“陈列着酒瓶”。

8 “阅读灯”川版作“落地灯”。

9 “女人爱的”川版作“当时女人喜好的”。

10 “西洋人形”川版作“洋娃娃”。

11 “银耀耀”川版作“银熠熠”。

12 “一圈光明”川版作“一圈亮光”。

13 川版无“一切丑恶和凌乱还藏在黑暗里”。

美的手伸进来拧开中间的灯，室内豁然明亮。陈白露走进来。她穿着极薄的晚礼服，颜色鲜艳刺激[1]，多褶的裙裾和上面两条粉飘带，拖在地面如一片云彩。她发际插一朵红花，乌黑的头发烫成小姑娘似的鬈髻，垂在耳际。她的眼明媚动人，举动机警，一种嘲讽的笑总挂在嘴角。神色不时地露出倦怠和厌恶；这种生活的倦怠是她那种漂泊人特有的性质。她爱生活，她也厌恶生活。生活对于她是一串习惯的桎梏，她不再想真实的感情的慰藉。这些年的漂泊教聪明了她，世上并没有她在女孩儿时代所幻梦的爱情。生活是铁一般的真实，有它自来的残忍[2]！习惯，自己所习惯的种种生活的方式，是最狠心的桎梏，使你即使怎样羡慕着自由，怎样憧憬着在情爱里伟大的牺牲，（如小说电影中[3]时常夸张地来叙述的），也难以飞出自己的生活的狭之笼。因为她试验过，她曾经如一个未经世故的傻女孩子，带着如望万花筒那样的惊奇，和一个画儿似的男人飞出这笼；终于，像寓言中那习惯于金丝笼的鸟，已失掉在自由的树林里盘旋的能力和兴趣，又回到自己的丑恶的生活圈子里。当然她并不甘心这样生活下去，她很骄傲，她生怕旁人刺痛她的自尊心。但她只有等待，等待着有一天幸运会来叩她的门，她能意外地得一笔财富，使她能独立地生活着。然而也许有一天她所等待的叩门声突然在深夜响了，她走去打开门，发现那来

1 川版无“刺激”。

2 “有它自来的残忍”原刊作“保有它一样的残忍”。

3 “如小说电影中”川版作“如一切感伤的小说和电影中”。

客，是那穿着黑衣服的，不作一声地走进来。[1]她也会毫无留恋地和他同去，为着[2]她知道生活中意外的幸福或快乐毕竟总是[3]意外，而平庸，痛苦，死亡永不会放开人的。

她现在[4]拖着疲乏的步向台中走。右手的食指和中指盖着嘴[5]，打了个呵欠。

陈白露 （走了两步，回过头）进来吧！（掷下皮包，一手倚着当中沙发的靠背。蹙着眉，脱下银色的高跟鞋，一面提住气息，一面快意地揉抚着自己尖瘦的脚[6]。真地，好容易到了家，索性靠在柔软的沙发上舒展一下。"咦！"忽然她发现背后的那个人并没有跟进来。她套上鞋，倏地站起，转过身，一只[7]腿还跪在沙发上，笑着向着房门）咦！你怎么还不进来呀？（果然，有个人进来了。约莫有二十七八岁[8]的光景，脸色不好看，皱着眉，穿一身半旧的西服。不知是疲倦，还是厌

1 此句原刊作"但也许有一天她所等待的叩门声在深夜突然响了，她去打开门，看见那来客，是那穿着黑衣服的不作一声地走进来。"。

2 川版无"为着"。

3 "总是"川版作"是"。

4 原刊无"现在"。

5 川版无"右手的食指和中指盖着嘴"。

6 "一面提住气息，一面快意地揉抚着自己尖瘦的脚"川版作"松了一口气，快意地揉抚着自己尖瘦的脚"。

7 川版无"一只"。

8 "二十七八岁"川版作"二十五六岁"。

恶，他望着房内乱糟糟的陈设，就[1]一言不发地立在房门口。但是女人误会了意思，她眼盯住他，看出他是一副惊疑的神色）走进来点！怕什么呀？

方达生 （冷冷地）不怕什么！（忽然不安地）你这屋子没有人吧？

陈白露 （看看四周，故意地[2]）谁知道？（望着他）大概是没有人吧！

方达生 （厌恶地[3]）真讨厌。这个地方到处都是人。

陈白露 （有心来难为他，自然也因为他的态度使她不愉快）有人又怎样？住在这个地方还怕人？

方达生 （望望女人，又周围地嗅嗅[4]）这几年，你原来住在这么个地方！

陈白露 （挑衅地）怎么，这个地方不好么？

方达生 （慢声）嗯——（不得已地）好！好！

陈白露 （笑着看男人那样呆呆地失了神）你怎么不脱衣服[5]？

方达生 （突然收敛起来）哦，哦，哦——衣服[6]？（想不起话来）是的，我没有脱，脱衣服[7]。

陈白露 （笑出声，看他怪好玩的）我知道你没有脱。我问你为什么

---

1 川版无“就”。

2 “故意地”川版作“故意”。

3 “厌恶地”川版作“厌恶”。

4 “又周围地嗅嗅”川版作“又望望周围”。

5 “衣服”川版作“大衣”。

6 “衣服”川版作“大衣”。

7 “脱衣服”川版作“没有脱”。

这样客气，不肯自己脱大衣[1]？

方达生　（找不出理由，有点窘迫）也许，也许是因为不大习惯进门就脱大衣[2]。（忽然）嗯——是不是这屋子有点冷？

陈白露　冷？——冷么？我觉得热得很呢。

方达生　（想法躲开她的注意）你看，你大概是没有关好窗户吧？

陈白露　（摇头）不会。（走到窗前，拉开幔子，露出那流线状的窗户）你看，关得好好的。（望着窗外，忽然惊喜地）喂，你看！你快来看！

方达生　（不知为什么，慌忙跑到她面前）什么？

陈白露　（用手在窗上的玻璃划一下）你看，霜！霜！

方达生　（扫了兴会）你说的是霜啊！你呀，真——（底下的话自然是脱不了[3]嫌她有点心浮气躁，但他没有说，只摇摇头）

陈白露　（动了好奇心[4]）怎么，春天来了，还有霜呢。

方达生　（对她没有办法，对小孩似的）嗯，奇怪吧！[5]

陈白露　（兴高采烈地）我顶喜欢霜啦！你记得我小的时候就喜欢霜。你看霜多美，多好看！（孩子似地，忽然指着窗）你看，你看，这个像我么？

1　川版无“大衣”。

2　“大衣”川版作“衣服”。

3　川版无“脱不了”。

4　“动了好奇心”川版作“好奇地”。

5　此句原刊作“（对她没有办法）嗯，那是天知道。”。

方达生　什么?（伸头过去[1]）哪个?

陈白露　（急切地指指点点）我说的是这窗户上的霜，这一块，（男人偏看错了地方）不，这一块，你看，这不是一对眼睛！这高的是鼻子，凹的是嘴，这一片是头发。（拍着手）你看，这头发，这头发简直就是我！

方达生　（着意地比较[2]，寻找那相似之点，但是——）我看，嗯[3]——（很老实地）并不大像。

陈白露　（没想到）谁说不像?（孩子似地执拗着，撒着娇）像！像！像！我说像！它就像！

方达生　（逆来顺受）好，像，像，像的很[4]。

陈白露　（得意）啊。你说像呢！[5]（又发现了新大陆）喂，你看，你看，这个人头像你，这个像你。

方达生　（指自己[6]）像我?

陈白露　（奇怪他会这样地问[7]）嗯，自然啦，就是这个。

方达生　（如同一个瞎子）哪儿?

陈白露　这块！这块！就是这一块。

---

1 “伸头过去”川版作“伸过头去”。

2 “着意地比较”川版作“着意比较”。

3 川版无“嗯”。

4 “像，像，像的很”川版作“像，像得很”。

5 此句川版作“你说像吧！”。

6 川版无“指自己”。

7 “奇怪他会这样地问”川版作“奇怪他会这样问”。

方达生 （看了一会，摸了自己的脸[1]，实在觉不出[2]一点相似处，简单地）我，我看不大出来。

陈白露 （败兴地）你这个人！还是跟从前一样的别扭，简直是没有办法。

方达生 是么?（忽然[3]微笑）今天我看了你一夜晚，就刚才这一点还像从前的你。

陈白露 怎么?

方达生 （露出愉快的颜色）还有从前那点孩子气。

陈白露 你……你说从前？[4]（低声地）还有从前那点孩子气?（她仿佛回忆着，蹙起眉头，她打一个寒战，现实又像一只铁掌把她抓回来[5]）

方达生 嗯，怎么？你怎么?

陈白露 （方才那一阵的兴奋如一阵风吹过去，她突然地显着[6]老了许多。我们看见她额上隐隐有些皱纹，看不见几秒钟前那种娇痴可喜的神态，叹一口气，很苍老地[7]）达生，我从前有过这么一个时期，是一个孩子么?

---

1 川版无“摸了自己的脸”。

2 “觉不出”川版作“看不出”。

3 川版无“忽然”。

4 此句原刊作“从前”，川版作“你……你说”。

5 “现实又像一只铁掌把她抓回来”川版作“现实像一只铁掌又把她抓回来”。

6 “突然地显着”川版作“突然感觉”。

7 此句川版作“几秒钟前那种娇痴可喜的神态不见了，她叹一口气，很苍老地”。

方达生　（明白她的心情，鼓励地）只要你肯跟我走，你现在还是孩子，过真正的自由的生活。

陈白露　（摇头，久经世故地）哼，哪儿有自由？[1]

方达生　什么，你——（他住了嘴，知道这不是劝告的事。他拿出一条手帕，仿佛擦鼻涕那样动作一下，他望到别处。四面看看屋子[2]）

陈白露　（又恢复平日所习惯那种漠然的态度）你看什么？

方达生　（笑了笑，放下帽子）不看什么，你住的地方，很[3]，很——（指指周围，又说不出什么来，忽然找出一句不关轻重而又能掩饰自己情绪的称誉）很讲究。

陈白露　（明白男人的话并不是诚意的）嗯，讲究么？（顺手把脚下一个靠枕拿起来，放在沙发上，把一个酒瓶轻轻踢进沙发底下[4]，不在意地）住得过去就是了[5]。（瞌睡虫似乎钻进女人的鼻孔里，不自主地来一个呵欠。传染病似地接着男人也打一个呵欠。女人向男人笑笑。男人像个刚哭完的小孩，用[6]手背揉着眼睛）你累了么？

方达生　还好。

1　此句川版作“哼，自由！哪儿有自由？”

2　“四面看看屋子”川版作“踱了两步，停下来环视”。

3　川版无“很”。

4　川版无“把一个酒瓶轻轻踢进沙发底下”。

5　“就是了”原刊作“就成了”。

6　川版无“用”。

陈白露 想睡觉么?

方达生 还好——方才是你一个人同他们那些人在跳，我一起首就坐着。

陈白露 你为什么不一起玩玩?

方达生 （冷冷地）我告诉过你，我不会跳舞，并且我也不愿意那么发疯似地乱蹦跶[1]。

陈白露 （笑得有些不自然）发疯，对了！我天天过的是这样发疯的生活。（远远鸡喔喔地叫了一声）你听！鸡叫了。

方达生 奇怪，怎么这个地方会有鸡叫?

陈白露 附近就是一个市场。（看表，忽然抬起头）你猜，现在是几点钟了?

方达生 （扬颈[2]想想）大概有五点半，就要天亮了。我在那舞场里，五分钟总看一次表。

陈白露 （奚落地）就那么着急么?

方达生 （爽直地）你知道我现在在乡下住久了；在那种热闹地方总有点不耐烦。

陈白露 （理着自己的头发）现在呢?

方达生 （吐出一口气）自然比较安心一点。我想这里既然没有人，我可以跟你说几句话。

---

1 “乱蹦跶”川版作“乱蹦”。

2 “扬颈”川版作“拐颈”。

陈白露　可是（手掩着口，又欠伸着[1]）现在就要天亮了。（忽然）咦，为什么你不坐下？

方达生　（拘谨地）你——你并没有坐。

陈白露　（笑起来，露出一半齐整洁白的牙齿）你真是书呆子，乡下人，到我这里来的朋友没有等我让座的。（走到他面前，轻轻地推他坐在一张沙发[2]上）坐下。（回头，走到墙边小柜前）渴的很，让我先喝一口水再陪着你，好么？（倒水，拿起烟盒）抽烟么？

方达生　（瞪她一眼）方才告诉过你，我不会抽烟。

陈白露　（善意地讥讽着他）可怜——[3]你真是个好人！（自己很熟练地燃上香烟，悠悠然呼出淡蓝色的氤氲[4]）

方达生　（望着女人巧妙地吐出烟圈，忽然，忍不住地叹一声，同情而忧伤地）真地我想不到，竹均，你居然会变——

陈白露　（放下烟）等一等，你叫我什么？

方达生　（吃了一惊）你的名字，你不愿意听么？

陈白露　（回忆地）竹均，竹均，仿佛有多少年没有人这么叫我了。达生，你再叫我一遍。

方达生　（受感动地[5]）怎么，竹均——

---

1 “又欠伸着”川版作“打个呵欠”。

2 “一张沙发”原刊作“一个沙发”。

3 川版无“可怜——”。

4 “淡蓝色的氤氲”川版作“淡蓝的氤氲”。

5 “受感动地”川版作“受感动”。

陈白露 （回味男人叫的情调）甜的很，也苦的很。你再这样叫我一声。

方达生 （莫名其妙女人的意思[1]）哦，竹均，你不知道我心里头——（忽然）这里真没有人么？

陈白露 没有人，当然没有人。

方达生 （难过地）我看你现在这个样子。你不知道我的心，我的心里头是多么——

〔——但是由右面寝室里蹒跚出来一个人，穿着礼服，硬领散开[2]翘起来，领花拖在前面。他摇摇荡荡的，一只袖管没有穿，在他前后摆动着。他们[3]一同回过头，那客人毫不以为意地立在门前，一手高高扶着门框，头歪得像架上熟透了的金瓜，脸通红，一绺一绺的头发搭下来。一副白金眼镜挂在鼻尖上，他翻着白眼由镜子上面望过去，牛吼似地打着噎。

进来的客人 （神秘地，低声）嘘！（放正眼镜，摇摇晃晃地指点着）

陈白露 （大吃一惊，倒吸一口气）Georgy！[4]

进来的Georgy （更神秘地，摆手）嘘！（他们当然不说话了，于是他飘飘然地走到方达生面前，低声[5]）什么，心里？（指着他）

---

1 “莫名其妙女人的意思”川版作“不懂女人的意思”。

2 川版无“散开”。

3 “他们”川版作“房间里的男人和女人”。

4 此句川版作“（大吃一惊）Georgy！（‘乔治’的昵称）”。

5 此句川版作“他们没有说话，客人飘飘然地走到那男人面前，低声”。

啊！你说你心里头是多么——怎么？（亲昵地对着女人[1]）白露，这个人是谁呀？

方达生 （不愉快而又不知应该怎么样）竹均，他是谁？这个人是谁？

进来的乔治 （仿佛是问他自己）竹均？（向男人[2]）你弄错了，她叫白露。她是这儿顶红，顶红的人，她是我的，嗯，是我所最崇拜的——[3]

陈白露 （没有办法）怎么[4]，你喝醉了！

张乔治 （即进来的"乔治"）（指自己）我？（摇头）我没有喝醉！（摇摇摆摆地指着女人）是你喝醉了！（又指着那男人）是你喝醉了！（男人望望白露的脸，回过头，脸上更不好看，但进来的客人偏指着男人说）你看你，你看你那眼直瞪瞪的，喝得糊里糊涂的样子！ Pah（轻慢似地把雪白的手掌翻过来[5]向外一甩，这是他最得意的姿势，接着又是一个噎[6]）我，我真有点看不下去。[7]

---

1 "女人"川版作"那女人"。

2 "向男人"川版作"向那男人"。

3 "是我所最崇拜的——"原刊作"本是我所最崇拜的——"，川版作"是我最崇拜的红人！"。

4 "怎么"原刊作"什么"。

5 "翻过来"原刊作"倒过来"。

6 川版无"接着又是一个噎"。

7 此处川版有"（接着又是一个饱嗝）"。

陈白露 （这次是她真看不下去了）你到这里来干什么？

方达生 （大了胆）对了，你到这里来干什么？（两只质问的眼睛盯着他）

张乔治 （还是醉醺醺地）嗯，我累了，我要睡觉，[1]（闪电似地来了一个理由）咦！你们不是也到这儿来的么？

陈白露 （直瞪瞪地看着他，急了）这是我的家，我自然要回来。

张乔治 （不大肯相信）你的家？（小孩子不信人的顽皮腔调，先高后低的[2]）嗯？

陈白露 （更急了）你刚从我的卧室出来，[3]你这是什么意思？

张乔治 什么？（更不相信地）我刚才是从你的卧室出来？[4]这不对——不对[5]，我没有，（摇头）没有。（摸索自己的前额）可是[6]你们先让我想想……（望着天仿佛在想）

陈白露 （哭不得，笑不得，望着男人[7]）他还要想想！

张乔治 （摆着手，仿佛是叫他们先沉沉气）慢慢地，你们等等，不

---

1 “（还是醉醺醺地）嗯，我累了，我要睡觉，”川版作“（还是醉醺醺）嗯，我累了，我要睡觉啊！”。

2 此句川版作“不信人的顽皮腔调，抑扬有致”。

3 “你刚从我的卧室出来，”川版作“你进了我的卧室！”。

4 此句川版作“我进了你的卧室？”。

5 川版无“不对”。

6 川版无“可是”。

7 “望着男人”川版作“望着那男人”。

要着急。让我慢慢，慢慢地想想。[1]（于是他模糊地追忆着他怎样走进旅馆，迈进她的门，瞥见了那舒适的床，怎样转东转西，脱下衣服，一跤跌倒在一团柔软的巢窠里。他的唇上下颤动[2]，仿佛念念有词；做出种种手势来追忆方才的情况。这样想了一刻，才低声地[3]）于是我就喝了，我就转，转了我又喝，我就转，转呀转，转呀转的……后来——（停顿了，想不起来）后来？[4]哦，于是我就上了电梯——哦，对了，对了，（很高兴地，敲着前额）我就进了这间屋子……不，不对，我还更进一层，走到里面。[5]于是[6]我就脱了衣服，倒在床上。于是我就这么躺着，背向着天，脑袋朝下。[7]于是我就觉得恶心，于是我就哇啦哇啦地[8]——（拍脑袋[9]，放开平常的声音说）对了，那就对了。我可不是从你的卧室走出来？

---

1 此句川版作"让我慢慢地想想。"。

2 "颤动"原刊作"哼动"。

3 此句川版作"同时低声自语"。

4 此句川版作"于是我就喝了，我就转，转了我又喝，我就转，转呀转的……后来——（停顿了，想不起来）"。

5 此句川版作"哦，我就上了电梯——对了，（很高兴地，敲着前额）就进了这间屋子……我就走到里面。"。

6 川版无"于是"。

7 此句川版作"就这么躺着，背朝天，头朝下。"。

8 此句川版无两个"于是"。

9 "拍脑袋"原刊作"拍掌"。

陈白露 （严厉地）Georgy，你今天晚上简直是发疯了。

张乔治 （食指抵住嘴唇，好莱坞明星的样子）嘘！（耳语）我告诉你，你放心。我并没有发疯。我先是在你床上睡着了，并且我喝得有点多，我似乎在你床上[1]——（高声）糟了，我又要吐。（堵住嘴）哦，Pardon me，mademoiselle，对不起，小姐。（走一步[2]，又回转身）哦先生，请你原谅[3]。Pardon，monsieur（狼狈地跳了两步，回过头，举起两手，如同自己是个闻名的演员对许多热烈的观众，做最后下台的姿势，那样一次再次地摇着手，鞠着躬）再见吧，二位。[4]Good night！Good night！ My lady and gentleman！ Oh，good-bye，au revoir，madame，et monsieur，I—I—I shall—I shall—[5]（哇的一声，再也忍不住了，他堵住嘴，忙跑出门。[6]门关上，就听见他呕吐的声音[7]；似乎有人扶着他，他哼哼唧唧地走远了）

〔白露望望男人，没有办法地坐下。

---

1 此句川版作“我在你床上睡着了，我喝得有点多，似乎在你床上”。

2 “走一步”原刊作“走步”。

3 “请你原谅”川版作“请原谅”。

4 此句原刊作“再见吧，你们。”，川版作“再见二位。”。

5 “Good night！ Good night！”以下川版作“Good night！ My lady and gentleman！ Oh，au revoir，madame et monsieur，I—I—I'll—I'll—”。

6 此句川版作“哇的一声，再也忍不住，他堵住嘴，跌出门去。”。

7 “呕吐的声音”原刊作“呕吐的声”。

方达生 （说不出的厌恶）这个东西是谁？

陈白露 （嘘出一口气[1]）这是此地的高等出产，你看他好玩不？

方达生 好玩！这简直是鬼！我不明白你为什么跟这样的东西来往？他是谁？他怎么会跟你这么亲近？

陈白露 （夹起烟，坐下来）你要知道么？这是此地最优秀的产品，一个外国留学生，他说他得过什么博士硕士一类的东西，洋名George，在外国他叫乔治张，在中国他叫张乔治。回国来听说当过几任科长，现在口袋里很有几个钱。

方达生 （走近她）可是你为什么跟这么个东西认识，难道你觉不出这是个讨厌的废物？

陈白露 （掸了掸烟灰）我没有告诉你么？他口袋里有几个钱。

方达生 有钱你就要……

陈白露 （爽性替他说出来）有钱自然可以认识我，从前我在舞场做事的时候，他很追过我一阵。

方达生 （明白站在他面前的女人已经不是他从前所想的）那就怪不得他对你那样了。（低下头）

陈白露 你真是个乡下人，太认真，在此地多住几天你就明白活着就是那么一回事。每个人都这样，你为什么这样小气？好了，现在好了，没有人啦，你跟我谈你要谈的话吧。

方达生 （从深思醒过来）我刚才对你说什么？

陈白露 你真有点记性坏。（明快地）你刚才说心里头怎么啦！这位

---

1 “嘘出一口气”川版作“嘘一口气”。

张乔治先生就来了。

方达生 （沉吟着[1]，叹一口气）对了，“心里头”“心里头”，我就是这么一个人，永远在心里头活着。可是竹均，（诚恳地）我看你是这个样子[2]，你真不知道我心里头是多么——（门呀地开了，他停住了嘴）大概是张先生又来了。

〔进来是旅馆的茶役，一副狡猾的面孔，带着谄媚卑屈的神气。

王福升 不是张先生，是我。（赔着笑脸）陈小姐，您早回来了。

陈白露 你有什么事？

王福升 方才张先生您看见了。

陈白露 嗯，怎么样？

王福升 我扶他另外开一间房子睡了。

陈白露 （不愉快）他爱上哪里，就上哪里，你告诉我做什么！

王福升 说的是呀。张先生说十分对不起您，喝醉了，跑到您房里来，把您的床吐，吐——

陈白露 啊，他吐了我一床？

王福升 是，陈小姐您别着急，我这就跟您收拾。（露起来，他拦住她）您也别进去，省得看着别扭。[3]

陈白露 这个东西，简直——也好，你去吧。

---

1 “着”，底本缺字，据原刊、川版补。

2 “我看你是这个样子”原刊作“我看见你这个样子”。

3 “陈小姐，您早回来了。”以下王福升对陈白露的称呼，川版均作“你”。

王福升　是。（又回转来）今天您一晚上[1]不在家，来得客人可真不少。李五爷，方科长[2]，刘四爷都来过。潘经理看了您三趟。还有顾家八奶奶来了电话，说请您明天——嗯，今天晚上到她公馆去玩玩。

陈白露　我知道。回头你打个电话，请她下午先到这儿来玩玩。

王福升　胡四爷还说过一会儿要到这儿来看看您。

陈白露　他愿意来就叫他来。我这里，哪一类的人都欢迎。

王福升　还有报馆的，张总编辑[3]——

陈白露　知道。今天他有空也请他过来玩玩[4]。

王福升　对了，潘经理今天晚上找了您三趟。现在他——

陈白露　（不耐烦）知道知道，你刚才说过了。

王福升　可是，陈小姐，这位先生今天就——

陈白露　你不用管。这位先生是我的表哥。

方达生　（莫名其妙）表哥？

陈白露　（对着福）他一会儿就睡在这儿。

方达生　不，竹均，我不，我是一会儿就要走的。

陈白露　好吧，（没想到他这样不懂事，不高兴的）随你的便。（对福）你不用管了，走吧，你先把我的床收拾干净。

---

1 “一晚上”原刊作“一夜晚”。

2 “方科长”川版作“方局长”。

3 “张总编辑”原刊作“张五爷”。

4 “玩玩”川版作“玩吧”。

〔福升由卧室下。

方达生 竹均，怎么你现在会变成这样——

陈白露 （口快地）这样什么？

方达生 （叫她吓回去）呃，呃，这样地好客——呃，我说[1]，这样地爽快。

陈白露 我原来不是很爽快么？

方达生 （不肯直接道破）哦[2]，我不是，我不是这个意思……我说，你好像比从前大方得[3]——

陈白露 （来得快）我从前也并不小气呀！哦，得了，你不要拿这样好听的话跟我说。我知道你心里是不是说我有点太随便，太不在乎。你大概有点疑心我很放荡，是不是？

方达生 （想掩饰）我……我……自然……我……[4]

陈白露 （追一步）你说老实话，是不是？

方达生 （忽然来了勇气）嗯——对了。你是比以前改变多了。你简直不是我以前想的那个人。你说话，走路，态度，行为，都，都变了。我一夜晚坐在舞场来[5]观察你。你已经[6]不是从前那样天真的女孩子，你变了。你现在简直叫我失望，失

---

1 “呃，我说”川版作“嗯”。

2 川版无“哦”。

3 “比从前大方得”原刊作“比从前大多”。

4 此句川版作“我……自然……我……”。

5 川版无“来”。

6 “已经”川版作“完全”。

望极了。

陈白露　（故作惊异）失望？

方达生　（痛苦）失望，嗯，失望，我没有想到我跑到这里，你已经变成这么随便的女人[1]。

陈白露　（警告他）你是要教训我么？你知道，我是不喜欢听教训的。

方达生　我不是教训你。我是看不下去你这种样子。我在几千里外听见关于你种种的事情，我不相信。我不相信我从前最喜欢的人会叫人说得一个钱也不值。我来看你，我发现你在这么一个地方[2]住着；一个单身的女人，自己住在旅馆里，交些个不三不四的朋友，这种行为简直是，放荡，堕落[3]——你要我怎么说呢？

陈白露　（立起，故意冒了火）你怎么敢当着面说我[4]堕落！在我的屋子里，你怎么敢说对我失望！你跟我有什么关系，你敢这么教训我？

方达生　（觉得已得罪了她）自然现在我跟你没有什么关系。

陈白露　（不放松）难道从前我们有什么关系？

方达生　（嗫嚅）呃[5]，呃，自然也不能说有。（低头）不过你应该记

1　“女人”原刊作“女子”。

2　“在这么一个地方”原刊作“在这样的地方”。

3　“放荡，堕落”川版作“放荡！堕落！”。

4　原刊无“我”。

5　川版无“呃”。

得你是很爱过我。并且你也知道我这一次到这里来[1]是为什么？

陈白露　（如一块石头[2]）为什么？我不知道！

方达生　（恳求地）我不喜欢看你这样，跟我这样装糊涂！你自然明白，我要你跟我回去。

陈白露　（睁着大眼睛）回去？回到哪儿去？你当然晓得我家里现在没有人。

方达生　不，不，我说你回到我那里，我要你，我要你嫁给我。

陈白露　（恍然大悟的样子）哦，你昨天找我原来是要跟我说媒，要我嫁人啊？（方才明白的语调）嗯！——（拉长声[3]）

方达生　（还是那个[4]别扭劲儿）我不是跟你说媒，我要你嫁给我，那就是说，我做你的丈夫，你做我的——

陈白露　得了，得了，你不用解释[5]。"嫁人"这两个字我们女人还明白怎么讲。可是，我的老朋友，就这么爽快么？

方达生　（取出车票）车票就在这里。要走天亮以后，坐早十点的车我们就可以离开这儿。

陈白露　我瞧瞧。（拿过车票）你真买了两张，一张来回，一张单

1　"到这里来"原刊作"到上海来"。

2　"如一块石头"川版作"顽石一般"。

3　川版无"拉长声"。

4　"那个"川版作"那股"。

5　"你不用解释"原刊作"不用你这么解释"。

程——哦，连卧铺都有了。（笑）你真周到。

方达生　（急煎煎地）那么你是答应了，没有问题了。（拿起帽子）

陈白露　不，等等，我只问你一句话——

方达生　什么？

陈白露　（很大方地）你有多少钱？

方达生　（没想到）我不懂你的意思。

陈白露　不懂？我问你养得活我么？（男人的字典没有这样的字，于是[1]惊吓得说不出话来）咦？你不要这样看我！你说我不应该这么说话么？咦[2]，我要人养活我[3]，你难道不明白？我要舒服，你不明白么？我出门要坐汽车，应酬要穿些好衣服[4]，我要玩，我要跳舞，你难道听不明白？

方达生　（冷酷地）竹均，你听着，你已经忘了你自己是谁了。

陈白露　你要问我自己是谁么？你听着：出身，书香门第，陈小姐；教育，爱华女校的高材生；履历，一阵子的社交明星，几个大慈善游艺会的主办委员；……父亲死了，家里更穷了，做过电影明星，当过红舞女。怎么这么一套好身世，难道我不知道自己是谁？

方达生　（不屑地）你好像很自负似的。

1　“于是”川版作“简直是”。

2　川版无“咦”。

3　“养活我”原刊作“养着我”。

4　“穿些好衣服”原刊作“穿个好衣服”。

陈白露 嗯，我为什么不呢[1]？我一个人闯出来，自从离开了家乡，不用亲戚朋友一点帮忙，走了就走，走不了就死去。[2]到了现在，你看我不是好好活着，我为什么不自负？

方达生 可是你以为你这样弄来的钱是名誉的么？

陈白露 可怜，达生，你真是个书呆子。你以为这些名誉的人物[3]弄来的钱就名誉么？我这里很有几个场面上的人物，你可以瞧瞧，种种色色：银行家，实业家，做小官的都有。假若你认为他们的职业是名誉的，那我这样弄来的钱要比他们还名誉得多。

方达生 我不明白你究竟是什么意思，也许名誉的看法——

陈白露 嗯，也许名誉的看法，你跟我有些不同。我没故意害过人，我没有把人家吃的饭硬抢到自己的碗里，我同他们一样爱钱，想法子弄钱，但我弄来的钱是我牺牲过我最宝贵的东西[4]换来的。我没有费着脑子骗过人，我没有用着方法抢过人，我的生活是别人甘心愿意来维持，因为我牺牲过我自己。我对男人尽过女子最可怜的义务，我享着女人应该享的权利！

---

1 “我为什么不呢”原刊作“我为什么呢”。

2 此句川版作“我一个人闯出来。自从离开了家乡，不靠亲戚，不靠朋友，能活就活，不能活就算。”。

3 “这些名誉的人物”川版作“这些有名誉的人物”。

4 “东西”原刊作“生命”。

方达生　（望着女人明灼灼的眼睛）可怕，可怕——哦[1]，你怎么现在会一点顾忌也没有，一点羞耻的心也没有。你难道不知道金钱一迷了心，人生最可宝贵的爱情，就会像鸟儿似地从窗户飞了么？

陈白露　（略带酸辛）爱情？（停顿，掸掸烟灰，悠长地）什么是爱情？（手一挥，一口烟袅袅地把这两个字吹得无影无踪）你是个小孩子！我不跟你谈了。

方达生　（不死心）好，竹均，我看你这两年的生活已经叫你死了一半。不过我来了，我看见你这样，我不能看你这样下去。我一定要感化你，我要——

陈白露　（忍不住笑）什么，你要感化我？

方达生　好吧，你笑吧，我现在也不愿意跟你多辩了。我知道你以为我是个傻子：从那么远的路走到这里来找你，说出这一大堆傻话。不过我还愿意做一次傻请求，我想再[2]把这件事跟你说一遍。我希望你还嫁给我，请你慎重地考虑一下，二十四小时内，希望你给我一个满意的答复。

陈白露　（故作惊吓状）二十四小时，可吓死我了。不过，如若[3]到了你的期限，我的答复是不满意的，那么，你是否就要下动员令，逼着我嫁你么？

1　川版无“哦”。

2　川版无“再”。

3　“如若”川版作“要是”。

方达生 那，呃，那——

陈白露 那你怎么样？

方达生 如果你不嫁给我——

陈白露 你怎么样？

方达生 （苦闷地）那——那我也许自杀。

陈白露 什么？（不高兴地）你怎么也学会这一套？

方达生 不[1]，（觉得自己有点太时髦了）不，我不自杀。你放心，我不会为一个女人自杀的，我自己会走，我要走得远远的。

陈白露 （放下烟）对呀，这还像一个大人说的话。（立起）好了，我的傻孩子，那么你用不着再等二十四小时啦！

方达生 （立起以后）什么？

陈白露 （微笑）我现在就可以答复你。

方达生 （更慌了）现在？——不，你先等一等。我心里有点慌。你先不要说，我要把心稳一稳。[2]

陈白露 （很冷静地）我先跟你倒一杯凉茶，你定定心好不好？

方达生 不，用不着。

陈白露 抽一支烟。

方达生 （不高兴）我告诉过你三遍[3]，我不会抽烟。（摸着心）得了，

---

1 川版无“不”。

2 “不，你先等一等。”以下川版作“不，你等一等。我有点慌。你先别说，我把心稳一稳。”。

3 “我告诉过你三遍”原刊作“我告诉过三遍”。

过去了，你说吧。

陈白露 你心稳了。

方达生 （颤声）嗯！

陈白露 那么，（替他拿帽子）你就可以走了。

方达生 什么？

陈白露 在任何情形之下[1]，我是不会嫁给你的。

方达生 为，为什么？

陈白露 不为什么！你真傻！这类的事情说不出个什么道理来的。你难道不明白？

方达生 那么，你对我没有什么感情？

陈白露 也可以这么说吧。（达想拉住她的手，但她飘然走到墙边）

方达生 你干什么？

陈白露 我想按电铃。

方达生 做什么？

陈白露 你真地要自杀，我好叫证人哪。

方达生 （望着露，颓然跌在沙发里）方才的话是你真心说的话，没有一点意气作用么？

陈白露 你看我现在还像个再有意气的人么？

方达生 （立起）竹均！（拿起帽子）

陈白露 你这是做什么？

方达生 我们再见了。

---

1 “任何情形之下”原刊作“任何情形下”。

陈白露 哦，再见了。（夸张的悲戚，拉住他的手）那么，我们永别了。

方达生 （几乎要流眼泪）嗯，永别了。

陈白露 （看他到门口）你真预备要走么？

方达生 （孩子似的）嗯。

陈白露 那么，你大概忘了你的来回车票。

方达生 哦！（走回来）

陈白露 （举着车票）你真要走么？

方达生 嗯，竹均！[1]（回头，用手帕揩去[2]忍不住的眼泪）

陈白露 （两手抓着他的肩膊）你怎么啦？傻孩子，觉得[3]眼睛都挂了灯笼了么？你真不害羞，眼泪是我们女人的事！好了，（如哄小兄弟一样）我的可怜虫，叫我气哭了，嗯？我跟你擦擦，你看，那么大的人，多笑话！不哭了，不哭了！是吧？（男人经过了这一番抚慰，心中更委屈起来，反加[4]抽咽出了声音。白露大笑，推着他坐下）达生，你看你让我跟你说一句实在话。你先不要这样孩子气，你想，你要走，你就能随便走么？

方达生 （抬起头）怎么？

陈白露 （举车票）这是不是你的车票？

---

1 此句原刊作“我只好走了。”。

2 “用手帕揩去”川版作“用手帕偷偷揩去”。

3 川版无“觉得”。

4 “反加”川版作“反而”。

方达生 嗯，怎么？

陈白露 你看，这一下（把车票撕成两片）好不好？这又一下（把车票撕成四片）好不好？[1]（扔在痰盂里）我替你保存在这里头。好不好？

方达生 你，你怎么——

陈白露 你不懂？

方达生 （眉梢挂着欢喜）怎么，竹均，你又答应我了么？

陈白露 不，不，你误会我的意思，我没有答应你，我方才是撕你的车票，我不是撕我的卖身契。我是一辈子卖给这个地方的。

方达生 那你为什么不让我走？

陈白露 （诚恳地）你以为世界上就是你一个人这样多情么？我不能嫁给你，难道就是我恨了你？你连跟我玩一两天，谈谈从前的事的情分[2]都没有了么？你有点太古板，不结婚就不能做一个好朋友？难道想想我们以往的情感不能叫我们也留恋一点么？[3]你一进门就斜眼看着我，东不是，西不是的。你说我这个不对，那个不对。你说了我，骂了我，你简直是瞧不起我，你还要我立刻嫁给你。还要我二十四小时内答复你，哦，还要我立刻跟你走。你想一个女子就是顺从

---

1 “这又一下”以下川版无。

2 “从前的事的情分”川版作“过去的情分”。

3 此句川版作“难道想想我们以往的情感，就不能叫我们留恋一点么？”。

得该像一只羊[1]，也不至于可怜到这步田地啊。

方达生 （憨直地[2]）我向来是这个样子，我不会表示爱情，你叫我跪着，说些[3]好听的话，我是不会的。

陈白露 是啊，所以无妨你先在我这里多学学[4]，过两天，你就会了的。好了，你愿意不愿意跟我再谈一两天？

方达生 （爽直地）可是谈些什么呢？

陈白露 话自然多得很，我可以介绍你看看这个地方，好好地招待你一下，你可以看看这里的人怎样过日子。

方达生 不，用不着，这里的人都是鬼。我不用看。并且我的行李昨天已经送到车站了。

陈白露 真送到车站么？

方达生 自然我从来不——从来不说谎话的。

陈白露 福升。

〔茶房由卧室出。

王福升 陈小姐，您别忙，您的床就收拾好。

陈白露 不是这个，我问你，我走的时候，我叫你从东方饭店——嗯！从车站取来的行李，你拿回来了么？

王福升 您说方先生的是不是，拿回来了。我从饭店里拿回来了。

---

1 "顺从得该像一只羊"原刊作"顺从应该像一只羊"。

2 "憨直地"川版作"憨直"。

3 "说些"原刊作"说着"。

4 "多学学"原刊作"多学了"。

方达生　竹均，我的行李你怎么敢从我的旅馆取出来了。

陈白露　嗯——我从你的旅馆居然就敢取出来了。[1]你这不会说谎的笨东西。（对福升）你现在搁[2]在哪个房间里？

王福升　东边二十四号。

陈白露　是顶好的房子[3]么？

王福升　除了您这四间房，二十四号是这旅馆顶好的[4]。

陈白露　好，你领着方先生去睡吧？要是方先生看着不合适，告诉我，我把我的屋子[5]让给他。

王福升　是，陈小姐。（下[6]）

方达生　（红了脸）可是竹均，这不像话——

陈白露　这个地方不像话的事情多得很。这一次，我要请你多瞧瞧，把你这副古板眼镜打破了，多看看就像话了。

方达生　不，竹均，这总应该斟酌一下。

陈白露　不要废话，出去！（推他）福升，福升，福升！

〔福升上。

方达生　在这样的旅馆里，我一定睡不着的。

陈白露　睡不着，我这里有安眠药，多吃两片，你就怎么也不嫌吵

---

1 此句川版作“嗯——我就从你的旅馆取出来了，”。

2 “搁”川版作“放”。

3 “房子”川版作“房间”。

4 “这旅馆顶好的”原刊作“这旅馆里最好的”。

5 “屋子”川版作“房间”。

6 “下”川版作“福升由中门下”。

的慌了。你要么？

方达生 你不要开玩笑，我告诉你，我不愿[1]看这个地方。

陈白露 不，你得看看，我要你看看。（对福升）你领着他去看房子。（一面推达，一面说）赶快洗个澡，睡个好觉。起来，换一身干净衣服，我带你出去玩玩。走，乖乖的，不要不听话，听见了没有？ Good night——（远远一声鸡鸣）你听，真不早了。快点，睡去吧。

〔男人自然还是噘着嘴，倔强，但是经不得女人的手同眼睛，于是被她哄着骗着推下去。

〔她关上门。过度兴奋使她无力地倚在门框上。同时疲乏仿佛也在袭击着她，她是真有些倦意了。一夜晚的烟酒和激动吸去了她大半的精力，她打一个呵欠，手背揉着青晕更深了的眼睛。她走到桌前，燃着一支香烟。外面遥遥又一声鸡鸣。她回过头，凝望窗外漫漫浩浩一片墨影渐渐透出深蓝的颜色。如一只鸟，她轻快地飞到窗前。她悄悄地在窗上的霜屑划着痕路。丢下烟，她又笑又怕地想把脸猫似地偎在上面，“啊！”的一声，她登时又缩回去。她不甘心，她偏把手平排地都放在霜上面。冷得那样清爽！她快意地叫出来。她笑了。她索性擦掉窗上叶子大的一块霜迹，眯着一只眼由那隙缝窥出。但她想起来了，她为什么不开了窗子看天明？她正要拧转窗上铁链，忽然想着她应该关上

---

1 “不愿”川版作“不愿意”。

灯，于是敏捷地跑到屋子那一端灭了亮。房屋顿时黑暗下来，只有窗子渗进一片宝蓝的光彩。望见一个女人的黑影推开了窗户。

〔外面：在阴暗的天空里，稀微的光明以无声的足步蹑着脚四处爬上来。窗外起初是乌漆一团黑，现在由深化浅。微暗天空[1]上面很朦胧地映入对面一片楼顶棱棱角角的轮廓，上面[2]仿佛晾着[3]裤褂床单一类的东西，掩荫[4]出重重叠叠的黑影。她立在窗口，斜望出去，深深吸进一口凉气，不自主地打一个寒战。远处传来低沉的工厂的汽笛声，哀悼似地长号着。

〔屋内光影暧昧，不见轮廓。这时由屋的左面食物柜后悄悄爬出一个人形，倚着柜子立起，颤抖着，一面蹑足向门口走，预备乘机偷逃。白露这时觉得背后悉悉索索[5]有人行走。她蓦然[6]回转头，看过去。那人仿佛钉在那里[7]，不能动转。

陈白露 （低声，叫不出来[8]）有贼。

---

1 “微暗天空”川版作“微暗的天空”。

2 “上面”川版作“顶上”。

3 “晾着”原刊作“挂着”。

4 “掩荫”川版作“掩映”。

5 “悉悉索索”川版作“窸窸窣窣”。

6 川版无“蓦然”。

7 “仿佛钉在那里”原刊作“尽在那里”。

8 川版无“叫不出来”。

那　人　（先听见气迸出的字音[1]）别叫，别叫！

陈白露　谁？（慌张[2]）你是谁？

那　人　（缩作一团，喘气和抖的声音[3]）小……姐！小……姐！

陈白露　（胆子大了点[4]）你是干什么的？

那　人　我……我……（抽咽）

〔露赶紧跑到墙边开灯，室内大放光明。在她面前立着一个瘦弱胆怯的小女孩子[5]，约莫有十五六岁的样子[6]，两根小辫垂在乳前[7]，头发乱蓬蓬的，惊惶地睁着两个大眼睛望着白露，两行[8]眼泪在睫毛下挂着。她穿一件满染油渍，肥大绝伦的蓝绸褂子，衣裾[9]同袖管几乎拖曳地面。下面的裤也硕大无比，裤管总在地上摩擦着。[10]这一身衣服使她显得异样怯弱渺小，如一个婴儿裹在巨人的袍褂里。因为寒冷和恐惧，她抖得可怜，在她亮晶晶的双眼里流露出天真和哀求。她

1　“先听见气迸出的字音”川版作“低声”。

2　川版无“慌张”。

3　“喘气和抖的声音”川版作“喘气，颤抖”。

4　“大了点”川版作“大了些”。

5　“小女孩子”川版作“女孩子”。

6　“约莫有十五六岁的样子”川版作“约莫有十五六岁”。

7　“垂在乳前”川版作“垂在胸前”。

8　川版无“两行”。

9　“衣裾”川版作“衣裙”。

10　此句川版作“裤子也宽大无比，裤管在地上摩擦着。”。

低下头，一寸一寸地向后蹒跚，手里提着裤子，提心吊胆，怕一不谨慎，跌在地上。

陈白露 （望着这可笑又可怜的动物）哦，可怜[1]，原来是这么一个小东西。

小东西 （惶恐而忸怩地）是，是，小姐。[2]（小东西一跛一跛地向后退，一不小心踏在自己的裤管上，几乎跌倒）

陈白露 （忍不住笑——但是故意地绷起脸）啊，你怎么会想到我这里，偷东西？啊！（佯为怒态）小东西，你说！

小东西 （手弄着衣裾[3]）我……我没有偷东西。

陈白露 （指着）那么，你这衣服偷的是谁的？

小东西 （低头估量自己的衣服）我，我偷的是我妈妈的。

陈白露 谁是你妈妈？

小东西 （望白露一眼，呆呆地撩开眼前的头发）我妈妈！——我不知道我妈妈是谁。

陈白露 （笑了——依然忖度她）你这个糊涂孩子，你怎么连你妈妈都不知道。你妈妈住在什么地方？

小东西 （指屋顶）在楼上。

陈白露 在楼上。（她恍然明白了）哦，你在楼上，可怜[4]，谁叫你跑

1 川版无“可怜”。

2 此句川版作“是，小姐。”。

3 “衣裾”川版作“衣裙”。

4 川版无“可怜”。

出来的?

小东西 （声音细得快听不见）我，我自己。

陈白露 为什么?

小东西 （胆怯）因为……他们……（低下头去）

陈白露 怎么?

小东西 （恧然）他们前天晚上——（惧怕使她说不下去）

陈白露 你说，这儿不要紧的。

小东西 他们前天晚上要我跟一个黑胖子睡在一起[1]，我怕极了，我不肯，他们就——（抽咽）

陈白露 哦，他们打你了。

小东西 （点头）嗯，拿皮鞭子抽。昨天晚上他们又把我带到这儿来，那黑胖子又来了。我实在是怕他，我吓得叫起来了，那黑胖子气走了，他们……[2]（抽咽）

陈白露 （泫然）他们又打你了。

小东西 （摇头，眼泪流下来）没有，隔壁有人，他们怕人听见。堵住我的嘴，掐我，拿（哭起来）……拿……拿烟签子扎我。（忍住泪）您看，您看!（伸出臂膊，白露执着她的手。太虚弱了，小东西不自主地跪下去，但膝甫触地，“啊”的一声，她立刻又起来）

陈白露 （抱住她）你怎么啦?

---

1 “睡在一起”原刊作“住在一起”。

2 此句川版作“我实在是怕，我吓得叫起来，那黑胖子气走了，他们……”。

小东西　（痛楚地）腿上扎的也是，小姐。

陈白露　天！（不敢看她的臂膊）你这只臂膊怎么会这样……（露用手帕揩去自己的眼泪[1]）

小东西　不要紧的，小姐，您不要哭[2]。（盖上自己的臂膊）他们怕我跑，不给我衣服，叫我睡在床上。

陈白露　你跑出去的时候，他们干什么？

小东西　在隔壁抽烟打牌。我才偷偷地起来，把妈妈的衣服穿上。

陈白露　你怎么不一直跑出去？

小东西　（仿佛很懂事的）我上哪儿去？我不认识人，我没有钱。

陈白露　不过你的妈妈呢？

小东西　（傻气地[3]）在楼上。

陈白露　不是，我说你的亲妈妈，生你的妈妈。

小东西　她？（眼眶含满了泪）她早死了。

陈白露　父亲呢？

小东西　前个月死的。

陈白露　哦！（她回过身去[4]）——可是你怎么跑到我这里来？他们很容易找着你的。

小东西　（恐惧到了极点）不，不，不！（跪下）小姐，您修个好吧，

1　“露用手帕揩去自己的眼泪”川版作“想找出什么包扎一下”。

2　“您不要哭”川版作“不要紧的”。

3　川版无“傻气地”。

4　“她回过身去”原刊作“她回过身去，擦眼泪”，川版作“回过身去”。

千万[1]不要叫他们找着我，那他们会打死我的。（拉着小姐的手）小姐，小姐，您修个好吧！（叩头）

陈白露 你起来，（把她拉起来）我没有说把你送回去，你先坐着，让我们想个法子。

小东西 谢谢您，谢谢您，小姐。[2]（她忽然跑到门前，把门关好）

陈白露 你干什么？

小东西 我把门关严，人好进不来。[3]

陈白露 哦——不要紧的。你先不要怕。（停）可是你方才不是想出去么？[4]

小东西 （点首）嗯。[5]

陈白露 你预备上哪儿去？[6]

小东西 （低声）我原先[7]想回去。

陈白露 （奇怪）回去，还回到他们那里去？[8]

小东西 （低头）嗯。

陈白露 为什么？

---

1 川版无“千万”。

2 此句川版作“好，好，小姐。”。

3 此句川版作“把门关严，人进不来。”。

4 “哦——不要紧的。”以下川版作“哦！（拍着她的肩）不要紧的。你先不要怕。”。

5 此句川版作“（颤抖）嗯，不怕，我不怕。（又走了几步）”。

6 此句川版作“你要到哪儿去？”。

7 川版无“原先”。

8 此句川版作“回去？还回到他们那里？”。

小东西 饿——我实在饿的很。我想也许他们还不知道我跑出来。我知道天亮以后他们还得打我一顿，可是过一会他们会给我一顿稀饭吃的。旁的地方连这点东西也不会给我。[1]

陈白露 你还没有吃东西？[2]

小东西 （天真的样子）肚子再没有东西，就会饿死的，他们不愿意我死，我知道。[3]

陈白露 你多少时没有吃东西？（她到食物柜前）[4]

小东西 有一天多了。他们说是要等那黑胖子喜欢之后才许我吃呢。[5]

陈白露 好，你先吃一点饼干。[6]

小东西 （接过来）谢谢您，小姐。[7]（她背过脸贪婪地吃）

陈白露 你慢慢吃，不要噎着。

小东西 （忽然）就这么一点么？[8]

陈白露 （怜悯地看看她）不要紧！你吃完了还有——（哀矜地）饿

---

1 “饿——我实在饿的很。”以下川版作“饿——实在饿。也许他们不知道我跑出来。天亮了，他们还会打我，可也许会给我吃的。”。

2 川版无此句。

3 川版无此句。

4 此句川版作“呵，我多糊涂！你多少时没有吃东西？（一面跑到食物柜前）”。

5 “有一天多了。”以下川版作“两天多了。他们说，要等那黑胖子喜欢了，才给我吃。”。

6 此句川版作“来，你先吃吧。”。

7 此句川版作“谢谢，小姐。”。

8 此句川版作“（狼吞虎咽）”。

逼得人会到这步田地么？[1]

〔中门呀地开了。

小东西　（赶紧放下食物，在墙角躲起来。）啊[2]，小姐。

陈白露　谁？

〔福升上。

王福升　是我，福升。

小东西　小姐，（惊惧）他……他……[3]

陈白露　不要怕，小东西，他是侍候人的茶房[4]。

王福升　小姐，大丰银行的潘经理，昨天晚上来了三遍[5]。

陈白露　知道，知道。

王福升　他还没有走。

陈白露　没有走？为什么不走？

王福升　这旅馆旁边不是要盖一座大楼么？潘经理这[6]也许跟他那位秘书谈这件事呢。可是他说了[7]，小姐回来，就请他去。他要见您。

---

1 “（怜悯地看看她）”以下川版作“（怜悯地）慢慢吃，孩子！（望着小东西，哀矜地）饿！可怕的饿！”。

2 川版无“啊”。

3 “他……他……”川版作“他……”。

4 “侍候人的茶房”原刊作“侍候的人”。

5 “三遍”川版作“三趟”。

6 川版无“这”。

7 “可是他说了”川版作“可他老人家吩咐了”。

陈白露　真奇怪，他们盖房子就得了，偏要半夜到这个地方来谈。[1]

王福升　说的是呢。

陈白露　那么刚才你为什么不说？

王福升　刚才，不是那位方先生还在——[2]

陈白露　哦，那你不要叫他来[3]，你跟潘经理说，我要睡[4]了。

王福升　怎么，您为什么不见见他呢[5]，您想，人家潘经理，大银行开着——

陈白露　（讨厌这个人的啰唆）你不要管，我不愿意见他，我[6]不愿意见他，你听见了没有？

王福升　（卑屈的神色，谗笑着[7]）可是[8]，小姐，您千万别上火。（由他袋里摸出一大把账单来）您听着，您别着急！[9]这是美丰金店六百五十四块四，永昌绸缎公司三百五十五元五毛五，旅馆二百二十九块七毛六，洪生照相馆一百一十七块零七毛，久华昌鞋店九十一块三，这一星期的汽车七十六元

1　此句川版作“奇怪！他们盖楼就是了，偏要到我这里来谈。”。

2　“**陈白露**　那么刚才你为什么不说？”以下川版无。

3　川版无“哦，那你不要叫他来”。

4　“睡”原刊作“困”。

5　“怎么，您为什么不见见他呢”川版作“您为什么不见见他老人家呢？”。

6　川版无“我”。

7　“谗笑着”川版作“谄笑着”。

8　川版无“可是”。

9　此句川版作“可小姐，这儿又有点儿账单！要不，我念给您听听。”。

五——还有——

陈白露 （忍不住）不要念，不要念，我不要听啊。[1]

王福升 可是[2]，小姐，不是我不侍候您老人家，您叫我每天这样搪账，说好说歹，今天再没有现钱，实在下不去了。

陈白露 （叹了一口气）钱，钱，永远是钱！（哀痛地）为什么你老是用这句话来吓唬我呢！[3]

王福升 我不敢，小姐，可是，这年头不济，市面紧，今天过了，就不知道明天还过不过——

陈白露 我从来没有跟旁人伸手要过钱，总是旁人看着过不去，自己把钱送来。[4]

王福升 小姐身份[5]固然要紧。可是——

陈白露 好吧，我回头就想法子吧[6]，叫他们放心得了。

王福升 （正要出门）咦，小姐。哪里来的这么个丫头？

〔小东西乞怜地[7]望着露。

陈白露 （走到小东西旁边）你不用管。

王福升 （上下打量小东西）这孩子我好像认得。小姐，我劝您少管

---

1 此句川版作“别念了，我不要听！”。

2 川版无“可是”。

3 此句川版作“为什么你老是用这个字来吓唬我！”。

4 此句川版作“我从来没有跟人伸手要钱，总是别人自己把钱送来。”。

5 “身份”原刊作“自己”。

6 “我回头就想法子吧”川版作“回头想法子”。

7 川版无“乞怜地”。

闲事。

陈白露 怎么?

王福升 外面有人找她。

陈白露 谁?

王福升 楼上的一帮地痞们，穿黑衣服，歪戴着毡帽，尽是打手。[1]

小东西 (吓出声音)啊，小姐,(走到福升前面，抓住他)啊，老爷。您得救救我? [2](正要跪下。福升闪开[3])

王福升 (对小东西)你别找我。

陈白露 (向福)把门关上! 锁住! [4]

王福升 可是，小姐——

陈白露 锁上门。

王福升 (锁门)小姐，这藏不住，她妈妈跟她爸爸在这楼里到处找她呢。

陈白露 给他们一点钱，难道不成?

王福升 您又大方起来了。给他们钱? 您有几万?

陈白露 怎么讲?

王福升 您这时出钱，那他们不敲个够。

陈白露 那我们就——

---

1 此句川版作“楼上的一帮地痞，都是打手。”。

2 “啊，老爷。”以下川版作“老爷，你救救我!”。

3 “闪开”原刊作“滚开”。

4 “把门关上!”以下川版作“把门锁上!”。

〔外面足步与说话声。

王福升 别作声！外面有人。（听一会）他们来了。

小东西 （失声）啊，小姐！[1]

陈白露 （紧紧握着她的手）你要再叫，管不住自己[2]，我就把你推出去。

小东西 （喑哑）不，小姐，不，不！

陈白露 （低声[3]）不要说话，听着。

〔外面男甲的声音：（暴躁地）这个死丫头，一点造化也没有，放着福不享，偏要跑，真他妈的是乡下人，到底不是人揍的[4]。

〔外面女人的声音：（尖锐的喉咙）你看金八爷叫这孩子气跑了。

〔外面男乙的声音：（迟缓低哑的）什么，金八看上了她？

〔外面女人的声音：你看这不是活财神来了。可是这没有人心的孩子，偏跑了，你看这怎么交代？这可怎么交代——

〔外面男甲的声音：（不耐烦地对着妇人咆哮）去你妈的一边去吧。孩子跑了，你不早看着，还叨叨叨，叨叨叨[5]，到这时

1 此句川版作"（失声大叫）小姐！"。

2 川版无"管不住自己"。

3 "低声"川版作"低声，温柔地"。

4 "不是人揍的"原刊作"不是人凑的"。

5 "还叨叨叨，叨叨叨"原刊作"还叨叨，还叨叨"。

候，说他妈的一大堆废话。（女人不作声）喂，老三，你看，她不会跑出去吧？

〔外面男乙声：（老三，地痞里面的智多星，迟缓而自负地）不会的，不会的，她要穿着大妈的衣服走的[1]，一件单褂子，这么冷的天，她上哪儿去？

〔外面女人的声音：（想得男甲的欢心。故意插进嘴）可不是，她穿我的衣服[2]跑的。那会跑哪儿去？可是二楼一楼都说没看见，老三，你想，她会——

〔外面男丙的声音：（一个凶悍而没有一点虑谋的人）大妈，这楼的茶房说刚才见过她，那她还会跑到哪儿去？

〔外面男甲粗暴的声音：（首领的口气）那么一定就在这一层楼里，下功夫找吧。

〔外面女人声：（狺狺然）哼，反正跑不了，这个死丫头。

〔外面数男人声：
别着急！[3]大妈！
一定找得着。
就在这儿，让我们分着找[4]。

〔屋内三人屏息谛听，男女足步声渐远。

陈白露 走了么？

---

1 “她要穿着大妈的衣服走的”川版作“她穿着大妈的褂子走的”。

2 “衣服”川版作“褂子”。

3 此句川版作“别急！”。

4 “分着找”川版作“分头找”。

王福升　（啊出一口气）走了，大概是到那边去了。

陈白露　（忽然打开门）那么，让我看看。（[1]正要探出头去，小东西拉着她的手，死命地拉她回来）

小东西　（摇头，哀求）小姐！小姐！

王福升　（推着她，关好门，摇头，警告地）不要跟他们打交代。

陈白露　（向小东西）不要怕，不要紧的。（向福）怎么回事，难道——

王福升　别惹他们。这一帮人不好惹，好汉不吃眼前亏。

陈白露　怎么？

王福升　他们成群结党[2]，手里都有家伙，都是吃卖命饭的。

陈白露　咦，可是他们总不能不讲理呀！把这孩子打成这样，你看，（拿起小东西臂膊）拿烟签子扎的，流了多少血。[3]闹急了，我就可以告他们。

王福升　（鄙夷地）告他们！告谁呀？他们都跟地面上的人有来往，怎么告？就是这官司打赢了，这点仇您可跟他们结的了？

陈白露　那么——[4]难道我把这个孩子送给他们去？

小东西　（恐惧已极，喑哑声[5]）不，小姐。（眼泪暗暗[6]流下来，她用

1　此处川版有“陈白露”。

2　川版无“成群结党”。

3　“拿烟签子扎的，流了多少血。”川版作“这都是拿烟杆子扎的！”，“烟签子”底本、原刊、川版均作“烟杆子”。前文小东西语：“拿烟签子扎我”，此处据前文改。

4　川版无“那么——”。

5　“喑哑声”川版作“喑哑”。

6　川版无“暗暗”。

大袖子来揩抹）

王福升 （摇头）这个事难，我看您乖乖地把这孩子送回去。我听说这孩子打了金八爷一巴掌，金八爷火了。您不知道？

陈白露 金八爷！谁是金八爷？

小东西 （抬起头）就是那黑胖子。

王福升 （想不到白露会这样孤陋寡闻）金八爷！金八爷！这个地方的大财神，又是钱，又是势，这一帮地痞都是他手下的，您难道没听见说过？

陈白露 （慢慢倒吸一口气，惊愕地）什么，金八？是他？他怎么会跑到这旅馆来？

王福升 家里不开心，到这儿来玩玩，有了钱做什么[1]不成。

陈白露 （低声）金八，金八。（向小东西）你的命真苦[2]，你怎么碰上这么个阎王——小东西，你是打了他一巴掌？

小东西 （憨态地[3]）你说那黑胖子？——嗯。他拼命抱着我，我躲不开，我就把他打了[4]，（仿佛这回忆是很愉快的）狠狠地[5]在他那肥脸上打了一巴掌！

陈白露 （自语，严肃地）你把金八打了！

---

1 “做什么”川版作“干什么”。

2 “你的命真苦”川版作“你呀”。

3 “憨态地”川版作“憨态”。

4 “我就把他打了”川版作“就把他打了”。

5 “狠狠地”川版作“狠狠”。

小东西 （看神气不对，求饶）可是小姐，我以后再也不打他了，再也不了。[1]

陈白露 （自语）打的好！打的好！打的痛快！

王福升 （怯惧）小姐，这件事我可先说下，没有我在内。您要大发慈悲，管这个孩子，这可是您一个人的事，可没有我。过一会，他们要问到我——

陈白露 （毅然）好，你说你没看见！

王福升 （望着小东西）没看见？

陈白露 （命令）我要你说没看见。

王福升 （不安状）可是——

陈白露 出了事由我担待。

王福升 （正希望白露说出这句话）好，好，好，由您担待[2]。（油嘴滑舌）上有电灯，下有地板，这可是您自己说的。

陈白露 （点头）嗯，自然，我说一句算一句。现在你把潘经理请进来吧。

王福升 可是您刚才不是不要他老人家来么？

陈白露 我叫你去，你就去，少说废话——

王福升 （一字比一字声拖得长）是——是——是——

〔福升不以为然地走出去。

陈白露 （向小东西）吃好了没有？

---

1 此句川版作“可是，小姐，我……”。

2 “由您担待”原刊作“由您担”。

小东西 才[1]吃了两块。

陈白露 怎么?

小东西 我……我……没有吃饱[2]。

陈白露 你尽量地吃吧。

小东西 不，我不吃了。

陈白露 怎么?

小东西 我怕[3]，我实在是怕的慌。(忍不住哭出声来)

陈白露 (过来安慰她)不要哭！不要哭!

小东西 小姐，你不会送我到他们那儿去吧。

陈白露 不，不会的。你别哭了，别哭了[4]，你听，外边有人!

〔小东西立刻止住哭声。屏息凝视房门。

〔潘经理进。潘经理[5]——一块庞然大物，头发已经斑白，行动很迟缓，然而见着白露，他的年纪，举动态度就突然来得如他自己的儿子一般年轻，而他的最小的少爷已经二十出头了。他的秃顶油亮亮的，眼睛瞢瞢的，鼻子像个狮子狗；有两撇胡子，一张大嘴，金质的牙时常在呵呵大笑的时刻，夸耀地闪烁着。他穿一件古铜色的貉绒皮袍。上面套着是

---

1 川版无“才”。

2 “没有吃饱”川版作“吃不下”。

3 川版无“我怕”。

4 川版无“别哭了”。

5 “潘经理”川版作“大丰银行的经理潘月亭”。

缎坎肩。那上面挂着金表链和翠坠儿。他仿佛将穿好衣服，领扣还未系好[1]，上一边的领子还折在里面，一只手拿着雪茄，皱着眉却又忍不住笑。那样尴尬的神气迎着白露。

潘月亭 白露，我知道你会找我来的！我等了你一夜晚，幸亏李石清来了，跟我谈谈银行的事，不然真不知道怎么过，我叫人看看你，没回来；叫人看看你，没回来。你看我请你吃饭，你不去；我请你跳舞，你不去；我请你——可是（非常得意）我知道你早晚会找我的。

陈白露 （睨视）你这么相信你的魔力么？

潘月亭 （自负地）可惜，你没有瞧见我年轻的时候，那时——（忽然向福）你没有事，在这儿干什么，出去！

王福升 是，潘经理。

〔福下。

潘月亭 （低声）我知道你想我，（自作多情）是不是？你想我。你说，你想我，是不是？（呵呵大笑）

陈白露 嗯！我想你——

潘月亭 是的，我知道，（指点着）你良心好。

陈白露 嗯，我想你跟我办一件事。

潘月亭 （故意皱起眉头）又是办事，又是办事——你见着我，没有别的，你专门好管这些闲事。

---

1 “他仿佛将穿好衣服，领扣还未系好”川版作“他仿佛刚穿上衣服，领口还未系好”。

陈白露　你怎么知道的？

潘月亭　福升全告诉我了。

陈白露　你管不管？

潘月亭　（走近小东西）原来是这么个小东西。

小东西　是，老爷。

陈白露　你看她多么可怜——她——

潘月亭　得了，我都知道[1]，反正总是那么一套。

陈白露　（要挟地）月亭，你管不管？

潘月亭　我管！我管！

陈白露　小东西，你还不谢谢潘经理。

〔小东西正要跪下。

潘月亭　（拦住她）得了，得了。白露，你真会跟我找麻烦。

陈白露　你听！（外面人声）他们好像就在门口。小东西你到（指右面[2]）那屋去。

〔小东西进右屋。[3]

〔门外男（甲）声：是这个门口么？

〔门外男（乙）声：是！

陈白露　（向潘）他们大概指着我的这个门。

潘月亭　嗯！

1　“我都知道”川版作“我知道”。

2　原刊无“指右面”。

3　此句原刊作“小东西进屋。”。

〔门外男（甲）声：别含糊，你是看见她进了这个门？

〔门外男（乙）声：嗯。

〔门外男（甲）声：没有出来？

〔门外女人声：你看你，走到门口又犹疑什么？

〔门外男（丙）声：不，弄清楚，别走错了门。

〔男人说话混杂声。

陈白露 月亭，你不能等他们进来，你打开门出去，叫他们滚蛋。

潘月亭 这帮人他们大概都认识我，叫他们走还容易。

陈白露 好，月亭，谢谢你，谢谢你，你真是个好人。

潘月亭 （傻笑）自从我认识你，你第一次说谢谢我。

陈白露 （揶揄地）因为你第一次当好人。

潘月亭 怎么你又挖苦我！白露，你——

陈白露 不要吵了，你打发他们走吧。

潘月亭 好。（转门钮正要开门）

陈白露 可是月亭，你当然知道这个小东西是金八看上的。

潘月亭 金八。什么？（手拿回来）

陈白露 她把金八得罪了。

潘月亭 什么，这是金八看上的人？

陈白露 福升没有告诉你？

潘月亭 没有，没有，你看你，险点做个错事。（逡巡退回）

陈白露 怎么，月亭，你改主意了。

潘月亭 白露，你不知道，金八这个家伙不大讲面子，这个东西有点太霸道。

陈白露 那么，你不管了？

潘月亭 不是我不管，是我不能管，并且这么一个乡下孩子，你又何必——

陈白露 月亭，你不要拦我，你不管就不管，不要拦我。

潘月亭 你看，你看。

〔门外男（丙）声：（粗暴地）敲门，她一定在这儿，一定在这儿。

〔门外男（甲）声：怎么？

〔门外男（丙）声：你看，这不是大妈的手绢？那孩子不是穿着大妈衣服[1]跑的么？

〔门外女人声：可不是，就是我的手绢。

〔门外男（甲）声：那一定是这个门，她一定在这里。开门，开门。

陈白露 （揶揄）你不要怕啊！[2]（正要开门迎出）

潘月亭 （拉住露的手）你别理他们。

〔门外人声：开门，开门，我们找人。

陈白露 月亭，你先进到那屋去，省得你为难，我要开门。

潘月亭 别，白露。

陈白露 你进去。（指左边[3]）你进去——我生气了。

---

1 “大妈衣服”川版作“大妈的褂子”。

2 此句川版作“你不怕啊！”。

3 原刊无“指左边”。

潘月亭　好，我进去。

陈白露　快快。

〔潘进左门[1]，白露立刻大开中门。

陈白露　（对门外）你们进来吧！你们找谁？

门外男甲[2]　（穿着黑衣服，戴着黑帽子的）你管我找谁呢？（气汹汹地。对着后边的党羽[3]）进来，你们都进来，搜搜吧。

陈白露　（忽然声色俱厉的[4]）站住，都进来？谁叫你们都进来？你们吃些什么[5]长大的？你们要是横不讲理，这个码头横不讲理的祖宗在这儿呢！（笑）你们是搜私货么？我这儿搜烟土有烟土，搜手枪有手枪，（挺起胸）不含糊你们！（指左屋）我这间屋里有五百两烟土，（指右屋）那间屋里有八十杆手枪，你们说，要什么吧？这点东西总够你们大家玩的[6]。（门口的人一时吓住了。向门口）进来呀！诸位！（很客气地）你们怎么不进来呀？怎么那么大的人，怕什么呀！

男（丙）（懵懵地[7]）进来就进来！这算个什么？

男（甲）　浑蛋！谁叫你进来的？滚出去！

---

1 “潘进左门”原刊作“潘进门”。

2 “门外男甲”原刊作“门外男人”。

3 “党羽”原刊作“党徒”，川版作“流氓们”。

4 “声色俱厉的”川版作“声色俱厉”。

5 “吃些什么”原刊作“吃什么饭”。

6 “够你们大家玩的”川版作“够你们大家玩的吧”。

7 “懵懵地”川版作“懵懂地”。

男（丙）（颟顸地）滚就滚，这又算什么！

男（甲）（笑）您别，别多心。您这生的是哪一家子气！我们没有事也不会[1]到这儿来打搅。我们跑丢了一个小孩子，一个刚混事由的。我们到这儿来也是看看，怕她藏在什么地方，回头吓着您。

陈白露 哦，（恍然）[2]你们这一大帮人赶到我这儿来，是为找一个小姑娘呀！

男　甲（非常关心）那么您大概一定是看见她进来了。

陈白露 对不起，我没有看见。

男　甲 可是在您门口我们找着她丢一个手绢[3]。

陈白露 那她要丢，我有什么法子？

男　甲 您不知道，刚才还有人看见[4]她进到您门里来。

陈白露 到我的屋子来，那我可说在头里：她要偷了我的东西，你们可得赔。

男　甲 您别打哈哈。我们说不定都是一家子的人。您也帮个忙，我看得出来，您跟金八爷一定也是——

陈白露 金八爷？哦，你们也是八爷的朋友？

男　甲（笑）够不上朋友，常跟他老人家办点小事。

---

1 “不会”原刊作“不敢”。

2 “哦，（恍然）”川版作“（恍然）哦，”。

3 “丢一个手绢”川版作“丢的一个手绢”。

4 “看见”川版作“瞧见”。

陈白露　那么，好极了，金八爷方才叫我告诉门口的人，叫你们滚开。

男　甲　怎么？金八爷跟您会说——

陈白露　（索性做到底）八爷就在这儿。

男　甲　（疑惑）在这儿！我们刚送八爷出旅馆。

陈白露　可是你们没看见[1]，他又进来了。

男　甲　又进来了？（停顿[2]，看出她的谎）那我们得见见，我们得把这件事告诉他[3]。（回向门口）你们说，对不对？

〔门口人声：对，对，我们得见见。

陈白露　（镇静）不成！八爷说不愿见人。

男　甲　他不会不见我。我要见他，我要见。

陈白露　不成，你不能见。

男　甲　不能见，我也得见。（看见露向着右边小东西藏的屋子走）八爷大概就在这个屋子。

陈白露　（忽然跑到左边潘藏匿的房屋门口。故意用两手抵着门框）好，你进到那屋子去吧，只要你不进这屋子来[4]。

男　甲　哦——[5]八奶奶又要跟我们打哈哈，是不是？（向露走来狞笑。凶恶地）躲开！躲开！

1　“没看见”川版作“没有看见”。

2　原刊无“停顿”。

3　“告诉他”川版作“禀告一下”。

4　川版无“只要你不进这屋子来”。

5　“哦——”川版作“哦，（过来）——”。

陈白露 你大概要作死!(回头向左门[1])八爷，八爷，你先出来教训教训他们这帮混账东西。

〔门开，潘月亭披着一个睡衣出。

潘月亭 (低声指着门内)白露，吵什么，八爷睡觉了。(望着男甲[2])咦。黑三?是你，你这是干什么?

男　甲 哦,(想不到)潘四爷，您老人家也在这儿。

潘月亭 我刚跟八爷进来，到这儿来歇歇腿，抽口烟，你们在这儿是要造反，怎么啦?

男　甲 (嗫嚅)怎么，八爷是在这儿,(笑)——呃呃，是在这儿睡觉了?[3]

潘月亭 怎么，你要进来谈谈么?那么，请进来坐坐吧！[4](大开门)我烧一口烟，叫金八起来陪陪你好么?

男　甲 (赔着笑)潘四爷跟我们开什么心?

潘月亭 不坐坐么?门口那几位不进来歇歇?不么?

男　甲 不，不，您看我们也是有公事——

潘月亭 好极了。你们要有事，那就请你们跟我滚蛋，少在这里废话!

男　甲 (服从地)是，潘四爷您别生这么大的气!我们得罪的地

---

1 “回头向左门”原刊作“回头向门”。

2 原刊无“望着男甲”。

3 “——呃呃，是在这儿睡觉了?”川版作“——呃，在这儿歇着哪。”。

4 此句原刊作“要请进来坐坐吧!”，川版作“那么，请来坐坐吧!”

方您可得多担待着点。（忽然回头向门口的人们）你们看什么，你们这些浑蛋还不滚！他妈的这些死人！（又转过笑脸）没有法子！这一群人！[1]回头，潘四爷，八爷醒了之后您可千万别说我们到这儿胡闹来啦。小姐，您得多替我们美言两句。刚才的事您千万一字不提。方才我对您算开的玩笑，是我该死！[2]（自己打自己的嘴巴）该死！该死！

陈白露 好好，快滚吧。

男　甲 （谄媚）您出气了吧？好，我们走了。

〔男甲下。

陈白露 （关上门）完了，（自语）我第一次做这么一件痛快事。

潘月亭 完了，我第一次做这么一件荒唐事[3]。

陈白露 好啦，走啦，请金八爷归位吧。

潘月亭 哼！“请神容易送神难”。用这个招牌把他们赶走了倒容易，回头见着金八，我们说不定就有乱子，出麻烦。

陈白露 今天不管明天事。反正这事好玩的很。

潘月亭 好玩？

陈白露 我看什么事都“好玩”，你说是不是？（呵欠）我真有点累了，（忽然瞥见地上的日影）喂！你看，你看！

---

1 此句川版作“这群王八羔子！”。

2 “八爷醒了”以下川版作“八爷醒了，您可千万别提这码事。小姐，您多替我们美言两句。刚才冒犯您了！大人不记小人过！我该死！”。

3 “一件荒唐事”原刊作“一种荒唐事”。

潘月亭 什么？什么？

陈白露 太阳，太阳——太阳都出来了。（跑到窗前）

潘月亭 （干涩地）太阳出来就出来得了，这有什么喊头。

陈白露 （对着日光，外面隐隐有雀噪声）你看，满天的云彩，满天的亮——喂，你听，麻雀[1]！（窗外吱吱雀噪声）春天来了。（满心欢悦，手舞足蹈地）哦！我喜欢太阳，我喜欢春天，我喜欢年轻，我喜欢我自己。哦，我喜欢！（长长吸一口冷气）

潘月亭 （不感觉兴趣地）喜欢就喜欢得了，说什么！（忽然地）白露，这屋子太冷了，你要冻着，我跟你关上窗户。

陈白露 （执拗地）不，我不关！我不关！

潘月亭 好，好，好，不关就不关吧。你这孩子，我真没有办法，我对我的亲生女儿也没有这么体贴过。

陈白露 （回过头来）这有什么稀奇，我要是你的亲生女儿，你还会这么体贴我？你说是不是？

潘月亭 说得好，说得透澈[2]。（恳求）可是你关上窗户吧，我要着……着……（张嘴翕鼻，要打喷嚏的样子）着……着……阿提！（大声一个喷嚏）你，看，我已经着凉[3]了。

陈白露 （忽从窗户回来）这个傻孩子，你怎么早不说？

---

1 “麻雀”原刊作“鹊雀”。

2 “说得透澈”原刊作“很有见地”，川版作“说得透彻”。

3 “着凉”原刊作“遭凉”。

潘月亭 （得意地）那么你可以关上窗户吧。

陈白露 （摇头）不，不，我跟你多加衣服。来，你先坐下，你披上我的大衣，围上我的围巾，脚上盖着皮袍子，你再拿着我这个热水袋，你看，这不好了么？（弄得老头奇形怪状地堆在沙发上）我真喜欢你，你真像我的父亲，哦，我可怜的老爸爸！你尽在我这儿受委曲了。

潘月亭 （推开她）白露，（要立起来）我不要你叫我老爸爸。

陈白露 （推他跌在沙发里）我喜欢叫你是我的老爸爸，我要叫你是我的老爸爸。

潘月亭 （抗议地）我不老，你为什么叫我老爸爸。

陈白露 （一面笑，一面把头猫似地偎过来擦过去）我要叫，我偏要叫，老爸爸！老爸爸！

潘月亭 （反而高兴起来）你要叫，就随你叫吧，也好，叫吧！[1]叫得好，叫得好。（眉开眼笑地）

陈白露 （忽然）月亭，你好好地坐着。（把他身上一堆衣服拢好，又塞一塞）你这样就像我的小baby[2]，我跟你唱个摇篮歌吧。

潘月亭 （莫名其妙）摇篮歌？（摸着自己的斑白胡子）不，不好。

陈白露 那我跟你念一段小说听，你听着。（拿起一本很精致的书）

潘月亭 （读着白露手里的书的名字）《日出》，不好，不好，这个名

---

1 原刊无“也好，叫吧！”。

2 原刊无“（把他身上一堆衣服拢好，又塞一塞）你这样就像我的小baby”。

字第一个[1]就不好。

陈白露 （撒娇）不好你也得听。

潘月亭 我不听，我不爱听。

陈白露 （又执拗起来）我要你听，我偏要你听！

潘月亭 （望着白露，满肚子委曲，叹一口气）唉，你念吧！我听，我听。

陈白露 （翻阅书本，念）"……太阳升起来了[2]，黑暗留在后面。"

潘月亭 （欠伸）不通，不通，没有一点道理。

陈白露 （不理他，念下去）"……但是太阳不是我们的，我们要睡了。"

潘月亭 （深深一个呵欠）也不通，不过后头这一句话还有点意思。

陈白露 （不耐烦地关上书）你真讨厌。你再这样多嘴，我就拿书……（正要举书打下去）

〔右边卧室内有个小巴儿狗汪汪着，夹杂着[3]小东西惊号的声音。

潘月亭 你听，这是什么？（露立起）

〔忽然小东西由卧室拖着裤，提着鞋跑出来，巴儿狗仿佛就在她身后追赶。她惊慌地关上门，巴儿狗在门缝儿里吠着。

小东西 （喘着气，非常狼狈的样子。几乎跌倒）小姐……小姐！

---

1 川版无"第一个"。

2 "太阳升起来了"原刊作"太阳初升起来了"。

3 "夹杂着"川版作"杂着"。

陈白露　怎么？

小东西　它……它在后面跟着我。它……它醒了。

陈白露　（失色）什么？谁？谁？

小东西　（惊喘）您的巴儿狗，您的巴儿狗醒了。（回头望）它咬我，它不叫我在屋里待着。

陈白露　（定下心）你这孩子！我真怕他们从卧室进来啦！[1]

潘月亭　你看多麻烦！

〔外面有敲门的声音。

小东西　小姐，有人敲门。

潘月亭　别是他们又回来了？

陈白露　（走近门[2]）谁？

〔方达生推门进。

方达生　（穿着睡衣，拖着鞋）是我，竹均。

陈白露　（惊愕）你怎么不睡，又回来了！

方达生　这个地方太吵，睡不着。方才福升告诉我，说你刚认一个干女儿[3]。

陈白露　干女儿？

方达生　嗯。

陈白露　（明白了）哦，（指小东西）在这儿！你看，好么？这就是我

1　原刊无此句。

2　“近”底本缺字，据川版补。

3　“刚认一个干女儿”川版作“刚认识一个干女儿”。

的干女儿。

方达生 （有兴味地）原来是这么一个小东西。

潘月亭 （从衣服堆里立起来，红红绿绿的围巾，大氅披满一身）喂，喂，白露，你们不要谈得这么高兴，这位先生是谁呀？

陈白露 （故作惊惶状）你不知道？让我介绍介绍，这是我的表哥。

潘月亭 （惊讶）表哥？

方达生 （这才发现还有一个男人在屋子里）怎么，竹均，这一会儿这屋子怎么又——

陈白露 （一本正经地）咦，你不认识，这是我的爸爸。

潘月亭 （愉快地）爸爸！

方达生 （惊愕地）爸爸？

潘月亭 （对露，玩笑地）哦，是一家人！（忽然，指着窗户）可是快关……关……[1]（张口翕鼻，手指指点点地）……关……阿提！（喷嚏）你看这一次我真遭凉[2]了。

〔三人对视，小东西傻傻地立在那里。[3]

——幕急落

1 “（对露，玩笑地）”以下原刊作“（对露，得意地）谁说的？（忽然，指着窗户）快关……关……”。

2 “遭凉”川版作“着凉”。

3 此句底本、川版均作“三人对视小东西，傻傻地立在那里。”，据原刊改。

第二幕

景同第一幕，还是 × × 旅馆那间华丽的休息室。

天快黑了，由窗户望出，外面反映着[1]一片夕阳；屋内暗淡，几乎需要燃起灯才看得清楚。窗外很整齐地传进来小工们打地基的桩歌，由近渐远，掺杂着渐移渐远多少人的步伐和沉重的石块落地的闷塞声音[2]。这些工人们在此处一共唱着两种打桩的歌（他们的专门名词是“叫号”），一是“小海号”，一是“轴号”。现在他们正沉重地呼着“小海号”，一个高亢兴奋的声音领唱，二三十人以低重而悲哀的腔调接和[3]着。中间夹杂，当着唱声停顿时候，两三排“木夯”[4]（木夯也是一种砸地的工具，木做的，两个人握着柄，一步一移向前砸。一排多半是四个夯，八个人。）哼哼唷，哼哼唷，砸地的工作声。这种声音几乎一直在这一幕从头到尾，如一群含着愤怒的冤魂[5]，抑郁暗塞地哼着，充满了警戒和恐吓。他们用一种原始的语言来唱出他们的忧郁，

---

1 “反映着”川版作“是”。

2 “石块落地的闷塞声音”川版作“石硪落地的闷塞的声音”。

3 “接和”川版作“伴和”。

4 “中间夹杂，当着唱声停顿时候，两三排‘木夯’”川版作“当唱声停顿时候中间夹杂着两三排‘木夯’”。

5 “冤魂”川版作“复仇神”。

痛苦，悲哀和奋斗中的严肃[1]，所以[2]在下面这段夯歌——“小海号”——里找不着[3]一个字，因为用字来表达他们的思想和情感是笨拙而不可能的事。他们每句结尾的音梢带着北方的粗悍。而[4]他们是这样唱的：

小海号[5]

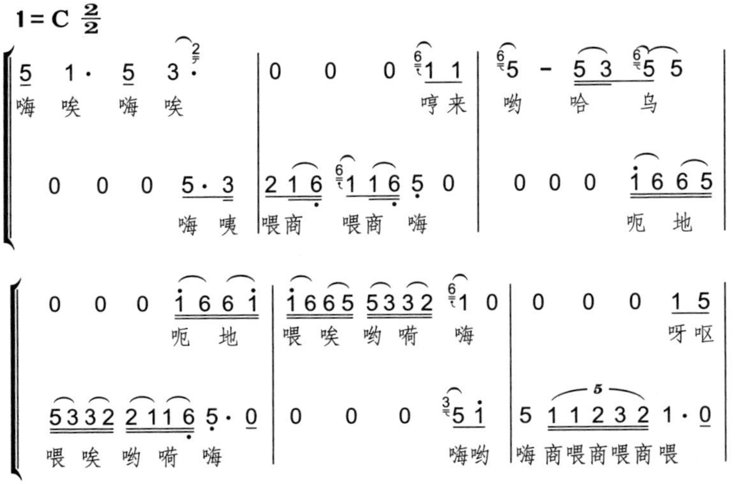

---

1 “他们用一种原始的语言唱出他们的忧郁，痛苦，悲哀和奋斗中的严肃”川版作“他们用心底的语言唱出他们的痛苦，悲哀和奋斗中的严肃”。

2 川版无“所以”。此处川版有“但时而一些领头的大汉，单独以豪放的歌喉，高唱入云，带起多少群夯工的热烈活跃的强音，起劲地应和，腾起一片欢畅的笑声。可是想象，他们步伐整齐，大汗淋漓，迎着阳光，砸着大地，正为世界创作一切。这时，人的心胸是欢乐、是胜利、是人能战胜一切的。”

3 “找不着”川版作“没有用”。

4 川版无“而”。

5 底本及原刊此曲原为五线谱，歌词中用注音符号及国语罗马字拼音标注拟声词，难以原样照排。比较各版本曲谱情况，开明版简谱离底本时间最近，错误最少，此处移用排印。底本五线谱样貌见本卷书首图片。第一小节第二个“唉”字的后倚音2原为3，据底本五线谱改。第四小节“嗨”字的节奏原无符点，据底本五线谱加。第九小节“唉”字的5原为5̣，据底本五线谱改。

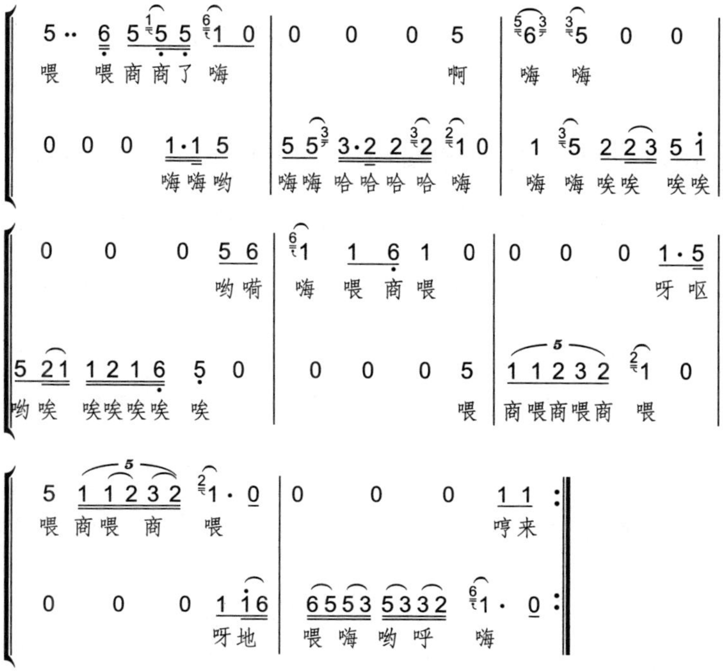

上列谱中每小节打二拍，第一拍表示重硪，第二拍表示轻硪。

唱了一半，停顿时又听见砸[1]木夯的小工们哼唷哼唷哼唷地走过去。直到一点也听不见的时候又走回来。这时福升一个人在房里收拾桌上的烟具，非常不耐烦的样子，频频向外望出，一面流着眼泪打着呵欠[2]。但是外面的木夯声益发有力地工作着，Heng–Heng–Hei，Heng–Hei，一排一排的木夯落在湿松的土壤上发出严肃而沉闷的声音，仿佛

1 原刊无“砸”。

2 “频频向外望出，一面流着眼泪打着呵欠”川版作“频频向外望去，一面打着呵欠”。

是一队木偶兵机械似地迈着不可思议的整齐的步伐[1]。

王福升 （捺不住了，忽然对着窗口，一连吐了三口唾沫）呸！呸！呸！Hei-Hei！总他妈的Hei-Hei！这楼要是盖好，还不把人吵死。（窗外又听是远远举着“石硪”打地基的工人们很沉重地唱着“小海号”，他伸长耳朵对着窗外厌恶地听一会[2]）听！听！[3]没完了！就靠白天睡会觉，这帮死不了的唱起来[4]没完啦！眼看着就要煞黑，还是干了唱，唱了干，真他妈的不嫌麻烦，天生吃窝窝头就咸菜的脑袋。哼[5]，我有儿子，饿死也不干这个！呸！（又吐一口唾沫。然而“叫号”的小工们越唱越响了，并且也改了调门，这次他们高亢而兴奋地唱和着“轴号”，用乐谱下一行的词，即“老阳西落，砸得好心焦，不卖点命，谁也不饶。”[6]）

---

1 “一队木偶兵机械似地迈着不可思议的整齐的步伐”川版作“一队士兵迈着不可思议的整齐的步伐”。

2 “厌恶地听一会”川版作“厌恶听一会”。

3 “听！”以下川版无。

4 “唱起来”川版作“嚷嚷起来”。

5 川版无“哼”。

6 此句川版作“‘叫号’的大汉们又唱起来，越唱越响，领起多少夯工们高亢而兴奋地唱和着‘轴号’，其词是：日出东来，满天的大红！要得吃饭，可得做工……”。

轴号[1]

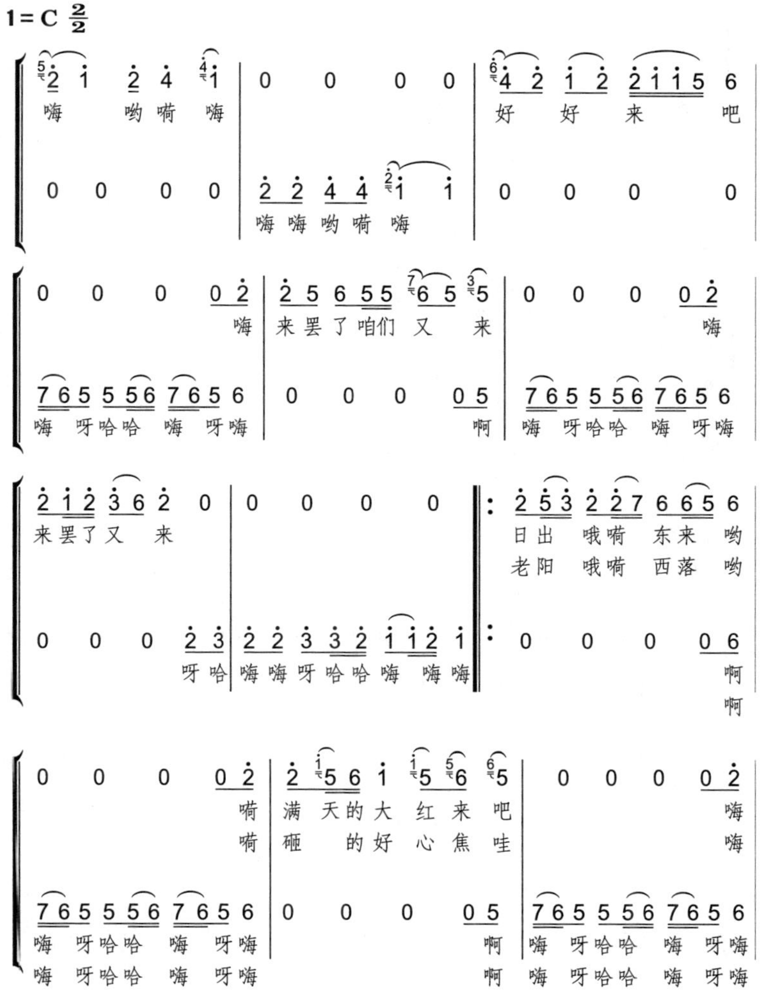

---

1 底本及原刊此曲原为五线谱，歌词中用注音符号及国语罗马字拼音标注拟声词，难以原样照排。比较各版本曲谱情况，开明版简谱离底本时间最近，错误最少，此处移用排印。底本五线谱样貌见本卷书首图片。第五小节“又”字的6原为$\underset{\cdot}{6}$，据底本五线谱改。

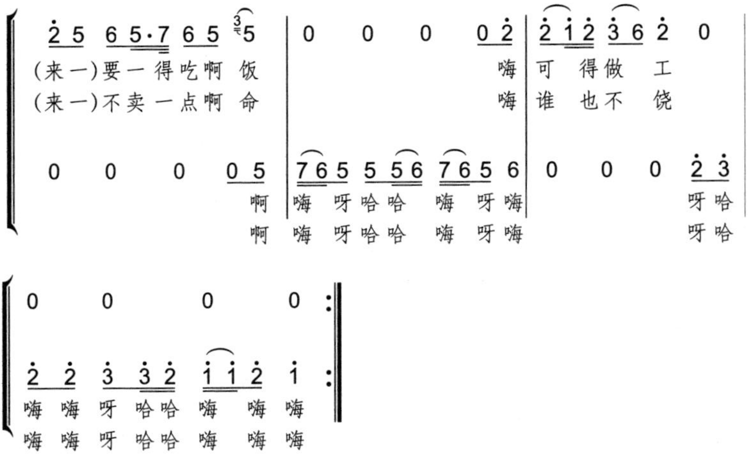

上列谱中每小节打二拍，每拍表示一轻硪。

王福升 （听了一半，他忽然坐下，把两只耳朵里塞好了的纸团[1]取出来，挖挖耳朵，挑战地坐下来[2]）来吧！唱吧！你Hei-Hei吧！你放开嗓子唱吧！我跟你算泡上啦，我听，你唱，他妈看谁耗过谁！（爽性闭着眼，静听起来）看谁耗过谁！（当然外边的人们越唱越有劲）

〔方达生进。唱声又渐远。[3]

王福升 （觉得背后有人，立起，回过头）哦，方先生，您早起来了？

方达生 （不明白他问的意思）自然——天快黑了。

王福升 （难得有一个人在面前让他发发牢骚）不起？人怎么睡得

---

1 “纸团”川版作“棉花团”。

2 “挑战地坐下来”川版作“挑战似地坐下来”。

3 此句川版作“唱声逐渐由近而远。”。

着！就凭这帮混账[1]，欠挨刀的小工子们——

方达生 （指窗外，叫他不要说话）嘘，你听！

王福升 （误会了意思）不要紧，我才不怕他们呢，夜晚熬一宿，我就靠白天睡会觉，他们嚷嚷嚷，嚷嚷嚷，吵了一整天，这帮饿不死的东西——

方达生 （又指指窗外，非常感觉兴趣，低声）你听，听他们唱，不要说话。[2]

王福升 （嘿然）哦，您叫我听他们唱啊[3]！

方达生 （不客气地）对了。

〔外面正唱着。"老阳西落……砸得好心焦……不卖点命……谁也不饶。"唱完最后一句，不知为什么窗外哄然一阵笑声，但立刻又听见那木偶似地步伐[4]，Heng-Heng-Hei 地远去。

方达生 （扶窗，高兴地往下望）唱得真好听！

王福升 （莫名其妙）好听？

方达生 （叹一口气，但是愉快地）他们真快活！你看他们满脸的汗，唱的那么高兴！[5]

---

1 川版无"混账"。

2 此句川版作"听，听他们唱，别说话。"

3 "您叫我听他们唱啊"川版作"他们这是唱啊"。

4 "但立刻又听见那木偶似地步伐"原刊作"但立刻又听见那木偶也似地步伐"，川版作"又听见一排排整齐的步伐"。

5 "（叹一口气，但是愉快地）"以下川版作"（叹口气，愉快地自语）快活，真快活！满脸的汗，唱得有力量！"。

王福升　（讪笑）天生的那份穷骨头嘿。要不，一辈子就会跟人打夯，卖苦力，盖起洋楼给人家住嘿[1]？

方达生　这楼是谁盖的？

王福升　谁盖的，反正有钱的人盖的吧。大丰银行盖的，潘四爷盖的，大概连（指左边屋内）在屋里的顾八奶奶也有份，（无聊地）有钱末[2]！你看，（随手一指）就盖大洋楼。（阿Q式地[3]感慨系之）越有钱的越有钱嘿！

方达生　顾八奶奶？你说的是不是满脸擦着胭脂粉的老东西[4]？

王福升　对了，就是她！老来俏，人老心不老，人家有钱，您看，哪个不说她年轻，好看？不说旁的[5]，连潘四爷还恭维着她呢。您看刚才潘四爷不是陪着小姐，顾八奶奶一同[6]到屋里（指左边）打麻将去啦么？顾八奶奶阔着得呢[7]！

方达生　怎么？我出去一会子啦，（厌恶）这帮人现在还在这屋子里打牌，没有走？[8]

王福升　走？上哪儿去？天快黑了，客来多了，更不走了。

---

1 "嘿"原刊作"末"。

2 "末"川版作"嘿"。

3 川版无"阿Q式地"。

4 "老东西"原刊、川版均作"老太太"。

5 "旁的"川版作"别的"。

6 "一同"川版作"一块"。

7 "阔着得呢"川版作"阔得很呢"。

8 此句川版作"我出去这半天，（厌恶）这帮人还在屋子里打牌，没有走？"。

方达生 （来回走了两趟）这地方真是闷气得使人讨厌，连屋子也这么黑。[1]

王福升 哼，这屋子除了早上见点日头，整天见不着阳光，怎么不黑？[2]

方达生 （点头）没有太阳，对了，这块地方太阳是不常照着的[3]。

王福升 反正就是那么一回子事，有老阳儿又怎么样，白天还是照样得睡觉，到晚上才活动起来。[4]白天死睡，晚上才飕飕地跑，我们是小鬼，我们[5]用不着太阳。

方达生 对了，太阳不是我们的，（沉吟）那么，太阳是谁的呢？[6]

王福升 （不懂）谁的？（傻笑）管它是谁的呢？[7]

方达生 （替他接下）反正是这么一回子事，是不是？[8]

王福升 对了，就那么一回子事，哈哈。

〔敲门声。

方达生 有人敲门。

---

1 此句原刊作“这地方真是闷气得很，人讨厌，连屋子也这么黑。”，川版作“这地方真是闷气！讨厌！屋子也这么黑。”。

2 此句川版作“哼，这里整天见不着阳光，怎么不黑？”。

3 “不常照着的”川版作“照不着的”。

4 此句川版作“反正就是那么一回子事，有老阳又怎么样，白天还是照样睡觉，到晚上才活翻起来。”。

5 川版无“我们”。

6 此句川版作“对了，太阳不在这里。（沉吟）那么，太阳在哪里呢？”。

7 “（不懂）谁的？”以下川版作“（不懂）在哪里？（傻笑）管它呢！”。

8 此句川版作“反正是这么一回事。”

王福升 谁?（敲门声，福正要开门）

方达生 你等等，我不大愿意见这些人，我先到那屋去。[1]

〔进右边睡房，福开中门。黄省三进。他很[2]畏缩地走进，带着惭愧和惶恐的神气。惨白的脸没有一丝血色，嘴唇冻得发紫。他只穿了一件鹅黄色旧棉袍，上面染满油污；底下只是一条黑夹裤，绑着腿带，手里拿着一团绒线黑围巾，一对乞怜的眼睛不安地四面张望着。人瘦如柴，额上的青筋像两条小蛇似地隐隐地跳动着，是一个非常神经质而胆小的人。他笑得那样凄惨，有时令人疑惑究竟他是在笑还是在哭。他每说一句话前总要鼓起很多的气力，才敢说出来，说完了，就不自主地咳嗽两声，但声音很低。[3]他这样谦卑，不自信，他甚至于疑心自己的声音都是为人所不耐的。其实，他的年纪不算大，然而这些年的忧虑，劳碌，失眠，和营养缺乏[4]使他衰弱有如一个老人。纵使还留着一些中年的模样，但我们会惊讶一个将近四十的人，他的背怎么会拱成一道桥，受点刺激，手便如风里的枯叶不停地颤抖起来，而鬓角堆起那样多白发了。

---

1 此句原刊作“你等等，我不大愿意见这些人，我先到那屋去躲一躲。”，川版作“你等等，让我先到那屋去。”。

2 川版无“很”。

3 此句川版作“他每说一句话，总要鼓起很大的气力，才敢说出来；说完了，就不由地咳嗽两声，咳声很低。”。

4 “营养缺乏”川版作“营养不良”。

〔他怯畏[1]地立在房门口，四面望着。

王福升　是你呀，你又来了[2]！（见黄并不认识他，忽然板起脸来）你是干什么的？

黄省三　（不自信的样子，颤声）对不起！（很谦虚地笑出声来）对……对不起！（吃力地鞠着躬）我……我大概是走错门了。（咳嗽，他转过身要出去）

王福升　（一把拉住他）回来！回来！你上哪儿去？

黄省三　（被福强迫回来，红了脸，额上青筋暴起来，自解地[3]）先生，我是走错门了，您看，我，我不是……

王福升　你走错了门你也得回来。好，这门是你随便走错的么？

黄省三　可是，可是[4]，先生我已经走错了，并且我，我已经道歉了。

王福升　你不知道，旅馆里面什么样的人都有。你为什么不敲门，一直就闯进来啦？

黄省三　（神经质地笑着）我，我敲了门了，先生……

王福升　（强词夺理地[5]）我怎么没有听见哪？

黄省三　（实在为难）先生，你要不听见，你叫我怎么办？[6]（可怜地）要不，我跟您再敲几下子门。

1　“怯畏”原刊作“畏怯”。

2　“你又来了”原刊作“你又来”。

3　此句川版作“被福拉回来，红了脸，额上青筋暴起来，连忙分辩”。

4　“可是，可是”川版作“可是”。

5　“强词夺理地”川版作“强词夺理”。

6　此句两处“你”川版均作“您”。

王福升 你浑人！[1]你究竟找谁？

黄省三 （不安地揉弄着黑围巾）我，我找李先生。

王福升 （欺凌地）姓李的多的很，谁是李先生？

黄省三 不，（忙自解释）不，我找的是五十二号。

王福升 这房子就是五十二号。

黄省三 （禁不住露出喜色）那，那我还是对了。（又向着福，有礼貌地）我找李石清李先生。

王福升 没有来。

黄省三 （犹疑半天，才挣出这一句话）要是潘经理有工夫的话，我倒想见见潘经理。先生，请你[2]说一声。

王福升 （估量他）潘经理，倒是有一位，可是（酸溜溜地）你？你想见潘经理？（大笑）

黄省三 （无可奈何地）我，是大丰银行的书记。

王福升 （冷淡地）书记？你祖宗也是白搭。潘四爷在这儿是串门，玩来的，向来是不见客。

黄省三 可是，（乞怜地）先生，您千万去[3]请他老人家一趟好吧？

王福升 不在这儿！（不耐烦）告诉你潘四爷不在这儿呢！去，去，去！别讨厌，不知哪家哪院的，开了门就找人，谁知道你是干什么的？

---

1 原刊无此句。

2 “你”川版作“您”。

3 川版无“去”。

黄省三 （一再解白）先生，我，我是大丰银行的书记，我姓黄——

王福升 （忽然对黄，指自己）你认识我不认识我？

黄省三 （看了半天）不，不敢说认识。

王福升 那，你就跟我“开路”！（推他）请走！

黄省三 可是先生，我姓黄……

王福升 （打开门，向外推黄）去！去！去！少跟我添麻烦。你要再来，我就——

黄省三 （一面被他推着，一面回头）先生，我姓黄，我叫黄省三，我从前是大丰银行的——

王福升 （得意地）我知道，你从前是书记，你姓黄，你叫黄省三，你找李先生，潘经理，大丰银行的人你都找。你到处装孙子[1]，要找事。你当我不知道，不认识你？

黄省三 （气得手发抖）先生，你认识我，（赔着笑容）那就更好了。

王福升 （愉快地骂着他）我在这儿旅馆看见你三次，你都不认识我，就凭你[2]这点王八记性，你还找事呢！（拉着黄，不由分说，用力向外一推）去你个蛋吧！

黄省三 （踉跄摔在门框，几乎瘫在那儿，干咳）你为什么骂人？我，我知道我穷，可是你不能骂我是王八，我不是王八，我跟你讲，我不是。你，你为什么——[3]

---

1 “装孙子”原刊作“装孩子”。

2 “就凭你”原刊作“就想你”。

3 “我，我知道我穷”以下川版作“我知道我穷，可你不能骂我！你不能——”。

王福升　（恶意的玩笑）那你问你家里去，我哪儿知道?（拍着他的肩，狞笑）好，好，你不是王八，你儿子是王八的蛋，好吧?

黄省三　（突然好像疯狂起来，他立起来，仿佛要以全身的重量压死面前这个禽兽，举起手）你这个，你这个东西，我要……

王福升　（活脱脱一个流氓，竖起眉毛，挺起胸脯，抓着黄胸前的衣服，低沉而威吓的声音）你要敢骂我一句，敢动一下子手，我就打死你!

〔半晌。

黄省三　（疯人似的眼睛，惧怕而愤怒地盯着他，他的颈子被衣服勒住挤成一道一道的青筋，手不自主地颤抖着。半天——低声，无力地）让——我——走——！让——我——走!

〔福升放开手，黄垂头走出门。外面的打夯声又"哼哼唷""哼哼唷"抑郁暗塞地哼着，充满了愤怨和不平。[1]

〔福升施施地正向左面走，不知由哪里传来一阵急迫的铃声，他回过头，走到沙发旁，由靠近一只小桌儿[2]里取出电话机，擎着耳机，先是暴躁地问答着。[3]

王福升　喂，你哪儿?你哪儿?你管我哪儿?……我问你哪儿?你

1　此句川版作"外面一排一排的打夯声，又'哼哼唷''哼哼唷'，抑郁暗塞，重重地砸着大地，是愤怨，是不平。"。

2　"小桌儿"原刊作"小立儿"。

3　此句川版作"福升施施然正向左面走，不知由哪里传来一阵急迫的铃声。他回头走到沙发旁，从靠近一只小桌儿里取出电话机，握着耳机，十分神气，傲慢地问起话来。"。

要哪儿？你管我哪儿？……你哪儿？你说你哪儿！我不是哪儿！……怎么，你出口伤人……你怎么骂人浑蛋？……啊，你骂我王八蛋？你，你才……什么？[1]你姓金？啊……哪……您老人家是金八爷！……是……是……是……我就是五十二号……您别着急：我实在看不见，我不知道是您老人家[2]……（赔着笑）您尽管骂吧！[3]（当然耳机里面没有客气，福升听一句点一次头，仿佛很光荣地听着对面刺耳的诟骂）是……是……您骂的对！您骂的对！[4]

〔潘月亭由左边门进。

潘月亭　（向福升）谁？谁来电话？是李石清先生么？

王福升　（狼狈地拿着耳机，不知应付哪一面好，一面媚笑对着耳机）……是，我不敢……是，下次我再不敢……是，（一面摇头摆手，指着不是李石清来的电话，分明越骂越不成话了，他有些皱眉，但是——[5]）唏……唏……我就是福升！我就是那王八蛋的福升……您千万别生气，别气病您老人

---

1 “……啊，你骂我王八蛋？”以下川版作“……啊，我王八蛋？你混蛋！你才是……什么？”。

2 “我实在看不见，我不知道是您老人家”川版作“我实在有眼无珠，看不见，不知道是您老人家”。

3 此句川版作“你骂吧！×我妈吧！”。

4 此句川版作“您没错！骂的对！”。

5 “他有些皱眉，但是——”川版作“他虽然嘻嘻哈哈，但又打心眼里感到挨金八爷骂的光荣——”。

家……（似乎对面气消了些[1]）是我浑蛋……是……是，您找潘经理？（望着潘）您等一下，他老人家来了。（向潘）您的电话。（把耳机递过去，但里面又补上一句，他急忙又拿起来）是，您骂的一点也不错[2]……是，是，是，我是王八蛋。不是人揍的[3]。（叹一口气[4]，再把耳机递给潘经理）

潘月亭 （手按着耳机上的喇叭口，低声）你这个糊涂蛋！[5]是谁打来的？

王福升 （气得忘了是谁在骂他[6]）谁？谁？……哦，是金八，金八爷。

潘月亭 （向福）李石清，李先生还没有来么？

王福升 没有来。李先生没有来。

潘月亭 那么，你进去问问李太太，她先生说什么时候到这儿来？

王福升 是。（福下）

潘月亭 （咳嗽两声）是金八爷么？……我是月亭……是……是，你[7]的存款不会有错的。你先维持三天，三天之后，你来提，我一定拨过去……是……是……现在大丰银行营业还不错，

---

1 “气消了些”川版作“气消了一些”。

2 “一点也不错”川版作“一点没错”。

3 “不是人揍的”原刊作“不是人做的”。

4 “叹一口气”川版作“笑了一声”。

5 此句原刊作“糊涂虫!”。

6 “气得忘了是谁在骂他”川版作“不知是懊恼，还是心里美滋滋的，简直说不出谁在骂他”。

7 “你”川版作“八爷”。

我做的公债盐税，裁兵，都赚了点[1]，你放心，三天，你在大丰存的款项一定完全归清……什么？……笑话！……没有的事，银行并没有人大宗提款！……谁说的？……呃，呃，这都是谣言，不要信他们[2]，你看，八爷，银行现在不是在旅馆旁边又盖大丰大楼么？……为什么盖？……自然，也是[3]繁荣市面，叫钱多活动活动的意思。你放心！现在银行的准备是巩固的[4]……三天，看多少年的交情，你[5]只维持三天，一切还清……对了，（笑）八爷……公债有什么特别的消息么？……哦，哦，是……也这么听说，看涨。看涨……你没有买点么？……是，是……

王福升　（由左门进[6]）李太太说李先生就来。（回头看[7]）顾八奶奶，四爷在这儿。

〔顾八奶奶进——一个俗不可耐的肥胖女人。穿一件花旗袍镶着灿烂的金边，颜色鲜艳夺目，紧紧地箍在她的身上。走起路来，小鲸鱼似地；肥硕的臀峰，一起一伏，惹得人

---

1 “赚了点”原刊作“赚了些”。

2 “不要信他们”川版作“瞒不过你八爷”。

3 “也是”川版作“还不是”。

4 “现在银行的准备是巩固的”川版作“银行的准备金没有错”。

5 川版无“你”。

6 “由左门进”川版作“对潘经理”。

7 “回头看”川版作“忙着弯腰”。

眼花缭乱，叫人想起有[1]这一层衣服所包裹的除了肉和粗恶以外，不知还有些什么。她脸上的皱纹很多[2]，但是她将脂粉砌成一道墙，把这些许多深深的纹路遮藏着[3]。她总是兴高采烈地笑。笑有种种好处，一则显得年轻些[4]，二则自己以为笑的时候仿佛很美，三则那耀眼的金牙只有在笑的当儿才完全地显露出来。于是嘴，眼睛，鼻子挤在一起，笑，笑，以至于笑得令人想哭，想呕吐，想去自杀。她的眉毛是一条线，耳垂钉铛地悬着珠光宝气的钻石[5]耳环，说起话来总是指手画脚，摇头摆尾，于是小棒槌似的指头上的宝石[6]以及耳环，光彩四射，惹得人心发慌。由上量到下，她着实是心广体胖，结实得像一条小牛，却不知为什么，她的病很多，动不动便晕的，吐的，痛的，闹个不休。但有时也仿佛"憨态可掬"，自己以为不减旧日[7]的风韵，那种活泼，"娇小可喜"之态委实令人佩服胡四，她的新"面首"，的耐性——有时甚至于胡四，也要厌恶地掉转头去，在墙角里装疯弄傻。然而顾八奶奶是超然的，她永远分不清白人

---

1 "有"川版作"在"。

2 "脸上的皱纹很多"川版作"脸上很有些皱纹了"。

3 "把这些许多深深的纹路遮藏着"川版作"把这些深深的纹路遮藏起来"。

4 "显得年轻些"川版作"显得年轻"。

5 川版无"钻石"。

6 "宝石"川版作"钻石"。

7 "旧日"川版作"当年"。

家对她的讪笑[1]，她活着，她永远那么快乐地，那么年轻地活着，因为前年据她自己说她才三十，而今年忽然地二十八了——然而[2]她还有一个大学毕业的女儿。胡四高兴起来，也很捧场，总说她还看不到有那样大的年纪[3]，于是，她在男人面前益发地“天真”起来。

〔门内有一阵说笑声，顾八奶奶推开左面的门，麻雀牌和吵闹的声音更响。[4]她仿佛由里面逃出来，步伐极力地故作轻盈，笑着，喘着。

顾八奶奶 （对着里面）不，可累死我了，我说什么也不打了。（回过头，似乎才看见潘月亭，妖媚地）四爷呀！怎么你一个人在这儿？

潘月亭 （鞠躬）顾八奶奶。（指着电话，表示就说完的意思。福升由中门下）

顾八奶奶 （点点头，又转向门内）不，不，王科长[5]，我累了。不，白露，我心里真不好受[6]，再打，我的老病就要犯了。（又回转身，

---

1 “她永远分不清白人家对她的讪笑”川版作“她永远分不清人家对她是讪笑，还是捧场”。

2 “然而”原刊作“可是”。

3 “总说她还看不到有那样大的年纪”原刊作“总说还看不到她有那样大的年纪”。

4 此句川版作“门内有一阵一阵的说笑声，顾八奶奶推开左边的门，麻雀牌和吵闹的声音更响。”。

5 “王科长”川版作“王局长”。

6 “真不好受”原刊作“直不好受”。

一阵风似的来到潘的面前，向门内[1]）你们让我歇歇，我心痛。

潘月亭 ……好，好，再见吧，再见。（放下电话）顾八奶奶[2]……

顾八奶奶 （滔滔地）四爷，你呀，真不是个规矩人，放着牌不打，烟不抽，一个人在这里打电话！（低声，故意地大惊小怪[3]，做出极端关心的机密的样子指着左边）你小心点，白露就在那边陪朋友打牌呢。（点点潘的头）你呀，又偷偷地找谁啦？你好好地告诉我，这个女人是谁？她为什么找到这里跟你打电话？你们男人什么都好，又能赚钱，又能花钱的，可是就是一样[4]不懂得爱情，爱情的伟大，伟大的爱情——

潘月亭 顾八奶奶是天下最多情的女人！

顾八奶奶 （很自负地）所以我顶悲观[5]，顶痛苦，顶热烈，顶没有法子办[6]。

潘月亭 咦，你怎么打着打着不打啦？打牌[7]就有法子办了。

顾八奶奶 （提醒了她[8]）哎呀，对不起，四爷，你跟我倒一杯水。我

---

1 此句川版作“转身，一阵风似的来到潘的面前，又向门内”。原刊无“向门内”。

2 “顾八奶奶”原刊作“顾奶奶”。

3 “故意地大惊小怪”川版作“故意大惊小怪”。

4 “可是就是一样”川版作“可是就一样”。

5 “悲观”原刊作“悲剧”。

6 “顶悲观，顶痛苦，顶热烈，顶没有法子办”川版作“最悲观，最痛苦，顶热烈，最没有法子办”。

7 “打牌”川版作“打打牌”。

8 “提醒了她”川版作“被提醒了”。

得吃药。（坐下，由手提包取药）

潘月亭 （倒着水）你怎么啦？你要别的药不要？

顾八奶奶 你先别问我。快，快，给我水，等我喝完药再说。（摸着心，自己捶自己）

潘月亭 （递给她水）怎么样？白露这儿什么样的药都有。

顾八奶奶 （喝下去药[1]）好一点！

潘月亭 （站在她旁边）要不，你吃一点白露的安眠药，你睡睡觉好不好？

顾八奶奶 （像煞有介事）不，用不着，我心痛！我刚才不打牌，就因为我忽然想起胡四这个没良心的东西，我的心又痛起来。你不信，你摸摸我的心！

潘月亭 （怕动她）我信，我信。

顾八奶奶 （坚执）你摸摸呢！

潘月亭 （不得已地把手伸出去）是，是。（应卯的样子）还好，还好。

顾八奶奶 （不高兴的神气）还好？我都快死了，我的心都要跳出来了。我找过多少医生，都说我没有病，我就不相信！我花二百块钱叫法国的杜大夫检查一下，他立刻说我有心脏病，我才觉我的心常痛，我有心病。你不相信，你再摸摸我的心，你听，它跳得扑腾扑腾的。（拉着潘的手）

潘月亭 （只好把头也伸过去听）是，是，是，（几乎倒在顾八奶奶的怀里，频频点头）是扑腾扑腾的。

---

1 “喝下去药”川版作“喝下药”。

〔陈白露由左门进，兴致勃勃地。

陈白露 （不意地见着他们[1]，不知说什么好）咦！月亭，你也在这儿？

〔潘立起来，走到桌前点烟卷。

顾八奶奶 （搭讪着）你看！四爷跟我治病呢？

陈白露 治的是你的心病么？（回过头向着敞开的门；门内依然是说话声与麻将声）刘先生，三番让你和吧。李太太，我少陪了。要什么东西，尽管跟他们要，千万不要客气，我得陪陪我的新朋友了。

潘月亭 新朋友！

顾八奶奶 哪儿来的新朋友？

陈白露 我以为达生在这儿？

潘月亭 你说你那位姓方的表哥？

陈白露 嗯，刚才我还看见他在这儿。

顾八奶奶 白露，不就是那位一见人先直皱眉头[2]的那位先生么？决不要[3]再请他来！我怕他。（向窗走）

陈白露 他就住在这儿。

顾八奶奶 就在这儿？

陈白露 嗯——达生！达生！

〔方达生由右门进。

---

1 “不意地见着他们”川版作“不意见着他们”。

2 “一见人先直皱眉头”原刊作“一见人先只皱眉头”，川版作“一见人就皱眉头”。

3 “决不要”川版作“快不要”。

方达生　（立门口）哦，你！你叫我干什么？[1]

陈白露　你在干什么？你出来跟大家玩玩好不好？[2]

方达生　我正跟小东西，你的干女儿谈话呢。（很愉快地）这个小孩很有点意思。

陈白露　你到这里来跟我们谈谈好吧。（走近达）你来一起玩玩，不要这样不近人情。

方达生　（故意地向潘和顾左右打量，仿佛与自己说话[3]）哦，这儿有你的爸爸，（停，又看看顾[4]）仿佛还有你的妈妈！（忽然对露）不[5]，不，还是让我跟你的干女儿谈谈吧。

〔达回转身，把门关上。

陈白露　这个人简直是没有一点办法。

潘月亭　顾太太[6]，你看胡四这两天又不到银行办事来了。

顾八奶奶　我说过他，他就生气。四爷，您千万别放在心上，他，他呀——

潘月亭　好，我们不要提他吧[7]。（与顾共立在窗前）你看，大丰大楼

1　此句川版作“你叫我么？”。

2　“你在干什么？”以下川版作“你在做什么呢？出来跟大家玩玩，好不好？”。

3　此句川版作“向潘和顾打量一下，仿佛在自语”。

4　此句川版作“看看顾”。

5　川版无“不”。

6　“顾太太”川版作“顾八奶奶”。

7　“不要提他吧”川版作“不提他”。

已经动了工，砸地基之后，眼看着[1]就可以盖起来。地势好，房子只要租出去，最低总可以打一分五的利息。市面要略微好一点，两分多三分利也说不定。[2]

顾八奶奶 白露，你听，四爷想得多有道理，四爷，你怎么说来着？市面一不怎么样，经济一怎么样，就应该怎么样？

潘月亭 我说市面一恐慌，经济一不巩固，就应该买房产。

顾八奶奶 对呀，白露，你看，我现在要不出钱盖大楼，我的市面不就不巩固了么？所以，四爷，你这次想法子盖大丰大楼是一点也不错的。有二分利，每月有三两千块钱进款，为着[3]贴补点零用就差不多了。

〔福升上。

王福升 四爷[4]，报馆的张先生来了。

陈白露 他忽然来找你干什么？[5]

潘月亭 [6]我约他来的，我想问问这两天的消息。

王福升 就请进来吧？

---

1 “眼看着”原刊作“很快地”。

2 “地势好”以下原刊作“地势好，房子如租出去之后，最低总可以打一分五的利息。市面要略微好一声，两分多三分利也说不定。”，川版作“地势好，房子只要租出去，最低总可以打两分五的利息。市面要略微好一点，三分利也说不定。”。

3 川版无“为着”。

4 “四爷”川版作“小姐”。

5 此句川版作“他来干什么？”。

6 此处川版有“（解释）”。

潘月亭 不，你请他到三十四号，先不要请他到这儿来。[1]

王福升 小姐，董太太来了，刘小姐也来了。[2]

陈白露 都请到那边去。她们是打牌来的，说我一会儿就过来。

王福升 是。

〔福下。

潘月亭 顾八奶奶，好，就这么说定了，在银行那笔款子我就替你调派了。

顾八奶奶 我完全放心，交给你是不会有错的。

潘月亭 好，回来谈。

陈白露 月亭，你回来，你记得我说的事？

潘月亭 什么？

陈白露 那个小东西，我要把她当我的干女儿看[3]。请你跟金八说说，给我们一点面子。

潘月亭 好，好，我想是可以的[4]。

陈白露 谢谢你。

潘月亭 不用谢谢，少叫我几声“爸爸”，我就很满意了。（潘月亭由中门下）

顾八奶奶 （望着潘月亭施施走出，回过头。又滔滔地）白露，我真

---

1 此句川版作“你请他到三十四号好了。”。

2 此句原刊作“小姐，刘太太来了，董小姐也来了。”。

3 “我要把她当我的干女儿看”川版作“我收她当我的干女儿了”。

4 “我想是可以的”川版作“成，成，都成”。

佩服你！我真不知道怎么夸你好。你真是个杰作！又香艳，又美丽，又浪漫，又肉感。一个人在这么个地方，到处都是朋友。就说潘四爷吧，他谁都不赞成，他说他就赞成你，潘四爷是个顶能干[1]的好人，用个文明的词[2]，那简直是空前绝后的头等出品：[3]地产，股票，公债哪一样不数他第一？我的钱就交他调派[4]。可是你看[5]，你一眼就看中了他，抓着他，你说个“是”，他不敢说“不”字，所以我说你是中国顶有希望[6]的女人。

陈白露 （燃烟）我并没有抓潘四，是他自己愿意来，我有什么法子？

顾八奶奶 （想逢迎她）反正是一句话：“王八看绿豆……”哦，不，这点意思不大对……（而又很骄傲地极力掩饰）你不知道这半年我很交些新派朋友，有时新名词肚子放得多一点，常常不知道先说哪一句话好……我刚才[7]呀是说，你们一个仿佛是薛发黎，一个就是麦唐纳，真是半斤八两，没有比你们再合适的。[8]

---

1 “顶能干”原刊作“最能干”。

2 “文明的词”原刊作“文明的话”。

3 “那简直是空前绝后的头等出品：”川版作“那是空前绝后的头等人！”。

4 “交他调派”原刊作“教他调派”。

5 川版无“你看”。

6 “顶有希望”原刊作“最有希望”。

7 原版无“刚才”。

8 “反正是一句话”以下川版作“反正是一句话：‘王八看绿豆，是对上眼了。’（很骄傲地）你不知道这半年我很交些新派朋友，我的新名词就宽多了！常常不知道先说哪一句好。”。

陈白露 （故意地）你现在真是一天比一天会说话，我一见你就不知话该打哪头儿说，因为好听的话都叫你说尽了。[1]

顾八奶奶 （飘飘然）真的吗？（不自主地把腿跷起来[2]，一荡一荡的）

陈白露 可不是。

顾八奶奶 是，我自己也这么觉得。自从我的丈夫[3]死了之后，我的话匣子就像打开了一样，忽然地我就聪明起来，什么话都能讲了。（自负而又自怜地）可是会说话又有什么用，反正也管不住男人的心。现在，白露，我才知道，男人是真没有良心。你待他怎么好也是枉然的。

陈白露 （很幽默地[4]望着她）怎么，胡四又跟你怎么样了？

顾八奶奶 （多情地叹一口长气[5]）谁知他怎么样了！这两天就一直看不见[6]他的影子。我叫他来，打电话，寄信，我亲自去找他，他都是不在家。你说这个人，我为他用了这么多的钱，我待他的情分也不算薄[7]，你看，他一不高兴，就几天不管我。

陈白露 那你当然不必再管他，这不是省你许多事。[8]

---

1 此句川版作“（半笑着）你现在真是一天比一天会说话，好听的话都叫你说尽了。”。

2 “跷起来”川版作“翘起来”。

3 “我的丈夫”川版作“我那‘老棺材’”。

4 川版无“很幽默地”。

5 “多情地叹一口长气”川版作“长叹一声”。

6 “看不见”川版作“见不着”。

7 “也不算薄”川版作“真不算薄”。

8 此句川版作“那你何必再管他，这不省你许多事。”。

顾八奶奶 可是……[1]可是这也不能这么说。我觉得一个女人尽管维新，这“三从四德”的意思也应该讲究着点。所以胡四尽管待我不好，我对他总得有相当的情分[2]。

陈白露 恭喜，恭喜！八姐。[3]

顾八奶奶 （愕然）怎么?

陈白露 恭喜你一天比一天地活得有道理，现在你跟胡四居然要讲起“三从四德”了！

顾八奶奶 （翻着眼）咦，你当我是那不三不四，不规矩的坏女人?

陈白露 可是，我的顾八奶奶[4]，谈“三从四德”你总得再坐一次花轿[5]，跟胡四龙呀凤呀地规规矩矩地再配配才成呀！

顾八奶奶 （不大明白）你是说我跟胡四结婚?（大摇头）啊呀，快别提结婚吧！结婚以前他待我都这样，结婚以后那我不是破鞋，更提不上了么? 现在这文明结婚压根儿就没有什么用，他要变心，他[6]就会找律师不要我。不像以前我嫁我那死了的老东西[7]的时候，说什么我也是他的太太！花轿娶来

---

1 川版无此句。

2 “我对他总得有相当的情分”原刊作“我对他说得有相当的情分”。

3 此句川版作“八奶奶。”。

4 “顾八奶奶”原刊作“顾奶奶”。

5 “谈‘三从四德’你总得再坐一次花轿”川版作“你讲‘三从四德’，总得再坐一次花轿”。

6 川版无“他”。

7 “那死了的老东西”川版作“那‘老棺材’”。

的太太，他[1]就得乖乖地高高在上养着我，供着我，你说离婚，不要自己花轿娶来的老婆？那是白天做大梦！哼，美得你！可是，现在……（感慨系之）咳……白露，你是个聪明人，你想想结婚有什么意思？有什么意思？

陈白露 （叹一口气）结婚不结婚都没有什么意思。（思虑地）不过我常常是这么想，好好地把一个情人逼成了自己的丈夫，总觉得怪可惜似的。[2]

顾八奶奶 （固然不大懂白露的话，但猜得出大概是那样的意思，于是——）说的也就是这个意思啊！你想吃吃饭，跳跳舞，两个人只要不结婚总是亲亲热热的，一结了婚，哼——（仿佛看见了胡四做没有良心的丈夫的神气，而不由自主地——[3]）说到大天[4]！这件事办不到，胡四说什么都可以，所以[5]，他跟我求婚，我总是不依的。再，我也怕他，结了婚，现原形，而且我那位大女儿你也是知道的——

陈白露 你说你那位大学毕业的小姐吗？

顾八奶奶 就是她！

陈白露 她怎么？

---

1 "他"川版作"'老棺材'"。

2 此句川版作"（自言自语）好好地把一个情人，逼成了自己的丈夫，真是怪可惜的。"。

3 此句川版作"仿佛看见胡四已做了没有良心的丈夫，不由自主地——"。

4 "说到大天"原刊作"说到（大声）天"。

5 川版无"所以"。

顾八奶奶 （又有了道理）你不知道我这个人顶爽快[1]，我顶不像我的女儿。我的女儿好咬文嚼字，信耶稣，好办个慈善事业，有点假门假事的。[2]我就不然，我从前看上老邱，我满心眼里尽是老邱；现在我看中了胡四，我一肚子尽是胡四。你看，我的女儿那样，我偏偏儿这样，你看这不是有点遗传！（很[3]得意自己又用了一个新名词，不自主地咳嗽起来）

陈白露 可是，八姐[4]，你那位大学小姐跟你结婚又有什么关系呀？

顾八奶奶 哦，说着说着我忘了。（忽然非常机密样子[5]，低声对着白露的耳朵，指手画脚地）我告诉你，我的女儿顶反对胡四——其实我也明白，自然是因为怕胡四花完了我的钱，你想我嫁给胡四，我那女儿的年纪跟他……跟他……呃，呃[6]，看着差不多少。你说将来叫我的女儿怎么称呼他，这不有点叫做妈的难以为情。[7]

陈白露 （打着呵欠，自然听得有点厌烦了）然而胡四这样成天地对不起你，你何必永远忘不了他。[8]

---

1 “顶爽快”原刊作“最爽快”。

2 此句川版作“我的女儿好咬文嚼字，信耶苏，好办个慈善事业，有点假模假式的。”。

3 川版无“很”。

4 “八姐”川版作“八奶奶”。

5 “机密样子”川版作“机密的样子”。

6 川版无“……跟他……呃，呃”。

7 此句川版作“你说日后我的女儿怎么叫他，这不有点叫做妈的难为情。”。

8 此句川版作“胡四这样对不起你，你还永远忘不了他。”。

顾八奶奶 （很自负地）那就是爱情啰！其实我也知道他懒，死不长进，我好说歹说托潘四爷跟他找事[1]。潘四爷说市面紧，可是为着我在银行裁去十五个人——不对，大概是二十个人，不，十五个？二十个？[2]咳，反正是十来个人吧——你看裁了那么些个人[3]才跟他挤出一个事。你看，他不是嫌钱少，就是说没意思，去了两天，现在又不常去了[4]。懒，没出息，没有办法——唉，天生是这么一个可怜的人[5]！我不管他，谁管他？（发现了宇宙真理一般）哼，爱情！从前我不懂，现在我才真明白了。

陈白露 （讽刺地）哦，你明白了爱情，就无怪你这么聪明了。[6]

顾八奶奶 我告诉你，爱情是你甘心情愿地拿出钱来叫他花，他怎么胡花你也不必心痛——那就是爱情！——爱情！[7]

陈白露 怪不得人家老跟我说爱情是要有代价的，现在我才完全明白这句话的意思。[8]

---

1 “跟他找事”川版作“给他找个事”。

2 “不，十五个？”以下川版无。

3 “那么些个人”川版作“那么些人”。

4 “不常去了”川版作“不去了”。

5 “可怜的人”川版作“可怜的小人儿”。

6 原刊无“（讽刺地）”。此句川版作“（诧异地）哦，你明白了爱情，这就难怪你这么聪明了。”。

7 “我告诉你”以下川版作“爱情！就是你甘心情愿地拿出钱来叫他花，他怎么胡花，你也不心疼——那就是爱情！——爱情！”。

8 此句川版作“怪不得人家总说爱情，是要有代价的，现在我才明白。”。

顾八奶奶 是啊，所以我想还跟胡四再加点"代价"。我想找潘四爷替他在电影公司找个事。白露，我们是好姊妹[1]，你在四爷面前替我跟他说说，我真有点不好意思再多麻烦他啦。

陈白露 哦，你说你要他当电影明星？

顾八奶奶 （热烈地[2]）嗯，他当明星，准红！你看他哪一点不像个电影[3]明星？身材，相貌，鼻子，眼睛，我看都不错。

陈白露 可是[4]，你不怕旁的女人追他么。

顾八奶奶 不，这一点我最放心他。他什么都不好，就是对我死心眼，总像个小狗似地跟着我。（忽然觉得有点不大符事实）呃……呃……[5]自然这两天他没有见我，可是这也难怪他，他要用三百块钱，我没有给他，他劝我换一辆小雪佛兰的汽车[6]，我一时没有那么多的钱[7]，也没买。后来，他就跟我求婚——我告诉你，这是第十二遍了——我又没有答应他，难怪他气了。

陈白露 所以你想，你要跟他做个好事，叫他平平气。[8]

---

1 "好姊妹"原刊作"好姐妹"。

2 原刊无"热烈地"。

3 原刊无"电影"。

4 川版无"可是"。

5 原刊、川版均无"呃……呃……"。

6 "小雪佛兰的汽车"川版作"新式汽车"。

7 "一时没有那么多的钱"川版作"一时糊涂了"。

8 "做个好事"原刊作"找个好事"。此句川版作"所以你要给他找个好事，叫他平平气。"。

顾八奶奶 我这次可许了他了，只要他当了电影明星，我就想法子[1]嫁给他。我跟你痛痛快快地说吧，我都想过[2]，画报上一定登那么老大的照片，我的，胡四的，我们两个的，报纸每天[3]登着我们蜜月的新闻。并且——[4]

陈白露 恭喜，恭喜，恭喜你现在又觉得结婚有意思了，我得好好吃你一杯喜酒。[5]不过，你的大学小姐呢？你[6]怎么办？

顾八奶奶 （不以为然的口气）嗯！胡四当了电影明星就大不同了。我叫胡四在她的什么慈善游艺会，以电影明星的资格，唱个浪漫歌[7]，（手势[8]）跳个胡拉舞，你看，她不乐得飞飞的。

陈白露 八姐，我一定替你办，你真聪明，想得真周到，我答应你，我一定找潘四爷，明天就设法叫他入电影公司，好吧？[9]

顾八奶奶 （感激莫名）谢谢你！谢谢你！你看，我说过你是个“空

---

1 川版无“想法子”。

2 “我都想过”川版作“我都想过啦”。

3 “每天”川版作“天天”。

4 川版无“并且——”。

5 此句原刊作“你现在又觉得结婚有意思了，恭喜，恭喜，我得好好吃你一杯喜酒。”，川版作“恭喜，恭喜你现在又觉得结婚有意思了，我得好好吃你一杯喜酒。”。

6 川版无“你”。

7 “以电影明星的资格，唱个浪漫歌”川版作“来个明星的劲儿，哼个浪漫歌”。

8 原刊无“手势”。

9 此句川版作“好，我替你说说，你真聪明，想得真周到！（实在有些腻烦了）明天就叫他进电影公司！好吧？”。

前绝后”的杰作，那是一点也不错的。

〔福升由中门上，拿着许多账单。

王福升　哦，八奶奶在这儿？

顾八奶奶　你[1]干什么？

王福升　我找小姐。

陈白露　是为你手里拿来那些账条么？[2]

王福升　是，小姐。潘四爷已经把昨天那些应该付的钱都替你付了[3]，他叫我把这些账条交给您。

陈白露　你把它烧了吧。

王福升　是……是！可是这里（正要由口袋取出）还有一把——

陈白露　还有？

王福升　要不，您听着：[4]——（正要念下去）

陈白露　你没有看见[5]这儿有客么？

王福升　是，是。

〔张乔治由左门上，他穿一身大礼服，持着礼帽，白手套，象牙手杖，还带着一束花，得意扬扬地走进来。

张乔治　（满腔热忱）Hello！ Hello！我一猜你们就在这间屋子！（拉

1　川版无“你”。

2　此句原刊作“是为的你手里拿来那些账条么？”，川版作“又是那些账条么？”。

3　“那些应该付的钱都替你付了”原刊作“那些应该付的钱都替您付了”，川版作“那些该付的钱都替您付了”。

4　“您听着：”川版作“您听一下”。

5　“你没有看见”川版作“没看见”。

手）Hello！ Hello！（那样紧紧地握着两个女人的手）

顾八奶奶 哦，博士来了！

张乔治 顾太太！（打量上下）你真是越过越漂亮了。

顾八奶奶 （眉飞色舞[1]）真的么？博士？

张乔治 （望着露）Oh，my！我的小露露，你今天这身衣服——

陈白露 （效他那神经的样子，替他说）Simply beautiful！[2]

张乔治 一点也不错！还是你聪明，你总知道我要说什么。（转过身，向着福升）By the way，哦，boy！

王福升 也斯（Yes），死阿（Sir）！

张乔治 你跟里面的人说，说我不去陪他们打牌了。

王福升 也斯，死阿！

〔福升由左门下。

陈白露 你不要这么猴儿似的，你坐下好吧。

张乔治 哦，please，please[3]，excuse me，my dear Lulu。

顾八奶奶 喂，你们两个不要这么叽哩瓜啦地翻洋话好不好[4]？

张乔治 Oh，I'm sorry，I'm exceedingly sorry！我是真对不起你，说外国话总好像方便一点，你不知道我现在的中国话忘了多少。现在还好呢。总算记起来了，我刚回来的时候，我几

---

1 原刊无“眉飞色舞”。

2 此句川版作“美丽极了！”。

3 “please，please”川版作“O.K，O.K”。

4 “好不好”原刊作“好吧”。

乎连一句完全中国话都说不出来，你看外国话多么厉害。[1]

顾八奶奶 博士，还是你真有福气，到过外国，唉，外国话再怎么王道，可怜我这中国话一辈子也忘不了啦。[2]

陈白露 Georgy[3]，今天你为什么穿得这么整齐？

张乔治 你不知道，在衙门里做事是[4]真麻烦。今天要参加什么典礼，明天要当什么证婚。今天部里刘司长结婚，我跟他当伴郎，忽然我想到你，我简直等不了换衣服，我就要来。[5]哦，这一束花是我送给你的[6]，我[7]祝你永远像今天这么美，并且也让它代表我的歉意。昨天晚上，我原来的意思，跑到你房里是——

顾八奶奶 昨天晚上你们怎么了？

陈白露 （以目示意[8]）没有什么。

---

1 “我是真对不起你”以下川版作“真对不起，说洋话，我就觉得顺气，一‘哇啦’咱们这国语，就没有味道。我刚回国，一句完全中国话都不会说。讲起来，（上海腔调）‘瞎三话四’！”。

2 “忘不了啦”原刊作“忘不了的”。此句川版作“博士，你真有福气，到过外国。外国话就是好听，叽哩咕噜，就是‘帅’！”。

3 “Georgy”川版作“张博士”。

4 川版无“是”。

5 此句川版作“今天部里孙司长结婚，我给他当伴郎，忽然我想到你，我等不了换衣服，我就飞来了。”。

6 “哦，这一束花是我送给你的”川版作“露露，这一束花是我专诚送给你的”。

7 川版无“我”。

8 “以目示意”川版作“余怒未消”。

张乔治　没有什么！那好极了，我知道你向来是大量的。

顾八奶奶　博士，你这两天没跟胡四一起玩么？

张乔治　胡四？前两天我在俱乐部[1]看见他很亲热地跟一个——

顾八奶奶　（急躁地）一个什么？

张乔治　跟一个狗一块走进来走进去。[2]

顾八奶奶　这个没有良心的东西，他情愿跟一条狗走，不跟我在一起。[3]

张乔治　怎么，你们又闹翻了么？咦，那他在门口坐在汽车里做什么？

顾八奶奶　什么！他在楼底下？门口？

张乔治　奇怪！你不知道？

顾八奶奶　博士，你真不像念书的人，你怎么早不告诉我？[4]

张乔治　念了书不见得一定算得出来顾八奶奶想见胡四呀。[5]

顾八奶奶　好了，我不跟你说了。我要走了。（匆匆忙忙地走到中门，回身）可是白露，你得记住我刚才托你的事。见着四爷，别忘了替我说一声。

陈白露　好吧。

顾八奶奶　博士，“古得拜！”“拜——拜！”（顾八奶奶[6]下）

1　此处川版有“又”。

2　此句川版作“跟一条狗，一块遛过来遛过去。”。

3　此句川版作“这个没有良心的东西，他情愿跟一条狗遛，就不想着我。”。

4　此句川版作“博士，你真不像个念书的人，怎么早不告诉我？”。

5　此句川版作“念了书不见得算得出来顾八奶奶这会儿想见胡四呀。”。

6　此处川版有“由中门”。

张乔治　（嘘出一口气）好容易这个宝贝走了。（很热烈地转向白露）白露，我告诉你一件好消息。

陈白露　什么好消息？是你太太又替你生了少爷了？

张乔治　（又是他那最得意的一甩手）Pah！岂有此理。

陈白露　那么你一定又是升了官了。

张乔治　这个喜信跟升了官也差不多少。我告诉你（拉着白露的手，亲密而愉快地）昨天下午我跟我太太离婚了，正式离婚了！

陈白露　离婚？怎么，你太太替你生了三个小孩，你忽然不要了？她辛辛苦苦替你扶养着孩子叫你好上学，你回了国几年就跟她离婚？[1]

张乔治　咦，我给她钱；我有钱，我给她钱啦。你这个人，我没想到你这样不通人情。

陈白露　是啊，所以[2]我现在要跟你学学，"人情"这两个字究竟怎么讲。

张乔治　不，露露，我们不谈她，忘了她。让我跟你谈谈第二个好消息。

陈白露　Georgy[3]，今天你的好消息真多呀！

张乔治　（忽然非常温存地盯着她）露露，你知道昨天晚上我为什么

1　"怎么，你太太替你生了三个小孩"以下川版作"你太太不是替你生了三个小孩么？她辛辛苦苦替你扶养孩子，怎么你一回国就要跟她离婚呢？"。

2　川版无"所以"。

3　"Georgy"川版作"张博士"。

到你这里来？

陈白露 （讪笑着他）难道你也是要跟我求婚来的？

张乔治 （惊愕）Oh，my！ My good gracious！你简直是上帝，你怎么把我心里的事都猜透了？

陈白露 （惊怪[1]）什么？你——

张乔治 不，露露，你应该可怜可怜一个刚离过婚，没有人疼的男人，你必须答应我。

陈白露 怎么，你昨天晚上，闹成那个样子，（非常厌恶地）吐了我一床，你原来是要我嫁给你？

张乔治 那是因为我喝醉了。

陈白露 我当然知道你是喝醉了。

张乔治 那是因为我太喜欢了。我[2]，我一刻也忘不了我就要成世界上最幸福的人，我知道你一定会嫁给我。

陈白露 奇怪，为什么你们男人们[3]自信心都那么强？

张乔治 露露，我现在在广东路有一所房子[4]，大兴煤矿公司我也有些股票，在大丰银行[5]还存着几万块钱现款，自然你知道我现在还在衙门做事。将来只要我聪明一点[6]，三四千块钱一月的

1 川版无“惊怪”。

2 川版无“我”。

3 “你们男人们”川版作“你们男人”。

4 “房子”川版作“花园房子”。

5 “大丰银行”川版作“汇丰银行”。

6 “只要我聪明一点”川版作“只要我路子再多一点”。

收入是一点也不费事的，并且，我在外国也很不坏，我是哲学博士，经济学士，政治硕士，还有……[1]

陈白露　（喊起来）达生，达生，你快出来。

〔方达生由右面寝室走出。

方达生　（看见他们两个坐在一起）哦，你们两个在这儿，对不起，我大概听错了。（回身）

陈白露　我是叫你，你来！你赶快把窗户打开。

张乔治　干什么？

陈白露　我要吸一点新鲜空气。这屋子忽然酸得厉害。

方达生　酸？[2]

陈白露　可不是，你闻不出来？[3]（转过话头）小东西呢？

方达生　在屋子里。这孩子很有意思，我非常喜欢她。

陈白露　你带她走，好吧？

方达生　自然好[4]，我正少这么一个小妹妹。

陈白露　那我把她送给你了。

方达生　谢谢你！[5]就这么定规了。

张乔治　喂，白露，你……你！[6]请你也跟我介绍介绍，不要这样不

1　原刊无“还有……”。

2　此处川版有“**张乔治**　酸什么？”。

3　此句川版作“可不是，（对乔）你是闻不出来的。”。

4　川版无“自然好”。

5　川版无此句。

6　此句川版作“喂，白露，你！”。

客气。

陈白露 咦，你们不认识？

张乔治 （看了看）很面熟，仿佛在哪儿见过似的。

方达生 可是张先生，我可认识你，你洋名乔治张，中名张乔治，你曾经得过什么硕士博士一类的东西，你当过几任科长……[1]

张乔治 （愣住，忽然）哦，我想起来了。我们见过，我们是老朋友了！

陈白露 （忍住笑）真的？在哪儿？

张乔治 啊，我们是老朋友了。[2]我想起来了，五年前，我们同船[3]一块从欧洲回来。（忽然走到达生面前，用力地握着他的手，非常热烈地）啊，这多少年了，你看这多少年了。好极了，好极了，请坐，请坐。（回头取吕宋烟）

陈白露 （低声）这是怎么一回事？[4]

方达生 （微笑）谁知道他是怎么回事！[5]

〔李石清由左门上。他原来是大丰银行一个小职员，他的狡黠和逢迎的本领使他目前升为潘月亭的秘书。他很萎缩，极力地做出[6]他心目中大人物的气魄，却始终掩饰不住自己

---

1 “可是张先生”以下川版作“张先生，我们见过。”。

2 此句川版作“啊，老朋友，老朋友了！”。

3 原刊无“同船”。

4 此句川版作“他是怎么啦？”。

5 此句川版作“谁知道？”。

6 “极力地做出”原刊作“但极力地做出”。

的穷酸相，他永远偷偷望着人的颜色，顺从而谄媚地笑着。他嘴角的笑纹呆板板地如木刻上的线条，雕在那卑猥而又不甘于贫贱的面形上。当他正言厉色的时候，我们会发现他额上有许多经历的皱纹，一条一条的细沟，蓄满了他在人生所遭受的羞辱，穷困和酸辛。在这许多他所羡慕“既富且贵”的人物里，他是时有“自惭形秽”之感的，所以在人前，为怕人的藐视，他时而也扭捏作态无中生有地夸耀一下，然而一想起家里的老小便不由得低下头，忍气吞声受着屈辱。他恨那些在上的人，他又不得不逢迎他们。于是愤恨倒咽在肚里，只有在回家以后一起发泄在自己可怜的妻儿身上。他是这么一个讨厌而又可悯的性格——他有一对老鼠似的小眼睛，头发稀稀拉拉的，眉毛淡得看不出，嘴边如野地上的散兵似地只布着几根毛，扁鼻子，短下巴，张开嘴露着几颗黑牙齿，声音总是很尖锐的。他很瘦，很小，穿一件褪了颜色的碎花黄缎袍。外面套上一件崭新的黑缎子马褂。他格登登地走进来，脚下的漆皮鞋，是不用鞋带的那一种[1]，虽然旧破，也刷得很亮，腿上绑着腿带。

李石清 陈小姐！（向着乔）博士！（鞠躬）

张乔治 你来得正好！李先生，我得跟你介绍介绍我的一个老朋友。

李石清 是，是，是。

张乔治 （向着达生）这是李石清，李先生，大丰银行的秘书，潘四

1 “不用鞋带的那一种”原刊作“不用系鞋带的那一种”。

爷面前顶红的人。

李石清 不敢，不敢。这位贵姓是——

张乔治 这是我从欧洲一块回来的老同学，他姓这个，姓这个——

方达生 我姓方。[1]

张乔治 （打着脑袋）对了，你看我这个记性，姓方，方先生！

李石清 久仰！久仰！

陈白露 李先生，你小心点[2]，李太太正找着你，说有话跟你讲。

李石清 是吗？（笑）她哪有工夫跟我说话，她正打着牌呢。

陈白露 还在打么？[3]她早就说不肯打了。怎么？输了赢了？[4]

李石清 我的内人打的不好，自然是输的。不过输的很有限，只三四百块钱，不——[5]

陈白露 （替李说出）不算多。

李石清 陈小姐顶聪明了，专门会学人的口头语。（不自然地笑）其实，到陈小姐这儿打牌，输了也是快活的。

陈白露 谢谢，谢谢，不要恭维了，我担不起[6]。

张乔治 没有见着潘经理么？

---

1 此句川版作“姓方。”。

2 川版无“你小心点”。

3 此句原刊作“还在打，”。

4 “还在打么？”以下川版作“还在打？她早就说不肯打了。输了，赢了？”。

5 此句原刊作“不过输的很有限，只三四百块钱。”，川版作“不过输得有限，三四百钱块，不——”。

6 川版无“我担不起”。

李石清 我正是找他来的。

陈白露 他大概在三十四号，你问福升就知道了。

李石清 是。陈小姐，那么我先跟您告一会假。失陪，失陪，博士。失陪，方先生。

〔李鞠躬点头地正要走出，顾八奶奶推着胡四由中门上。胡四毕竟是胡四。苍白的脸，高高的鼻梁，削薄的嘴唇，一口整齐的白牙齿，头发梳得光光的，嘴边上有两条极细的小胡子，偶尔笑起来那样地诱惑，尤其他那一对[1]永远在做着“黯然消魂”之态的眼睛，看你又不看你，瞟人一眼又似乎怕人瞧见，那态度无论谁都要称为妩媚的。他不大爱笑，仿佛是很忧戚的，话也不多，但[2]偶尔冒出一两句，便可吓得举座失色，因为人再也想不出[3]在这样一副美丽[4]的面形下面会藏蓄这么许多丑陋粗恶的思想和情感。但他并不掩饰自己，因为他不觉得自己是丑陋的，反之他很自负地以为自己——如许多人那样当面地称赞他——是“中国第一美男子”。他时常照镜子，理头发，整整衣服；衣服是他的第二个生命，那是神圣不可侵犯的宝物。现在他穿着西服：黑衬衫，白丝领带，藕荷色带着杂色斑点的衣服，裁得奇形怪样的时髦。手里持

1 “尤其他那一对”川版作“尤其是他那一对”。

2 原刊无“但”。

3 “再也想不出”原刊作“从来想不出”。

4 “美丽”川版作“标致”。

着一只很短很精致的小藤杖和银亮亮的链子。

〔他带着一副从容不迫的神气，脸上向来没有一丝表情，不惊愕，不客气，见人也并不招呼，那样“神秘”——这是顾八奶奶对他的评语——地走进来。

李石清 顾八奶奶,（很熟稔地）胡四爷。

顾八奶奶 （对李）你跟我拉他进来。

李石清 又怎么了？

胡　四 （看了顾一会，回过头对李说，若无其事的样子）别管她。

李石清 对不起，我[1]要见潘经理，失陪，失陪。

〔李下。

顾八奶奶 （一个天真未凿的女孩子似的，撒着娇。当然看得出来她在模仿着白露）你跟我来！我不让你看，我不让你看嘿！（一手推进胡四，骄傲地立在自己的俘虏和朋友前面，一半对着胡四,一半对着其余的人，胜利地）我不许你看，你就不能看！你听着不听着？

胡　四 （厌恶而又毫无办法）好！好！好！我听着。可是你瞧你！（皱起眉甩开她的手，指着袖管，已经被顾八奶奶馒头似的手握成许多皱纹。她放下手，故意做不在意的笑）好好的衣服！（用手掸了掸衣服，整理自己的领带）

顾八奶奶 （似笑非笑。急于把这点难堪掩饰过，但在人面前又不得不生着气）你瞧你！

---

1 川版无“我”。

陈白露 你们这是怎么回事？[1]

胡 四 没什么。（乖觉地觉出事态可以闹得很无趣，便一手拉起顾八奶奶的手，嫣然地笑出来[2]）你瞧你！（下面的话自然是“你急什么？”但他没有说，却一手理起油亮亮的头发。两个人不得已地[3]互相笑了，顾八奶奶当时平了气）

顾八奶奶 （又和好地，对白露）你看我们成天打架，我们好玩不？[4]

陈白露 当着人就这么闹，你们简直成了小孩子了。[5]

顾八奶奶 我们本来就是一对小孩子[6]噻！（向胡四）你说是不是？我问你，你刚才为什么偏要看那个女人[7]？有什么美？又粗，又胖，又俗气，又[8]没有一点教育，又没有一点聪明伶俐劲儿，又没有……

胡 四 得了，得了，你老说什么？（自己先坐下，取出手帕擦擦脸，又拿出一面小镜子照照）[9]你看，我不是听你的话进来了么？

---

1 此句川版作“你们又怎么啦？”。

2 “嫣然地笑出来”川版作“嫣然笑出来”。

3 川版无“不得已地”。

4 此句川版作“（憨态可掬，对白露）你看我们俩成天逗乐，打架，好玩吧？”。

5 此句川版作“（刻薄地）你们真是一对好孩子！！”。

6 “一对小孩子”川版作“一对孩子”。

7 “偏要看那个女人”川版作“偏要盯着那个女人看”。

8 川版无“又”。

9 “得了，得了，你老说什么？”以下川版作“得了，得了，你老吵吵（读第一声）什么？（自己先坐下，取得大花手帕，搌搌嘴唇，又拿出一面小镜子照照）”。

（忽然看见张乔治，欠欠身）咦，博士，你早来了。

张乔治 胡四，好久没见，你这两天滚到什么地方玩去了？

胡　四 没有什么新鲜玩意。到俱乐部泡泡，舞场里“蹭”“蹭”（跟女人混混的意思），没有意思，没劲儿。[1]

顾八奶奶 哼，你多半又叫什么坏女人把你迷住了。

胡　四 你瞧你！（毫不在意，慢吞吞地）你要说有就有。

顾八奶奶 （急了）我可并没说你一定有。[2]

胡　四 （还是那副不在乎的表情）那不就得了。

〔福由左门上。

王福升 小姐，点心预备好了，摆在五十一号，您先看看，好么？

陈白露 （正和方达生谈话，转身）好，我就去。

王福升 是。（复[3]由左门下）

陈白露 胡四，你见过我的新客人么？（胡四懒懒地探起身）方先生，新到这儿来，我的表哥。（向方）这是胡四，中国第一美男子。

顾八奶奶 （正和乔治谈话，回过头，非常高兴地）你不要这么夸他，他更要跟我要脾气了。[4]

陈白露 好，你们好好地谈吧！我要到那屋子去看看就回来。（由

---

1 “没有什么新鲜玩意。”以下川版作“没什么新鲜玩意。到俱乐部泡泡，舞场里‘蹭’‘蹭’（跟女人混的意思），没意思，没劲儿。”。

2 此句川版作“我可没说你有。”。

3 川版无“复”。

4 此句川版作“（正和乔治谈话，忽回过头，异常高兴）你再别这么夸他啦！（胡四不由得送过那一副妖媚的秋波）他更要跟我们要脾气了。”。

左下）[1]

胡　四　（不知不觉地又理理头发，回头向穿衣镜照照，对着方达生半天，忽然冒出一句[2]）久仰，久仰，您多照应着点。

方达生　（不知答些什么好）哦，哦。[3]

胡　四　您很面熟。

方达生　是么？

胡　四　您多大？

方达生　（没想到）什么？

胡　四　你很漂亮，很拿得出去，在这个地方一定行得通。博士，你看，方二爷像不像我那位朋友黄韵秋？（上下打量方达生）

张乔治　黄韵秋？

胡　四　大舞台唱青衣的。

方达生　（厌恶）我看你大概是个唱花旦的。

胡　四　好眼力，不敢，会一点。顾八奶奶就是我的徒弟，白露也跟我学过。

方达生　（自语）这个东西！[4]

1　“好，你们好好地谈吧！”以下川版作“你们好好谈吧！我到那屋看看就来。（由左门下）”。

2　此句川版作“不知不觉地又理开头发，回头向穿衣镜照照，望着方达生，半天，忽然冒出一句”。

3　此句川版作“哦。”。

4　此句川版作“这种东西！（望着墙）”。

〔半晌。[1]

胡　四　（莫名其妙，忽然很正经地）博士，你饿不饿？

张乔治　（愕然）我？——不饿！

顾八奶奶　（也奇怪胡为什么忽然冒出这一句）你——饿了？

胡　四　我。（看看达生）不，（摇头）——也不饿。

〔半晌。[2]

方达生　（望望这三个人，叹气）对不起，我想在外边走走。[3]

张乔治　不过，方先生，你——

方达生　我不陪了。[4]

〔达由中门下。三人望他下场，三个人互递眼色[5]。

胡　四　这个家伙怎么一脑门子的官司？

顾八奶奶　白露大概是玩腻了，所以[6]不知在哪儿叫来这么一个小疯子来开开心。

张乔治　奇怪，这个人我又好像不大认识似的。

胡　四　（燃纸烟）博士，我现在会开汽车了。

顾八奶奶　对了，博士，你没有看见他开汽车，开得快着得呢。

胡　四　博士，现在有人邀我进电影公司，要我当小生。你看我现

1　原刊无此句。

2　原刊无此句。

3　此句川版作“（望望这三个人，忿然）对不起，我出去了。”。

4　此句川版作“再见。”。

5　“互递眼色”原刊作“互相递眼色”。

6　川版无“所以”。

在骑马，游水[1]，跳舞，穿洋服，一点一点地学起来，博士，你看我这一身的洋服[2]穿得怎么样，很有点意思啦吧？

张乔治　还将就，还将就。不过洋服最低限度要在香港做，价钱至少也要一百七十元[3]一套。

胡　四　（望着顾八奶奶）你听见没有？你要我到大丰银行做事，干一个月还不够我一套西服钱呢？

顾八奶奶　你不要不知足，李石清一天忙到黑，一个月才二百块，那还是白露的情分，跟潘四爷说好了才成的。[4]

胡　四　那是他贱骨头[5]，谁也不能卖得这么贱。（白露由左上）

陈白露　（立在门口）点心预备好了。来吧！你们都进来吃吧[6]。今天都是熟朋友。（回头看）刘小姐，你看Georgy[7]来了。

张乔治　（远远望见左门里面的刘小姐，老远就伸出手，一边走着，高声嚷着Bonjour，bonjour，mademoiselle，摇着手）——哦，我的刘小姐。你不必起来。我来就你！……我来就你！（嚷喝着走进去，里面欢呼声）

1　“游水”原刊作“浮水”。

2　“一身的洋服”川版作“一身洋服”。

3　“一百七十元”原刊作“一百四十元”。

4　此句川版作“你别不知情，李石清一天忙到黑，一个月才二百块。你呀，还是我求白露，跟潘四爷说了话才成的。”。

5　“那是他贱骨头”川版作“李石清是贱骨头”。

6　“进来吃吧”川版作“进来尝尝吧”。

7　“Georgy”川版作“张博士”。

胡　四　（慢吞吞地，提一下裤带，摸摸衣服，又是他那满不在乎，无精打采的样子[1]，对着顾八奶奶）起来吧！[2]我进门就饿了。

顾八奶奶　（瞪他一眼）饿了不早说！还不快点走！（噔噔地走上前）

胡　四　（瞟她一眼，更慢了）你瞧你！

顾八奶奶　（已走到左门口，回头看胡四还立在那里，于是伸出手招他，笑着）快点来，胡四。

胡　四　（翻翻白眼，胜利似地[3]）哧！

〔胡四稳稳当当地走入左门，对白露很妩媚地笑了笑。

陈白露　（四面望望）咦，达生呢？（回头，忽然见李太太在背后）哦，李太太，您不吃点东西么？……哦，那么，您请进来吧。

〔李太太上，一个十分瘦弱的女人，举止端重，衣服不甚华丽。神色温良，但罩满了忧戚，她薄薄敷一层粉，几乎没有怎么修饰，仿佛很勉强地来到这里，客气而很不自在地[4]和白露说话。

陈白露　（和蔼地）是您要找李先生说话？

李太太　是，陈小姐。

陈白露　（按电铃）你们夫妇两人感情真好，这[5]一会儿都离不开。我

---

1 “又是他那满不在乎，无精打采的样子”原刊作“故意做出满不在乎，无精打采的样子”。

2 此句川版作“走吧！”。

3 “胜利似地”川版作“胜利地”。

4 “客气而很不自在地”川版作“客气，不自在地”。

5 川版无“这”。

真羡慕你们。[1]

〔福升上。

陈白露 福升，你去请李先生来！说李太太等他有话说。

王福升 是。

陈白露 喂！方先生在外头[2]么？

王福升 没有，没有看见。

陈白露 你去吧！（福升下）

陈白露 李太太，请您等一下，我有一点事。（向右门走）达生，达生！

〔小东西由白露的卧室走出来。她已和十二小时前的模样大改了，她穿着白露的玫瑰紫的旧旗袍，还是肥大，一望而知不是她自己的衣服。乌黑的头发垂下来，白净的脸抹上两块喜饼大的红胭脂，眼睛凸成金鱼的那样大[3]。一半因为这几天哭多了，一半因为四周的新奇使她有些迷惑。她望着白露和李太太一声也不响，如同涂彩的泥娃娃立在那里。[4]

陈白露 方先生在屋里么？

小东西 方先生？

陈白露 就是方才跟你说话那位先生。

---

1 川版无此句。

2 “外头”川版作“外面”。

3 “眼睛凸成金鱼的那样大”川版作“两眼呆呆地盯着”。

4 此句川版作“她望着白露和李太太一声不响，如同涂彩的娃娃，立在那里。”。

小东西　他呀！他不在屋。

陈白露　他又跑了。（忽然对小东西）咦，谁叫你跑出来的？

小东西　（惶恐地）我！我听见您叫唤我就出来了。

陈白露　（笑问她）那么[1]，你忘记昨天晚上那些人啦？

小东西　（立刻往里跑）是，小姐。

陈白露　回来，（小东西退回来）屋里有一个通过道的窗户，你记得关好，听见了没有？

小东西　嗯嗯，（又跑回）

〔李石清由中门进。

陈白露　站住！走过来点！（小东西就走过来。她用手帕把她的胭脂涂匀，揩去她的泪痕，仁慈地[2]笑着）去吧！（小东西又回到右屋。露回头）哦，李先生，你可来了[3]！你看[4]你太太非要找你不可，你们真亲热。

李石清　（笑）您不知道，陈小姐，我们也是一对老情人，我的太太要是一点钟不跟我说一次情话是过不得的。

陈白露　真的么？那你们尽管在这儿谈吧，我不打搅了[5]。

〔白露由左门下。

1　川版无"那么"。

2　"仁慈地"川版作"爱抚地"。

3　"你可来了"川版作"你来了"。

4　川版无"你看"。

5　"我不打搅了"原刊作"我要退席了"。

李石清 （鞠躬，望着白露出了门，半晌，四面看看，放下心，拉下脸，严重地）打得怎么样？输了？赢了？

李太太 （哀声地[1]）石清，你让我回去吧？

李石清 （疑惧地）你输了？

李太太 （低头）嗯。

李石清 （有些慌）我给你一百五十块钱都输了？

李太太 （低声）还没有都输——也差不多少。

李石清 （半天，想不出办法）可是怎么能[2]输这么些！

李太太 我心里着急，我怕输，牌更打不好了。

李石清 （不觉地气起来）着急？都是一样地打牌，你着什么急？你真，你真不见世面。

李太太 （受不了这样的委屈，落下眼泪）我不去打牌，你偏要我打牌。我不愿意来，你偏逼我到这儿来。我听你的话，我来了，陪着这帮有钱的人们打大牌——输了钱，你又——（泣出声）

李石清 （看着她，反而更气起来）哭！哭！哭！你就会哭！这个地方是你哭的么？这成什么样子？不用哭了。[3]（不耐烦地）我这儿有的是钱，得了，得了。

李太太 我不要钱。

李石清 你要什么？

---

1 “哀声地”川版作“哀求”。

2 “怎么能”原刊作“怎么会”。

3 此句川版作“别哭了。”。

李太太　（怯弱地）我要回家。

李石清　少说废话，这儿有钱。（取出皮夹[1]来安慰她）你看，我这儿有一百块钱，你看。先分给你八十，好不好？

李太太　你在哪儿弄来的钱？

李石清　你不用管。

李太太　（忽然）你的皮大氅呢？

李石清　在家里，没有穿来。

李太太　（瞥见李手内一卷钞票内夹着的一张纸）石清，你这是什么？

李石清　（抢说）这是……（但已被李太太抢去[2]）

李太太　（望望那张纸，又交还李）你又把你的皮大衣当——[3]

李石清　你不要这么大声嚷嚷！

李太太　唉，石清，你这是何苦！

李石清　（不高兴）你不用管，我跟你说，你不用管。

李太太　石清，我实在受不了啦。石清，你叫我回家去吧，好不好？这不是我们玩的地方，没有一个正经人，没有一句正经话——

李石清　谁说没有正经人，潘经理不就是个正经人么！你看他办学校，盖济贫院，开工厂，这还不是好人做的事？

李太太　可是你没有看见他跟这位陈小姐——

1　“皮夹”底本作“皮箧”，据川版改。

2　“抢去”川版作“拿去”。

3　“把你的皮大衣当——”川版作“把你的皮大衣送给当铺了——”。

李石清 我怎么没看见。那是经理喜欢她，他有的是钞票，他爱花这样的钱，这有什么正经不正经？

李太太 好了，这都不是我们的事。（哀求地）你难道不明白，我们的进款这样少，我们不配到这个地方来陪着这位陈小姐？陪着这些有钱的人们玩么？

李石清 我跟你说过多少遍，这样的话你要说，在家里说。不要在这儿讲。省得人家听见笑话你。

李太太 （委屈地）石清，真地我的确觉得他们都有点笑话我们。

李石清 （愤恨地）谁敢笑话我们？我们一样有钱，一样地打着牌，不是百儿八十地应酬着么？

李太太 可是这是做什么呀！我们家里有一大堆孩子！小英儿正在上学，芳儿都要说人家，小五儿又在不舒服。妈妈连一件像样过冬的衣服都没有。放着这许多事情都不做，拿着我们这样造孽的钱陪他们打牌，百儿八十地应酬，你……你叫我怎么打得下去？

李石清 （低头）不用提了，不用提了。

李太太 你想，在银行当个[1]小职员，一天累到死，月底领了薪水还是不够家用，也就够苦了。完了事还得陪着这些上司们玩，打牌，应酬；孩子没有上学的钱，也得应酬；到月底没有房租的钱，还得应酬；孩子生了病，没有钱找好医生治，还是得应酬；——

---

1 此处川版有“不大不小的”。

李石清　（爆发）你不要说了！你不要再说下去了！（沉痛地）你难道看不出来我心里整天难过？你看不出我自己总觉得我是个穷汉子吗？我恨，我恨我自己为什么没有一个好父亲，生来就有钱，叫我少低头，少受气吗？我不比他们坏，这帮东西，你是知道的，并不比我好，没有脑筋，没有胆量，没有一点心肝。他们跟我不同的地方是他们生来有钱，有地位，我生来没钱没地位就是了。我告诉你，这个社会没有公理，没有平等。什么道德，服务，那是他们骗人。你按部就班地干，做到老也是穷死。只有大胆地破釜沉舟地[1]跟他们拼，还许有翻身的那一天！

李太太　石清，你只顾拼，你怎么不想想我们自己的儿子[2]，他们将来怎么了？

李石清　（叹一口气）孩子！哼，要不是为我们这几个可怜的孩子，我肯这么厚着脸皮拉着你，跑到这个地方来？陈白露是个什么东西？舞女不是舞女，娼妓不是娼妓，姨太太又不是姨太太，这么一个贱货！这个老浑蛋看上了她，老浑蛋有钱，我就得叫她小姐；她说什么，我也说什么；可是你只看见我把他们当作我的祖宗来奉承。素贞[3]，你没有觉出有时我是怎么讨厌我自己，我这么不要脸来巴结他们，我什

---

1 “大胆地破釜沉舟地”川版作“大胆、破釜沉舟地”。

2 “儿子”原刊作“孩子”。

3 “素贞”原刊作“淑贞”。

么人格都不要来巴结他们。我这么四十多的人，我要天天鞠着躬跟这帮王八蛋，以至于贱种像胡四这个东西混，我一个一个地都要奉承，联络。我，李石清，一个男子汉，我——（低头不语）

李太太 石清，你不要难过，不要丧气，我明白你，你在外面受了许多委曲。

李石清 不，我决不难过。（忽然慢慢抬起头来，愤恨地）哼，我要起来，我要翻过身来。我要硬得成一块石头，我要不讲一点人情[1]。我以后不可怜人，不同情人；我只要自私，我要报仇。

李太太 报仇？谁欺负了你，你恨谁？

李石清 谁都欺负我，谁我都恨，我在这儿二十年，干到现在，受了多少肮脏气？我早晚要起来的，我要狠狠地出口气，你看，我就要起来了。

〔潘月亭由中门进。

潘月亭 石清！你回来了。

李石清 （恭谨地）早来了。我听说您正跟报馆的人谈天，所以没敢叫人请您去。

潘月亭 李太太有事么？

李石清 没有事，没有事。（对李太太）你还是进去打牌去吧。

〔李太太由左门下。

李石清 报馆有什么特别关于时局的消息么？

---

1 “我要不讲一点人情”原刊作“我要没有一点情感”。

潘月亭 你不用管，叫你买的公债都买好了么？[1]

李石清 买了，一共二百万，本月份。

潘月亭 成交是怎么个行市？

李石清 七七五。

潘月亭 买了之后，情形怎么样？

李石清 我怕不大好。外面有谣言，市面很紧，行市只往下落，有公债的都抛出，可是您反而——

潘月亭 我反而买进。

李石清 您自然是看涨。

潘月亭 我买进，难道我会看落？

李石清 （表示殷勤）经理，平常做存货没什么大危险，再没办法，我们收现，买回来就得了。可现在情形特别，行市一个劲儿往下跌。要是平定一点，行市还有翻回来的那一天，那您就大赚了。[2]不过这可是由不得我们的事。

潘月亭 （拿吕宋烟）你怎么知道谣言一定可靠？

李石清 （卑屈地笑）是，是，您说这是空气？这是空户们要买进，故意造出的空气？

---

1 潘经理叫李石清在“交易所”买卖公债。“交易所”是资本主义国家及旧中国大宗商品和证券的交易市场。“交易所”中进行的交易，分现货交易和期货交易两种。现货交易，有证券、商品等实物的交易；期货交易，绝大部分没有实物转移，只凭先后买卖间的差价，结算盈亏。交易所是投机倒把，买空卖空的集中活动场所。在旧中国，上海、北平（今北京）、天津等地均有交易所，多于抗日战争前夕停止。抗战胜利后，上海一度设立，解放后停止。——川版注。

2 此句原刊作“平定一点，行市还有翻回来的那一天，那您就大赚：”。

潘月亭　空气不空气？我想我干公债这么些年，总可以知道一点真消息。

李石清　（讨好地）不过金八的消息最灵通，我听说他老人家一点也没有买，并且——

潘月亭　（不愉快）石清先生，一个人顶好自己管自己的事，在行里，叫你做的你做，不叫你做的就少多事，少问。这是行里做事的规矩。

李石清　（被这样顶撞，自然不悦，但极力压制着自己）是，经理，我不过是说说，跟您提个醒[1]。

潘月亭　银行里面的事情，不是说说讲讲的事，并且我用不着你提醒[2]。

李石清　是，经理。

潘月亭　你到金八爷那儿去了么？

李石清　去过了。我跟他提过这回盖大丰大楼的事情。他说银行现在怎么会有钱盖房子？后来他又讲市面太坏，地价落，他说这楼既然刚盖，最好立刻停工。

潘月亭　你没有说这房子已经订了合同，定款已经付了么？

李石清　我自然说了，我说包给一个外国公司，钱决不能退，所以金八爷在银行的存款一时实在周转不过来，请缓一两天提。

潘月亭　他怎么样？

李石清　他想了想，他说“再看吧”，看神气仿佛还免不了有变故。

1　“跟您提个醒”原刊作“跟您提醒一下子”。

2　“并且我用不着你提醒”川版作“我还用不着你提醒”。

潘月亭 这个流氓！一点交情也不讲！

李石清 （偷看他）哦，他还问我现在银行所有的房地产是不是已经都抵押出去了？

潘月亭 怎么，他会问你这些事情？

李石清 是，我也奇怪呢，可是我也没怎么说。

潘月亭 你对他说什么？

李石清 我说银行的房地产并没有抵押出去。（停一下。又偷看潘的脸，胆子大起来[1]）固然我知道银行的产业早已全部押给人了。

潘月亭 （愣住）你——谁跟你说押给人了？

李石清 （抬起头）经理，您不是在前几个月把最后的一片房产由长兴里到黄仁里都给押出去了么？

潘月亭 笑话。这是谁说的？

李石清 经理，您不是全部都押给友华公司了么？

潘月亭 哦，哦，（走了两步）哦，石清，你从哪儿得来这个消息？（坐下）怎么，这件事会有人知道么？

李石清 （明白已抓住了潘月亭的短处）您放心放心，没有人知道。就是我自己看见您签字的合同。[2]

潘月亭 你在哪儿看见这个合同？

李石清 在您的抽屉里。

---

1 “胆子大起来”川版作“索性壮起胆子，孤注一掷”。

2 此句川版作“就是石清我自己，看见您签字的合同。”。

潘月亭 你怎么敢——

李石清 不瞒您说，（狞笑）因为我在行里觉得很奇怪，经理忽而[1]又是盖大楼，又是买公债的，我就有一天趁您见客[2]的那一会工夫，开了您的抽屉看看。（笑）可是，我知道我这一举是有点多事。

潘月亭 （呆了半天）石清，不不——这不算什么。不算多事。（不安地笑着）互相监督也是好的。你请坐，你请坐，我们可以谈谈。

李石清 经理。您何必这么客气？[3]

潘月亭 不，你坐坐，不要再拘束了。（坐下）你既然知道了这件事，你自然明白这件事的秘密性，这是决不可泄漏出去，弄得银行本身有些不便当。

李石清 是，[4]我知道最近银行大宗提款的不算少。

潘月亭 好了，我们是一个船上的人啦。我们应该互相帮助，团结起来。这些日子关于银行的谣言很多，他们都疑惑行里准备金是不够的。

李石清 （故意再顶一句）的的确确行里不但准备金不足，而且有点周转不灵。金八爷这次提款不就是个例子么？

潘月亭 （不安地）可是，石清——

---

1 “忽而”原刊作“忽然”。

2 “见客”川版作“送客”。

3 “经理。”以下川版作“（更谦恭）经理，您何必这么客气。”。

4 此处川版有“（开始胁迫）”。

李石清　（抢一句）可是，经理，自从您宣布银行赚了钱，把银行又要盖大丰大楼的计划宣布出去，大家提款的又平稳了些。

潘月亭　你很聪明，你明白我的用意。所以现在的大楼必须盖。哪一天盖齐不管他，这一期的建筑费拿得出去，那就是银行准备金充足，是巩固的。

李石清　然而不赚钱，行里的人是知道的。

潘月亭　所以抵押房产，同金八提款这两个消息千万不要叫人知道。这个时候，随便一个消息可以造成风波，你要小心。

李石清　我自然会小心，伺候经理我一向是谨慎，这件事我不会做错的。

潘月亭　我现在正想旁的方法。这一次公债只要买得顺当，目前我们就可以平平安安地渡过去。这关渡过去，你这点功劳我要充分酬报的。

李石清　我总是为经理服务的。呃，呃，最近我听说襄理张先生要调到旁的地方去？

潘月亭　（沉吟）是，襄理——是啊，只要你不嫌地位小，那件事[1]我总可以帮忙。

李石清　谢谢，谢谢，经理，您放心，我总是尽我的全力为您做事[2]。

潘月亭　好，好——哦，那张裁员单子你带来了么？

李石清　带来了。

1　“那件事”川版作“这件事”。

2　“做事”川版作“办事”。

潘月亭 人裁了之后，大概可以省出多少钱？

李石清 一个月只省出五百块钱左右。

潘月亭 省一点是一点。上次修理房子的工钱，你扣下了么？

李石清 扣下了，二百块钱，就在身上。

潘月亭 怎么会这么多？[1]

李石清 多并不算多[2]，扣到每个小工也不过才一毛钱。

潘月亭 好的，再谈吧。（向左门走了两步，忽然回过头来）哦，我想起来了，你见着金八，提到昨天晚上那个小东西的事么？

李石清 我说了，我说陈小姐很喜欢那孩子，请他讲讲面子给我们[3]。

潘月亭 他怎么样？

李石清 他摇摇头，说根本不知道有这么一件事。

潘月亭 这个浑蛋，他装不知道，简直一点交情也不讲——好，让他去吧，反正不过是个乡下孩子[4]。

李石清 是，经理。

〔潘下。

李石清 （走了两步，听着外面工人哼哼唷哼哼唷工作声[5]，忽然愤愤地）你们哼哼吧，你们哼哼吧，你们就这样干一辈子吧，

---

1 此句川版作“怎么就这么些？”。

2 “多并不算多”川版作“是不算多”。

3 “给我们”原刊作“让给我们”。

4 “乡下孩子”川版作“乡下丫头”。

5 “哼哼唷哼哼唷工作声”原刊作“哼哼唷哼哼唷的工作声”，川版作“哼哼唷哼哼唷的劳动声”。

你们这一群傻王八蛋们。我恨，你们怎么这么老实！

〔忽然电话铃响。

李石清　（拿起耳机）喂，你哪儿？哦！你是报馆张先生。你找潘四爷，他不在这儿……我是石清。跟我说，一样的。是，什么？金八也买了这门公债了，多少！三百万！奇怪，哦……哦，怪不得我们经理也买了呢！……是，是，本来公债等于金八自己家里的东西，操纵完全在他手里……是，是，那么要看涨了……好……我就告诉经理去[1]，再见，张先生！再见！

〔放下耳机。沉吟一下，正预备向左门走。

〔黄省三由中门进。

黄省三　（胆小地）李……李先生。

李石清　怎么？（吃了一惊）是你！

黄省三　是，是，李先生。

李石清　又是你，谁叫你到这儿来找我的？

黄省三　（无力地）饿，家里的孩子大人没有饭吃。

李石清　（冷冷地）你到这儿就有饭吃么？这是旅馆，不是粥厂。

黄省三　李，李先生，可当的都当干净了。我实在没有法子，不然，我决不敢再找到这儿来麻烦您。

李石清　（烦恶地）哧，我跟你是亲戚？是老朋友？或者我欠你的，我从前占过你的便宜？你这一趟一趟地，我走哪儿你跟哪

1　“我就告诉经理去”川版作“我就报告经理”。

儿，你这算怎么回事？

黄省三 （苦笑，很凄凉地）您说哪儿的话，我都配不上。李先生，我在银行里一个月才用您十三块来钱，我这儿实在是无亲无故，您辞了我之后，我在哪儿找事去？银行现在不要我等于不叫我活着。

李石清 （烦厌地）照你这么说，银行就不能辞人啦。银行用了你，就算跟你保了险，你一辈子就可以吃上银行啦[1]，嗯？

黄省三 （又卷弄他的围巾）不，不，不是，李先生，我……我，我知道[2]银行待我不错：我不是不领情。可是……您是没有瞅见我家里那一堆孩子，活蹦乱跳的孩子，我得每天找东西[3]给他们吃。银行辞了我，没有进款，没有米，他们都饿得只叫。并且房钱有一个半月没有付，眼看着就没有房子住。（嗫嚅地）李先生，您没有瞅见我那一堆孩子，我实在没有路走，我只好对他们——哭[4]。

李石清 可是谁叫你们一大堆一大堆养呢？

黄省三 李先生，我在银行没做过一件错事。我总天亮就去上班，夜晚才回来，我一天干到晚，李先生——

李石清 （不耐烦）得了，得了，我知道你是个好人，你是安分守己

---

1 “吃上银行啦”原刊作“吃上银行了”。

2 “我……我，我知道”川版作“我……我知道”。

3 “东西”原刊作“食物”。

4 “我实在没有路走，我只好对他们——哭”原刊作“我实在没有方法，我只好对他们呢——哭”。

的。可是难道不知道现在市面萧条，经济恐慌？我跟你说过多少遍，银行要裁员减薪，我并不是没有预先警告你！

黄省三　（踌躇地）李先生，银行现在不是还盖着大楼，银行里面还添人，添了新人。

李石清　那你管不着！那是银行的政策，要繁荣市面。至于裁了你，又添了新人，我想你做了这些年的事，你难道这点世故还不明白？

黄省三　我……我明白，李先生。（很凄楚地）我知道我身后面[1]没有人挺住腰。

李石清　那就得了。

黄省三　不过我当初想：上天不负苦心人，苦干也许能补救我这个缺点。

李石清　所以银行才留你四五年，不然你会等到现在？

黄省三　（乞求）可是，李先生，我求求您，您行行好。我求您跟潘经理说说，只求他老人家再让我回去。就是再累一点，再加点工作，就是累死我，我也心甘情愿的。

李石清　你这个人真麻烦。经理会管你这样的事？你们这样的人，就是这点毛病。总把自己看得太重，换句话，就是太自私。你想潘经理这样忙，会管你这样小的事？不过，奇怪，你干了三四年，就一点存蓄也没有？

1　“我身后面”川版作“我后面”。

黄省三　（苦笑）存蓄？一个月十三块来钱，养一大家子人[1]？存蓄？

李石清　我不是说你的薪水。从薪水里，自然是挤不出油水来。可是——在别的地方[2]，你难道没有得到一点的好处？

黄省三　没有，我做事凭心，李先生。[3]

李石清　我说——你没有从笔墨纸张里找出点好处？

黄省三　天地良心，我没有，您可以问庶务刘去。[4]

李石清　哼[5]，你这个傻子，这时候你还讲良心！怪不得你现在这么可怜了。好吧，你走吧。

黄省三　（着慌）可是，李先生——

李石清　有机会，再说吧。（挥挥手）现在是毫无办法。你走吧。

黄省三　李先生，您不能——

李石清　并且[6]，我告诉你，你以后再要狗似地老跟着我，我到哪儿，你到哪儿，我就不跟你这么客气了。

黄省三　李先生，那么，事还是一点办法也没有？[7]

李石清　快走吧！回头，一大堆太太小姐们进来，看见你跑到这儿

---

1 "养一大家人"原刊作"养家一大堆人"。

2 "可是——在别的地方"原刊作"可是——你不能放开点眼睛，我说在别的地方"。

3 此句原刊作"没有，什么也没有，我做事凭良心，我总有良心。"。

4 "**李石清**　我说——你没有从笔墨纸张里找出点好处？"以下原刊无。

5 原刊无"哼"。

6 川版无"并且"。

7 此句川版作"李先生，那么，一点办法也没有？"。

找我，这算是怎么[1]回事？

黄省三 好啦！（泪汪汪的，低下头）李先生，真对不起您老人家。（苦笑）一趟一趟地来麻烦您，我走啦。

李石清 你看你这个麻烦劲儿，走就走得啦。

黄省三 （长长地叹一口气，走了两步，忽然跑回来，沉痛地）可是，您叫我到哪儿去？您叫我到哪儿去？我没有家，我拉下脸跟你说吧，我的女人都跟我散了，没有饭吃，她一个人受不了这样的苦，她跟人跑了。家里有三个孩子，等着我要饭吃。我现在口袋里只有两毛钱，我身上又有病，（咳嗽）我整天地咳嗽！李先生。您叫我回到哪儿去？您叫我回到哪儿去？

李石清 （可怜他，但又厌恶他的软弱）你愿意上哪儿去，就上哪儿去吧。我跟你讲，我不是不想周济你，但是这个善门不能开[2]，我[3]不能为你先开了例。

黄省三 我没有求您周济我，我只求您赏给我点事情做。我为着我这群孩子，我得活着！

李石清 （想了想，翻着白眼）其实，事情很多，就看你愿意不愿意做。

黄省三 （燃着了一线希望）真的？

李石清 第一，你可以出去拉洋车去。

---

1 “怎么”原刊作“这么”。

2 “不能开”川版作“难开”。

3 原刊无“我”。

黄省三　（失望）我……我拉不动，（咳嗽）您知道我有病。医生说我这边的肺已经（咳）——靠不住了。

李石清　哦，那你还可以到街上要——

黄省三　（脸红，不安）李先生，我也是个念过书的人，我实在有点——

李石清　你还有点叫不出口，是么？那么你还有一条路走，这条路最容易，最痛快——你可以到人家家里去（看见黄的嘴喃喃着）——对，你猜的对。

黄省三　哦，您说，（嘴唇颤动）您说，要我去——（只见唇动，听不见声音）

李石清　你大声说出来，这怕什么？"偷！""偷！"这有什么做不得，有钱的人的钱可以从人家手里大把地抢，你没有胆子，你怎么不能偷？

黄省三　李先生，真地我急的时候也这么想过。

李石清　哦，你也想过去偷？

黄省三　（惧怕地）可是，我怕，我怕，我下不了手。

李石清　（愤慨地）怎么你连偷的胆量都没有，那你叫我怎么办？你既没有好亲戚，又没有好朋友，又没有了不得的本领。好啦，叫你要饭，你要顾脸，你不肯做；叫你拉洋车，你没有气力，你不能做；叫你偷，你又胆小，你不敢做。你满肚子的天地良心，仁义道德，你只想凭着老实安分，养活你的妻儿老小，可是你连自己一个老婆都养不住，你简直就是[1]个大废物，你还配养一大堆孩子！我告诉你，这个世界不是替你这样的人预备[2]的。（指窗外）你看见窗户外面那所高楼么？那是新华[3]百货公司，十三层高楼，我看你走这一条路是最稳当的。

黄省三　（不明白）怎么走，李先生？

李石清　（走到黄面前）怎么走？[4]（魔鬼般地狞笑着）我告诉你，你一层一层地爬上去。[5]到了顶高的一层，你可以迈过栏杆站在边上。你只再向空[6]，向外多走一步，那时候你也许有点心跳，但是你只要过一秒钟[7]，就一秒钟，你就再也不可怜了，你再也不愁吃，不愁穿了——

黄省三　（呆若木鸡，低得几乎听不见的声音）李先生，您说顶好我"自——"（忽然爆发地悲声[8]）不，不，我不能死，李先生，我要活着！我为着我的孩子们，为我那没了妈的孩子们我得活着！我的望望，我的小云，我的——哦，这些事，我

---

1 "简直就是"川版作"简直是"。

2 "预备"川版作"准备"。

3 "新华"川版作"永新"。

4 此句原刊作"这么走？"。

5 此句原刊作"你一层层层地爬上去，"。

6 "你只再向空"川版作"你只迈空了"。

7 "但是你只要过一秒钟"原刊作"但你只再过一秒钟"，川版作"可你只要过一秒钟"。

8 "忽然爆发地悲声"川版作"忽然爆发悲声"。

想过。可是，李先生，您得叫我活着！（拉着李的手）您得帮帮我，帮我一下！我不能死，活着再苦我也死不得，拼命我也得活下去啊！（咳嗽）

〔左门大开，里面有顾八奶奶，胡四，张乔治……等的笑声。潘月亭露出半身，面向里面，说："你们先打着，我就来。"

李石清 （甩开黄的手）你放开我。有人进来，不要这样没规矩。

〔黄只得立起，倚着墙，潘月亭进。

潘月亭 啊？

黄省三 经理！

潘月亭 石清，这是谁？他是干什么的？

黄省三 经理，我姓黄，我是大丰的书记。

李石清 他是这次被裁的书记。

潘月亭 你怎么跑到这里来？（对李）谁叫他进来的？

李石清 不知道他怎么找进来的。

黄省三 （走到潘面前，哀痛地）经理，您行行好，您要裁人也不能裁我，我有三个小孩子，我不能没有事。经理，我跟您跪下，您得叫我活下去。

潘月亭 岂有此理！[1]这个家伙，怎么能跑到这儿来找我求事。（厉声）滚开！

黄省三 可是，经理——

李石清 起来！起来！走！走！走！（把他一推倒在地上）你要再这

---

1 原刊无此句。

样麻烦，我就叫人把你打出去。

〔黄望望李，又望望潘。

潘月亭 滚，滚，快滚！真岂有此理！

黄省三 好，我起来，我起来，你们不用打我！（慢慢立起来）那么，你们不让我再活下去了！你！（指潘）你！（指李）[1]你们两个说什么也不叫我再活下去了。（疯狂似地[2]又哭又笑地抽咽起来）哦，我太冤了。你们好狠的心哪！你们给我一个月不过十三块来钱，可是你们左扣右扣的，一个月我实在领下的才十块二毛五。我为着这辛辛苦苦的十块二毛五，我整天地写[3]，整天给你们伏在书桌[4]上写；我抬不起头，喘不出一口气地写；我从早到晚地写；我背上出着冷汗，眼睛发着花，还在写；刮风下雨，我跑到银行也[5]来写！（作势）五年哪！我的潘经理！五年的工夫，你看看，这是我！（两手[6]捶着胸）几根骨头，一个快死的人！我告诉你们，我的左肺已经坏了，哦，医生说都烂了！[7]（尖锐的声音，不顾一切地）我跟你说，我是快死的人，我为着我的可怜的孩子，

---

1 “你！”以下川版作“（指潘、李）”。

2 川版无“疯狂似地”。

3 原刊无“整天地写”。

4 “伏在书桌”川版作“扒（趴）在书桌”。

5 原刊无“也”。

6 原刊无“两手”。

7 此句川版作“我告诉你们，我的肺已经坏了，医生说都烂了！”

跪着来求你们[1]，叫我还能够跟你们写，写，写——再给我一碗饭吃。把我这个不值钱的命再换几个十块二毛五。可是你们不答应我！你们不答应我！你们自己要弄钱，你们要裁员，你们[2]一定要裁我！（更沉痛地）可是你们要这十块二毛五干什么呀[3]！我不是白拿你们的钱，我是拿命跟你们换哪！（苦笑）并且我也拿不了[4]你们几个十块二毛五，我就会死的。（愤恨地）你们真是没有良心哪[5]，你们这样对待我——是贼，是强盗，是鬼呀！你们的心简直比禽兽还不如——

潘月亭　这个浑蛋，还不跟我滚出去！

黄省三　（哭着）我现在不怕你们啦！我不怕你们啦！[6]（抓着潘经理的衣服）我太冤了，我非要杀了——

潘月亭　（很敏捷地对着黄的胸口[7]一拳）什么！（黄立刻[8]倒在地下）

〔半晌。

李石清　经理，他是说他要杀他自己——他这样的人是不会动手害人的。

1 “跪着来求你们”原刊作“跪着求求你们”。

2 原刊无“你们”。

3 “干什么呀”原刊作“够干什么的”，川版作“干什么哟”。

4 “拿不了”原刊作“拿不到”。

5 “没有良心哪”原刊作“没有良心的”。

6 “我现在不怕你们啦！”以下两处“啦”原刊均作“了”。

7 此处川版有“狠狠”。

8 “立刻”川版作“应声”。

潘月亭　（擦擦手）没有关系，他这是晕过去了。福升！福升！

〔福升上。

潘月亭　把他拉下去。放在别的屋子里面，叫金八爷的人跟他拍拍捏捏，等他缓过来，拿三块钱给他，叫他滚蛋！[1]

王福升　是！

〔福升把黄省三拖下去。

李石清　张先生来电话了。

潘月亭　说什么？

李石清　您买的公债金八买了三百万。

潘月亭　（喜形于色）我早就知道，那么，一定看涨了。

李石清　只要这个消息是确实，金八真买了，那自然是看涨。

潘月亭　（来回走）不会不确实的，不会的。

〔左门大开，张乔治，胡四，顾八奶奶，白露上，在门口立着，其他的女客在谈笑着。

张乔治　（兴高采烈，捏着雪茄）——所以我说在中国活着不容易，到处没有一块舒服的地方，不必说别的，连我的Jacky,（对胡四）就是我从美国带来的那条猎狗[2]，它吃的牛肉都成了我每天的大问题。脏，不干净，没有养分，五毛钱[3]一磅的牛

1　此句川版作“叫金八爷的人给他拍拍捏捏。等他缓过来，拿三块钱给他，叫他滚蛋!”。

2　“就是我从美国带来的那条猎狗”原刊作“你看我的狗多好看”。

3　“五毛钱”川版作“八毛钱”。

肉简直是不能吃。你看，每天四磅生牛肉搁在它面前，（伸出鼻子嗅嗅）它闻闻，连看都不看，夹着尾巴就走了。你们想，连禽兽在中国都这样感受着痛苦，又何况乎人！[1]又何况乎像我们这样的人！（摇头摆尾，大家哄笑起来）

〔外面方达生在喊“小东西！”“小东西！”

陈白露 咦，你们听，达生在喊什么？

〔方达生慌忙进来。

方达生 小东西！竹均，你瞧见小东西了吗？

陈白露 咦，在屋子里？

方达生 （不信地）在屋子里？（跑进右屋，喊）小东西！小东西！

顾八奶奶 这个小疯子！（达生跑出）

方达生 没有，她不见了。我刚才在楼梯上走，我就看见她跟着两三个男人一起坐电梯下去[2]，在我眼前一晃，就不见了。我不相信，你看，跑到这儿，她果然叫人弄走了。（拿起帽子）再见！我要找她去。（达生跑下）

陈白露 （走至潘面前[3]）月亭，这是我求你办一点事！（忽然）达生，你等等我！我跟你一同去！

〔露披起大氅就走。

---

1 此句川版作“你们想，连禽兽在中国，都这样痛苦，待不下去，又何况乎人！”。

2 “我就看见她跟着两三个男人一起坐电梯下去”川版作“我就看见两三个男人蒙头抱着个女孩子，坐电梯下去”。

3 “走至潘面前”原刊作“不慌”。

潘月亭　白露！

〔露不顾，跑下。

张乔治　（揶揄地）哼！又是一个——[1]

胡　四
　（同时）疯子！[2]
顾八奶奶

〔大家哄然笑。[3]

——幕急落[4]

1　此句川版作"（揶揄）真是一对疯子！"。

2　此句川版作"**顾八奶奶**（望白露跑出，拉着胡四，追问）干嘛呀，他们这是？**胡四**（慢吞吞甩开她，嫌她抓绉了衣裳）你瞧你！（照起镜子）"。

3　此句川版作"大家又笑起来。"。

4　"幕急落"川版作"幕落"。

第三幕

登场人物

翠　喜——一个三十左右的老妓女。

小顺子——宝和下处的伙计。

小东西——小翠，一个才混事三天的女孩子。

卖报的——一个哑巴。

王福升——××旅馆的侍役。

胡　四——游手好闲的面首。

黑　三——小东西的养父。

方达生——一个青年。

后台的人们

胖子和胖子的朋友们。

租唱话匣子的。

卖报的。

卖水果的，卖其他各种食物的。

婴儿的哭声。

卖唱的，拉丝弦的。

报花名的伙计。

唱数来宝的乞丐二人。

唱二簧的漂泊汉[1]。

敲梆子的。

各种男女欢笑声……

卖硬面饽饽的。

闭幕前唱“叫声小亲亲”的嫖客。

低声隐泣的女人。

---

1 “漂泊汉”原刊作“乞丐”。

这是在一星期后的夜晚[1]，约莫有十二点钟的光景，[2]在各种叫卖，喧嚣，诟骂女人，打情卖笑的声浪沸油似地煮成一锅地狱的宝和下处。

那大门口常贴着什么“南国生就美佳人，北地[3]天然红胭脂”一类的春联，中门框总是“情郎艳乡”或“桃源佳境”的横幅。门前两三个玉美人指指点点挤弄眉眼，轻薄的男人们走过时常故意望着墙上的乌光红油纸（上面歪歪涂了四行字：“赶早 × 角，住客 × 元 ×，大铺 × 角[4]，随便 × 角。”），对着那些厚施脂粉的女人们乱耍个贫嘴，待到女人以为是生意经向前拉去，又一哄而散。这一条胡同蚂蚁窝似地住满了所谓“人类的渣滓”，她们都在饥饿线上奋斗着，与其他瘪着肚皮的人们不同的地方是别的可以苦眉愁眼地空着肚子，她们却必须笑着的。

进到院内，是一排一排的鸽笼似的小屋子，在生意好的时光，从这个洞到那个洞川流不息来往着各色各样的人：小商人，电机匠，小

---

1 “这是在一星期后的夜晚”原刊作“这是在第三天的夜晚”，川版作“一星期后的夜晚”。

2 此处川版有“这是”。

3 “北地”原刊作“此地”。

4 “大铺 × 角”川版作“拉铺 × 角”。

职员，轮船茶房，洋行侍役，和一些短打扮敞开胸前一条密密的纽襻，大模大样的大汉子。院子里可以随随便便走来走去，进了大门，一个跛了腿的男人喊，“前边！”“来客！”用绳子拉的铜铃也响起来，从各个小鸽笼走出来一个一个没有一丝血色的动物[1]，机械般地立刻簇聚起来，有时也笑着，嚷着，骚动着。“客人”们自然早已让到房子里。眼珠子东溜溜，西看看。于是由伙计用尖锐得刺痛人的耳鼓的声音喊：“见客啦！见客！”那些肥的，瘦的，依次走上前去，随着伙计叫出她的花名的声音，在“客人”面前瞟瞟眼笑着闪过去。站在后面的便交头接耳地吱吱喳喳[2]起来，直到有一个动物似乎很欢喜地被某一个客人挑中了，其余的才各归各的地方。

很令人惊奇的是尽管小鸽笼里面讲情话或者做出各种丑恶的勾当，院子外面始终在叫嚣着；唱曲的姑娘，沿门唱“数来宝”的乞丐，或者哼一两段二簧的漂泊汉，租唱话匣子的，卖水果花生栗子的，抽着签子[3]赌赢东西的，哑着声音嘶喊的卖报的，拉着丝弦逗人来唱的，卖热茶鸡蛋的……各式各色最低的卖艺人，小买卖[4]都兜揽生意，每个人都放开喉咙沿着每个小窗户[5]喊，有时甚至于掀开帘子进去，硬要“客人”们替他们做点生意[6]。

---

1 “没有一丝血色的动物”川版作“没有一丝血色，都浓妆艳抹，打扮起来的动物”。

2 “吱吱喳喳”川版作“咭咭呱呱”。

3 “签子”川版作“竹签”。

4 “小买卖”川版作“小买卖人”。

5 “小窗户”川版作“窗户”。

6 “替他们做点生意”川版作“照顾他们点生意”。

但是观众只能看见一个小鸽笼——一间长隘黑秽的小房子。

屋子正面有两个门，一左一右，都通外院，各有一蓝布帘子来遮风，破敝不堪[1]。两门之中是个幔帐，挂在与墙成直角的铁丝上；拉起来，可以把一间屋子隔成两间。客人多了，不相识的便各据一面，一样能喝茶说话，各不相扰，于是一个可怜的动物可以同时招待两帮客人，这样经济地方，又省得走路，也省电灯同炉火。现在那布幔子——上面黄斑点点，并且下面裂成犬牙状——只堆在墙边，没有拉起。屋子里当然没有多少[2]客人。

屋子右面放一张木床，铺着单薄的旧床单，堆叠着棉被。靠床的右中墙贴满“猪八戒招亲”“大过年”“胖娃娃采莲花”，和一些烟卷公司的美人画，依门倒贴一个红“福”字，说是“福倒（到）了”的意思。近床有一张破旧梳妆台，上面放一只破脸盆，一两个花碗。床下横七竖八有几双花鞋，床前搁几把椅子。

左面墙边立一张方桌，一边一只椅子，上面排置着不全的茶具和一个装烟卷的破铁筒[3]。右面还悬着一副满染黑污[4]的对联，左联：“貌比西施重出世”，右联：“容似貂蝉又临凡”，两条对子正嵌住一个照得人凹鼻子凸眼的穿衣镜，上面横挂着四个字“千金一笑”。还有一两张帆布躺椅歪歪地睡在那里。

---

1 川版无“破敝不堪”。

2 川版无“多少”。

3 “一个装烟卷的破铁筒”川版作“一个贱价香烟的旧香烟筒”。

4 “满染黑污”原刊作“满染墨污”，川版作“斑斑点点”。

靠左右都有窗户，用个小红布幔遮着，左窗下有一个铁炉子，燃着就要熄灭的火。靠桌立一张煤球炉子，那煤就堆在方桌下面。在左边小门上悬一个镜框，嵌着“花翠喜”三个字，那大概是这个屋子的姑娘的花名。

开幕时，翠喜立在左门口，背向观众，掀起门帘向外望——翠喜大约有三十岁左右[1]，一个已经为人欺凌蹂躏到几乎完全麻木的动物。她并不好看[2]，人有些胖，满脸涂着粉，一双眼皮晕晕地扑一层红胭脂，头发披在肩上，前额一块块地故意掐成的紫痕，排列整齐如一串花瓣，两个太阳穴[3]，更红紫得吓人。她穿一件绛红色的棉袍，套上一件绒坎肩；棉鞋棉裤，黑缎带扎住腿。她右手里一只烟蒂头，时而吹一下灰放在口边，时而就用那手指搔弄自己的头发。

她仿佛在招呼谁，笑着，叫着。

外面的声音揉成一团嘈杂。

〔甲声：（尖锐地）橘子大香蕉啊！人果栗子啊！

〔乙声：（有气无力地）唱话匣子！

〔丙声：（一个小姑娘，随着抑扬顿挫的丝弦）唱个小曲儿吧！

〔男女的笑声打骂声……

---

1 “有三十岁左右”川版作“三十岁过头了”。

2 “她并不好看”川版作“她现在不好看了”。

3 原刊无“穴”。

翠　喜　（向门外招手）明儿见，胖子！明儿见，张二爷！明儿见，陈二爷！

〔胖子和他的朋友的声音：（不清楚地）明儿见，翠喜。

翠　喜　（蓦地踮起脚，高起声音）胖子，大冷天，穿好衣裳，别冻着。

〔胖子的声音：（仿佛他又走回来，拉着翠喜的手，亲亲热热而又嘻嘻哈哈地）我的喜儿，哎哟，你比我的媳妇还痛我，来，我的喜儿！（随着语气似乎把翠喜蓦地一拉）

翠　喜　（几乎倒在帘子外那胖子的怀里，扶着门框直立起来，推开那胖子的手，又笑又喘地）缺了德的，胖子，你放开手。你回家找你媳妇吃“喳儿”[1]去吧，少跟我起腻！

〔胖子的一个朋友：（连连咂着嘴，故意地做出羡慕的声调）哟……哟……哟，这两小口子看劲头儿吧。胖子，你看，娘儿们直跟你上劲，你住在这儿吧。

〔胖子的声音：（故意稀里糊涂地）嗯，我的喜儿，我不走了。

翠　喜　（知道他们是拿她打趣。推着他们）去！去！去！别打哈哈。胖子，你明儿来“回头”[2]，准来呀！两位二爷一起陪来玩呀！

〔男人们含含糊糊的声音：好，好，喜儿。

1　“奶头”的意思。——底本注。“喳儿”川版作“咂儿”。

2　“回头”是这类妓院的术语。第一次“招呼过的妓女的嫖客”，一般要再来这个妓院，再挑她陪伴，名“回头”。——川版注。

〔一个卖报的低哑的声音：看报，看晚报！看一家子喝鸦片烟的新闻，看报，看晚报，看小书记跳大河的新闻。

翠　喜　（望着卖报的，转过眼来才知道胖子一帮人已经快走出门外。忽然嚷起来）胖子，你明儿准来！你明儿要不来，你养出孩子可没有屁眼儿，你听见了没有？（笑着）

〔翠喜一扭身，扔下烟卷头，唾一口痰[1]，走至左面方桌前，拿起胖子放下的角票，数一数，叹口气，又扔在桌子上。

翠　喜　（在方桌旁的椅子上）妈（语助词），一天不如一天，这事由简直混不下去了。（由桌上拾起一根[2]烟头，点上。外面吆唤各种叫卖声，她回头向左面那间小屋子）小翠！小翠！（她走到左门口，掀起帘子）小翠，你还不起来？你再不听话——（忽然）这死心眼的孩子，我没有那么大工夫理你。

〔进来一个小矮子，短打扮，提着水壶，厚嘴唇向上翻，两个大门牙支出来，说话有些关不住风，还有点结巴。他走到方桌面前，放下水壶，数数角票，翻着白眼望翠喜。

翠　喜　你看嘛？[3]小顺子？

小顺子　这是那胖……胖……胖……胖子二爷给的？

翠　喜　你嫌少？人家留着洋钱“治”（买）坟地呢。

1　“唾一口痰”川版作“吐一口痰”。

2　“一根”川版作“半截”。

3　“什么”的意思。——底本注。

“什么”的意思。——这幕里有天津土话，可改为普通话。自然也可不改。——川版注。

小顺子 （摇摇头）都……都交柜么？

翠　喜 不都交柜，掌班的印子钱一天就一块，你给？

小顺子 可你……你……你吃嘛？

翠　喜 还用着吃？天天喝西北风就饱了。（走到煤球炉子前烤火）

小顺子 （回转身子，仿佛不大肯说）你的老……老……老头子又……又……又来了。[1]

翠　喜 来了也不是白搭[2]，打死我我也没有钱给他。我要是事由混的好，谁不愿意往家里捎个块儿八角，三块两块的？家里孩子大人，都喜欢！要他一趟一趟地来找我？（低头沉思，忽然）妈的，我刚在班子混事的时候，事由儿“多火棒”[3]，一天二十几帮客，小顺子，连你不一天也从我的屋里拿个块儿八角的？哼，（摇摇头）不成了，人过时了。

〔在窗下有一个唱数来宝的乞丐，打着“七块板”，右手是“五甩子”，左手甩起两块大竹板，（提提哒，提提哒，提提哒，提提哒，提提哒）用很轻快的声音唱起来[4]。

〔乞丐：（咳一声[5]）“嘿，紧板打，慢板量，眼前来到美人堂。美人堂前一副对，能人提笔写的详。上写白天推杯来换盏，

1　此句川版作“你的老……老头子又……又来了。”。

2　“来了也不是白搭”原刊作“来了不也是白搭”。

3　“热闹”的意思。——底本注。“多火棒”川版作“多火爆”。

4　川版无“用很轻快的声音唱起来”。

5　“咳一声”川版作“咳一声，用很轻快的声音唱起来”。

天天晚上换新郎。（提提哒，提提哒，提提哒提哒提哒）一步两步连三步，多要卖茶少卖铺，黑脸的喝茶白脸的住；老板陪客也在行，又有瓜子又有糖，小白脸，小宝贝，搂在怀里上洋劲儿。”（用原来那样苍老的腔调[1]）掌班的，老板们，可怜可怜我瞎子吧。

翠　喜　去，去去。别在这门口吵殃子[2]，没有钱！[3]（把嘴上的烟蒂头扔到门外）去，赏你一个烟卷头抽。（看见乞丐拿起烟头）咦，你看年头改良啦，瞎子看见烟卷头就伸手啦。

〔乞丐：（笑嘻嘻地）我一个眼儿瞎。回见，大老板。

小顺子　你爷……爷儿们要你带着孩子回家住。

翠　喜　（啐一口痰）回家？这大冷天回家找冻死去？孩子搁在这儿死不了。你跟瘸子说我这儿有客，回头我就出去。瘸子在门口站着不是么？

小顺子　让他进来，他不进来，瘸子说：他，他……嫌寒碜。

翠　喜　哼，自己养不起自己的娘儿们，活王八也当那么些年了，脸上还有什么挂不住的！

小顺子　（擦桌子）新搬来的那孩子呢？

翠　喜　你说小翠？在屋里。

小顺子　（低声）我看一会儿黑三又要来。

1　“用原来那样苍老的腔调”川版作“乞丐用原来那样苍老的腔调”。

2　“讨厌”“胡闹”的意思。——川版注。

3　此句川版作“别在这门口‘吵殃子’，没钱！”。

翠　喜　（叹一口气）你看吧！这一晚上她一个盘儿也没有卖，你看黑三来了，还不把她揍死。

〔由左面慢慢走出来小翠[1]。

小东西　（与从前大不相同，狠了心，慢慢地，不哼一声地）揍死就揍死，反正是一条命。

翠　喜　（惊异地）哟，小翠，怎么啦？

小顺子　小翠改……改……改了词了。[2]不怕黑三了？

小东西　（擦擦眼泪）这三天我也受够了，怕有什么用！

〔小东西神气改了，她穿着蓝布夹上衫，黑裤子，前三天的旧旗袍不知被人剥到哪儿去了。从前她脸上一团孩子气为一层严肃沉郁的神色遮盖着，她现在像一个成年的妇人。[3]

小顺子　你这孩子也"格涩"[4]，放着生意不做，一天就懂得哭。娘儿们不擦个粉，不抹个胭脂，你……你想，你怎么挂得上客？

小东西　（坐在方桌旁，低头摩弄自己的衣裾[5]，不理他）

翠　喜　（对小顺子）你别理她，这孩子天生"刺儿头"[6]；你跟她说

1　此处川版有"（即小东西）"。

2　此句川版作"小翠改……改了词了。"。

3　此句川版作"从前她脸上一团孩子气被一层严肃沉郁的神色遮盖着，她有些像一个成年的女人。"

4　"与人不同"的意思。——底本注。

5　"衣裾"川版作"衣裙"。

6　"脾气古怪"的意思。——川版注。

一百句：她是土地庙里泥胎，是个死哑巴。

〔小顺子提水壶由正左门下，半晌。

小东西 黑三就快来了吧？

翠　喜 还怕他不来？我跟你说，你到这儿三天啦，一天也没挂上个客人，可哪一天黑三又让你好好地过啦？你别想你是从大旅馆搬来，看过[1]好客人。到这儿来，就得说这儿的规矩，你今天一天又没有好生意，你看黑三那个狗杂种会饶过你？

小东西 罪也有受够的时候。

翠　喜 受够？这个罪没个够。我跟你说，咱们姐妹不是什么亲的热的，东来西往地你在老姐姐我的屋子搭住这三天也是咱们姐儿们的缘分。我不是跟你小妹妹瞎“白货”[2]，我从前在班子的时候也是数一数二的红唱手[3]，白花花的千儿八百的洋钱也见过。可是人老珠黄不值钱，岁数大了点，熬不出来，落到这个地方，不耐心烦受着，有什么法子？我告诉你，亲妹子，你到了这个地方来了，你就不用打算再讲脸。妈那个×，四面叫人搂着三面无论谁来，管他生的熟的，说拉铺就拉铺，就得把裤子拉下来，人家爱怎么样就怎么样；叫他妈的哪儿讲脸去？

---

1 “看过”川版作“见过”。

2 “夸口”的意思——底本注。“瞎‘白货’”原刊作“吹”。

3 妓女——底本注。

小东西 （又想哭）可……可是——

翠　喜 可是什么？男人没有一个是好东西。到这儿来的，哪个不是色催的？打打闹闹说说笑笑，有钱的大爷们玩够了，取了乐了，走了[1]，可是谁心里委屈谁知道，半夜里想想：哪个不是父母养活的？哪个小的时候不是亲的热的妈妈的小宝贝？哪个大了不是也得生儿育女，在家里当老的？哼，都是人，谁生下就这么贱骨肉，愿意吃这碗老虎嘴里的饭？（低头，似乎要落泪）

小东西 （拿出手帕，给她）你……你擦擦眼泪。

翠　喜 我没有哭。（嘘出一口气）我好些年没有眼泪了。我跟你说，人心都是肉长的，我这是老了，早晚替家里大的小的累死了，用芦席一卷，往野地一埋就完事。你年轻，你还有的是指望。熬几年，看上个本分人，从了良，养个大小子[2]就快活一辈子。你现在跟黑三用不着别扭，顺着他点，少受多少眼前的罪。咱们到这儿来，出不去，顶不济是死，还说到哪儿去？凭什么受这兔崽子一顿一顿的打？咱们娘儿们“恼在心里，喜在面上”，心里分就得了。他说得好听的，听着；说得不好听的，就给他一个“实棒槌灌米汤”，来个寸水不进，我算是满没有听提[3]，这才能过日子。

---

1 “取了乐了，走了”原刊作“取了乐走”。

2 “大小子”川版作“胖小子”。

3 “听提”原刊作“听见”。

小东西　我……我实在过不去了。

翠　喜　这叫什么话，有什么过不去的。太阳今儿格西边落了，明儿格东边还是出来。没出息的人才嚷嚷过不去呢。妈的，（叹气[1]）人是贱骨头，什么苦都怕挨，到了还是得过，你能说一天不过么？

〔卖报的声音：看报，看晚报，看看小书记跳大河的新闻。看报来，看小晚报，看看全家子喝鸦片烟的新闻。

小东西　你听！

〔卖报的声音：（渐远）看报，看看小书记跳大河的新闻。

翠　喜　别听这个，“尽听蝲蝲蛄叫，别种庄稼了。”打扮打扮回头好见客。

〔左边小门传出小孩子哭醒了的声音。

小东西　你的孩子醒了。你进去喂喂他吧。

翠　喜　嗯。

〔外面叫卖声，在门内小儿的哭声和翠喜唔唔地拍着孩子睡觉的声音。

〔小东西一声不响地坐在床上。

〔隔壁散出一个女人淫荡地随着四胡唱小曲的声。

1　原刊无“叹气”。

叫声小亲亲[1]

1 = D（或C）

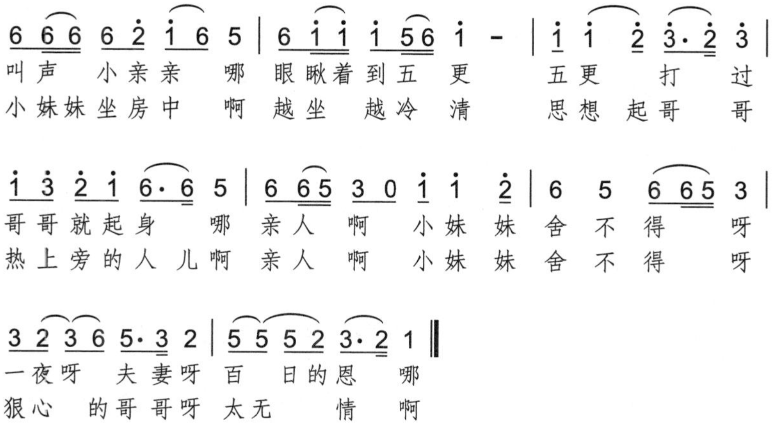

〔唱了几句，忽然停住，男女欢笑声喧然[2]。

〔小东西扑在床上抽咽起来。小顺子由正左门走进来，走到小东西面前。

小顺子 （望着小东西）我……我说，小翠……你这样……是自己……

小东西 （望了他一眼）……

小顺子 （叹一口气）小翠，你……打算怎么样?

小东西 我，没有打算。[3]

---

1 底本及原刊此曲原为工尺谱，难以原样照排。比较各版本曲谱情况，开明版简谱离底本时间最近，错误最少，此处移用排印。原刊工尺谱样貌见本卷书首图片。

2 “欢笑声喧然”川版作“欢笑喧然”。

3 此句川版作“我，我没有打算。”。

小顺子　（厚嘴唇翻上翻下地）你怎么这么个死心眼呢？这儿不是咱们庄稼地，卖点苦力就一样吃窝窝头过好日子。到了这个地方，你还有……有个什么讲究。你看，你看这三天叫……叫黑三打……打……打成什么样[1]？

小东西　（忽然）为什么我爸爸就会叫铁桩子砸死呢？

小顺子　你爸爸活着，不也是臭屎壳郎，没人理；一个破砸夯的，他能怎么样？

小东西　（追思地）我也许不会苦到这一步[2]。他比黑三有劲多了，又高又大，他要看见黑三把我下了窑子，他一拳就会把黑三打死[3]。我爸爸是个规矩人。

小顺子　（往左右睃一睃眼）可是……这不是已就已就……他不是也死了。

小东西　（低沉地）嗯，他死了。我眼瞅着一个大铁桩子把他……把他砸死的。（忽然扑在床上）哦，爸爸！（抽咽起来）爸爸呀！

小顺子　你这孩子，你有叫爸爸的工夫，你为什么不想法挂个客？

小东西　（哭着）谁说我不想去挂……挂客？可我去见客，客……客们都……都……都嫌我小[4]，嫌我小，挑不上我，我有什么

---

1 “叫黑三打……打……打成什么样”川版作“叫黑三打……打成什么样”。

2 “苦到这一步”川版作“落到这一步”。

3 “他一拳就会把黑三打死”川版作“他一斧子，就会把黑三劈死”。

4 “客们都……都……都嫌我小”川版作“客们都……都嫌我小”。

法子？

〔小顺子坐方桌旁，在窗外有一个人敲着破碗片按板，很有韵味地唱《秦琼发配》："（流水）将身儿，来至在大街口，尊一声列位听从头。一非是响马兵贼寇，二非是强盗把诚投。杨林他道我私通贼寇，因此上发配到登州。舍不得大老爷待我的恩情厚，舍不得衙门众班头，舍不得街坊四邻好朋友，实难舍老母白了头。儿是娘身一块肉，儿行千里母担忧。眼望着红日坠落在西山后，尊一声公差把店投。"

〔那声音：（唱完重重地将碗片铿然一击，又恢复本有的凄凉的嗓音[1]）有钱的老爷们，可怜可怜吧。我是出门在外，困在这个地方了。大冷天的，赏个店钱吧，有钱的老爷们！

小东西　几点了？

小顺子　十二点多了。

小东西　快完事了吧？

小顺子　倒也该落灯了。可也说不定，客人也许这时候哄哄地来一大帮子。

小东西　（看了看小顺子，叹一口气）熬吧，再熬一会就完了。

小顺子　（不懂）哼，不熬得客人都走了，你能睡觉？可也说不定，说不定一会来个住客，看上你，住这儿，你不就可以早点睡了么？

1　"本有的凄凉的嗓音"川版作"原来的凄凉嗓声"。

〔外面尖锐的声音：前边！请这边走，腾屋子。

小顺子 有客。（向里面）三姑娘，有客来了。（小顺子提着水壶走出去，翠喜由左屋出来）

翠　喜 你一个[1]坐着发愣干嘛？

小东西 没有什么。[2]你孩子睡着了？

翠　喜 睡着了。

〔外面尖锐的声音：见客啦！

翠　喜 （对小东西）去吧，看看去吧。挂上一个好住客，你也省得今天再受罪。

小东西 （机械地立起来）去吧。[3]

〔外面尖锐的声音[4]：见客啦，前院后院的都出来呀！见客啦！

〔小东西被翠喜推出去。

〔外面尖锐的声音：（每一个花名都停顿一下）宝兰，金桂，翠玉，海棠，黛玉……

〔铃声响。

〔另一个声音：让屋子，让屋子。二爷这边坐。请这边坐。

〔小顺子掀开帘子，让进来福升和胡四。胡四穿着皮大衣，琵琶襟紫呢坎肩，高领碎花灰缎夹袍，花丝袜子，黑缎鞋，

---

1 “一个”川版作“一个人”。

2 此句川版作“（擦泪）”。

3 此处川版有“〔一阵用绳拉铃铛的声音。”。

4 “声音”川版作“喊声”。

歪戴着西瓜帽，白衬衫袖子有寸来长甩在外边[1]，风流潇洒地走进来。福升也是兴高采烈的，油光满面，他穿一件旧羊皮袍子，里面看得见他的号衣底襟，猜得出他是很忙地抄上衣服就跑出旅馆来的。进门来，胡四四面望望，拿出手帕掩住鼻子。

王福升 怎么？

胡　四 这屋子好大味。（一壁倚着桌角斜坐下去[2]）

王福升 （用手在桌上一抹）瞧衣服。

胡　四 （忙站起，掸大氅）他妈的，这缺德地方。

王福升 （油嘴滑舌的）四爷，我可把您[3]送到这个地方来了。我得回旅馆去了。

胡　四 （一把拉住他）不，不成。你得陪着我，你不能走。

王福升 我的爷爷，旅馆正忙，潘经理正请客，我得回去照应。

胡　四 你不是托别的伙友照应了么？

王福升 您叫我陪您到这儿来，这可是谁都不知道。回头叫顾八奶奶知道了，我可把话描在头里，这可是您一个人来的。

胡　四 我哪一次玩的时候连累过你？

王福升 好，那我待一会[4]，一会我就回去。

---

1 “白衬衫袖子有寸来长甩在外边”川版作“一寸来长的白衬衫袖子倒卷在外边”。

2 “斜坐下去”底本、川版均作“斜坐一去”，据原刊改。

3 “您”川版作“你”。

4 “那我待一会”川版作“我待一会”。

胡　四　我一会儿也回去。

小顺子　（对福升）二爷，您好久没来了。您招呼那五姑娘都挪了地方了。您另招呼个人吧。

王福升　不，不是我，是四爷。（指胡）我们胡四爷要到这儿来开开眼，玩玩。

小顺子　那么，叫几个您看看？

胡　四　（非常在行地）嗯，见见，先叫几个来见见。

小顺子　是，四爷。（出去）见客来，见客啦。

王福升　那么，您费半天的劲叫我陪您看看这小东西，到这儿您不要了。

胡　四　（翻翻白眼）为什么不？大爷花了钱，不多看几个不有点冤的慌，傻子，反正回头我们挑那孩子玩玩就得了。

〔小顺子撩开正右门的帘子，自己立在外边。

小顺子　（对着那些生物们）向里边站。（胡四和福升立在门口向外看）

〔另一个声音：见客啦！前院后院都来见客啦，玉兰！（便有个小生物在他们眼前晃晃）

胡　四　（吐舌头）老窝瓜啦。

〔另一个声音：（很快地接下去）翠玉！金桂！海棠！黛玉！（随着名字一个个的小生物在门口晃一下，各种各样的笑声）

胡　四　（仿佛检查牲畜一般，随着每个生物的出进作各种姿态的评断）不好，简直地不好，这个不错，可惜瘦点！（向福升丢眼色）好肥母猪！越看越不济！——这个名字倒不错，哼，

可惜模样有点看不下去。[1]（福升也在随和着）

〔另一个声音：翠喜！

胡　四　（望见翠喜）劲头不小。

〔另一个声音：小翠。

王福升　（低声对胡四）就是她，就是这孩子。

〔另一个声音：凤娥！小小！月卿！

小顺子　（对胡四）都齐了，四爷。有告假的，有病的，都齐了。

胡　四　（对小顺子）翠喜，小翠，这是姐儿俩？

小顺子　嗯，都是一屋子的姐妹。

胡　四　招呼这姐儿俩！

小顺子　三姑娘，八姑娘。（翠喜和小东西进了门。小顺子出去）

翠　喜　（非常[2]老练地）侍候哪位？

胡　四　（指自己）我。

翠　喜　我这妹子呢？（指小东西）

胡　四　（指自己）也是我。

翠　喜　（笑嘻嘻地）这合适么？

王福升　这有什么不合适的。

〔小东西认出 × × 旅馆的福升。

1　“不好，简直地不好”以下川版作“不好，简直是狗尾巴花！这个不错，可惜老点！（向福升丢眼色）哎唷，好肥母猪，越看越不济！——这个名字倒不错，可惜瘦点，做电线杆，倒不离！”。

2　川版无“非常”。

翠　喜　（对胡四）二爷贵姓？

胡　四　胡，胡四。

翠　喜　（朝胡四）胡四爷。（指福升）四爷，您引见引见。

胡　四　这是王八爷。

王福升　王倒姓王，可还没有八。

〔小顺子提茶壶进。由口袋拿出一包瓜子，打开放在方桌上一个铁盘里。等一个伙计奉手巾。[1]

翠　喜　（奉瓜子）四爷，八爷，四爷您不宽宽大衣。

胡　四　不，我有点怕冷。[2]（用手帕大掸床上的被单才坐下）

翠　喜　（向小东西）你这么愣着干嘛，（对着胡四）四爷，您得多包涵着点，这孩子是个“雏”，刚混事没有几天[3]。

王福升　（替胡四说）没有说的。

胡　四　（拉着小东西的手）我得瞧瞧你。这孩子倒是不错，难怪金八看上她啦。

王福升　（指自己）你认识我不认识我？

小东西　（低而慢地）你磨成灰我也认识你。

王福升　（高了兴）喝，这小丫头在这儿三天，嘴头子就学这么硬了[4]。

---

1 “由口袋拿出一包瓜子”以下川版作“由口袋拿出一包瓜子打开，放在方桌上一个铁盘里，接着奉热手巾。”。

2 此句川版作“不，（下流腔）我有个地方怕寒。”。

3 “刚混事没有几天”川版作“刚混事由，没有几天”。

4 “嘴头子就学这么硬了”川版作“嘴皮子就学得这么硬了”。

胡　四　（赏鉴）这孩子真是头是头，脑是脑。穿几件好衣服，不用旁人[1]，叫我胡四跟她出个衣服样子，我带她到马场俱乐部走走，这码头不出三天她准行开了[2]。

王福升　那赶子好。可是您问她有这么大福气么？

胡　四　可是……（忽然对小东西）是你把金八爷打了么？

小东西　（狠狠地向福升身上投一眼，又低下头，一语不发）

翠　喜　四爷跟你说话啦，傻丫头。

〔小东西石头似地站在那儿。

王福升　瞧瞧，这块木头。

胡　四　（点着烟卷）奇怪，这么一点小东西怎么敢把金八打了？

王福升　要不庄稼人一辈子没出息呢？天生的那么一股子邪行劲儿。你想[3]，金八爷看上她，这不是运气来了？吃，喝，玩，穿，乐，哪一样不是要什么有什么。他妈的，（回过头对小东西）这孩子偏偏一心要守着黄花闺女，贵贱她算是不卖了。（指着小东西）可你爸爸是银行大经理？还是开个大金矿？大洋钱来了她向外推，你说（对翠喜）这不是庄稼人的邪行劲儿？

翠　喜　咳，“是儿不死。是财不散。”这都是罡着，该她没有那份财喜。

1　“旁人”川版作“别人”。

2　“她准行开了”川版作“她准吃开了”。

3　“你想”川版作“您想”。

王福升 （对小东西越看越有气）妈的，这一下子玩完了，这码头你以后还想待得住？他妈的，我要有这么一个女儿，她也跟我装这份儿算，把这么一个活财神爷都打走了，我就Kay了她，宰了她，活吃了她。（指指小东西）真他妈的“点煤油的副路”[1]。（非常得意地说出这句洋文）

胡　四 福升，你这是干什么？

王福升 我……（笑）我这是越说越有气[2]，替这混孩子别扭得慌。

小东西 （走到那一头对福升）你到这边来。

王福升 怎么啦？（望望胡四，丢个眼色，自得地走过去）你说什么？

小东西 （硬冷地）那天在旅馆里，你把我骗出来。

王福升 怎么？

小东西 现在黑三死看着我，我一辈子回不去啦。

王福升 人家旅馆陈小姐也没有要你回去呀。

小东西 （浑身发抖）我好容易逃出来。你把我又扔在黑三手里。

王福升 小东西，妈的，我们送你到这儿来，跟你找婆家，你他妈的还不知情。还埋怨人？

翠　喜 （对小东西）你这孩子又犯了病了？

小东西 （不理她）我，我恨死你。

---

1 Damned-fool。——底本注。

Damned-fool的译音，意即“大傻瓜”。——川版注。

2 “（笑）我这是越说越有气”底本作“笑我这是越说越有气”，据川版改。

胡　四　（走到小东西面前，故意打趣）别恨啦，痛还痛不过来呢[1]。

〔又拉小东西的手，叫她坐在他的膝上。

小东西　（甩开胡四的手跑到福升面前）我要……（连着打他两个嘴巴，纠着福升拼命）

王福升　这东西。（福升想法脱开她的手）

翠　喜　（拉着小东西）你发疯了。

〔小顺子进来。

小顺子　怎么啦？

〔正在开门，黑三——翻穿皮袍，满面胡髭[2]，凶恶的眼睛——进。

翠　喜　（对小东西）黑三来了！

小东西　（立刻放下手，老鼠见了猫，她仿佛瘫在那里）啊！

黑　三　（狞笑，很客气[3]地向小东西招手）过来！

〔小东西望着房里每个人的脸，不敢走到黑三面前。寂静。

王福升　去吧！孩子！（把小东西一推）

黑　三　（更和气地）过来呀！

〔小东西慢慢走过去。

黑　三　（一把抓住小东西的小手[4]，对胡四）您受惊。四爷！这孩子

---

1 “痛还痛不过来呢”川版作“疼还疼不过来呢”。

2 “满面胡髭”川版作“满脸胡髭”。

3 “客气”川版作“和气”。

4 “小东西的小手”川版作“小东西的手”。

有点不大懂规矩。（对翠喜）三姑娘，你先好好陪陪四爷，跟他老人家多多上点劲。八兄弟，今天可委屈你了。（小东西出来[1]）

〔狼咬着小鸡子似地黑三把小东西拉出房门。门一关上就听见：

〔黑三的声音：（狠狠地）妈的！（在小东西脸上一巴掌）妈的！（又一巴掌，小东西倒吸口气迎着他的粗重的手，“啊！”“啊！”叫出来。以后听不见什么，只有——）

〔黑三的声音：（对小东西）到那屋去！走！走！

〔外面仿佛小东西又哭又不敢哭地跟着他走。

翠　喜　这是怎么说的？这孩子的脾气也是太“格涩”，八爷，您刚才没有撞破哪儿？这真怪过意不去的。

王福升　没有说的，没有说的。

小顺子　（笑）可不是，孩子小，小孩子脾气，二位多包涵着点。

胡　四　去你的，谁问你啦？

小顺子　是，没问我，就算我没说。（搭讪着出去）

胡　四　福升，怎么样？刚才那两下痛不痛？

王福升　没什么！这孩子连金八爷都劈拍两耳括子，我王八爷挨这两下子打，算什么委曲。

〔外面铃声。

〔外面的声音：让屋子，来客啦。

1　川版无“小东西出来”。

胡　四　人就是那么一回子事，活着不玩玩就是个大浑蛋，挨两下子打算个什么?

王福升　走吧，四爷。我看您也该回旅馆了。

翠　喜　谁说的?（对福升）去！去！去！你看你这个忙劲儿。

王福升　挨了打，还在这儿死赖皮做什么?

翠　喜　八爷，混事由的，都不易，得原谅着点，就原谅着点。

〔小顺子进屋。

小顺子　二爷，迁就迁就，拉拉帐子。

〔他把左边方桌的东西移到右边，将中间的帐子拉起，于是一间屋子隔成两间。小顺子走到左边打开门，让进来方达生。方达生穿一件毛蓝布大褂，很疲乏地走进。

小顺子　（对方达生）二爷，请您这边落落。

方达生　嗯。

小顺子　您有熟人提一声。

方达生　（四面望望，忍不住，用手帕掩住鼻子，摇头[1]）

小顺子　（不信地）二爷，有熟人提一声吧。

方达生　没，没有。（咳嗽）

小顺子　这屋子冷点，二爷！

〔同时：在屋子的右半，胡四把翠喜拉在一旁。

胡　四　（低头）我跟你说一句话。

翠　喜　（笑着）干嘛呀！

1　此句川版作“四面望望，摇头”。

胡　四　（拉住她的手）你过来呢！（低语）

翠　喜　（格格地笑）去你的吧。

胡　四　真的？（又低语）

翠　喜　（拧了胡四一把，胡四哎哟叫一声）看你馋不馋？

胡　四　（对翠喜挤眼）馋！（又低语）

翠　喜　（故作怒状）去你的！喜欢浪，坐飞艇去[1]。

胡　四　怎么？

翠　喜　美得你好上天哪！

〔胡四大笑，又拧了翠喜一下，翠喜叫一声，两个人对笑起来。这时福升渐渐注意到左面的客人。

〔在左面呢[2]，戏还同时继续着的。达生傻傻地立在那里，很窘迫的样子。最后——

小顺子　我跟您叫来见见。

方达生　我走了好些家了。

小顺子　（搭讪着）二爷，闲着没事逛逛玩玩[3]。

方达生　（自语的样子）我没有找着。

小顺子　您是——

方达生　我要找一个人。

小顺子　（莫名其妙）找人？

1　“坐飞艇去”川版作“坐飞机去”。

2　“在左面呢”川版作“在布幔的左面呢”。

3　“逛逛玩玩”原刊作“多逛逛”。

方达生　嗯，一个刚到这一带来不久的姑娘。

小顺子　这一带百十来家娼户……可您说出个名儿。

方达生　（为难）她，她叫，呃，呃——这个，她没有名字。[1]

小顺子　那可就难了。那么，多大岁数？

方达生　十五六岁。

小顺子　那倒有几个，我叫几个给你[2]瞅瞅。

〔同时：在右面，福升偷偷拉开缝由布幔帐向左一望，忽然：

王福升　（低声）四爷，四爷！方，方先生来了。

胡　四　（离开那女人）谁？

王福升　方达生。

胡　四　什么？（他跑去偷看）可不是小疯子？小疯子也会跑到这儿来啦！

〔福升忽然由右正门跑出去。胡四便立在幔帐右边偷看，翠喜走到胡四面前，仿佛问他那是谁……一些事，但他只笑着摇摇手，好奇地在那里等待左面的人说话。翠喜看见[3]不得要领，便废然地走到镜台旁，点起一支烟，踱到正右门，斜倚着门框闲着。

〔在左边，外面是黑三的声音叫。"小顺子！小顺子！"

1　此句原刊作"她，她叫——这个。她没有名字。"，川版作"（为难）她，她叫，呃——这个。她没有名字。"。

2　"你"川版作"您"。

3　川版无"看见"。

小顺子 （答声，向达生）二爷，我跟您找找去。

方达生 嗯。（很疲倦地坐在方桌旁）

〔一会儿，小顺子回来。

小顺子 二爷，这儿大概没有您找的人。

方达生 我没有看见，你怎么说没有？

小顺子 要不，我叫几个岁数相仿的您瞧瞧，好不好？

方达生 你去吧。

〔小顺子又出去[1]，半晌。

〔这时在右边，由正右门又传进一个乞丐的声音，打着带铃的牛膝骨[2]唱数来宝。

〔乞丐：（提提哒，提提哒，提提哒提哒提哒）[3]"喂，毛竹打，响连声，看见头子站在门口拉走铃。拉上走铃更不错，未曾来人好见客：有翠喜，和小达[4]，和宝兰[5]，各的各的个赛貂蝉，拉一个铺开一个盘，拉铺还得一块钱？"（又恢复原来的苍老的声调）有钱的老爷们，老板们，赏一个大，凑个店钱吧。

翠　喜 （立在门口）讨厌，又是你。

---

1 "出去"原刊作"出来"。

2 "带铃的牛膝骨"原刊作"牛膝骨（有铃）"。

3 此句川版作"乞丐打着牛胯骨："提提哒，提提哒，提提哒，提提哒提哒。"唱数来宝："

4 "小达"原刊作"小翠"。

5 "宝兰"原刊作"玉兰"。

〔乞丐：老板，可怜可怜吧，您行好，明天就从良，养个胖小子。

翠　喜　去你的，今天晚上就冻死你兔崽子。

〔在左面，黑三进来了。

黑　三　二爷！找着两个，您瞅瞅。（掀起门帘，达生立起向外望）对不对？

方达生　（看了一时）不对，不是她们，这个小孩岁数不大，圆圆的脸，大眼睛，说话愣里愣气的。

黑　三　哦，您是说刚来不几天那个？

方达生　对了，不几天，才我想也就四五天吧[1]。

黑　三　（手势）这么高，这么瘦，圆脸盘，大脚板丫子，小圆眼，剪发。

方达生　对了，对了。

黑　三　我跟您找找去，您候候。

〔黑三出去。

〔在右边，继续着：

〔乞丐：（打着牛胯骨：提提哒，提提哒，提提哒提哒提哒）"毛竹打，更不离儿，老板本是个大美人儿！曲青头发大辫子儿，尖尖下颏红嘴唇儿，未曾说话爱死人儿。（提提哒，提提哒，提提哒提哒提哒）毛竹打，更不错，老板身穿华丝葛，人才好，穿的阔，未曾说话抿嘴乐，哪天都有回头

1　"才我想也就四五天吧"原刊作"才三天"，川版作"我想也就四五天吧"。

客！”——老板，可怜一个大吧。

翠　喜　（故意地）我还是不给你！

〔乞丐：（嬉皮笑脸地）您不给，我还唱。

翠　喜　唱吧，谁拦你啦？

〔乞丐：（提提哒，提提哒，提哒提哒，提哒）……

〔同时[1]：在左边屋子，门开了，进来一个卖报的，单裤子，上面穿一件破棉袄，一脸胡子，规规矩矩地抽出一份报，放在书桌上，打手势要钱，行外国礼，立正，打恭，口里“呀呀”地叫着。

方达生　我，我没有零钱。

〔哑巴卖报的指指报里的文章，用手势告诉那里面有最新鲜的新闻，于是他用另外一种语言[2]指手画脚地道出一个书记怎么没有饭吃，怎样[3]走投无路，只得买鸦片烟，把一家的小孩子自己亲手毒死。小孩子不肯吃，怎样买红糖搅在一起，逼小孩子喝下去。全家都死了，但是鸦片烟没有了，他自己就跑出去跳大河，但是不幸被警察捉住，把他带到局子里去，说他有罪，谋杀罪[4]，不知是死是活。同时方达生：

1　原刊无“同时”。

2　“于是他用另外一种语言”原刊作“于是他用一种另外语音”，川版作“他用一种手语”。

3　原刊无“怎样”。

4　“谋杀罪”原刊作“教唆杀人罪”。

方达生 我看过，我看过。（但是哑巴把报塞在他手里，他只好拿起看，望着他做手势）你说一个书记……哦，你说没有饭吃，（哑巴点头）什么？哦，你说他家里还有一大堆孩子，（哑巴点头）什么？什么？（不明白，哑巴指报，叫他看他所指的字）哦，这个书记“失业”了。（哑巴点头）哦……哦，（一面看报，一面读他的手势）他就买了鸦片烟……嗯，小孩子不肯喝……什么？（看看报）哦，他掺进红糖把鸦片烟灌给他们吃了。（叹一口气[1]）嗯，孩子都死了……哦，鸦片烟没有了……（哑巴点头）哦，他自己就跑出跳大河。什么……（看报）哦，正在跳河的时候，就叫警察抓住了，（忙着看完报，对哑巴）你不要讲了，我已经读完了，警察把他带到局子里，说他有罪，有谋杀直系亲属罪[2]，要把他监禁起来。

哑　巴 （大点头，伸出手）啊……呵……

方达生 （喃喃地）大丰的书记，潘经理的书记——这太不公平了[3]。（起来）

哑　巴 （伸手要钱）啊……啊……

〔达生给他一张角票，不让他找，哑巴又作揖，又行礼，他[4]

1 “叹一口气”川版作“又看报”。

2 “谋杀直系亲属罪”原刊作“教唆杀人罪”。

3 川版无“——这太不公平了”。

4 川版无“他”。

千恩万谢地走出去。

方达生 （拿起报读，扔在桌上，靠在椅背，望着天，叹出一口闷气）啊！

〔同时[1]在右边：

胡　四 （一个独语）小疯子的精神病真不轻。

〔乞丐：（还是提提哒，提提哒，提提哒提哒提哒）[2]“喂，好话说了老半天，还是老板不给咱。别瞧要饭低了头。要饭不在下九流，将门底子佛门后，圣人门口把你求。念过诗书开过讲，懂得三纲并五常，念过书识过字儿，懂得仁义礼智信儿。”——怎么着，老板。还不赏一个大么？

翠　喜 大冷天，挺难的，有钱也不给你！

〔乞丐：（接得快）“要说难，尽说难，你难我难不一般。老板难的事由儿[3]小，我难没有路盘缠，傻子要有二百钱，不在这儿告艰难。”（提提哒，提提哒，提提哒提哒提哒）喂——

胡　四 去，去，去！（扔出一个铜元）少在这儿麻烦。[4]

〔乞丐：费心，老爷。（脚步声，又在旁处打着牛胯骨，唱起来）

〔福升走进来。

1　原刊无“同时”。

2　此句川版作“乞丐还打着牛胯骨：提提哒，提提哒，提提哒提哒提哒。乞丐唱：”。

3　“事由儿”原刊作“事面儿”。

4　“麻烦。”川版作“瞎掺和！”。

胡　四　（指左边）怎么样啦?

王福升　（狞笑）您看哪。（二人立帐幔旁偷看）

〔在左边：黑三同小顺子走进来。

黑　三　您看，二爷，这一定就是您的相好的。

方达生　（到门口看，大失所望）不，不是，不是她。

小顺子　可您总得说出个名字啊。

方达生　（突然）你们这儿有个叫小东西的有么[1]？

小顺子　小东西?

方达生　嗯。

小顺子　没有。

黑　三　（狞笑）这名字就"格涩"。

方达生　（拿起帽子）对不起，打搅你们了。（低头正要出门）

黑　三　（拦住他的去路伸出手）——

方达生　你这是干什么?

黑　三　您叫我们跑了半天，您不赏点嘛么！

方达生　（惊愣）这也要钱?

黑　三　您瞅瞅来的是什么地方；我们是喝西北风长大的?

方达生　（看看他那亡命的样子，可怜地笑笑[2]，拿出钱来）你拿去吧！

小顺子　（忙着伸手）谢谢。

1　"有个叫小东西的有么"原刊作"有人叫小东西的有吗"。

2　川版无"可怜地笑笑"。

黑　三　（打开小顺子的手）您这是打哈哈，您这一点是给要饭的[1]？

〔左面小屋内孩子哭起来，翠喜拉开[2]中间的幔帐，走到左面，她看见达生，停下来眼盯着他[3]。达生厌恶地回过头去，咳嗽起来，一只手掩住鼻子，一只手扔在桌上一些钱，他立刻跑出去。[4]

〔翠喜莫名其妙地跑进左面的小屋子，又唔唔地哄着小孩睡觉。

〔黑三魔鬼般地大笑起来。

〔小顺子拉开幔帐。

黑　三　四爷！您先歇着，我给您叫小翠来陪您。

王福升　不用啦，黑三，我们该走啦。

胡　四　我们待的时候不少了。

黑　三　别截[5]，您先玩会儿。

〔忙走出去，叫：小翠！

王福升　快回去吧，您这身新衣服也该在八奶奶面前显派显派。

胡　四　（又想起他的“第一美男子”的诨号，很高兴地）你说，这身衣服我穿着不错吧？

---

1 “您这一点是给要饭的”原刊作“您是给要饭的”，川版作“您这一点是打发要饭的”。

2 “拉开”原刊作“擦开”。

3 “眼盯着他”川版作“盯他一下”。

4 此句川版作“达生回过头去，咳嗽起来，扔到桌上一些钱，立刻跑出去。”。

5 “别截”川版作“别价（读jiè）”。

王福升　“赶子”[1]，我看您这身比哪一身都好。

胡　四　（不自主地又开始搔首弄姿，掸掸衣服，自满地）我看也不大离。

〔黑三进，后随小东西。

黑　三　好好地侍候四爷一会。四爷好多照应你。叫声四爷。

小东西　（一字一抽噎）四……四……四爷。[2]

黑　三　跟王八爷赔个罪。

小东西　（望着福升）——

黑　三　说，说，下次不敢了，王八爷。

小东西　（一字一抽噎地）下……下……下次不敢。王……王……王八爷。[3]

王福升　没有说的。没有说的。[4]

黑　三　（得意扬扬）跟四爷倒杯茶，求八爷明儿陪着四爷来回头来。

胡　四　明儿见。（起身）得了，别客气啦，没有什么说的[5]。

〔翠喜由屋内出来。

翠　喜　谁说走？谁也不许走，四爷，您刚才怎么说的？（耳语）

胡　四　（频频点头）对，对——（坏笑）可我实在有事。今儿个不

1　“赶子”，即“可不是”或“是”的意思。——川版注。

2　此句川版作“四……四爷。”。

3　“（一字一抽噎地）”以下川版作“（一字一抽噎）下……下次不敢。王……王八爷。”。

4　“没有说的。”以下川版作“没说的。没说的。”。

5　“没有什么说的”川版作“没什么说的”。

成，明儿见。

王福升　（笑）有事[1]，明儿见吧！

黑　三　别，小孩子也得学点规矩。这是碰着四爷，好说话的，好，要碰着个刺儿头，这不连窑子都砸了。

翠　喜　（拉着胡四）那明儿[2]你一定来？（胡四嘻嘻哈哈地点头）

〔这时小东西已斟好茶，正向胡四送过去。

王福升　（开玩笑）小心点，别烫着手，小姐。

小东西　（低头，走到胡四面前，眼泪汪汪地）

王福升　四爷，你瞧，小翠跟你飞眼呢。（小东西气得回首向福升望一眼）

胡　四　（高兴）是么？（想拧小东西的脸蛋）小东西看上了我么？

小东西　（蓦地回过头来，没想到胡四这样近靠着她，茶碗碰着胡四的手，茶水溅湿他的衣服）啊！

胡　四　你看！

黑　三　（大吼）妈的，你看你！

小东西　（吓破了胆，失手，一碗茶整个地倒在胡四的新衣服上）啊！

胡　四　（急青了脸）这个不是人揍的[3]孩子！（连忙用手帕揩）

黑　三　（跳到小东西面前，举手就要打）你他妈的——（小东西躲

1　原刊无“（笑）有事”。

2　“明儿”原刊作“明日”。

3　“不是人揍的”原刊作“不是人做的”。

在翠喜背后）

翠　喜　（拦住黑三）你先别打！

王福升　（也拦住黑三）黑三，先别急，人家衣服要紧[1]。

黑　三　（忙）小顺子，赶快拿手巾来。

〔小顺子拿手巾跳进[2]。大家一起[3]擦衣服。只有小东西吓得立在一旁。

胡　四　（恼怒）去，去，去，别擦了！（将衣服拿在灯下看看）哼，这一身新衣服算毁了。妈的，（对福升）走！走！走！（忽然跑到小东西面前）你这贱骨头，我——（仿佛就要动手，小东西后退，他一扭身）死货！（忽然从袋里，取出一束钞票，对小东西）你瞧见这个么？大爷有的是洋钱。可就凭你这孩子[4]，（向黑三）一个子也不值！（对小顺子）把这个拿给三姑娘盘子！（一张钞票给小顺子）这个给外边。（又一张钞票）

小顺子　谢谢。

胡　四　（点点头）走！（对福升）回旅馆。（扬长走出。福升后面跟着，小顺子也随出去）[5]

翠　喜　（送到门外）明儿来呀，四爷！明儿来呀！（忙回屋内）

1　“人家衣服要紧”川版作“四爷衣服要紧”。

2　“跳进”川版作“进”。

3　此处川版有“为胡四”。

4　“凭你这孩子”川版作“凭你这德行”。

5　此处川版有“〔胡四、福升、小顺子下。”。

黑　三　（野兽似地盯着小东西，低低地）过来。你跟我到这屋子来！（指左面小屋）

小东西　（走了一半，两腿无力，扑腾跪下）

黑　三　（走到小东西面前，拉她）走！

翠　喜　（抱住小东西）黑三，你别打她！（哀求）这不怨她，你别打她！（黑三在方桌下面，抽出一条鞭子）

黑　三　你别管！

翠　喜　黑三，这孩子再挨不得打了。

黑　三　（一手推倒她）你他妈的，去你个妹子的吧。（翠喜叫一声，摸着她受了伤的手）走！（拉着小东西进屋）

〔进去，黑三把门关上。

翠　喜　（忽然想起自己的孩子，跑到左小门前，敲门）开门，黑三，我的孩子在里面。开门，开门。

〔里面不应，黑三咀咒[1]着，鞭子抽在小东西的身上，小东西仿佛咬紧了牙挨着一下一下的鞭打。

翠　喜　（慌急，乱打着门）开门，开门！你要吓着我的孩子。我的儿！（孩子开始哭起来）

翠　喜　（不顾一切地喊着）开门，开门，黑三，我的宝贝，你别怕！妈就来！

〔小东西忍不住痛，开始嚎叫，和小儿哭声闹成一片[2]，外面

1　“咀咒”川版作“咒骂”。

2　原刊无“和小儿哭声闹成一片”。

有许多人看热闹，小顺子跑进来。

翠　喜　（疯狂的样子）你开门！（乱打着门）你开门！黑三！你再不开。我就要喊巡警了。

小顺子　黑三，外边有人找你。

〔黑三开了门提着鞭子出来，一脸的汗。

黑　三　（回头向左小门）这次先便宜你小杂种。

〔翠喜立刻跑进房里，屋里一片啼声[1]和抽噎声。

黑　三　（向小顺子）谁，谁来找我？

小顺子　旅馆来的人。

〔外边有小铃声，半晌。

黑　三　干么？

小顺子　说金八爷有事找您。

〔另一个声音：见住客！没有住客的见住客！

黑　三　走！（向左旁小门）你出来！出来！

〔小东西很艰难地走出来。

黑　三　（用鞭子指）这一次先饶了你，外面有住客，你去见客去。他妈的，你今天晚上要是再没有客，你明日早上甭见我。听见了没有？

小东西　（抽咽着）嗯。

黑　三　去！把眼泪擦擦，见客去。[2]

1　“一片啼声”原刊作“一片儿喘声”。

2　此处川版有“（随手用粉，扑扑她的脸）”。

〔小东西低头出了门。

黑　三　小顺子，我去了。明儿见。

小顺子　您走吧，明儿见。

〔黑三走出去。

小顺子　三姑娘，出来吧，瘸子可等急了。你快出去见见他吧。

翠　喜　（由左小门走出）唉！这是什么日子！

〔翠喜和小顺子一同出门，屋内无人。

〔外面伙计的声音：落灯啦！落灯啦！

〔外面叫卖的声音：（寂寞地）硬面饽饽！硬面饽饽！

〔木梆一声一声地响过去。

〔另一个声音：（低声地叫出花名，因为客人们[1]都睡了）宝兰，翠玉，海棠，小翠。

〔小顺子进来把灯灭熄[2]，由抽屉拿出洋烛头点上，屋子暗上来[3]。

〔小顺子正要出去，小东西缓缓地走进来[4]。

〔隔壁和对面有低低的男女笑语声。

小顺子　怎么样，挂[5]上了么？

---

1 “客人们”川版作“住客们”。

2 “把灯灭熄”川版作“把电灯拧灭”。

3 “屋子暗上来”川版作“屋子暗下去”。

4 “缓缓地走进来”川版作“缓缓走进来”。

5 “挂”在此地是被嫖客挑上的意思。——川版注。

小东西　（摇头）没有。

小顺子　怎么？

小东西　（抽噎）那个人嫌我太小。

小顺子　（叹一口气）那你一个人先睡吧。

小东西　嗯。

小顺子　（安慰她）去他的！明天是明天的，先别想它。

〔老远翠喜哭着嚷着。

〔一个男人的声音：你走不走？你走不走？[1]

〔翠喜的声音：你打吧！你打吧！你今天要不打死我，你不是你爸爸揍的[2]。

小东西　（立起来）这是谁？

小顺子　三姑娘——翠喜。她男人打她呢。（由窗户望外看）可怜！这个人也是苦命[3]，丈夫娶了她就招上了[4]脏病瘸了，儿子两个生下来就瞎了眼，还有个老婆婆，瘫在床上，就靠着这儿弄来几个钱养一大家子人。

小东西　（又坐在那里发呆）嗯，嗯，嗯。[5]

小顺子　她来了，（往外叫）三姑娘。

1　“你走不走？”以下原刊无，川版作“（一面打着，一面骂着）你走不走？你走不走？”。

2　“揍的”原刊作“做（读如揍）的。”。“揍”此地作“亲生”的讲——川版注。

3　“可怜！”以下川版作“翠喜也是苦命”。

4　“招上了”川版作“得了”。

5　此句川版作“嗯，嗯。”。

〔翠喜哭哭啼啼地走进门。

小顺子　怎么啦?

翠　喜　（自言自语[1]）妈的，我跟你回去！今天我就跟你回去！回去咱们就散，这日子还有什么过头?（叨叨地进了左小门）

小顺子　（望她进门）唉。

〔翠喜抱着孩子由左小门走进来。

小东西　孩子睡着了?

翠　喜　（抽噎地）嗯，妹……妹……妹子,（一字一噎地）刚才，刚才，那个住客……你……你，你挂上了么？[2]

小东西　（低头）——

小顺子　（摇头）没有。

翠　喜　怎……怎么?

小顺子　又是那句话，还是嫌她人小。[3]

翠　喜　（一手摸着小东西的脸）苦……苦命的孩子。也……也好，你今天一个人在我这个床睡吧。省得我在这儿挤……半……半……半夜里冷，多……多……多盖着点被。别……别冻着。明天再说明天的……你……你……你自己先别病了……落在这个地方……病……病……病了更没有

---

1 “自言自语”川版作“啼哭着，数落着”。

2 此句川版作“(抽咽地）嗯，妹……妹子,（一字一咽地）刚才，刚才，那个住客……你……你挂上了么?”。

3 此句川版作“还是那句话，嫌她人小。”。

人痛……痛……痛了。[1]

小东西 （忍不住，忽然抱着翠喜大哭起来）我……我的……

翠　喜 （也忍不住抱着她）妹……妹子，你……你[2]，你别哭。我……我走了。我明天……一大清早，我……[3]我就来看你。

小东西 嗯。

翠　喜 我……[4]我走了。

小东西 你走吧。

小顺子 你睡吧。

小东西 嗯。

〔翠喜和小顺子同下。

〔外面一个人：落灯啦！落灯啦！

〔木梆声，舞台更暗。

〔外面叫卖声：（凄凉地[5]）硬面饽饽！硬面饽饽！

〔小东西忽然立起，很沉静地[6]走进左面小屋内。

〔屋内无人。

---

1 “苦……苦命的孩子。”以下川版作“苦命的孩子！也……也好，你今天一个人在我这个床睡吧。省得我在这儿挤。半……半夜里冷，多……多盖点被，别冻着。明天再说明天的。你自己先别病了……落在这个地方……病……病了，就更没有人疼……疼了。”。

2 川版无“你……你”。

3 川版无“我……”。

4 川版无“我……”。

5 原刊无“凄凉地”。

6 “沉静地”原刊作“沉静静地”。

〔对面屋子里男女笑声。

〔女人声：去，去，去——七十多里地多的是小媳妇，你找我干嘛[1]？

〔男人含糊的声音：——我……

〔女人声：去，去，去，（笑）头上磨下的，好意思的么？

〔男人含糊的声音：……嗯……[2]

〔小东西由左屋靸着鞋出来，手里拿着一根麻绳，她仿佛瞧见什么似地在方桌前睁着大眼，点点头。她失了魂一般走到两个门的前面[3]，一一关好，锁上。她抖擞起来，鼓起勇气到了左边小门停住。她移一把椅子，站在上面，将麻绳拴在门框上，成一个小套。[4]又走下来。呆呆地走……走，走了两步。忽然她停住。

小东西　（低声，咽出两个字）唉[5]，爸爸！

〔她向那麻绳套跪下，深深地[6]磕了三个头，立起。叹一口气，爬上椅子，将头颈伸进套里，把椅子[7]踢倒——那样小，

---

1 “干嘛”原刊作“干吗”。

2 原刊无“嗯……”。

3 “两个门的前面”原刊作“两个门前”。

4 此句川版作“她移一把凳子，站在上面，将麻绳挂在横梁上，拴成一个小套，”。

5 川版无“唉”。

6 川版无“深深地”。

7 “椅子”川版作“凳子”。

那样柔弱一个可怜的小生命[1]便悬在那门框下面。

〔外面叫卖声：（荒凉地[2]）硬面饽饽！硬面饽饽！

〔同时外面听见木梆声之外还有[3]：

〔一个男人淫荡地唱：（曲调见前）“叫声小亲亲，眼瞅着到五更，五更打过哥哥就起身。亲人啊，小妹妹舍不得呀，一夜呀夫妻呀百日的恩。”

〔一个女人隐泣的声音：（如在远处）唔……唔……

〔小东西挂在那里，烛影晃晃[4]照着她的脚，鞍着的鞋悄然落下一只，屋里没有一个人。

——舞台渐暗[5]。幕落[6]

---

1 “可怜的小生命”原刊作“可怜小生命”。

2 原刊无“荒凉地”。

3 “木梆声之外还有”原刊作“木梆声之外有”。

4 “烛影晃晃”川版作“烛影晃荡”。

5 川版无“舞台渐暗”。

6 “幕落”川版作“幕徐落”。

附　记[1]

也许末尾的刺激太重了些，我[2]为着上演的方便，曾经把收场这样改过，现在一并记在下面——[3]

……

……

〔小东西由左屋靸着鞋出来，手里拿一根麻绳，她仿佛瞧见什么似地在方桌前睁着大眼，点点头。她失了魂一般走到两个门的前面，一一关好，锁上。她的全身发抖，噙住眼泪，惊恐地走到左边小门停住。

〔外面叫卖声：（荒凉地）硬面饽饽！硬面饽饽！

〔远远的木梆声。

〔她将一把椅子移在门下，站在上面，把麻绳拴在门框上，

1　剧作者希望仍用原来的结尾。——川版注。

2　川版无“我”。

3　此处底本有“（接一百三十四页五行）”，即前页“男人含糊的声音……嗯……”之后。

成一个小套[1]，她稳一稳心，正要——但一个恐怖的寒战，她又走下来，呆呆地立在那里。

〔一个男人淫荡地唱：（低声——曲调见前）"叫声小亲亲，眼瞅着到五更，五更打过哥哥就起身。亲人啊，小妹妹舍不得呀，一夜呀夫妻呀百日的恩。"

〔一个女人隐泣的声音：（如在远处）唔……唔……

〔恍恍惚惚地小东西随着那哭声，踉跄了两步，她实在忍待不下去了，忽然扑在地上，哀哀地哭泣起来。

〔外面叫卖声：（荒凉地）硬面饽饽！硬面饽饽！

〔远远地木梆声。

——舞台渐暗。幕落

---

1 "把麻绳拴在门框上，成一个小套"川版作"把麻绳挂在横梁上，拴成套"。

第四幕

与第三幕在同一个夜晚。

半夜后，大约有四点钟的光景，在××大旅馆那间华丽的休息室内。

屋内帘幕都深深垂下来，在强烈的灯光下，那些奇形怪状的陈设刺激人的眼发昏。[1]满屋笼漫着浓厚的烟氲和恶劣的香粉气，酒瓶歪在地上，和金子一般贵重的流质[2]任意地倒湿了地毯，染黄了沙发的丝绒，流满了大理石的茶几。在中间，一张小沙发的脚下，香槟酒杯的碎玻璃堆在那里。墙上的银耀耀[3]的钟正指着四时许。

左面的屋子里面还是稀里哗啦地打着牌，有时静下来，只听见一两下清脆的牌声，有时说话的，笑的，骂的，叫的，愤愤然击着牌桌的，冷笑的……和洗牌的声音搅成一片。

开幕时，白露一个人站在窗前，背向观众，正撩开帷幕向下望。她穿着黑丝绒的旗袍，周围沿镶洒满小黑点的深黄花边，态度严肃，

1　此句川版作“屋内帘幕都深深垂下来，在明亮的灯光下，花缸里插着满满的一簇簇色彩鲜艳的山茶花，一片红艳夺目的花束中，有几枝白色的。”。

2　“流质”川版作“流液”。

3　“银耀耀”川版作“银熿熿”。

通身都是黑色。[1]

[2]她独自立在窗前，屋内没有一丝动静。

半晌。

左面的门大开，立刻传出人们打牌喧笑的声音。

〔里面的男女声音：露露！露露！

〔白露没有理他们，还是[3]那样孤独着。

〔乔治的声音：露露！露露！（他的背影露出来，臂膊靠着门钮，对里面的人们说话）不，不，我就来。（自负地）你看我叫她，我来！[4]

〔乔治走出来，穿着最讲究的西服，然而领带散着，背心的纽子没有扣好[5]。他一手抓住香槟酒瓶，一手是酒杯，兴高采烈地向白露走过来。

张乔治　（一步三摇地走近白露，灵感忽然附了体）哦，我的小露露。（看上看下[6]，指手画脚，仿佛吟诗一样）So beautiful！ So

---

1 此句川版作“她穿着黑丝绒的旗袍，周围沿镶洒满小红点的花边。神情沉静，忧郁。她戴着一对亮得发蓝的‘火油钻’耳环，背着手，拈着一枝鲜艳的山茶花。”。

2 此处原刊以波浪线区隔舞台说明：“时间：第三四幕现改在第一二幕一星期后发生。”

3 “还是”川版作“她是”。

4 此句原刊作“你看我叫她，我！”。

5 “没有扣好”川版作“没有扣”。

6 “看上看下”川版作“上下打量白露”。

charming！ And so melancholic！（于是翻江倒海，更来得凶猛）So beautifully bewitching[1]！ And so bewitchingly beautiful！

陈白露 （依然看着[2]窗外，不动，仿佛没有听见他的话）嗯，你说的是什么？[3]

张乔治 （走到她又一边[4]）我说你真美。你今天晚上简直是美！（摇头摆尾，闭起眼说）美！美极了！你真会穿衣服，你穿得这么忧郁，穿得这么诱惑！并且你真会用香水，闻起来（用他的敏锐的鼻子[5]连连嗅着，赞美地由鼻孔冲出一声长长的由高而低的"嗯！"）这么清淡，而又这么幽远！（活灵活现演作他的戏；感动地长长吐出一口气）啊！我一闻着那香水的香味[6]，Oh no，你的美丽的身体所发出的那种清香，就叫我想到当初我在巴黎的时候，（飘飘然神往）哦，那巴黎的夜晚！那夜晚的巴黎！（又赞美地由鼻孔冲出那一声"嗯！"）嗯！ Simply beautiful！

陈白露 （依然没有回头[7]）你喝醉了吧。

张乔治 喝醉了？今天我太高兴了！你刚才瞧见刘小姐么？她说她

---

1 "bewitching"底本作"bewiticing"，据原刊改。

2 "看着"川版作"望着"。

3 川版无此句。

4 "走到她又一边"川版作"走近她另一边"。

5 "用他的敏锐的鼻子"川版作"用他敏锐的鼻子"。

6 "香水的香味"川版作"香香的香味"。

7 "依然没有回头"川版作"不理他，看看手中的花，又放在背后"。

要嫁给我，她一定要嫁给我，可是我跟她说了，（趾高气扬的样子）我说：“你！（藐视）你要嫁给我！你居然想嫁给我！你？”她低着头，挺可怜的样子[1]，说：（哭声）“Georgy！只要你愿意，我这方面总是没有问题的。”说着，说着，眼泪就要掉下来[2]。可是（拉一下白露，但她并没有转过身来[3]）你看我，我就这么看着她。（斜着眼睛昂着头向下望）我说：“你？你[4]居然想嫁给George Chang！ Pah！（又是他的一甩手）这世界上只有陈白露才配嫁给George Chang呢！”（他等白露的笑，但是——）咦，露露，你为什么不笑？

陈白露　（态度依然）这有什么可笑的？（低沉地）你还有酒么？[5]

张乔治　（奇怪）你还想喝？

陈白露　嗯。

张乔治　你看我多么会伺候你，这儿早就预备好了。（他倒酒的时候，由右屋听见[6]顾八奶奶叫白露的声音。他把酒倒好，递给白

---

1 “挺可怜的样子”川版作“怪可怜的”。

2 “眼泪就要掉下来”川版作“小眼泪就掉下来了”。

3 “拉一下白露，但她并没有转过身来”川版作“碰一下白露，但她不理”。

4 “你”原刊作“凭你”。

5 “**陈白露**　（态度依然）这有什么可笑的？”以下川版作：

“**陈白露**　（态度依然）有什么可笑的？（回头，不觉把山茶花捻残，扔在地下）

张乔治　（可惜状）多美的花！花就是你，你就是花啊！

陈白露　（不自主地把地上的山茶花用脚踝了两下，低沉地）还有酒么？”

6 “听见”川版作“传来”。

露，她一口灌下，看也不看就把酒杯交给乔治[1]）

〔顾八奶奶由右门出，她穿戴仍然鲜艳夺目，气势汹汹地走进来。

顾八奶奶 （在门口）白露，究竟你的安眠药在哪儿[2]？（忽然看见乔治）哟！博士，原来是你们俩偷偷地躲在这屋子说话呢。

张乔治 两个人？那我大概是喝醉了。[3]

顾八奶奶 怎么？

张乔治 奇怪，我怎么刚才只觉得我是一个人在这屋子发疯呢？[4]

顾八奶奶 得了，我不懂你这一套博士话。白露，快点，你的安眠药在哪儿[5]？

陈白露 在我床边那个小柜子里。[6]

张乔治 怎么啦，八奶奶？

顾八奶奶 （摸心）我心痛，我难过。

张乔治 又为什么？

顾八奶奶 还不是那个没良心的东西气的我。我这个人顶娇嫩了，你看这一气，三天我也睡不着。我非得拿点安眠药回家吃不

---

1 此句川版作“他把酒倒好，递给白露）
〔陈白露一口灌下酒，看也不看，把酒杯交给乔治。”

2 “在哪儿”原刊作“在哪里”。

3 川版无此句。

4 此句川版作“奇怪，我觉得我一个人在这儿发疯！”。

5 “在哪儿”原刊作“在哪里”。

6 此处川版有“（转身又望着窗外几点残余的灯光渐次熄灭，窗外一片漆黑）”。

可。得了，你们两个好好谈话吧。（翻身就要进门）

张乔治 别，别走。你先坐一坐跟我们谈谈。

顾八奶奶 不，不，不，我心痛得厉害，我先得吃点杜大夫的药。

张乔治 你看，你在这里吃不一样？

顾八奶奶 可是你听听我的心，又是扑腾腾扑腾腾的，（捧着自己的心，痛苦的样子）哟！我得进去躺躺。

〔忽然左门[1]大开，又传进种种喧笑声。

〔刘小姐的声音：Georgy——

顾八奶奶 （望着立在左门[2]口的刘小姐。眉开眼笑地）刘小姐，你还没有走，还在打着牌么？（对乔治）好啦，刘小姐来了，你们三个人玩吧。

〔顾八奶奶仍由右门[3]下。

〔刘小姐：Georgy！

张乔治 （以手抵唇）嘘！（指白露，作势叫刘小姐进来，来一同谈谈。不过——）

〔刘小姐的声音：（严厉地）Georgy！！

张乔治 （作势叫她不要喊，仿佛说白露大概心里不知为什么不痛快，并且像是一个人在流眼泪[4]，劝她还是进来一起玩玩。

---

1 “左门”底本作“右门”，据川版改。

2 “左门”底本作“右门”，据川版改。

3 “右门”底本作“左门”，据川版改。

4 “流眼泪”原刊作“落眼泪”。

但是——）

〔刘小姐的声音：（毫不是他所说的那副可怜的样子）我不进去，我偏不进去。

张乔治 （耸耸肩表示没有办法，却还在作势劝她进来。然而——）

〔刘小姐的声音：（更严厉地）Georgy！！！你进来不进来！你来不来！

张乔治 （大概门里面的人下了很严重的哀的美顿书，里面不知做些什么表示，但是他已经诚惶诚恐地——）No，please don't！ I'm coming！[1]我来，我来，我就来。

〔乔治慌慌张张地笑着走进左门[2]。

〔刘小姐的声音：（很低而急促的声音）我要走了，你一个人在这儿，少跟她们胡扯，听见了没有？

〔张乔治的声音：可我没有怎么跟谁胡扯呀。[3]

〔半晌。

〔白露缓缓回过身来。[4]神色是忧伤的，酒喝多了。晕红泛满了脸。不自主地她的头倒在深蓝色的幕帷里，她轻轻捶着胸，然而[5]捶了两下，仿佛绝了望似地把手又甩下来。

---

1 原刊无此句。

2 “左门”底本作“右门”，据川版改。

3 此句川版作“可我跟谁也没有胡扯呀。”。

4 此句川版作“白露缓缓地又回过身来。”

5 川版无“然而”。

〔静静地泪珠由眼边流出来，她取出手帕，却又不肯擦掉，只呆呆地凝视自己的手帕。[1]

陈白露 （深长而低微叹一口气）嗯！（她仰起头，泪水由眼角流下来[2]，她把手帕铺在眼上）

〔外面敲门声。

陈白露 （把手帕忙取下来[3]，擦擦眼睛）谁？

〔福升声：我，小姐。

陈白露 进来。

〔福升进。[4]他早已回到旅馆，现在又穿起他的号衣施施地[5]走进来。

王福升 小姐。

陈白露 你来干什么？

王福升 （看见白露哭了）哦，您没有叫我？

陈白露 没有。

王福升 哦，是[6]，是……（望着白露）小姐，您今天晚上喝多了。

---

1 此句川版作“静静地泪水由眼边流着，她取出小小的白手帕，不肯擦掉，呆呆地凝视自己的手帕。”。

2 “泪水由眼角流下来”川版作“由眼角流出泪水”。

3 “把手帕忙取下来”川版作“把湿了的手帕取下”。

4 此句川版作“福升由中门进。”

5 “施施地”川版作“施施然”。

6 川版无“是”。

陈白露　嗯，我今天想喝酒。[1]

王福升　（四面望望）方先生不在这儿？

陈白露　他还没有回来。有事么？

王福升　没有什么要紧的事。刚才又来了一个电报。是给方先生的。

陈白露　跟早上打来的是一个地方么？

王福升　嗯。

陈白露　在哪儿？

王福升　（由口袋[2]取出来）您要么？

陈白露　回头我自己[3]交给他吧。（福升把电报交给白露）反正还早。

王福升　（看看自己的手表）早？已经四点来钟了？

陈白露　（失神地）那些人们没有走。

王福升　（望左面[4]的房门）客人们在这儿又是吃，又是喝，有的是玩的，谁肯走？

陈白露　（悲戚地点头）哦，我这儿是他们玩的地方。

王福升　（不懂）怎么？

陈白露　可是他们玩够了呢？

王福升　呃！……呃！……[5]自然是回家去。各人有各人的家，谁还

1　此句川版作“嗯？我今天喝点酒。”。

2　“口袋”川版作“口袋里”。

3　川版无“自己”。

4　“左面”川版作“左边”。

5　“呃！……呃！……”川版作“呃！……”。

能一辈子住旅馆？

陈白露 那他们为什么不走？

王福升 小姐，您说……呃……呃……[1]那自然是因为他们没有玩够。

陈白露 （还是不动声色地）那么他们为什么没有玩够？

王福升 （莫名其妙，不得已地笑）那……那……[2]那他们是没有玩够嘿，没有玩够嘿。

陈白露 （忽然走到福升面前迸发）我问你，他们为什么没有玩够！（高声）他们为什么不玩够？（更高声）他们为什么不玩够了走，回自己的家里去。滚！滚！滚！（愤怨）他们为什么不——（忽然她觉出自己[3]失了常态，她被自己吓住了，说不完，便断在那里，低下头）

〔福升望望白露的脸，仿佛很了解的样子。他倒了一杯白水端到白露面前。

王福升 小姐。

陈白露 （看着[4]他手里的杯子）干什么？

王福升 您大概是真喝多了。

陈白露 （接下杯子）不，不。（摇摇头低声）我大概是真玩够了。（坐下）玩够了！（沉思）我想回家去，回到我的老家去。

---

1 “……呃……呃……”川版作“呃……”。

2 “那……那……”川版作“那……”。

3 川版无“自己”。

4 “看着”川版作“看看”。

王福升 （惊奇）小姐，您这儿也有家？

陈白露 嗯，你的话对的。（叹一口气）各人有各人的家，谁还一辈子住旅馆？

王福升 小姐，您真有这个意思？

陈白露 嗯，我常常这么想。

王福升 （赶紧）小姐，您要是真想回老家，那您在这儿欠的那些账，那您——

陈白露 对了，我还欠了许多债。（有意义地）不过这些年难道我还没有还清？

王福升 （很事实地[1]）小姐，您刚还了八百，您[2]又欠了两千，您这样花法，一辈子也是还不清的。今天下午他们又来了，您看，这些账单（又从自己口袋往外拿）这一共是——

陈白露 不，不用拿，我不要看，我[3]不要看。

王福升 可是他们说您明天下午是非还清不可的，我跟他们说好话，叫他们——

陈白露 谁叫你跟他们说好话？冤有头，债有主，我自己没求过他们，要你去求？

王福升 可是小姐——

---

1 “很事实地”川版作“事实地”。

2 川版无“您”。

3 川版无“我”。

陈白露 我知道，我[1]知道了。你不要再提了，钱！钱！钱！为什么你老这样子来逼我。

〔电话铃响。

王福升 （拿起耳机）喂……你哪儿！哦……我这儿是五十二号陈小姐的房间[2]。

陈白露 谁？

王福升 （掩住喇叭）李太太，（又对耳机）哦，是是。李先生他不在这儿。他今天下午来过，可是早走了……是……是……不过李先生刚才跟这儿潘四爷打过电话，说请他老人家候候，说一会儿还要来这儿的。要不，您一会儿再来个电话吧。再见。（放下耳机）

陈白露 什么事？

王福升 李先生的少爷病得很重，李太太催李先生赶快回去。

陈白露 嗯。好，你去吧！

〔潘四爷由中门走进来，油光满面，心里充满了喜信，眯着一对小眼睛，一张大嘴呵呵地简直拢不住，一只手举着雪茄，那一只手不住地搓弄两撇小胡子。福升让进潘月亭，由中门下。

潘月亭 露露，露露，客没有走吧。

陈白露 没有。

---

1 川版无“我”。

2 “房间”原刊作“房”。

潘月亭　好极了。来，大家都玩一会，今天让大家玩个痛快。

陈白露　怎么？

潘月亭　我现在大概才真正走了好运，我得着喜信了。

陈白露　什么？喜信？是金八答应你提款缓一星期了？

潘月亭　不，不是，这个金八前两天就答应我了。我告诉你，公债到底还要涨，涨，大涨特涨。这一下子真把我救了！你知道，我今天早上忽然听说公债涨是金八在市面故意放空气，闹玄虚，故意造出谣言说他买了不少，叫大家也好买，其实他是自己在向外抛，造出好行市向外甩。那时候我真急了！我眼看我上了他的当，我买的公债眼看着要大落特落，我整个的钱都叫他这一下子弄得简直没有法子周转，你看我这一大堆事业，我一大家子的人，你看我这么大年纪，我要破产，我怎么不急？我告诉你，露露，我连手枪都预备好了，我放在身上，我——（咳嗽）

陈白露　（给他手帕）哦，可怜！可怜的老爸爸。[1]

潘月亭　（高起兴）你现在真不应该再叫我老爸爸[2]了。我现在一点不老，我听见这个消息，我年轻了二十年，我跟你说人不能没有钱，没有钱就不要活着，穷了就是犯罪，不如死。可是，露露，我现在真真[3]有钱了，我过两天要有很多很多的

1　“（给他手帕）”以下川版作“哦，老头子连手枪都预备好了！”。

2　“老爸爸”川版作“老头子”。

3　“真真”川版作“真正”。

钱，再过些天，说不定我还要有更多更多的钱。（忽然慷慨地）哦，我[1]从此以后要做点慈善事业，积积德，弥补弥补[2]——

陈白露　不过，你们轻轻把小东西又送回到金八手里，这件事是很难弥补的。[3]

潘月亭　（忽然想起来）哦，小东西怎么样了？你难道还没有把她找回来？

陈白露　找回来？她等于掉在海里了，我找，达生找，都没有一点影子。

潘月亭　不要紧，有钱，我有钱。我一定可以把小东西还是活蹦乱跳地找回来。叫你高兴高兴。

陈白露　（绝望地）好，好吧！哦，你知道李石清要这时候来见你么？[4]

潘月亭　知道。他说他有好消息告诉我。可是这个东西太混账，他以为我好惹，这次我要好好地给他一点厉害看。

陈白露　怎么？[5]

〔顾八奶奶由右门上。

顾八奶奶　露露！露露！——哟，潘四爷，这一晚上你上哪儿去了。

1　川版无“我”。

2　此处原刊有“先前的罪孽”。

3　此句川版作“不过，你们轻轻把小东西又送到金八手里，这件事是难弥补的。”。

4　此句川版作“哦，李石清来了。”。

5　“怎么?”川版作“哦。”。

（撒娇地）真是的，把我们甩在这儿，不理我们，你们男人们，真是的！——对了，四爷，您看胡四进了电影公司正经干多了吧。还是四爷对，四爷出了主意，荐的事总是没有错儿的。（不等潘月亭回答，就跑到左面立柜穿衣镜前照自己，忽转向露）露露，你看我现在气色[1]怎么样，不难看吧？

潘月亭 （没有办法）露露，你陪八奶奶谈吧，我去到那屋[2]看看客人去。

〔潘由左门下。

顾八奶奶 四爷，您走了。（又忙忙地）白露，我睡不着。（自怜）我越躺越难过。

陈白露 你怎么啦？

顾八奶奶 （冒然）你说他还来不来？这个没有良心的东西，他叫我在你这儿等着他，他要跟我说戏，说《坐楼杀惜》，你看快天亮了，他的魂也没有见一个。唉，（指她的红鼻头）你看[3]两条手绢都哭湿了，（其实[4]她在干咽）我真，我……我[5]，我真想叫福升问问他……

---

1 “气色”川版作“身材”。

2 “去到那屋”川版作“去那屋”。

3 此处川版有“我”。

4 川版无“其实”。

5 “我……我”川版作“我”。

陈白露　（厌烦，不等她说完便叫）福升！福升！

〔福升由中门进。

陈白露　你知道胡四爷[1]上哪儿去了？

王福升　不，不知道。

顾八奶奶　（噘着嘴气冲冲地）他就会说不知道。

王福升　实……[2]（谄笑）实在是不知道。不过仿佛胡四爷说他先去——

顾八奶奶　（暴躁地）
　　　　　　　　　　（同时说）换衣服[3]去了。
王福升　（假笑地）

顾八奶奶　（急躁）换衣服！换衣服！你就会说换衣服[4]。

陈白露　怎么？（对福[5]）你知道胡四干什么去了？[6]

王福升　（谦逊地）顾八奶奶刚才问了我四五遍，怪不得她老人家听腻了。您想，她老人家脾气也是躁一点，再者她老人家……

顾八奶奶　（忽然变色）福升，我不喜欢你这么胡说乱道的什么“老人家”“她老人家”的。我不愿意人家这么称呼我，我不爱听。[7]

王福升　是，顾八奶奶。

---

1 “胡四爷”川版作“胡四”。

2 川版无“实……”。

3 “衣服”川版作“衣裳”。

4 此句三处“衣服”川版均作“衣裳”。

5 “对福”底本作“对顾”，据川版改。

6 “怎么？”以下川版作“（对福）胡四干什么去了？”。

7 “福升”以下川版作“福升，你怎么总挂着‘老人家’‘她老人家’的？我不要人家这么叫我，我不爱听！”。

顾八奶奶 去！去！去！我瞅你就生气，谁叫你进来跟我添病的[1]。

王福升 是，是。（福升由中门下）

顾八奶奶 （捶自己的心）你看我的心又痛起来了，胡四进了电影公司两天，越学越不正经干。我非死了不可！露露！你的安眠药我都拿去了。

陈白露 （略惊）怎么，你要[2]吃安眠药？

顾八奶奶 嗯，我非吃了不可。

陈白露 （劝她）那你又何必呢？你还给我。[3]（伸手）

顾八奶奶 （不明白）不，我非吃了不可，我得回家睡觉去。我睡一场好觉，气就消了。杜大夫说睡一点钟好觉，就像多吃两碗饭。我要多吃两碗饭，气气他。

陈白露 哦！（放下心）不过我先警告你，这个安眠药是很厉害的。你要吃了十片，第二天就会回老家的，你要小心点。

顾八奶奶 （拿着安眠药看）哦！吃十片就会死。

陈白露 十片就成了。

顾八奶奶 那……那，我就……我就吃一片；不，半片；不好，三分之一，我看，对我就很可以了。[4]

---

1 “谁叫你进来跟我添病的”川版作“你进来就给我添病”。

2 川版无“要”。

3 “那你又何必呢？”以下川版作“那何必呢？还给我。”。

4 此句原刊作“那……那；我就……我就吃一片；不，半片；不好，三分之一；要不，四分之一，对我就很可以了。”，川版作“那……那，我就吃一片；半片；三分之一，我看，就很可以了。”。

陈白露 那才好[1]，我[2]刚才听你的话，我以为——

顾八奶奶 哦，（忽然明白）你说我吃安眠药寻死？我才不呢。我不傻，我还得乐两年呢！哼，我刚刚懂一点事[3]，我为他……哼，胡四有一天要跟我散了，我们就散。我再找一个，我……我非气死他不可！（太费力气，颤巍巍地摇着头）

陈白露 （冷冷地望着她）你说得不累么？

顾八奶奶 可不是，我是有点累了。我得打几副牌[4]休息休息我的脑筋。你跟我一块来吧。

陈白露 不，你先去吧！我想一个人坐一坐。[5]

〔顾由左门下。

〔中门敲门声。

陈白露 谁？[6]

方达生 我。（推开门进来，他还穿着他的毛蓝布大褂，神色沉郁，见着白露，微现喜色）

陈白露 你刚回来？

方达生 我回来一会，我走到你门口，我听见顾太太在里面，我就

---

1 “那才好”原刊作“那好”，川版作“好”。

2 川版无“我”。

3 “懂一点事”川版作“懂得一点人事”。

4 “打几副牌”川版作“打几圈牌”。

5 “不，你先去吧”以下川版作“不，你先去。我想一个人坐坐。”。

6 此处川版有“〔方达生上。”。

没进来[1]。

陈白露　（望着他）怎么样？小东西找着了么？

方达生　（摇头）没有。那种地方我都一个一个去看了。但是[2]，没有她。

陈白露　（失望）这是我早料到的。（半晌，扶他坐下）你累了么？[3]

方达生　有一点，不过我很兴奋，我很兴奋。我在想，这两天我不断地想着个问题。

陈白露　（笑）怎么，你又想，想起来了。

方达生　嗯。没有办法，我是这么一个人，我又想起来了。尤其是今天一夜晚，叫我觉得——（忽然）我问你，人与人之间为什么要这么残忍呢？

陈白露　（笑）这就是你所想的问题么？

方达生　不，不尽然。我想的比这个问题要大，要实际得多。我奇怪，为什么你们允许金八这么一个禽兽活着？

陈白露　你这傻孩子，你还没有看清楚，现在，我告诉你，不是我们允许不允许金八活着的问题。[4]而是金八允许我们活着不允许我们活着的问题。

方达生　我不相信金八有这么大的势力。他不过是一个人。

1　“我听见顾太太在里面，我就没进来”川版作“听见顾太太在里面，就没进来”。

2　“但是”川版作“可是”。

3　“（失望）这是我早料到的。”以下川版作“（黯然）这是我早料到的。（半晌，让他坐下）累了么？”。

4　此句川版作“你这个人哪，我告诉你，不是我们允许不允许金八活着的问题。”。

陈白露　你怎么知道他是一个人？

方达生　（沉思）嗯……（忽然）你见过金八么？

陈白露　我没有那么大福气。[1]你想见他么？

方达生　（有意义地）嗯，我想见见他。

陈白露　那还不容易，金八多得很，大的，小的，不大不小的，在这个地方有时像臭虫一样，到处都是。

方达生　（沉思）对了，臭虫！金八！这两个东西都是一样的，不过臭虫的可厌，外面看得见，而金八的可怕外面是看不见的，所以他更凶更狠[2]。

陈白露　（眼盯着达生）你仿佛有点变了。

方达生　嗯，我似乎也这么觉得。不过我应该谢谢你。[3]

陈白露　（不懂）为什么？

方达生　（严重地）是你给我这么一个机会。

陈白露　我不大明白你的话，你的口气似乎有点后悔。

方达生　（肯定地）不！我不后悔，我毫不后悔多在这里住几天。你的话是对的。我应该多观察观察这一帮东西。现在我看清楚他们了，不过[4]我还没有看清楚你，我不明白你为什么要跟他们混？你难道看不出他们是鬼，是一群禽兽。竹均，

1　此句川版作“我没有。”。

2　“所以他更凶更狠”原刊作“他是更凶更狠”。

3　“嗯，我似乎也这么觉得。”以下川版作“也许。我应该谢谢你。”。

4　“不过”原刊作“但是”。

我看你的眼，我就知道你厌恶他们，而你故意天天装出满不在意的样子，天天自己骗着自己。

陈白露　（深邃地[1]望着他）你——

方达生　你这样看我做什么？

陈白露　（忽然——倔强地嘲讽着）你很相信你自己的聪明。

方达生　竹均，你又来了。不，我不聪明。但是我相信你的聪明。你不要瞒我，你心里痛苦，请你看在老朋友的份上，我求你不要再跟我倔强，我知道你嘴头上硬，故意说着谎，叫人相信你快乐[2]，可是你眼神儿软，你的眼瞒不住你的恐慌，你的犹疑，不满[3]。竹均，一个人可以欺骗别人，但欺骗不了自己，你这样会把你闷死的。

陈白露　（叹一口气[4]）不过你叫我干什么好呢？

方达生　很简单，你跟我走，先离开这儿。

陈白露　离开这儿？

方达生　嗯，远远地离开他们。

陈白露　（仰头想）可……可……可是上哪里去呢？[5]我这个人在热闹的时候总想着寂寞，寂寞了又常想起热闹。整天不知道自

1　"深邃地"川版作"深沉地"。

2　"故意说着谎，叫人相信你快乐"原刊作"非要说着谎，叫人给你快乐"。

3　"你的犹疑，不满"原刊作"犹疑不满"，川版作"你的犹疑，你的不满"。

4　原刊无"叹一口气"。

5　此句川版作"可……可是上哪里去呢？"。

己怎么样才好。你叫我到哪里去呢？

方达生 那有一个办法：你应该结婚！你需要嫁人！你该跟我走。[1]

陈白露 （忽然笑起来）你的拿手好戏又来了。

方达生 不，不，你不要误会，我不是跟你求婚。我并没有说我要娶你。我说我带你走，这一次我要替你找个丈夫。

陈白露 你替我找丈夫？

方达生 嗯，我替你找。你们女人只懂得嫁人，可是总不懂得嫁[2]哪一类人。这一次，我带你去找，我要替你找一个真正的男人。你跟我走。

陈白露 （笑着）你是说一手拉着我一手敲着锣，到处去[3]找我的男人么？

方达生 那怕什么？竹均，你应该嫁一个真正的男人。他一定很结实，很傻气，整天地苦干，像这两天那些打夯的人一样。[4]

陈白露 哦，你说[5]要我嫁给一个打夯的？

方达生 那不也很好。你看他们哪一点不像个男人？竹均，你应该结婚。你应该立刻离开这儿。

陈白露 （思虑地）离开——是的。不过，结婚？（嘘出一口气）

---

1 “那有一个办法：”以下川版作“有个办法，你结婚！你嫁人！你跟我走。”。

2 原刊无“嫁”。

3 川版无“去”。

4 此句川版作“他站得扎实，有力量，勇敢，真干！像这两天打夯的人一样。”。

5 川版无“说”。

方达生 竹均，你正年轻，为什么不试试呢？活着原来就是不断的冒险，结婚是里面最险的一段[1]。

陈白露 （顿，忽然，把头转过去，缓缓一字一字地[2]）可是这个险我冒过了。

方达生 （吃了一惊）什么？你试过？

陈白露 （乏味地）嗯，我试过。但是（叹一口气）一点也不险——平淡无聊，并且想起来很可笑。

方达生 竹均……你……你已经结过婚？

陈白露 咦，你为什么这么惊讶？难道必须等你替我去找，我才可以[3]冒这个险么？

方达生 （低声[4]）这个人是谁？

陈白露 （神秘地）这个人有点像你。

方达生 （起了兴趣）像我？

陈白露 嗯，像！——他是个傻子。

方达生 （失望）哦。

陈白露 因为他是个诗人。（追想）这个人哪……这个人思想起来很聪明，做起事就很糊涂。让他一个人说话他最可爱，多一个人谈天他简直别扭得叫人头痛。他是个最忠心的朋友，

---

1 “一段”原刊作“一折”。

2 此句川版作“忽然，把头转过去，一字一字地”。

3 川版无“可以”。

4 原刊无“低声”。

可是个最不体贴的情人。他骂过我，而且他还打过我。

方达生 但是（怕说的样子）你爱他？

陈白露 （肯定）嗯，我爱他！他叫我离开这儿跟他结婚，我就离开这儿跟他结婚。他要我到乡下去，我就陪他到乡下去。他说“你应该生个小孩！”我就为他生个小孩。结婚以后几个月，我们过的是天堂似的日子。他最喜欢看日出，每天早上他一天亮就爬起来[1]，叫我陪他看太阳。他真像个小孩子，那么天真！那么高兴！有时候乐得在我面前直翻跟头，他总是说“太阳出来了，黑暗就会过去的”[2]。他永远是那么乐观，他写一本小说也叫《日出》，因为他相信一切是有希望的。

方达生 不过——以后呢？

陈白露 以后？——（低头）这有什么提头！

方达生 为什么不叫我也分一点他的希望呢。

陈白露 （望着前面）以后他就一个人追他的希望去了。

方达生 怎么讲？

陈白露 你不懂？后来，新鲜的渐渐不新鲜了。两个人处久了，渐渐就觉得平淡了，无聊了。但是都还忍着；不过[3]有一天……他忽然说我是他的累赘，我也忍不住说他简直是讨厌[4]！从那天以后

---

1 “爬起来”川版作“爬出来”。

2 “太阳出来了，黑暗就会过去的”川版作“太阳就出来了，黑暗会过去的”。

3 原刊无“不过”。

4 “我也忍不住说他简直是讨厌”原刊作“我也说出来他简直是麻烦”。

我们渐渐就不打架了，不吵嘴了，他也不骂我，也不打我了。

方达生 那不是很好么？

陈白露 不，不，你不懂。我告诉你结婚后最可怕的事情不是穷，不是嫉妒，不是打架，而是平淡，无聊，厌烦。两个人互相觉得是个累赘。懒得再吵嘴打架，直盼望哪一天天塌了，等死。于是我们先只见面拉长脸，皱眉头，不说话。最后他怎么想法子叫我头痛，我也怎么想法子叫他头痛。他要走一步，我不让他走；我要动一动，他也不许我动。两个人仿佛捆在一起扔到水里，向下沉……沉……沉……

方达生 不过你们逃出来了。

陈白露 那是因为那根绳子断了。

方达生 什么？

陈白露 孩子死了。

方达生 你们就分开了？

陈白露 嗯，他也去追他的希望去了。

方达生 那么，他在哪里？

陈白露 不知道。

方达生 那他有一天也许回来看你。

陈白露 不，他决不会回来的。他现在一定工作得高兴。（低头）他会认为我现在简直已经堕落到没有法子挽救的地步。（悲痛地）哼！他早把我忘记了。[1]

---

1 此句川版作“他早已把我忘记了。”。

方达生　（忽然）你似乎还没有忘记他？

陈白露　嗯，我忘不了他。我到死也忘不了他。喂，你喜欢这两句话么？“太阳升起来了，黑暗留在后面；但是太阳不是我们的，我们要睡了。”你喜欢么？

方达生　我不大懂。

陈白露　这是他的小说里一个快死的老人说的。

方达生　你为什么忽然要提起这一句？

陈白露　因为我……我……我时常想着这样的人。[1]

方达生　（忽然）我看你现在还爱他。

陈白露　（低头）嗯。

方达生　你很爱他。

陈白露　（望）嗯——但是你为什么这么问我？

方达生　没有什么，也许我问清楚了，可以放下心。这样，我可以不必时常惦念着你了。谢谢你，竹均，你真是个爽快人。（立起来）竹均，我要去收拾东西去了。

陈白露　你就要走？这里还有你一封电报。（拿出来交给他）

方达生　（拆开看）嗯。（把电报揉成一团）

陈白露　是催你回去么？

方达生　嗯，是的。（停顿）再见吧！竹均！（伸出来[2]）

陈白露　为什么这么忙？难道你天亮就走么？

1　此句川版作“因为我……我时常想着这样的人。”。

2　“伸出来”川版作“伸出手来”。

方达生 我想天亮就离开旅馆。

陈白露 你坐哪一趟车？

方达生 不，不，我不回去。我只是想搬开。

陈白露 你不走？

方达生 不，我不回去。不过我也许不能常来看你了。

陈白露 （奇怪）为什么？这句话很神秘。

方达生 我在这里要多住些天，也许我在这里要做一点事情。

陈白露 你在这里找事做？

方达生 事情自然很多，我也许要跟金八打打交待，也许要为着小东西跑跑，也许为那小书记那一类人做点事，都难说。[1]我只是想有许多事可做的[2]。

陈白露 这么说，你跟他要走一条路了。

方达生 谁？

陈白露 他——我那个诗人。

方达生 不，我不会成诗人。但是我也许真会变成一个傻子。

陈白露 （叹一口气）去吧！你们去吧！我知道我会被你们都忘记的。

方达生 （忽然）不过[3]，竹均，你为什么不跟我走？（拉起她的手，热烈地）你跟我走！还是跟我走吧。

---

1 此句川版作“事情自然很多。我也许要跟金八打打交道，也许要为小东西跑跑，也许为小录事那一类人做点事，都难说。”。

2 “有许多事可做的”原刊作“有许多事做的”，川版作“有许多事可做”。

3 川版无“不过”。

陈白露　可是——[1]（空虚地望着前面）上哪儿去呢？我告诉过你，我是卖给这个地方的。

方达生　（放下手，怜恤地望着她）好吧。你——唉……你……你这个人太骄傲，太倔强。[2]

〔敲门声。

陈白露　谁？

〔李石清推中门进。李石清忽然气派不同了，挺着胸脯走进来，马褂换了坎肩，前额的头发也贼亮贼亮的梳成了好几绺，眼神固然依旧那样东张西望地提防着，却来得气势汹汹，见着人客气里含着敌视，他不像以前那样对白露低声下气，他有些故为傲慢。

陈白露　哦，李先生。（福升随进）

李石清　（看看方达生和白露）陈小姐，（回头对门前的福升）福升，你下去叫我的汽车等着我，我也许一会儿跟潘经理谈完话

1　川版无"可是——"。

2　"**方达生**　（放下手，怜恤地望着她）"以下川版作：

方达生　（放下手，怜恤地望着她）好吧。

陈白露　（从盛满一簇簇鲜丽的山茶花的花缸里取出一枝）来，戴上！送你一枝山茶花吧。

方达生　这又是谁送给你的？

陈白露　没有谁。（凄然）我自己送给自己的，不好么？

方达生　（接下花枝）这枝山茶花还没有开足呢？

陈白露　（望着方达生）拿着它！闲着想想我吧。

方达生　（握着白露的手）唉，你这个人太骄傲，太倔强。

就回公馆的[1]。

王福升 是，李先——（忽然）是，襄理。不过您太太方才打电话，说——

李石清 （厌烦地）我知道了。你下去吧。

陈白露 李先生，你的少爷好一点了么？[2]

李石清 好，好，还好。[3]月亭在屋里么？

陈白露 月亭大概在吧。[4]

李石清 我要跟他谈一点机密的事。

陈白露 （不愉快）是[5]要我们出去躲躲么？

李石清 （知道自己有点过分）不，不，那倒不必。我进去找他谈也是可以的。少陪！少陪！

〔李石清扬长地走入左门。

陈白露 （看他走进去，嗤笑）唉！

方达生 这个人忽然——是怎么回事？

陈白露 你不知道，他当了襄理了。

方达生 （恍然）哦！（笑了笑）可怜！[6]

---

1 “我也许一会儿跟潘经理谈完话就回公馆的”川版作“也许一会儿我跟潘经理谈完话，就回公馆的”。

2 川版无此句。

3 川版无此句。

4 此句川版作“大概在吧。”。

5 川版无“是”。

6 此句川版作“可笑！”。

陈白露　嗯。[1]好玩的很。

〔胡四由中门进。他又换了一套衣服，更“标致”了，他一边拿着大衣，一边夹着烟卷，嘴里哼着流行调，开了中门。

胡　四　（仿佛到了自己的家，把帽子扔在沙发上，大氅也搁在那里，口里不住地吹着哨，他似乎一个人也没有看见，稳稳当当地放好衣服，走到左面立柜穿衣镜前照照自己，打着呵欠对白露说话）白露，她呢？

陈白露　谁？

胡　四　（还是那一副不动情感的嘴脸）老妖精！

陈白露　不知道。

胡　四　（又打了一个呵欠）困么？

方达生　（嫌恶）你问谁？

胡　四　哦，方——方先生。您刚回来？我们总算投缘。今天晚上见了两面。

方达生　（不理他）白露，你愿意到我屋里坐一下么？

陈白露　嗯，好。

〔两个人由中门下。

胡　四　（望着他们走出去）妈的加料货！“刺儿头”带半疯！

〔整整自己的衣服，又向那穿衣镜回回头，理两下鬓角，正预备进左门。左门开了，由里走出潘月亭和李石清。[2]

1　川版无此句。

2　“整整自己的衣服”以下两处“左门”底本均作“右门”，据川版改。

李石清　（对潘）里面人太多，还是在这儿谈方便些。

潘月亭　好，也好。

胡　四　（很熟稔地）石清，你怎么现在还在这儿？还不回家去？[1]

李石清　嗯，嗯。

胡　四　潘经理。

潘月亭　胡四，你快进去吧。八奶奶还等着你说戏呢！

胡　四　是，我就去。石清，你过来，我跟你先说一句话。

李石清　什么？

胡　四　（笑嘻嘻地）我昨儿格在马路上又瞧见你的媳妇了,（低声对着他的耳朵）你的媳妇长得真不错[2]。

李石清　（一向与胡四这样惯了的，现在无法和他正颜厉色，只好半气半恼，似笑非笑地）唏！唏！[3]岂有此理！岂有此理。

胡　四　没有什么说的[4]，石清，回头见。

〔胡四很伶俐地由右门下。

潘月亭　请坐吧。有什么事么？

李石清　（坐下很得意地）自然有。

潘月亭　你说是什么？

李石清　月——（仿佛不大顺口）经理知道了市面上怎么回事么？

1　“（很熟稔地）”以下川版作“（很熟练地）石清，你怎么这会儿还在这儿泡？还不回窝去？”。

2　“真不错”川版作“真不赖”。

3　“唏！”以下川版无。

4　“没有什么说的”川版作“没说的”。

潘月亭　（故意地）不大清楚，你说说看。

李石清　（低声秘语）我这是从一个极秘密的地方打听出来的。我们这一次买的公债算买对了，您放心吧！金八这次真是向里收，谣言说他故意造空气，他好向外甩，完全是神经过敏，假的。这一次我们算拿准了，我刚才一算，我们现在一共是四百五十万，这一“倒腾”[1]说不定有三十万的赚头。

潘月亭　（唯唯否否地）是……是……是。[2]（但是[3]没有等李石清说完，他忽然插嘴）哦，我听福升说你太太——

李石清　（不屑于听这些琐碎的事）那我知道，我知道——我跟您说，我们说不定有三十万的赚头。这还是说行市就照这样涨。要是一两天这个看涨的消息越看越真，空户们再忍痛补进，跟着一抢，凑个热闹，我跟您说，不出十天，再多赚个十万二十万，随随便便地就是一说。

潘月亭　（阻止他）是你的太太催你回去么?

李石清　不要管她，先不管她。我提议，月亭，这次行里这点公债现在我们是绝对不卖了。我告诉你，这个行市还要大涨特涨，不会涨到这一点就完事。并且（非常兴奋地）我现在劝你，月亭，我们最好明天看情形再买进，明天的行市还

1　“掉换”的意思。——底本注。

“掉换的意思，即指前注‘交易所’条，‘先后买卖间的差价，结算盈亏’之意。”——川版注。

2　此句川版作“是，是。”。

3　川版无“但是”。

可以买，还是吃不了亏。

潘月亭 石清，你知道你的儿子病了么？

李石清 不要紧，不要紧——（更紧张）我看我们还是买。对！我们就这么[1]决定了。月亭，这是千载一时的好机会。这一次买成功了，我主张，以后行里再也不冒这样的险。说什么我们也不必拆这个烂污，以后留点信用吧。不过，这一次我们破釜沉舟干一次，明天，一大清早，我们看看行市，还是买进。

潘月亭 不过——

李石清 我们再加上五十万，凑上一个整数。我想这[2]决不会有错的。我计算着我们应该先把行里的信用整顿一下，第一，行里的存款要——

潘月亭 石清！石清！你知道你的儿子病得很重么？

李石清 为什么你老提这些不高兴的话？

潘月亭 因为我看你太高兴了。

李石清 怎么[3]，为什么不高兴呢！这次事[4]我帮您做得不算不漂亮。我为什么不高兴呢！

潘月亭 哦，我忘了你这两天做了襄理了。

---

1 “这么”川版作“这样”。

2 “这”川版作“这次”。

3 川版无“怎么”。

4 “这次事”川版作“这件事”。

李石清 经理，您这句话是什么意思？

潘月亭 也没有什么意思。你知道我现在手下这点公债已经是钱了么？

李石清 自然。

潘月亭 你知道就这么一点赚头已经足足能还金八的款么？

李石清 我计算着还有富余。

潘月亭 哦，那好极了。有这点富余再加我潘四这点活动劲儿，你想想我还怕不怕人跟我捣乱？

李石清 我不大明白经理的话。

潘月亭 譬如有人说不定要宣传我银行的准备金不够？

李石清 哦？

潘月亭 或者说我把银行房产都抵押出去。

李石清 哦……

潘月亭 再不然，说我的银行这一年简直没有赚钱。眼看着要关门。

李石清 （谄笑）不过，经理，何必提这个？这不——

潘月亭 我自己自然[1]不愿意提这个。不过说不定有人偏要提，提这个，你说这怎么办？

李石清 这话不太远了点么？

潘月亭 （冷冷地看着他）话倒是不十分远。也不过是六七天的工夫，我仿佛听见有人跟我当面说过。

李石清 经理，您这是何苦呢？圣人说过："小不忍则乱大谋。"一个

---

1 原刊无"自然"。

做大事的人多忍[1]似乎总比不忍强。

潘月亭 （睃他一眼）我想我这两天很忍了一会。不过，我要跟你说一句实在话：我很讨厌一个自作聪明的人在我的面前多插嘴，我也不大愿意叫旁人看我好欺负，天生的狗食，以为我心甘情愿地叫人要挟。但是[2]我最厌恶行里的同人背后骂我是个老浑蛋，瞎了眼，昏了头，叫一个不学无术的三等货来做我的襄理。

李石清 （极力压制自己）我希望经理说话无妨客气一点。字眼上可以略微斟酌斟酌再用。

潘月亭 我很斟酌，很留神，我这一句一句都是不可再斟酌的客气话。

李石清 （狞笑）好了，这些名词字眼都可说无关紧要：头等货，三等货，都是这么一说，差别倒是很有限。不过，经理，我们都是多年[3]在外做事的人，我想，大事小事，人最低应该讲点信用。

潘月亭 （看李）信用？（大笑）你要谈信用？信用我不是不讲，可是要看谁？我想我活了这么大年纪，我该明白跟哪一类人才可以讲信用，跟哪一类人就根本用不着讲信用的。

李石清 那么，经理仿佛是不预备跟我讲信用了。

---

1 “多忍”川版作“忍一下”。

2 “但是”原刊作“可是”。

3 “多年”底本作“多半”，据原刊、川版改。

潘月亭　（尖酸地）这句话真不像你这么聪明的人说的。

李石清　经理自然是比我们聪明的。

潘月亭　那倒也不见得。不过我也许明白一个很要紧的小道理。就是对那种太自作聪明的坏蛋，我有时可以绝对不讲信用的。（忽然）你知道你的太太跟你打电话了么？

李石清　（眩惑[1]地）我知道，我知道。

潘月亭　你的少爷病得快要死了，李太太催你快回家。

李石清　（瞪眼望着潘，低声）我是要回家的。

潘月亭　那好极了。我听说你还有汽车在门口等着你。（刻薄地）坐汽车回家是很快的，回家之后，你无妨在家里多多练习自己的聪明，你这样精明强干的人不会没有事的。有了事，我看你还可以常常开开人家的抽屉，譬如说看看人家的房产是不是已经抵押出去了，调查调查人家的存款究竟有多少……不过我可以顺便声明一下，省得你替我再多操心，我那抽屉里的文件现在都存在保险库去了。

李石清　（愤怒叫他说不出一个字）嗯！[2]

潘月亭　（由身上取出一个信封）李先生，这是你的薪水清单。我跟你算一算。襄理的薪水一月一共是二百七十元。你做了三天，会计告诉我你已经预支了二百五十元，不过我想我们还是客气点好，我支给你一个月的全薪。现在剩下的二十

1　“眩惑”原刊作“眙惑”。

2　此句原刊作“哼！”。

块[1]钱，请你收下，不过你今天坐的汽车账行里是不能再替你付的。

李石清 可是，潘经理——（忽然他不再多说了，狠狠地盯了潘一眼，伸出手）好，你拿来吧。（接下钱）

潘月亭 （走了两步，回过头）好，我走了，你以后没事可以常到这儿来玩玩，以后你爱称呼我什么就称呼我什么，就像方才，你叫我月亭也可以；称兄道弟，跟我“你呀我呀”地说话也可以；现在我们是平等了！再见。

〔潘由左门[2]下。

李石清 （一个人愣了半天，才由鼻里嗤出一两声冷笑）好！好！（拿起钞票，紧紧地握着恨恨地低声）二十块！（更低声）二十块钱。[3]（咬牙切齿）我要宰了你呀！（电话铃响一下，他不理）我为着你这点公债，我连家都忘了，孩子的病我都没有理，我花费自己的薪水来做排场，打听消息。现在你成了功赚了钱，忽然地，不要我了。（狞笑）不要我了。你把我当成贼看，你骂了我，当面骂了我，侮辱我，瞧不起我！（刺着他的痛处，高声）啊，你瞧不起我！（打着自己的胸）你瞧不起我李石清，你这一招简直把我当作浑蛋给耍了。哦，（电话铃又响了响）（嘲弄自己，尖酸地笑起来）你

---

1 “二十块”底本作“二十五块”，据川版改。

2 “左门”底本作“右门”，据川版改。

3 “二十块！”以下底本作“二十五块！（更低声）二十五块钱。”，据川版改。

真会挖苦我呀！哦，我是“自作聪明”！我是“不学无术”！哦，我原是个“坏蛋”！哼，叫我坏蛋你都是抬高了我，我原来是个“三等货”，（怪笑，电话铃又响一阵[1]）可是你以为我就这样跟你了啦？你以为我怕你——哼，（眼睛闪出愤恨的火）今天我要宰了你，宰了你们这帮东西，我一个也不饶，一个也不饶你们的[2]。

〔忽然中门急急敲门声。

李石清 谁？

〔李太太慌张走进，颜色更憔悴，衣服满是皱纹，泪水承在眼边。

李太太 石清！你怎么啦？你出去一天为什么现在还不回家！

李石清 （眼直瞪瞪地）我不回家！

李太太 （哭出声音）小五儿快不成了，舌头都凉了，石清。我现在同妈叫了个车送他到医院，走了三个医院，三个医院都不肯收。

李石清 不收？是治不了啦？

李太太 医院要钱。（忽然四面望望）他们要押款[3]，都要现钱。最低的都要五十块押款。现在家里只有十五块钱，我都拿出来也不够。（抽噎[4]）石清，你得想法子，救救我们的孩子。

---

1 “一阵”原刊作“一时”。

2 “一个也不饶你们的”原刊作“一个也不饶你们”。

3 “押款”底本作“现款”，据原刊改。

4 “抽噎”川版作“抽咽”。

李石清 （摸摸自己的身上，掏出几张零碎票子）都拿去吧。

李太太 （忙数）这……这只有十七块多钱。

李石清 那……那……那有什么法子。

李太太 （擦眼泪）不过石清，（望着他）小五这孩子——

李石清 （悲愤）为什么我们要生这么一大堆孩子呢！（然而不由己地他拿起方才的钞票，紧紧握着，咽下愤恨交给李太太，辛酸地）拿去！拿去，这是二十块[1]“卖脸钱”。（李太太收下）

李太太 （急切地）不过石清，你不一块去么？

李石清 你先去，我一会来。

李太太 可是，石清——

李石清 （咆哮起来）叫你先走，你就先走。你还吵什么！快走！快走！你不要惹我！

〔叩门声。

李太太 （恳求）不过，石清——（叩门声仍响）有人来！

李石清 谁？（不答，叩门声仍响）进来！谁？（叩门声仍响）谁？（他走至中门，猛然开了门。他吃了一惊。黄省三像一架骷髅立在门口，目光灼灼地望着他）

李石清 （低声）你！（冷笑）你来得真巧。

〔他幽然地进来，如同吹来了一阵阴风。他叫人想起鬼，想起从坟墓里夜半爬出来的僵尸。他的长袍早不见了。上身只是一件藏青破棉袄，领扣敞着，露出棱棱几根颈骨，底

---

1 “二十块”底本作“二十五块”，据川版改。

襟看得见里面污旧的棉絮，袖口很长，拖在下面。底下只穿一件单裤，两条腿在里面撑起来细得如一对黍棒。他头发非常散乱，人也更佝偻了，但他不像以前那样畏怯，他的神色阴惨，没有表情，不会笑，仿佛也不大会哭，他呆滞地望着李石清，如同中了邪魔一样。

李石清 （对李太太）你走吧。有人来了。

李太太 石清……

〔她向他投一道怨望的眼光，嘤嘤地哭泣走出中门。

李石清 （望她出了门，愤怒地）哼，我不走的，我不走的，我想不出办法，我死了也不走的。（来回走，忘记黄省三在他面前）

黄省三 经理！

李石清 （忽然立住）哦，你——你这流氓，你为什么又缠上我了？

黄省三 嗯。经理！

李石清 （疑惑地）什么，经理？谁叫你叫我经理？谁叫你叫我经理？

黄省三 （依然呆板地，背书一样）经理，我是银行的小书记。我姓黄，我叫黄省三，我一个月赚十块二毛五。我有三个孩子，经理，我有三个孩子……我一个月赚十块二毛五！我姓黄，我叫黄省三……

李石清 （看着他，忽然明白）你！你是——（然而急躁地）真！你为什么又找上我了？你知道我是谁？我是谁？你找我做什么？

黄省三 潘经理！我求你，我求你！

李石清 我不是潘经理，我不姓潘，我姓李！（指自己）你难道不认识我？不认识我这个人？

黄省三 （点头）我认识你。

李石清 谁？

黄省三 你是潘经理。

李石清 真！你这是来做什么？你为什么单拣这个时候找我来跟我开心[1]。你找上我是做什么？

黄省三 （还是呆滞的）他们不叫我死！他们不答应叫我死。

李石清 （急得失了同情）你死就死了，他们为什么不让你死？

黄省三 那些人，那些官儿们，老爷们，他们偏要放我。

李石清 哦，他们把你放出来了。

黄省三 他们偏说我那个时候神经失常，犯神经病[2]，他们偏把我放出来，硬说我没有罪。（诚恳地）我求您，我求您，您行行好，您再重重地给我一拳，（指着自己的肺部）就在这儿，一下就成了，您行行好，潘经理。

李石清 真！我不是潘经理，你看清楚一点，我不姓潘，我姓李，我叫李石清，你难道不认识？

〔半晌。

黄省三 （忽然嘤嘤地像一个女人哭起来）我的孩子，我的可怜的孩子们，我把你们害死了，爹爹逼你们死了。

李石清 怎么，你的孩子都——

---

1 “找我来跟我开心”川版作“拿我开心”。

2 “犯神经病”川版作“犯精神病”。

黄省三 都上了天了。（忽然）你们为什么不让我死？（神经错乱，以为仍在法庭）我没有犯神经病！我跟您说，庭长！那时，我实在没有犯神经病！我很清楚，我自己买的鸦片烟。庭长，那钱是潘经理给我的三块钱，两块钱还了房钱，我拿一块钱买的鸦片烟。庭长，我自己买的红糖跟烟搀好[1]，叫孩子们喝的，我亲手把他们毒死的。可是你们为什么要救我？我没有钱再买烟[2]，你们难道就不许我跳河？你们为什么不让我死？庭长，您不要信我这些邻居的话，他们是胡说八道，我那时候很明白，我没有犯神经病。国家有法律，你们不能放我。庭长！（抓住李的手）庭长，我亲手毒死了人，毒死我的儿子，我的望望，我的小云，我的……（抱着李）我的庭长，您得要[3]杀死我呀！

李石清 （用力解开自己）躲开我，你放下手。你这个混账东西！你看看，你到了哪儿？（用力摇撼他）你看看我是谁？

黄省三 （看李，四面望，半晌，忽然）潘……潘……经理[4]，我这是到了哪儿了？

李石清 真！死鬼，你跟我缠些什么？走，走，滚，滚，你再不滚开，我就要叫警察抓你了。

---

1 “搀好”川版作“和好”。

2 “买烟”川版作“买鸦片烟”。

3 川版无“要”。

4 “潘……潘……经理”川版作“潘……潘经理”。

〔要按电铃。

黄省三 你别，你别叫他们。（拉着李的手）你别，别叫他们。（沉痛辛酸地）潘，潘经理，人不能这么待人呀，人不能这么待人呀！前些日子我孩子们在，我要活着，我求你们叫我活着，可是你们偏不要我活着。现在（涕哭）他们死了，我要死了，我要死，我求你们叫我死，可是你们又偏不要我死。潘经理，我们都是人，人不能这么待人呀！（衰弱地哭了起来）

李石清 真！……你这个浑蛋！你简直把我的心搅乱了。你快滚，快滚，我简直也要疯了。滚，你这个流氓，你跟我滚哪。

黄省三 不，我求您，潘经理，您行行好吧。我再也活不下去了，我跟您跪下，您可怜可怜我吧，您别再逼我了，（跪下）您让我走一条痛快的路[1]吧。

李石清 （拉起他）好，我让你死，我让你死。不过你先起来，你得先认识我，我姓李，你再听一遍，我姓李，李，李，李。

黄省三 （记不起来）李？

李石清 你不记得那一天你到这儿找我？……我……我劝过你拉洋车？

黄省三 哦？

李石清 我还劝过你要饭？

黄省三 哦？

---

1 “痛快的路”川版作“痛快路”。

李石清　我还劝过你偷？

黄省三　哦，你还劝过我跳楼！（忽然疯狂一般欢喜，四面望，仿佛找窗户，立刻向窗户那面跑）

李石清　（一手拉住他）福升！福升！福升！

〔福升由中门进。

李石清　把他拉出去。这个人疯了。

王福升　你又来了！

〔福升抓住他向外拉，黄省三像小鸡一样地和他做徒然的挣扎。

黄省三　李先生，我没有疯！你得救救我，你得救救我！我没有疯啊！

〔黄为福升拉下去。

李石清　天啊！（急躁地）这个傻王八蛋，你为什么疯了？你为什么疯？你太便宜他了！

〔电话铃又急响。

李石清　（拿起耳机）喂，哪儿？报馆张先生么？哦，我是石清。什么？刚才你打电话来？没人接？哦……哦……你已经派人拿一封信送来了。哦！是的，你先别着急……什么？消息不好？谁说的？……怎么，还是金八的人露出来的。不会吧！这两天，不是听说金八天天在收么？……什么？他一点也没有买！……怎么，这一星期看涨完全是他在造谣言！……啊？他从昨天起已经把早存的货向外甩了……这句话是真的？（他喜欢得手都抖起来）什么？这个消息已经传出去了……哦，哦，那么明天行市开盘就要大落。哦，你想可以落多少？……（拍着桌子）什么？第二盘就会停拍。（坐在桌子上）哦……哦……（拍着自己的屁股）你说……大丰这次公债简直叫金八坑了……是……是，我也是这么想，我怕金八说不定就要提款……好极了——哦，糟极了。好……好，你已经写过一封信，送到这儿。好，回头见，回头见，我就交给四爷。

〔他放下耳机，走到门口。

李石清 福升，福升！

〔福升上。

李石清 刚才报馆张先生派人给四爷送来一封信，你看见了没有？

王福升 早看见了。

李石清 在哪儿？

王福升 这儿。（由身上掏出来）

李石清 拿来！拿来！怎么早不说？

〔李由福升手里抢来，连忙看。

王福升 （在旁边插嘴）我刚才倒是想给四爷的，可是我瞅见四爷正在打牌，手气好，连着“和”三番，我就没送上去。

李石清 去，去！出去。少在这儿多嘴。

王福升 是，襄理。

〔福升下。[1]

---

1 “**李石清**　去，去！”以下川版无。

李石清 （看完信，长吸一口气，几乎是跳跃）你来的好！你来的好！你来的真是时候。[1]

〔白露由中门上。

李石清 （满面堆着笑容）陈小姐，客还没有走么？

陈白露 他们就要走了，我来送送他们。怎么，襄理，忽然这一会红光满面的。

李石清 哼，人逢喜事精神爽，也许现在——立刻我要有一件最开心的事。

陈白露 又要升副理了么？

李石清 （狞笑）这点快活跟升了副理也差不多少。小姐要是到屋里去的时候，我就请小姐把四爷赶快请出来一会，因为现在有人送来一封信，有一件很重要很重要的事情发生，请他老人家立刻到这屋里来吩咐吩咐该怎么办好。

陈白露 奇怪，您现在忽然又非常客气起来了。

李石清 当着小姐总是应该客气一点的。（鞠躬）

〔白露由右门下。[2]

李石清 （颤抖）哦……哦……[3]我怎么反而稳不住了。（来回地走）

〔潘月亭由左门[4]进。

1　此处川版有“（狞笑）福升，你快请四爷来一下。有人送信来，很重要的事！请他老人家立刻来。**王福升**　是，襄理！〔福升由左门下。”

2　“〔白露由中门上。”以下川版无。

3　原刊无“哦……哦……”。

4　“左门”底本作“右门”，据川版改。

潘月亭 哦，你还没有回家？

李石清 是，经理，我因为心里老惦念您行里的公事，所以总是不想回去。

潘月亭 你找我做什么？

李石清 （低声下气）您的牌打得怎么样？

潘月亭 （看看他[1]）还顺遂！

李石清 我听说您现在手气很好。

潘月亭 是不坏。

李石清 您“和”了几次三番？

潘月亭 （不屑）我料到你又会找我的，不过没想到你见了我，尽说这一类的话[2]。

李石清 您想[3]我还是要找您，求您赏碗饭吃——是呀，我没有钱，我是靠着银行过日子。您想，您刚才——

潘月亭 （忽然）那封信呢？

李石清 哪封信？

潘月亭 白露说你有一封我的信在手里。[4]

李石清 是，您想看么？

潘月亭 哪儿来的？

---

1 原刊无“看看他”。

2 “不过没想到你见了我，尽说这一类的话”原刊作“不过没想到你见了我，只说这一类的话”，川版作“不过还没想到你尽说这类闲话”。

3 川版无“您想”。

4 此句川版作“福升说我有一封信在你手里。”。

李石清 报馆张先生特派人送来的。

潘月亭 快点拿来。

李石清 不过我怕您看完之后太惊讶了，我没有敢就跟您送去[1]。

潘月亭 怎么，是公债又要大涨么？

李石清 自然是公债，我刚一看，我告诉您，我简直惊讶极了。

潘月亭 好极了，一提公债就准是喜信，我这一次算看对了。好，快拿出来吧。

李石清 不过，经理，我先拆开看了。

潘月亭 什么？你怎么敢拆开了？[2]

李石清 不过，经理，我要是不拆开[3]，我怎么能知道是个喜信，好跟您报喜呢？

潘月亭 （急想看信[4]）好，好，好，你快拿来吧。

李石清 （慢慢掏出信）您不会生气吧。您不会说我自作聪明，故意多事吧？（一面把信由信封抽出，慢慢把信纸铺在桌上）请您一张一张地看吧。

潘月亭 （奇怪他为什么这样做派[5]，仿佛觉出来里面很蹊跷[6]。他不信任地望着李石清，却又急忙地拿起信纸来读）好，好。

---

1 “我没有敢就跟您送去”川版作“我不敢就给您送去”。

2 此句川版作“你怎么又看了？”

3 “不拆开”川版作“不看”。

4 原刊无“急想看信”。

5 “做派”底本作“做排”当作“做派”。

6 “仿佛觉出来里面很蹊跷”川版作“觉出里面很蹊跷”。

李石清 （在他旁边插嘴，慢吞吞地）这件事我简直是想不到的。不会这么巧，不会来得这么合适。我想这一定是谣言，天下哪会有这样快的事。您看，我有点好插嘴，好多说几句闲话，经理，您不嫌烦么？

潘月亭 （看完了信，慌起来，再看几句）我……我不相信，这是假的。这个消息一定是不可靠的。（忙走到电话前面，拨号码）喂喂，喂，你是新报馆么？我姓潘，我是潘四爷呀！……我找总编辑张先生说话。快点！快点！……什么？出去了？不过他刚才……？哦，他刚出去……你知道他上哪儿去了么？……怎么，不知道？……浑蛋！你怎么不问一声？……得，得了，不用了。（放下耳机，停一下，敲着信封，忽然想起一个人，又拨圆盘号码）喂，你是会贤俱乐部么？我找丁先生说话……什么，就是金八爷的私人秘书，丁牧之，丁先生……什么？他回家了！他怎么会这时候回家？现在不过（看自己的手表）才——

李石清 现在不过才五点多，快天亮了。

潘月亭 （望了李一眼，对着喇叭）那么他家里的电话号码呢？……哦，四三五四三，好……好……好[1]。（放下耳机）这帮东西，求着他们，他们都不知跑到哪儿去了？（又拨圆盘号码）喂……喂……喂[2]，你是丁宅么？（再转号码）喂……喂……

1 “好……好……好”川版作“好……好”。

2 “喂……喂……喂”川版作“喂……喂”。

喂[1]。（再转，自语[2]）怎么会没有人接？

李石清 自然是底下人都睡觉了。

潘月亭 （重重放下耳机）都睡死了！（颓然坐下）荒唐，荒唐！这消息一定是不可靠的。不会的，不会的。

〔李石清目光眈眈，不转眼地望着他。

潘月亭 露露！露露！

〔白露由右门进。

陈白露 干什么？月亭？

潘月亭 劳驾，你跟我倒一杯开水。

陈白露 怎么啦？

潘月亭 我有点头痛。

〔她去倒水。

李石清 我也想这消息是不可靠的。（似乎很诚恳地）您早上不打听了许多人了么？

潘月亭 （自语）这有点开玩笑。这简直是开玩笑。

〔白露把水递给他。

陈白露 怎么，月亭？

潘月亭 （把信交给她）你看！（坐在那里发痴）[3]

李石清 （走到潘的面前，低声）经理，其实这件事没有什么大不了

---

1 “喂……喂……喂”川版作“喂……喂”。

2 此句原刊作“再转再向自语”。

3 “**潘月亭** 露露！露露！”以下川版无。

的关系。公债要是落一毛两毛的，也没有什么大损失。您忘了细看看，经理，那信上真提了要落多少？

潘月亭 （霍地立起来）哦，是的，是的。露露，把信给我。[1]（一把抢过来[2]，忙忙地看）

李石清 （在潘后面，指指点点）不，不，在这一张，在这一张，（二人低声读信）"……此消息已传布市面，明日行市定当一落千丈，决无疑义……"

陈白露 他明明说行市一定要大落特落。[3]

潘月亭 （颓然）嗯。他的意思是说明天开了盘就要停拍。

李石清 （辩驳的样子）可是方才张先生来了信以后，他又来了电话。

潘月亭 （燃着了希望挺起腰）他后来又来了电话，哦，什么，他说什么？

李石清 他说还是没有办法。金八在后面操纵，没有一点法子。

潘月亭 （又颓然靠椅背）这个混账东西！

〔福升推中门进。

陈白露[4] 干什么？

王福升 报馆张先生来了。

---

1 川版无此句。

2 "一把抢过来"川版作"一把从桌上抢过信来"。

3 川版无此句。

4 "**陈白露**"川版作"**李石清**"。

陈白露[1] 请他进来。

王福升 他说这边人太多，不便说话，他还在十号等您。（潘月亭立刻向门走[2]）

〔与福升进门差不多同时电话铃响。[3]李石清接电话。

李石清 喂，你哪儿？……我是五十二号。哦……我是石清，哦……哦[4]，您找潘四爷？他就在这儿。（拦住要出门的潘月亭）金八的秘书丁先生要找你说话。

潘月亭 （接耳机）喂，我月亭啊……哦，丁先生。刚才我找了你许久……是……是……是……不要紧！[5]没什么……什么？他要提（看着李，又止住话头）……什么，明天早上他就完全要提……喂，喂，不过我跟金八爷[6]明明说好再缓一个星期……那他这……这简直故意地开玩笑！……（暴躁地）喂，丁先生。他不能这么不讲信用……“信用！”你告诉他。[7]他说好了再缓一星期，他现在忽然……喂……喂……我要请金八爷谈一下，什么？他现在不见人？不过……喂，我问你，牧之，八爷这两天买什么公债没有？……什么……他

---

1 “**陈白露**”川版作“**潘月亭**”。

2 “向门走”川版作“向中门走”。

3 此句川版作“福升由中门下。差不多同时，电话铃响。”。

4 “哦……哦”川版作“哦”。

5 此句川版作“刚才我找了你许久，是……是……不要紧！”。

6 “金八爷”原刊作“八爷”。

7 “‘信用！’”以下原刊无。

卖都卖不完？……哦……（忽然）喂，喂……你听着！你听着！（乱敲半天，没有回应。放下耳机）这个狗食，他在姑娘家喝醉了[1]，到了这么晚他才把这件事告诉我。（废然倒在椅上）

王福升　四爷，报馆张先生……

潘月亭　去，去，去！你们别再来搅我。

李石清　不过，经理——

潘月亭　（咆哮）走！走！（对李石清[2]）你走！（李走出中门。对白露）你先到那边去，让我歇歇。

陈白露　月亭，你——

潘月亭　（摇摇手）你先去看看他们，他们大概都要走了。[3]

〔白露走出右门。[4]

潘月亭　（来回徘徊，坐下立起，立起坐下）唉，没有办法，这是死路！金八简直是故意要收拾我。[5]

〔中门呀然响。[6]

1　“他在姑娘家喝醉了”川版作“吃花酒喝醉了”。“吃花酒”指旧社会宴会中，叫妓女笑闹劝酒。——川版注。

2　原刊无“对李石清”。

3　“**李石清**　不过，经理——”以下川版无。

4　此句川版作“李石清由中门下。”。

5　此句川版作“金八是成心要逼死我。（木然呆立）”。

6　此句川版作“中门呀然响，李石清悄悄进来。”。此处川版有“**李石清**　（蓦地一声）经理。”

潘月亭 （心惊肉跳）谁？谁？

李石清 还是我，经理。自作聪明的坏蛋又来了。

潘月亭 你来——你又[1]来干什么？

李石清 我想我们两个人谈谈比三个人要痛快一点。[2]

潘月亭 你还要谈什么？

李石清 不谈什么，三等货来看看头等货现在怎么样了。

潘月亭 （跳起来）浑蛋！

李石清 （竖起眉[3]）你浑蛋！[4]

潘月亭 跟我滚！

李石清 （也厉声[5]）你先跟我滚！（半晌，冷笑）你忘了现在我们是平等了。[6]

潘月亭 （按下气，坐下）你小心，你这样说话，你得小心。

李石清 我不用小心，我家没有一个大钱，我口袋里尽是当票，我用不着小心！

潘月亭 不过你应当小心[7]有人请你吃官司，你这穷光蛋。

李石清 穷光蛋，对了。不过你先看看你自己吧！我的潘经理。我

---

1 原刊无“又”。

2 此句川版作“我想，我们两个人再谈一谈。”。

3 原刊无“竖起眉”。

4 此处川版有“〔白露由中门上。”。

5 原刊无“也厉声”。

6 此处川版有“〔白露不动声色，望着他们。”。

7 “不过你应当小心”川版作“你小心”。

没有债，我没有成千成万的债。我没有人逼着我要钱，我没有眼看着[1]钱到了手，又叫人家抢了走。潘经理，你可怜可怜你自己吧。你还不及一个穷光蛋呢[2]，我叫一个流氓要了，我只是穷，你叫一个更大的流氓要了，他要你的命。（尖酸地）哦，你是不跟一个自作聪明的坏蛋讲信用的。可是人家愿意跟你讲信用？你不讲信用，人家比你还不讲信用，你以为你聪明，人家比你还要聪明。你骂了我，你挖苦我！你侮辱我，哦，你还瞧不起我！（大声）现在我快活极了！我高兴极了！明天早上我要亲眼看着你的行里要挤兑，我亲眼看着付不出款来，我还亲眼看着那些十块八块的穷户头，（低声恶意地）也瞧不起你，侮辱你，挖苦你，骂你，咒你——哦，他们要宰了你，吃了你呀！你害了他们！你害了他们！他们要剥你的皮，要挖你的眼睛！你现在只有死，只有死你才对得起他们！只有死，你才逃得了！

潘月亭　（暴躁地敲着桌子）不要说了！不要说了！

李石清　我要说，我要痛痛快快地说[3]——你这老浑蛋，你这天生的狗食，你瞎了眼，昏了头——

潘月亭　（跳了起来）我……我先宰了你再说。（要与李拼命，一把抓着李的头颈正要——）

---

1 “眼看着”底本作“眼看看”，据川版改。

2 “你还不及一个穷光蛋呢”原刊作“你比一个穷光蛋还不如”。

3 “我要痛痛快快地说”原刊作“我要说痛快痛快”。

〔白露跑出。

陈白露 月亭，月亭。你让他去吧！[1]

李石清 （他的头颈为潘掐住，挣扎）你杀了我吧！你宰了我吧。可是金八不会饶了你，在门口……在门口……

潘月亭 （放下手）在门口，什么？

李石清 在门口黑三等着你。金八叫他来候着你。

潘月亭 为……为什么？

李石清 他怕你跑了，他叫黑三那一帮人跟着你。

陈白露 （半晌，潘垂首，低声）金八，金八！怎么到处都是他？[2]

潘月亭 （低头）他要逼死我！（忽然对李惨笑）你现在大概可以满意了吧！

李石清 （望望潘，没有说话）

〔电话铃急响。

潘月亭 白露，你先替我接一下：这多半是金八的电话。

李石清 让我接。[3]

陈白露 不，不，我接。[4]（已经[5]拿起耳机，李与潘各据左右，二人都紧张地望着她）喂，谁？我是五十二号！我白露啊！[6]哦，

---

1 “〔白露跑出”以下川版无。

2 “**陈白露** （半晌，潘垂首，低声）”以下川版无。

3 “**潘月亭** 白露，你先替我接一下”以下川版无。

4 川版无此句。

5 川版无“已经”。

6 川版无此句。

什么？李太太……哦……哦……你找石清？石清就在这儿。[1]（回首向李石清）李太太由医院打来的电话。[2]（潘颓然坐沙发上）

李石清 （拿起耳机）我石清！你们到了医院了。哦，哦……小五怎么？（焦急地，和方才不关心的心情恰恰相反）什么？你再说一遍……我听不清楚……什么？小五断……断……断了气了？[3]那……[4]（停，发一下愣）那你找医生啊！（痛苦地拍着桌子）找医生啊！不是已经带了钱么？给他们钱！你给他们钱哪！……什么？他……他在路上死……死的[5]……（眼泪流下来）哦……哦……他在路上叫着我，叫着爸爸……就……就没有气了。[6]（他没有力量再听下去，扔下耳机，呜咽起来）哦，我的儿子啊！……哦……我的小五啊。（忽然又拿起耳机）我就来！我就来！

〔李石清一边抓起帽子，一边揩着眼泪望了潘一眼，潘也呆呆望了他一眼，李便由中门走出去。[7]

---

1 “……哦……”以下川版作“哦……你找李石清？他就在这儿。”。

2 此句川版作“李太太从医院打来电话。”。

3 此句川版作“小五断……断了气了？”。

4 川版无“那……”。

5 此句川版作“他，他在路上死，死的。”。

6 此句川版作“哦……他在路上叫着我，叫着爸爸，就没有气了。”。

7 此句川版作“李石清抓起帽子，揩着眼泪，望了潘一眼。潘呆呆地坐着。李由中门走出去。”。

陈白露　可怜！月亭，你们这是为什么？[1]

〔远处鸡叫。

潘月亭　白露[2]，客走了么？

陈白露　早走了，只有胡四、顾八他们还在这儿。[3]

潘月亭　我难道会有这一天么？白露，你等等，我想跟报馆张先生再商量商量。[4]

陈白露　月亭，你好一点了么？

潘月亭　还好，还好，我去一下，我回头就来看你。[5]

陈白露　你就走了么？[6]

潘月亭　不，我说回头就来的。[7]

陈白露　好，你去吧！[8]

〔潘由中门下。

〔远处鸡鸣声，白露走到窗前，缓缓拉开窗幔，天空微露淡蓝色。她望一望，嘘一口气[9]又慢慢踱回来。远远鸡声又鸣，

---

1 “**陈白露**　可怜！”以下川版无。

2 川版无“白露”。

3 此句川版作“走了，胡四，顾八还在这儿。”。

4 此句川版作“我跟报馆张先生再商量商量。”。

5 “**陈白露**　月亭，你好一点了么？”以下川版无。

6 此句川版作“你走了么？”。

7 此句川版作“我，我回头来。”。

8 此句川版作“好”。

9 “嘘一口气”川版作“嘘口气”。

她立在台中望空冥想。

陈白露 （低声，忧郁地自己叫自己）白露，天又要亮了。

〔由右门走进了胡四和顾八奶奶，胡四烟容满面，一脸油光。他用手揩自己的脸，一面继续地说。顾八奶奶崇拜英雄一般头歪歪地望着他[1]。

胡 四 （大概是刚推开烟盘子，香味还留连在口里，咂咂嘴，满意地嘘[2]一口气）这一口烟还不离，真提神！（接说）底下紧接着鼓点。大锣，小锣，一块儿来：八拉达长，八拉达长，八拉达长，长长令长，八拉达，达，达……（咳嗽，吐一口痰在地上[3]）

顾八奶奶 好好地又吐痰[4]，你倒好好地跟我说啊。（完全不[5]觉察到白露的心情，得意地）露露，你听，你听胡四跟我说《坐楼杀惜》呢。（卖弄地）这家伙点叫"急急风"。

胡 四 （烟吸多了，嗓音闭塞发哑，但非常有兴味地。翻着白眼）这怎么叫"急急风"，你看你这记性这还学戏呢。

顾八奶奶 （掩饰地）哦，哦，这叫"慢长锤"[6]。

胡 四 去，去，得了吧！这不叫"慢长锤"。算了，算了，你就听

---

1 "头歪歪地望着他"川版作"歪着头，望着他"。

2 "嘘"川版作"叹"。

3 川版无"吐一口痰在地上"。

4 川版无"好好地又吐痰"。

5 "完全不"川版作"全不"。

6 "慢长锤"底本作"慢长锥"，据原刊改。

家伙点就成了:(重说)八拉达长，八拉达长，八拉达长，长长令长。八拉达!(突停，有声有色，右手向下敲了三下，当作鼓板)达！达！达!(手向下一敲锣)长!(满身做工，满脸的戏，说得飞快)你瞧着，随着家伙点，那“胡子”一甩“髯口”，一皱眉，一瞪眼，全身乱哆嗦。这时家伙点打“叫头”，那“胡子”咬住了银牙，一手指着叫!(手几乎指到顾的鼻端[1])“贱人哪！……”

顾八奶奶 什么“贱人贱人”的！我不爱听胡子[2]，我学的是花旦。

胡 四 (藐视)你学花旦?(愣一下)可你也得告诉我是哪一段呀?

顾八奶奶 (仿佛在寻思)就是那一句“忽听得……”什么来着，前面是谁唱着来着:“叫声大姐快开门”的[3]。

胡 四 (卖弄)哦，那容易，那容易！[4]

顾八奶奶 你给我连做派带唱先来一下。

胡 四 那还难?那还难?胡琴拉四平调：已格弄格里格弄格弄格弄，唱,(摇头摆尾)“叫声大姐快开门!”白口:“大姐，开门来!”

顾八奶奶 我要花旦。

胡 四 别着急！紧接着，掀帘子，上花旦!(自己便扭扭捏捏地拿

---

1 原刊无“手几乎指到顾的鼻端”。

2 川版无“我不爱听胡子”。

3 “‘叫声大姐快开门’的”川版作“‘叫声大姐’”。

4 此句川版作“‘……快开门’。哦，那容易!”。

起手绢扮演[1]起来）台步要轻俏，眼睛要灵活，出台口一亮相，吃的是劲儿足！就这样！（非常妩媚而诱惑的样子）已格弄格里格弄格弄格弄，（用逼尖了喉咙）"忽听得，（又用原来的声音[2]）弄格里格弄格弄格弄格弄，（混身做工）门外有人唤，弄格弄里格弄格个弄格……"

〔远处鸡叫。

陈白露 你们听，听。

胡　四 什么？

陈白露 鸡叫了！

〔远处鸡再鸣。

顾八奶奶 可不是鸡叫了！（忽然望到窗外）哟，天都快亮了。（对胡四）走吧！走吧！快回去睡吧。今天可在这儿玩晚了。

胡　四 （满不在乎的样子）不过我那五百块钱的账怎么办呢？

顾八奶奶 回家就给，我开一张支票叫大丰银行给你。[3]不过——

胡　四 （伶俐地[4]）听你的话，下一次我再也不到那个坏女人那里去了[5]。

---

1 "扮演"原刊作"装演"。

2 "声音"原刊作"声带"。

3 此句底本作"回家就给我开一张支票叫大丰银行给你。"，据原刊改。川版作"回家就给你开一张支票，叫大丰银行给你。"。

4 原刊无"伶俐地"。

5 "下一次我再也不到那个坏女人那里去了"川版作"下一次，我再找那个坏女人就不是人养的"。

顾八奶奶 好啦，别在露露面前现眼啦。你快穿衣服[1]，走吧。你明天，哦，你今天不还要到电影厂拍戏去啦么？[2]

胡　四 （应声中[3]，一嘴的谎）是，是啊，导演说今天我不来，片子就不能拍了。[4]

顾八奶奶 那你就赶快穿衣服，回家睡吧。我今天也跟你一块去电影厂的。[5]

胡　四 （吃了一惊）哦，你，你也……（但先不管这个，于是非常仔细，慢吞吞地穿衣服）[6]

顾八奶奶 （一回转身，向白露，极自满地）露露，现在我告诉你，胡四要成大明星了。眼瞅着要红起来了，公司里说他是个空前绝后的大杰作，要他连演三套片子。过两天，电影杂志就都要登他的相片，大的，那么老大的。说不定也要登我的相片。[7]

陈白露 你的？[8]

---

1 川版无“你快穿衣服”。

2 此句川版作“你明天，哦，今天不还得拍电影么？”。

3 “应声中”底本作“应声虫”，据原刊改。

4 此句川版作“（应声虫，一嘴的谎）是啊，导演说，我不来，片子就红不了。”。

5 “那你就赶快穿衣服”以下川版作“那就回家睡吧。今天我也跟你一块去。”

6 此句川版作“哦，你？行，行。（但先不管这个，于是非常仔细地穿衣服）”。

7 “露露，现在我告诉你”以下川版作“露露，胡四要成大明星了。公司说，要他连演三套片子。要登他的相片，大的，那么老大的。也登我的，大的，老大的。”。

8 此句川版作“好。”。

顾八奶奶　嗯，我的，我跟胡四的；顾八奶奶的，顾八奶奶跟中国头等杰作大明星胡四的。因为（低声，女孩子似地羞怯，不好意思说话出来）我想……我想，我现在还是答应他好。我想……我想我们后天就……就结婚。你看，露露，那好不好？

陈白露　好，好的很。不过——

顾八奶奶　露露，你跟我当伴娘，一定，一定。

陈白露　（更低）好，好，不过——

顾八奶奶　什么？[1]

陈白露　我问你，你的钱是不是现在是存在大丰银行里？[2]

顾八奶奶　自然是存在那里头。你问这个做什么？[3]

陈白露　不做什么！随便问问。[4]

顾八奶奶　（望着胡四，赞美地）啊！（她把自己的皮包打开，拿出粉盒，正预备擦粉，忽然看见那药瓶）露露，你看我，我现在还要这个东西干什么？（拿出药瓶）谢谢你，这安眠药还是还给你，我不用了。[5]

---

1 “嗯，我的，我跟胡四的”以下川版作“（忽然低声）我想，我现在还是答应他好。我们后天就，就结婚。露露，你给我当伴娘，一定，一定。”。

2 此句川版作“好极了，你的钱存在大丰银行里么？”。

3 “自然是存在那里头。”以下川版作“（高兴极了）那还用说？”。

4 “不做什么！”以下川版作“好”。

5 “（望着胡四，赞美地）啊！”以下川版作“（拧一下胡四的脸蛋，赞美地）胡四，亲爱的！（她把皮包打开，正预备擦粉，忽然看见那药瓶）露露，你看我！我还要这个东西，干什么？（拿出药瓶）露露，安眠药还是还给你，我用不着了。”。

陈白露 谢谢你，[1]（接过来）我正想跟你要回来呢。

顾八奶奶 好极了[2]，还是你拿去用吧。

胡 四 （穿好衣服）走吧，走吧！

顾八奶奶 不[3]，我还得擦点粉呢。

胡 四 （一把拉住她）得了吧，天快亮了，谁还看你？走吧，走吧！[4]

〔拉着顾八向中门走。

顾八奶奶 （得意地，对白露）你看我这个活祖宗！（被胡四拉了两步）再见啊！

胡 四 白露[5]，再见。

〔胡四把帽子戴好，向下一捺，与顾八一齐由中门走出。

〔白露一个人走到窗前，打开窗户，静默中望见对面房屋的轮廓逐渐由黑暗中爬出来，一切都和第一幕一般，外面的氛围很美，很悠静又很凄凉，老远隐隐又听得见工厂哀悼似的汽笛声，夹杂着自市场传来一两声辽远的鸡鸣，是太阳还未升出的黎明时光。

〔中门敲门声。

陈白露 （未回头[6]）进来吧。

---

1 “谢谢你，”川版作“好极了！”。

2 川版无“好极了”。

3 川版无“不”。

4 “得了吧”以下川版作“天快亮了，谁还看你？走吧！”。

5 川版无“白露”。

6 “未回头”川版作“不回头”。

〔福升由中门进，微微打了一个呵欠。

陈白露　（没有转身）月亭，怎么样？有点办法没有？[1]

王福升　小姐。

陈白露　（回转身）哦，是你。

王福升　四爷叫我过来说，他不来了。

陈白露　哦。

王福升　他说怕[2]这一两天都不能来了。

陈白露　是[3]，我知道。

王福升　他叫我跟您说，叫您好好保重，多多养自己的病，叫您以后凡事要小心点，爱护自己，他说……[4]

陈白露　哦，我明白，他说不能再来看我了。[5]

王福升　嗯，嗯，是的。不过，小姐，您为什么偏要得罪潘四爷这么有钱的人呢？……您得罪一个金八还不够，您还要——[6]

陈白露　（摇头）你不明白[7]，我没有得罪他。

王福升　那么，我刚才把您欠的账条顺手交给他老人家，四爷只是

---

1 “月亭，怎么样？”以下川版作“谁？”。

2 川版无“怕”。

3 川版无“是”。

4 此句川版作“他叫我跟您说，叫你好好保重。他说……”。

5 此句川版作“不来看我了。”。

6 “嗯，嗯，是的。”以下川版作“可是，小姐，您为什么偏要得罪潘四爷这么个有钱的人呢？您得罪一个金八，还不够，您还要——”。

7 川版无“你不明白”。

摇头，叹口气，一句话也没有说就走了。[1]

陈白露 唉，你为什么又把账单给他看呢？[2]

王福升 可是，小姐，今天的账是非还不可的，他们说闹到天也得还！一共两千五百元，少一个铜子也不行！您自己又好个面子，不愿跟人家吵啊闹啊地打官司上堂。您说这钱现在[3]不从四爷身上想法子，难道会从天上掉下来？

陈白露 （冥想）也许会从天上掉下来的。

王福升 那就看您这几个钟头的本事吧。我福升实在不能再替您挡这门账了。

陈白露 （拿起安眠药瓶，紧紧地握着）好，你去吧。[4]

〔福升正由中门下，右门有人乱敲门，嚷着“开门，快开门”。福升跑到右门，推开门，张乔治满脸的汗跑出来。

张乔治 （心神恍惚地）怎么，你们把门锁上做什么？

王福升 （笑）没有锁，谁锁了？

张乔治 （摸着心）白露，我做了一个梦，I dreamed a dream。哦，可怕[5]，可怕极了，啊，Terrible！ Terrible！啊，我梦见这一楼满是鬼，乱跳乱蹦，楼梯，饭厅，床，沙发底下，桌子

1　此句川版作“那么，刚才我把您欠的账条顺手交给他老人家，四爷摇摇头，一句话也没有说，就走了。”。

2　此句川版作“为什么把账单又给别人看呢？”。

3　川版无“现在”。

4　此句川版作“（拿起安眠药瓶，紧握着）好，去吧。”。

5　川版无“可怕”。

上面，一个个啃着活人的脑袋，活人的胳臂，活人的大腿，又笑又闹[1]，拿着人的脑袋壳丢过来，扔过去，戛戛地乱叫。忽然哄地一声，地下起了一个雷[2]，这个[3]大楼塌了，你压在底下，我压在底下，许多许多人都压在底下……

〔福升由中门下。

陈白露 Georgy，你方才干什么去啦？[4]

张乔治 我睡觉啦。

陈白露 你没有走？[5]

张乔治 咦[6]，我走了，你现在还看得见我？我喝得太多了，我在那屋墙犄角一个沙发睡着了，你们就没有瞧见我，我就做了这么一个梦。Oh，Terrible！ Terrible！！简直地可怕极了。[7]

陈白露 方才你喝了不少的酒。[8]

张乔治 对了，一点也不错，我喝得太多了，神经乱了，我才做这

---

1 川版无“又笑又闹”。

2 “起了一个雷”川版作“起了个炸雷”。

3 川版无“这个”。

4 此句川版作“你干什么啦？”。

5 此句川版作“还没有走？”。

6 “咦”原刊作“呀”。

7 “咦，我走了，你现在还看得见我？”以下川版作“走了，你还看得见我？喝得太多了，睡着了，你们没瞧见我，我做了个梦。简直可怕极了。”。

8 此句川版作“你喝醉了。”。

么一个噩梦。（打了一个呵欠）我累了，我要回去了。[1]哦，（忽然提起精神来）我告诉你一件事……

陈白露 不，我现在求求……求你一件事。[2]

张乔治 你说吧。[3]你说的话没有不成的。

陈白露 有一个人……要……要跟我借[4]三千块钱。

张乔治 哦，哦。

陈白露 我现在手下没有这些钱借给他。[5]

张乔治 哦，哦。

陈白露 Georgy，你能不能设法代我弄三千块钱借给这个人？[6]

张乔治 那……那……就当要……另作别论了。我这个人向来是大方的。不过也要看谁？你的朋友我不能借，因为……因为我心里忌妒他。不过要像你这样聪明的人要借这么有限几个钱花花，那自然是不成问题的。[7]

---

1 "对了，一点也不错，我喝得太多了"以下川版作"对了，喝多了，神经乱了，做这么一个梦。（打了一个呵欠）累了，我要回去了。"。

2 此句川版作"我现在求你一件事。"。

3 此句川版作"你说。"。

4 "……要……要跟我借"川版作"要跟我借"。

5 此句川版作"我手下没有现款。"。

6 此句川版作"你能替我弄三千块钱么？"。

7 "那……那……就当要……另作别论了。"以下川版作"那就当另作别论了。我这个人向来大方。你的朋友我不能借，因为……因为我忌妒。如果你借这么几个钱，那是不成问题的。"。

陈白露 （勉强地）好！好！你就当作我亲自向你借的吧。[1]

张乔治 你？露露要跟我借钱？跟张乔治借钱？

陈白露 嗯，为什么不呢？[2]

张乔治 得了，这我绝对不相信的。露露会要这么几个钱用，No，No，I can never believe it！这我是绝不相信的。你这是故意跟我开玩笑了。（大笑）你真会开玩笑，露露会跟我借钱，而且跟我借这么一点点的钱。啊，小露露，你真聪明，真会说笑话，世界上没有再像你这么聪明的人。好了，再见了。（拿起帽子）[3]

陈白露 好，再见。（微笑）你倒是非常聪明的。[4]

张乔治 谢谢！谢谢！（走到门口）哦，对了，我想起来了。我告诉你，到了后来，我实在缠不过她，我还是答应她了。我想，我们想明天就去结婚。不过，我说过，我是一定要你当伴娘的。[5]

陈白露 要我当伴娘？[6]

---

1 “（勉强地）好！好！”以下川版作“（不在意地）好，就当作我吧。”。

2 此句川版作“（仰头空望着）奇怪么？”。

3 “得了，这我绝对不相信的。”以下川版作“得了，我不相信。露露会要这么几个钱用？我是绝不相信的。你跟我开玩笑。（笑）陈白露跟我借这么一点钱。真会说笑话，世上没有再像你这么聪明的小女人了？（拿起帽子）”。

4 “好，再见。”以下川版作“（微笑）人都是聪明的。这里没有一个人是傻子。”。

5 “谢谢！谢谢！”以下川版作“（走到门口）哦，对了，到了后来，我实在缠不过她，我还是答应了。我跟她明天就结婚。你一定要当伴娘。”。

6 此句川版作“当伴娘？”。

张乔治　自然是你，除了你找不着第二个合适的人[1]。

陈白露　是的，我知道。好，再见。[2]

张乔治　好，再见。就这么办。Good night！哦！ Good morning！我的小露露。[3]

〔乔治挥挥手由中门走出。

〔晨光渐渐由窗户透进来，日影先只射在屋檐上。白露把门关好，走到中间的桌旁坐下，愣一下，她立起走了两步，怜惜地望望屋内的陈设[4]。她又[5]走到沙发的小几旁，拿起酒瓶，倒酒。尽量地喝了几口。[6]她立在沙发前发愣。

〔中门呀地开了，福升进。

陈白露　（低哑的声音）你来干什么？[7]

王福升　天亮了，老阳都出来了，您还不睡觉？

陈白露　是[8]，我知道。

王福升　您不要打点豆浆喝了再睡么？

1　川版无"除了你找不着第二个合适的人"。

2　"是的，我知道。"以下川版作"好极了！"。

3　"好，再见。就这么办。"以下川版作"就这么办！ Good night！哦，Good morning！我的小女人！"。

4　"怜惜地望望屋内的陈设"川版作"怜惜地望望屋内，有她种种生活足迹的陈设"。

5　川版无"又"。

6　此句川版作"尽量喝下一大口。"。

7　此句川版作"（低哑地）来干什么？"。

8　川版无"是"。

陈白露　不，我不要，你去吧。[1]

王福升　（由身上取出一卷账条）小姐！这……这是今天要还的那些账条，我……我搁在这里，您先合计合计。[2]（把账条放在中间的桌子上）

陈白露　好！你搁在那儿吧。[3]

王福升　您不要什么东西啦？

陈白露　（摇摇头）

〔福升背着白露[4]很疲倦地打了一个呵欠由中门走出。

〔白露把酒喝尽，放下酒杯。走到中桌前慢慢翻着账条，看完了一张就扔在地下，桌前满铺着是乱账条[5]。

陈白露　（嘘出一口气）嗯。

〔她由桌上拿起安眠药瓶，走到窗前的沙发[6]，拔开塞，一片两片地倒出来。她不自主地停住了，她颓然跌在沙发上，愣愣地坐着。她抬头。在沙发左边一个立柜的穿衣镜里发现了自己，立起来，走到镜子前。

1　此句川版作“不要，去吧”。

2　此句川版作“这是今天要还的那些账条。我搁在这里，您先合计合计。”。

3　“好！”以下川版作“搁在那儿吧。”。

4　川版无“背着白露”。

5　“看完了一张就扔在地下，桌前满铺着是乱账条”川版作“一张一张，扔在地上。桌前满地铺着乱账条”。

6　“窗前的沙发”川版作“窗前的沙发旁”。

陈白露 （左右前后看了看里面一个美丽的妇人，又[1]慢慢正对着镜子，摇摇头，叹气[2]，凄然地）生得不算太难看吧。（停一下）人不算得太老吧。可是……（很[3]悠长地嘘出一口气。她不忍再看了，她慢慢又[4]踱到中桌前，一片一片[5]由药瓶数出来，脸上带着微笑，声音和态度仿佛自己是个失了父母的小女孩子，一个人在墙角落的小天井里，用几个小糖球自己哄着自己，极甜蜜地而又极凄楚地[6]怜惜着自己）一片，两片，三片，四片，五片，六片，七片，八片，九片，十片。（她紧紧地握着那十片东西，剩下的空瓶当啷一声丢在痰盂里。她把胳膊平放桌面，长长伸出去，望着前面，微微点着头，哀伤地）这——么——年——轻，这——么——美，这——么——（眼泪悄然流下来。她振起精神，立起来，拿起茶杯，背过脸，一口，两口[7]，把药很[8]爽快地咽下去）

〔这时阳光渐渐射过来，照在什物狼藉的地板上。天空非常

---

1 川版无“又”。

2 川版无“叹气”。

3 川版无“很”。

4 川版无“又”。

5 “一片一片”川版作“将药一片一片”。

6 “极甜蜜地而又极凄楚地”川版作“甜蜜而又凄楚地”。

7 此处原刊有“三口”。

8 川版无“很”。

明亮，外面打地基的小工们早聚集在一起，迎着阳光由远处“哼哼唷，哼哼唷”地又以整齐严肃的步伐迈到楼前。木夯一排一排地砸在土里，沉重的石硪落下，发出闷塞的回声，随着深沉的“哼哼唷，哼哼唷”的呼声是做工的人们战士似地那样整齐的脚步。他们还没有开始“叫号”。

陈白露 （扔下杯子，凝听外面的木夯声，她挺起胸走到窗前，拉开帘幕，阳光照着她的脸。她望着外面，低声地）“太阳升起来了，黑暗留在后面。（她吸进一口凉气，打了个寒战，她回转头来）但是太阳不是我们的，我们要睡了。”

〔她忽然关上灯又[1]把窗帘都拉拢，屋内陡然暗下来，只[2]帘幕隙缝间透出一两道阳光颤动着。她捶着胸，仿佛胸际有些痛苦窒塞。她拿起沙发上那一本[3]《日出》，躺在沙发上，正要安静地读下去——

〔很远，很远小工们隐约唱起了夯歌——唱的是“轴号”。但听不清楚歌词。

〔外面方达生的声音：竹均！竹均！

〔声音走到门前。她慌忙放下书本[4]，立起来，走到门前，知道是他。四面望望，立刻把桌上的账条拾起，团在手里，

---

1 川版无“又”。

2 川版无“只”。

3 “那一本”川版作“那本”。

4 “她慌忙放下书本”原刊作“她慌忙放下书”，川版作“白露放下书本”。

又拿起那本《日出》，匆促地走进右面[1]卧室，她的脚步已经显得一点迟钝，进了门就锁好。[2]

〔外面方达生：（低声）竹均！竹均！你屋里没有人吧。竹均！竹均！我要走啦！（没有人应）竹均，那我就进来啦。（外面有一两声麻雀）[3]

〔方达生推门进。[4]

方达生 （左右望）竹均！我告诉你——（忽察觉[5]屋里很黑，他走到窗前把幕帷又拉开，阳光射满了一屋子。雀声吱吱地唱着）真[6]奇怪，你为什么不让太阳进来。（他走到右面[7]卧室门前）竹均，你听我一句，你这么下去，一定是一条死路，你听我一句，要你还是跟我走，不要再跟他们混，好不好？[8]你看，（指窗外）外面是太阳，是春天。

〔这时小工们渐唱渐近，他们用下面的腔调在唱着“日出啊东来呀，满天（地）大红（来吧）……”

---

1 “右面”底本作“左面”，据川版改。

2 此句川版作“四面望望，把地上的账条拾起几条，团在手里，拿起那本《日出》，从容地走进右面卧室。她的脚步显得一点迟钝，进了门就锁好。”。

3 “竹均，”以下川版作“竹均！（外面有一两声麻雀的叫声）”

4 此句川版作“方达生推门进，手里还拿着那枝山茶花。”。

5 “忽察觉”川版作“察觉”。

6 川版无“真”。

7 “右面”底本作“左面”，据1994人文版改。

8 此句川版作“竹均，你听我一句，你这么下去，是一条死路。听我一句，你还是跟我走！不要再跟他们混！”。

轴号[1]

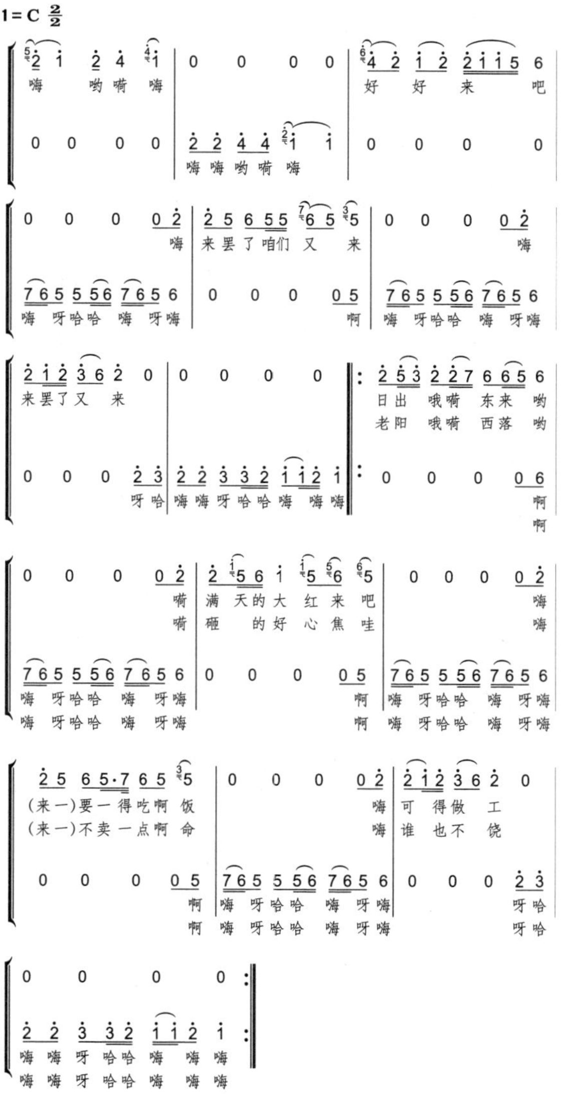

上列谱中，每小节打二拍，每拍表示一轻硪。

1　底本及原刊此曲原为五线谱，歌词中用注音符号及国语罗马字拼音标注拟声词，难以原样照排。比较各版本曲谱情况，开明版简谱离底本时间最近，错误最少，此处移用排印。底本五线谱样貌见本卷书首图片。第五小节“又”字的6原为6̣，据底本五线谱改。

方达生　（敲门）你听！你听（狂喜地[1]）太阳就在外面，太阳就在他们身上。你跟我来，我们要一齐做点事，跟金八拼一拼，我们还可以——（觉得里面不肯理他）竹均，你为什么不理我？（低低敲着门）你为什么不说话？你——（他回转身，叹一口气）你太聪明，你不肯做我这样的傻事。[2]（陡然振作起来）好了，我只好先走了，竹均，我们再见。[3]

〔里面还是不答应，他转过头去听窗外的夯歌，迎着阳光由中门昂首走出去。

〔由外面射进来满屋的太阳，窗外一切都亮得耀眼。

〔砸夯的工人们高亢而洪壮地合唱着轴歌，（即“日出东来，满天大红[4]！要得吃饭，可得做工！”）沉重的石硪一下一下落在土里，那声音传到观众的耳里是一个大生命浩浩荡荡地向前推，向前进，洋洋溢溢地充塞了宇宙。

〔屋内渐渐暗淡，窗外更光明起来。[5]

——幕徐落

1　“狂喜地”川版作“欢喜地”。

2　“你跟我来，我们要一齐做点事”以下川版作“我们一齐做点事，跟金八拼一拼，我们——（觉得里面不肯理他）你为什么不理我？（低低敲着门）不说话？（他回转身，叹一口气）你太聪明，你不肯做一点傻事。”。

3　此句川版作“好了，我先走了，竹均，再见了！”

4　“满天大红”川版作“满天地大红”。

5　此句原刊作“屋内渐渐暗下来，窗外仍然是明亮的。”。

跋

我应该告罪的是我还年轻，我有着一般年轻人按捺不住的习性，问题临在头上，恨不得立刻搜索出一个答案；苦思不得的时候便冥眩不安。流着汗，急躁地捶击着自己，如同肚内错投了一付致命的药剂。这些年在这光怪陆离的社会里流荡着，我看见多少梦魇一般的可怖的人事[1]，这些印象我至死也不会忘却；它们化成多少严重的问题，死命地突击着我，这些问题灼热我的情绪，增强我的不平之感，有如一个热病患者，我整日觉得身旁有一个催命的鬼低低地在耳旁催促我，折磨我，使我得不到片刻的宁帖。我羡慕那些有一双透明的慧眼的人，静静地沉思体会这包罗万象的人生，参悟出来个中的道理，我也爱那朴野的耕田大汉[2]，睁大一对孩子似的无邪的眼，健旺得如

【题注】据1937年3月文化生活出版社第四版“文学丛刊”本排印。通校1937年2月28日《大公报》副刊“文艺”第304期初刊本，题作《我怎样写〈日出〉》(校注称“原刊”)、1985年2月四川人民出版社（版权页作“四川文艺出版社”）“曹禺戏剧集”本初版（校注称“川版”）。

1 “人事”川版作“人和事”。

2 “朴野的耕田大汉”川版作“朴实的耕田汉”。

一条母牛[1]，不深虑地过着纯朴真挚的日子。两种可钦羡的人我都学不成，而自己又不甘于模棱地活下去，于是便如痴如醉地陷在煎灼的火坑里。这种苦闷日深一日，挣扎中，一间屋子锁住了我，偶有所得，就狂喜一阵，以为已经搜寻出一条大道，而过了一刻，静下心，察觉偌大一个问题不是这样[2]避重就轻地凭空解决得了，又不知不觉纠缠在失望的铁网中，解不开，丢不下的。

其实我也想料到[3]如《日出》这样浅薄[4]草率的作品不会激起人间的波澜。我想过它将如水草下的鸟影，飘然掠过，在永久的寂寞里消失这短短的生存。然而情感的激动，终究按捺不住了[5]。怀着一腔愤懑，我还是把它写出来，结果里面当然充满了各种荒疏，漏失，和不成熟。发表之后，以为大错已经铸成[6]，便想任它消逝，日后再兢兢业业地写一篇比较看得过去的东西，弥补这次冒失，草率的罪愆。最近，知道了远道的一些前辈忽而对这本窳陋的作品留心起来，而且《大公报·文艺副刊》[7]为了这作品特辟专栏，加以集体的批评，于是我更加慌张，深深地自怨为什么当时不多费些时日把《日出》多琢磨一下，使它成为比较丰腴精练的作品呢？如今，只好领下应受的指责了。然

1 “母牛”原刊作“牛”。

2 “不是这样”原刊作“不能这样”。

3 “想料到”原刊作“料到”。

4 “浅薄”原刊作“浅浮”。

5 “终究按捺不住了”原刊作“终久按不住了”，川版作“终久按捺不住了”。

6 “大错已经铸成”川版作“错已经铸成”。

7 “《大公报·文艺副刊》”原刊作“《大公报》《文艺》”。

而也好，心里倒是欣欣然的，因为，能得到前辈做先生，指点着，评骘着，不也是一桩可以庆幸的事么？所以这篇文章谈不到什么“答辩”[1]，我愿虚心地领受着关心我的前辈给我的教益。在这里我只是申述我写《日出》的情感上的造因和安排材料方法以及写《日出》时所遇到的事实上的困难。

原谅我一再地提起自己，只有这样我才能理出来乱麻一般的回忆。我说过我不能忍耐，最近我更烦躁不安，积郁时而激动起来使我不能自制地做了多少只图一时快意的幼稚的事情。读了几年书，在人与人之间我又挨过了几年，实在，我也应该学些忍耐与夫长者们所标榜的中庸之道了。但奇怪，我更执拗地恨恶起来，我总是悻悻地念着我这样情意殷殷，妇人般地爱恋着热望着人们，而所得的是无尽的残酷的失望[2]，一件一件不公平的血腥的事实，利刃似地刺了[3]我的心，逼成我按捺不下的愤怒[4]。有时我也想，为哪一个呢？是哪一群人叫我这样呢？这些失眠的夜晚困兽似地在一间笼子大的屋子里踱过来，拖过去，睁着一双布满了红丝的眼睛绝望地愣着神，看看低压在头上黑的屋顶[5]，窗外昏黑的天空，四周漆黑的世界，一切都似乎埋进了坟墓，没有一丝动静。我捺不住了，在情绪的爆发当中，我曾经摔碎了许多

1 “谈不到什么‘答辩’”川版作“不是什么‘答辩’”。

2 “是无尽的残酷的失望”原刊作“只是最残酷的失望”。

3 “刺了”原刊作“刺进了”。

4 “逼成我按捺不下的愤怒”川版作“使我按捺不下愤怒”。

5 “黑的屋顶”原刊作“炙黑的屋顶”。

可纪念的东西，内中有我最心爱的马瓷观音[1]，是我在两岁时母亲给我买来的护神和[2]玩物。我绝望地嘶嗄着，那时我愿意一切都毁灭了吧，我如一只负伤的狗[3]扑在地上，啮着咸丝丝[4]的涩口的土壤，我觉得宇宙似乎缩成昏黑的一团，压得我喘不出一口气，湿漉漉的，黏[5]腻腻的是我紧紧抓着一把泥土的黑手，我划起洋火，我惊愕地看见了血。污黑的拇指被那瓷像[6]的碎片割成一道沟，血，一滴一滴快意的血缓缓地流出来。

这样我挨过许多煎熬的夜晚，于是我读《老子》，读《佛》[7]，读《圣经》，我读多少那被认为洪水猛兽的[8]书籍。我流着眼泪，赞美着这些伟大的孤独的心灵。他们怀着悲哀驮负人间的酸辛，为这些不肖的子孙开辟大路。但我更恨[9]人群中一些冥顽不灵的自命为“人”的这一类的动物。他们偏若充耳无闻，不肯听旷野里那伟大的凄厉的唤声。他们闭着眼，情愿做地穴里的鼹鼠，避开阳光，鸵鸟似地把头插在愚蠢里。我忍耐不下了，我渴望着一线阳光。我想太阳我多半不及

1 “马瓷观音”原刊作“磁马，磁人”，川版作“瓷马，瓷观音”。

2 原刊无“护神和”。

3 “负伤的狗”川版作“负伤的兽”。

4 “咸丝丝”原刊作“咸咸”。

5 原刊无“黏”。

6 “瓷像”原刊作“瓷马”。

7 “读《佛》”川版作“读《佛经》”。

8 此处原刊有“社会科学的”。

9 “但我更恨”原刊作“我却更恨”。

见了，但我也愿望我这一生里能看到平地轰起一声巨雷，把这群盘踞在地面上的魑魅魍魉击个糜烂，哪怕因而大陆便沉为海。我还是年轻，不尽的令人发指的回忆围攻着我，我想不出一条智慧的路，顾虑得万分周全。冲到我的口上，是我在书房里摇头晃脑背通本《书经》的时代，最使一个小孩子魄动心惊的一句切齿的誓言："时日曷丧，予及汝偕亡!"（见《商书·汤誓》）萦绕于心的，也是一种暴风雨来临之感。我恶毒地咀咒四周的不公平，除了去掉这群腐烂的人们，我看不出眼前有多少光明。诚如《旧约》那热情的耶利米所呼号的，"我观看地，地是空虚混沌；我观看天，天也无光"。我感觉到大地震来临前那种"烦躁不安"，我眼看着要地崩山惊，"肥田变为荒地，城邑要被拆毁"，在这种心情下，"我已经听见角声和打仗的喊声"。我要写一点东西，宣泄这一腔愤懑，我要喊"你们的末日到了!"对这帮荒淫无耻，丢弃了太阳的人们。

"然而就这样慌慌张张地开始你的工作么?"我的心在逼问着我。我知道这是笑话，单单在台上举手顿足地嘶喊了一顿是疯狂，我求的是一点希望，一线光明。人毕竟是要活着的，并且应该幸福地活着。腐肉挖去，新的细胞会生起来。我们要有新的血，新的生命。刚刚[1]冬天过去了，金光射着田野里每一棵临风抖擞的小草，死了的人们为什么不再生起来！我们要的是太阳，是春日，是充满了欢笑的好生活，虽然目前是一片混乱。于是我决定写《日出》。

《日出》写成了，然而太阳并没有能够露出全面。我描摹的只是

1　原刊无"刚刚"。

日出以前的事情，有了阳光的人们始终藏在背景后，没有显明地走到面前。我写出了希望[1]，一种令人兴奋的希望；我暗示出一个伟大的未来，但也只是暗示着。脱了稿，我独自冷静地读了几遍，我的心又追问着我："哪里是太阳呢？"我的脸热辣辣的，我觉出它在嘲笑我，并且责难我说谎话，用动听的名词来欺骗人，但是我怎样辩白我自己呢？这是一顿不由分解，按下就打的闷棍。我心里有苦，口里不能喊冤。我明白我说的是什么，我相信[2]我说的未来，我也想到应该正面迎去，另写一幕摆开我的主角，那些确实有了太阳的人们。然而我不禁念起《雷雨》，这么一个微弱的生命，这几年所[3]遭受种种的苛待，它为人无理地胡乱涂改着，监视着，最近某一些地方又忽然禁演起来……这样一个"无辜"的剧本为一群"无辜"的人们来演，都会[4]惹起一些风波，我又怎肯多说些话再让这些可怜[5]的演员们受些无妄之灾呢？

有一位好心的朋友责问我："你写得这么啰唆，日头究竟怎么出来，你并没有提。"我只好用一副无赖的口吻告诉他："你来，一个人到我家里来，我将告诉你在这本戏里太阳是怎么出来的。"他摇摇头，仿佛不信我的诚实，耸耸肩走了！那时我忘记提《日出》里这一点暗

---

1 "我写出了希望"川版作"我想写出了希望"。

2 "相信"原刊作"信"。

3 原刊无"所"。

4 "都会"原刊作"却无辜"。

5 "可怜"川版作"善良"。

示，一丝的光明的希望能够保存下来，也还占了那有夜猫子——就是枭，瞥见它，人便主有灾难的恶鸟——眼睛的人的便宜，他们也许当时正在过《日出》里某一类人[1]的生活，忘记了有一种用了钱[2]必须在“鸡蛋里挑骨头”的工作，不然连这一点点的希望都不容许呈现到我们眼前的。可惜我没有通盘告诉他[3]，至今我总觉得他以为我用遁辞来掩饰自己，暗地骂我有些油滑。

所以，如果读者能够体贴一本戏由写到演出所受的各种苦难，便可立刻明瞭在这个戏里，方达生不能代表《日出》中的理想人物，正如陈白露不是《日出》中健全的女性。这一男一女，一个傻气，一个聪明，都是所谓的“有心人”。他们痛心疾首地厌恶那腐恶的环境，都想有所反抗。然而白露气馁了，她一个久经风尘的女人，断然地跟着黑夜走了。方达生，那么一个永在“心里头”活的书呆子，怀着一肚子的不合时宜，整日地思索斟酌，长吁短叹，末尾听见大众严肃的工作的声音，忽然欢呼起来，空泛地嚷着要做些事情，以为自己得了救星，又是多么可笑又复可怜的举动！我记得他说过他要“感化”白露，白露笑了笑，没有理他。现在他的想象又燃烧起来，他要做点事业，要改造世界，独力把太阳唤出来，难道我们就轻易相信这个呆子么？倒是白露看得穿，她知道太阳会升起来，黑暗也会留在后面，然而她清楚：“太阳不是我们的”，长叹一声便“睡”了。这个“我们”

1 “某一类人”川版作“某种禽兽”。

2 “忘记了有一种用了钱”川版作“忘记了被狗的主子收买了，”。

3 “他”川版作“这个朋友”。

有白露，算上方达生，包含了《日出》里所有的在场人物。这是一个腐烂的阶层的崩溃，他们——不幸地[1]黄省三，小东西，翠喜一类的人也做了无辜的牺牲——将沉沉地“睡”下去，随着黑夜消逝，这是不可避免的必然的推演。方达生诚然是一个心有余而力不足的书生，但是太阳真会是他的么？哪一个相信他能够担当日出以后重大的责任？谁承认他是《日出》中的英雄？

说到这里，我怕我的幼稚又使我有些偏颇，而技巧的贫弱也许把读者的注意错牵到方达生身上去，因而令人以为这样的男子便是《日出》中有希望的人物。说老实话,《日出》末尾方达生说:“我们要做一点事，要同金八拼一拼!”原是个讽刺，这讽刺藏在里面,(自然我也许根本没有把它弄显明，不过如果这个吉诃德真地依他所说的老实做下去，聪明的读者会料到他会碰着怎样大的钉子。)讽刺的对象是我自己，是与我有同样书呆子性格，空抱着一腔同情和理想，而实际无补于事的“好心人”。我倒也想过，把方达生夸张一下，写成一个比较可笑的人物，使这讽刺显明些[2]。但我又不忍[3]，因为一则方达生究竟与我有些休戚相关，再[4]我也知道有许多勇敢有为的青年，他们确实也与方达生有同样的好[5]心肠，不过他们早已不用叹气，空虚的

1 “不幸地”川版作“不幸,”。

2 原刊无“写成一个比较可笑的人物，使这讽刺显明些”。

3 “不忍”原刊作“不肯”。

4 “再”原刊作“再者”。

5 原刊无“好”。

同情来耗费自己的精力，早已和那帮高唱着夯歌的人们联系在一起，在《日出》那一堆“鬼”里就找不着他们[1]。所以可怜的是这帮“无组织无计划”，满心向善，而充满着一脑子的幻想的呆子。他们看出阳光早晚要照耀地面，并且能预测[2]光明会落在谁的身上，(《日出》331页[3]，方达生：“（狂喜地）太阳就在外面，太阳就在他们身上。”）却自己是否能为大家“做一点事”，也为将来的阳光爱惜着，就有些茫茫然。我若是一个理想的观众——自然假设这个戏很荣幸地遇见一位了解它的导演，不遗余力认真地排出来——演到末尾方达生听不见里面的应声，“转过头去听窗外的夯歌，迎着阳光由中门昂首走出去”，我想落在我心里将是[4]一种落寞的悲哀，为着这渺小的好心人的怜悯，而真[5]使我油然生起希望的还是那浩浩荡荡向前推进的呼声，象征伟大的将来蓬蓬勃勃的生命。

我常纳闷何以我每次写戏总把主要的人物漏掉。《雷雨》里原有第九个角色，而且是最重要的，我没有写进去，那就是[6]称为雷雨一名好汉。他几乎总是在场，他手下操纵其余八个傀儡。[7]而我总不能[8]

1 “就找不着他们”川版作“是找不到他们的”。

2 “能预测”川版作“知道”。

3 “331页”川版作“241页”。这句台词在底本第331页，川版第241页。

4 “将是”川版作“将不是”。

5 川版无“而真”。

6 “就是”底本作“是就”，据原刊改。

7 原刊无此句。

8 “而我总不能”原刊作“我几乎总不能”。

明显地添上这个人，于是导演们也仿佛忘掉他。我看几次《雷雨》的演出，我总觉得台上很寂寞的，只有几个人跳进跳出，中间缺少了一点生命，我想大概因为那做作雷雨的好汉没有出场，演出的人们无心中也把他漏掉。同样，在《日出》，也是一个最重要的角色[1]我反而将他疏忽了，他原是《日出》唯一的生机，然而这却怪我，我不得已地故意把他漏了网。写《雷雨》，我不能如旧戏里用一个一手执铁钉，一手举着巨锤，青面红发的雷公，象征《雷雨》中渺茫不可知的神秘，那是技巧上的不允许。[2]写《日出》，我不能使那象征着光明的人们出来，却[3]因为一些有夜猫子眼睛的怪物无昼无夜，眈眈地守在一旁，是事实上的不可能。我曾经故意叫金八不露面，令他无影无踪，却时时操纵场面上的人物，他代表一种可怕的黑暗势力，但把[4]那些劳作的人们，那拥有光明和生机的，也硬闭在背后，当作陪衬，确实是最令人痛心，一桩无可奈何的安排。我以为这个戏应该再写四幕，或者整个推翻，一切重新积极地写过，着重那些应有[5]光明的人们[6]。却停下想，那有夜猫子眼睛的怪物可能轻易放过我这一着？斟酌再三，我只能采用一个下策，我硬将我们的主角推在背后，而在第二幕这样蹩脚地安排：

---

1 “一个最重要的角色”原刊作“一‘个’最主要的角色”。

2 川版无此句。

3 川版无“却”。

4 原刊无“把”。

5 “应有”原刊作“有”。

6 “着重那些应有光明的人们”川版作“着重写那些代表光明的人物”。

“窗外很整齐地传进来小工们打地基的桩歌，由近渐远，掺杂着渐远渐低多少人的步伐和沉重的石块[1]落地的闷塞的声音……这种声音几乎一直在这一幕从头到尾[2]，如一群合着愤怒的冤魂[3]，抑郁暗塞地哼着，充满了警戒和恐吓。”

在第四幕末尾：

“……天空非常明亮，外面打地基的小工们早聚集在一起，迎着阳光由远处‘哼哼唷，哼哼唷’地又以整齐严肃的步伐迈到楼前……

“砸夯的人们高亢而洪壮地合唱着轴歌，‘日出东来……’沉重的石硪一下一下落在土里，那声音传到观众的耳里是一个大生命浩浩荡荡地向前推，向前进，洋洋溢溢地充塞了宇宙。

“屋内渐渐暗淡[4]，窗外更光明起来。”

但是，天，这是多么一个“无可奈何”的收场啊，说我失败，犯了“倒降顶点”的毛病是不冤枉的。

我讲过《日出》并没有写全，确实需要许多开展。我若有一支萧伯纳的锋芒的笔，我该写一篇长序，痛快淋漓地发挥一次，或者在戏里卖弄自己独到的见地，再不然，也可模拟《人与超人》后面The Revolutionist's Handbook的体裁，另辟蹊径，再来饶舌。但我为人向来暗涩，又不大会议论，而最奇怪的，这块“自由土”又仿佛是不

1 “石块”川版作“石硪”。

2 “一直在这一幕从头到尾”原刊、川版均无着重号。

3 “冤魂”川版作“复仇神”。

4 “暗淡”原刊作“暗澹”。

准人有舌头的，于是即便见到这本戏种种的弱点，幼稚，我只好闭口无言。唯一的补救方案就是我在《日出》前面赘附着的八段引文，那引文编排的次序都很费些思虑，不容颠倒，偏爱的读者如肯多读两遍，略略体会里面的含义，也许可以发现多少[1]欲说不能的话藏蓄在那几段引文里。

写完《雷雨》，渐渐生出一种对于《雷雨》的厌倦。我很讨厌它的结构，我觉出有些“太像戏”了。技巧上，我用的过分。仿佛我只顾贪婪地使用着那简陋的“招数”，不想胃里有点装不下，过后我每读一遍《雷雨》便有点要作呕的感觉。我很想平铺直叙地写点东西，想敲碎了我从前拾得那一点点浅薄的技巧，老老实实重新学一点较为深刻的。我记起几年前着了迷，沉醉于柴霍甫[2]深邃艰深的艺术里，一颗沉重的心怎样为他的戏感动着。读毕了《三姊妹》，我阖上眼，眼前展开那一幅秋天的忧郁，玛夏（Masha[3]），哀林娜（Irina[4]），阿尔加（Olgu）[5]那三个有大眼睛的姐妹悲哀地倚在一起，眼里浮起湿润的忧愁，静静地听着窗外远远奏着欢乐的进行曲，那充满了欢欣的生命的愉快的军乐渐远渐微，也消失在空虚里，静默中，仿佛年长的姐姐阿尔加[6]喃喃地低述她们生活的悒郁，希望的渺茫，徒然地工

1 “少”底本缺字，据原刊补。

2 “柴霍甫”川版作“契诃夫”。

3 “Masha”川版作“Mawa”。

4 “Irina”川版作“Nрина”。

5 “阿尔加（Olgu）”川版作“奥尔加（Olbpa）”。

6 “阿尔加”川版作“奥尔加”。

作，徒然地生存着，我的眼渐为浮起的泪水模糊起来[1]成了一片，再也抬不起头来。然而在这出伟大的戏里没有一点张牙舞爪的穿插，走进走出，是活人，有灵魂的活人，不见一段惊心动魄的场面。结构很平淡，剧情人物也没有什么起伏生展，却那样抓牢了我的魂魄，我几乎停住了气息，一直昏迷[2]在那悲哀的氛围里。我想再拜一个伟大的老师，低首下气[3]地做个低劣的学徒。也曾经发愤冒了几次险，[4]照猫画虎[5]也临摹几张丑恶[6]的鬼影，但是这企图不但是个显然的失败，更使我忸怩不安的是自命学徒的我摹出那些奇形怪状的文章简直是污辱[7]了这超卓的心灵。我举起火，一字不留地烧成灰烬。我安慰着自己，这样也好。即便写得出来，勉强得到半分神味，我们现在的观众是否肯看仍是问题。他们要故事，要穿插，要紧张的场面。这些在我烧掉了的几篇东西里是没有的。

不过我并没有完全抛弃这个念头，我想[8]脱开了La pièce bien faite一类戏所笼罩的范围，试探一次新路，哪怕仅仅是一次呢。于是在我写《日出》的时候，我决心舍弃《雷雨》中所用的结构，不再集中

---

1 原刊无“起来”。

2 “昏迷”川版作“沉醉”。

3 “低首下气”川版作“低首下心”。

4 川版无“冒了几次险，”。

5 “照猫画虎”底本作“照描画虎”，据1994人文版改。

6 “丑恶”川版作“丑陋”。

7 “污辱”川版作“沾污”。

8 此处原刊有“完全”。

于几个人身上。我想用片段的方法写起《日出》，用多少人生的零碎来阐明一个观念。如若中间有一点我们所谓的“结构”，那“结构”的联系正是那个基本观念，即第一段[1]引文内“人之道损不足以奉有余”。所谓“结构的统一”也就藏在这一句话里。《日出》希望献与观众的应是一个鲜血滴滴的印象，深深刻在人心里也应为这“损不足以奉有余”的社会形态。因为排选[2]的题材比较庞大，用几件故事做线索，一两个人物为中心也自然比较烦难。无数的沙砾积成一座山丘，每粒沙都有同等造山的功绩。在《日出》里每个角色都应占有相等的轻重，合起来他们造成了印象的一致。这里正是用着所谓“横断面的描写”，尽可能的，减少些故事的起伏，与夫“起承转合”的手法，墨守章法的人更要觉得“平直板滞”，然而，“画虎不类反成狗”[3]，自己技术上的幼稚也不能辞其咎。

但我也应喊声冤枉，如果承认我所试用的写法（自然，不深刻，不成熟，我应该告罪。）我就有权利要求《日出》的第三幕还须保留在戏里。若认为小东西的一段故事和主要的动作没有[4]多少关联而应割去，那么所谓的“主要的动作”在这出戏[5]一直也并没有。这里我想起一种用色点点成光影明亮[6]的后期印象派图画，《日出》便是这类

1 此处川版有“《道德经》”。

2 “排选”川版作“挑选”。

3 “画虎不类反成狗”川版作“画虎不成反类狗”。

4 “没有”原刊作“希有”。

5 “在这出戏”川版作“在这出戏里”。

6 “明亮”原刊作“明朗”。

多少点子集成的一幅画面，果若[1]《日出》有些微的生动，有一点社会的真实感，那应[2]作为色点的小东西、翠喜、小顺子以及在那地狱里各色各样[3]的人，同样地是构成这一点真实[4]的因子。说是删去第三幕，全戏就变成一个独幕戏；说我为了把一篇独幕戏的材料凑成一个多幕戏[5]，于是不得不插进一个本非必要的第三幕，这罪状加在我身上也似乎有点[6]冤枉。我猜不出在第一、二、四幕里哪一段是绝对必要的，如若不是为了烘托《日出》里面一个主要的观念。为着“剧景始终是在 ×× 旅馆的一华丽的休息室内”[7]“删去第三幕就成一个独幕剧”。独幕剧果作如是观，则[8]《群鬼》《娜拉》都应该称为独幕剧了，因为它们的剧景始终是在一个地方，这样看法[9]，它们也都是[10]独幕剧的材料，而被易卜生苦苦地硬将它们写成两篇多幕剧。我记得希腊悲剧多半是

1 “果若”原刊作“若果”。

2 “那应”原刊作“那么，”。

3 “各色各样”原刊作“各色样”。

4 “真实”原刊作“真实感”。

5 “说我为了把一篇独幕戏的材料凑成一个多幕戏”原刊作“为把一篇独幕剧的材料凑成一个多幕剧”。

6 “有点”原刊作“有相当的”。

7 “为着‘剧景始终是在 ×× 旅馆的一华丽的休息室内’”原刊作“为着剧景始终是在‘×× 旅馆的一间华丽的休息室内’”。

8 原刊无“则”。

9 “这样看法”原刊作“这样看”。

10 此处原刊有“两篇”。

很完全的独幕剧[1]，虽然占的“演出时间”并不短，如《阿加麦农》《厄狄泼斯皇帝》，他们所用的“剧中时间”是连贯的，所以只要“剧景”在一个地方便可以作为一篇独幕剧来写[2]。在《日出》的“剧中时间”分配，第二幕必与第一幕隔一当口，因为第一幕的黎明，正是那些“鬼”们要睡的时刻，陈白露，方达生，小东西等可以在破晓介绍出来，但把胡四，李石清和其他那许多“到了晚上才活动起来的”“鬼”们也陆续引出台前，那直是不可能的事情。再，那些砸夯的人们的歌不应重复在两次天明日出的当口，令观众失了末尾那鲜明的印象，但打夯的歌若不早作介绍，冒失地在第四幕终了[3]出声，观众自会觉得突然，于是为着“日出”这没有露面的主角，也不得不把第二幕放在傍晚。第四幕的时间的间隔更是必需的，多少事情，如潘月亭公债交易的起落，李石清擢为襄理，小东西久寻不见，胡四混成电影明星，方达生逐渐的转变……以及黄省三毒杀全家，自杀遇救后的疯狂……处处都必须经过适当的时间才显出这些片段故事的开展。这三幕清清楚楚地划成三个时间的段落。我不知道怎样“割去第三幕”后，“全剧就要变成一篇独幕剧!”“剧景始终在××旅馆的一间华丽的休息室内”是事实，在这种横断面的描写剧本，抽去第三幕似乎也未尝不可，但是将这些需要不同时期[4]才能开展的片段故事硬放入一段须用

1 “独幕剧”原刊作“独幕”。

2 “来写”原刊作“来看”。

3 “终了”川版作“结尾”。

4 “时期”川版作“时间”。

连续的“剧中时间”的独幕剧里，毕竟是很困难的。

话说[1]远了，我说到《日出》里没有绝对的主要动作，也没有绝对主要的人物。顾八奶奶，胡四与张乔治之流是陪衬，陈白露与潘月亭又何尝不是陪衬呢？这些人物并没有什么主宾的关系，只是萍水相逢，凑在一处。他们互为宾主，交相陪衬，而共同烘托出一个主要的角色，这“损不足以奉有余”的社会。这是一个新的企图，但是我怕我的技术表达不出原意，因而又将读者引入布局紧凑，中心人物，主要动作，这一些观念里，于是毫厘之差，这出戏便在另一种观点下领得它应该受的处分。

这些天我常诧异《雷雨》和《日出》的遭遇，它们总是不得已地受着人们的支解，以前因为戏本的冗长，《雷雨》被斫去了“序曲”和“尾声”，无头无尾，直挺挺一段躯干摆在人们眼前。现在似乎也因为累赘，为着翠喜这样的角色不易找或者也由于求布局紧凑的原故，《日出》的第三幕又得[2]被删去的命运。这种“挖心”的办法，较之斩头截尾还令人难堪。我想这剧本纵或繁长无味，作戏人的守法似应先求理会，果若一味凭信自己的主见，不肯多体贴作者执笔时的[3]苦心，便率尔删除，这确实是残忍的。[4]

---

1 “说”原刊作“谈”。

2 “又得”原刊作“又遭遇”。

3 “体贴作者执笔时的”原刊作“体贴执笔的”。

4 “这些天我常诧异”以下川版无。

说老实话[1],《日出》里面的戏只有第三幕还略具形态。在那短短的三十五页里，我费的气力较多，时间较久。那里面的人我曾经面对面地混在一起，并且各人真是以人与人的关系，流着泪[2],“掏出心窝子”的话，叙述自己的身世。这里有说不尽的凄惨的故事，只恨没有一支Balzac的笔来记载下来[3]。在这堆“人类的渣滓”里，我怀着无限的惊异，发现一颗金子似的心，那就是叫作翠喜的妇人。她有一副好心肠，同时染有在那地狱下[4]生活各种坏习惯。她认为那些买卖的勾当是当然的，她老老实实地做她的营生,“一分钱买[5]一分货,”即便[6]在她那种生涯里，她也有她的公平[7]。令人感动的是她那样狗似地效忠于她的老幼，和无意中流露出来对那更无告者的温暖的关心。她没有希望，希望早死了。前途是一片惨淡，而为着家里那一群老小，她必须卖着自己的肉体[8]，麻木地挨下去。她叹息[9]着:“人是贱骨头，什么苦都怕挨，到了还是得过，你能说一天不过么?”求生不得，求死不得，是这类可怜的动物最惨的悲剧。而落

1 “说老实话”川版作“说实话”。

2 原刊无“流着泪”。

3 “来记载下来”原刊作“记录下来”。

4 “那地狱下”原刊作“那种地狱下”。

5 “买”川版作“卖”。

6 “即便”原刊作“即使”。

7 川版无“即便在她那种生涯里，她也有她的公平”。

8 “卖着自己的肉体”原刊作“卖着自己”。

9 “叹息”原刊作“吁叹”。

在地狱的小东西，如果活下去，也就成为“人老珠黄不值钱”的翠喜，正如现在的翠喜也有过小东西一样的青春。这两个人物我用来描述这“人类渣滓”的两个阶段，对那残酷境遇的两种反应。一个小，一个老；一个偷偷走上死的路，（看看报纸吧，随时可以发见[1]这类的事情。）一个如大多数的这类女人，不得已必须活下去。死了的死了，活着的多半要遭翠喜一样的命运，这群人我们不应忘掉，这是在这“损不足以奉有余的社会”里最黑暗的一个角落，最需要阳光的。《日出》不演则已，演了，第三幕无论如何应该有。挖了它，等于挖去《日出》的心脏，任它惨亡。如若为着某种原因，必须支解这个剧本，才能把一些罪恶暴露在观众面前，那么就斫掉其余的三幕吧，请演出的人们容许这帮“可怜的动物”在饱食暖衣，有余暇能看戏的先生们面前哀诉一下，使人们睁开自己昏聩的眼，想想人把人逼到什么田地。我将致无限的敬意于那演翠喜的演员，我料想她会有圆熟的演技，丰厚的人生经验，和更深沉的同情，她必和我一样地不忍再把那些动物锁闭在黑暗里，才来担任[2]这个困难的角色。

情感上讲，第三幕确已[3]最贴近我的心的。为着写这一段戏，我遭受了多少磨折，伤害，以至于侮辱，（我不是炫耀，我只是申述请不要删除第三幕的私衷。）我记得严冬的三九天，半夜里我在那一片

1 “发见”川版作“发现”。

2 “才来担任”原刊作“才担起”。

3 “确已”原刊、川版均作“确是”。

荒凉的贫民区候着两个嗜吸毒品的龌龊乞丐，来教我唱数来宝。约好了，应许了给他们赏钱，大概赏钱许得过多了，他们猜疑我是侦缉队之流，他们没有来。我忍着刺骨的寒冷，瑟缩地踯躅到一种“鸡毛店”[1]的地方找他们，似乎因为我访问得太殷勤，被一个有八分酒意罪犯模样的落魄英雄误会了，他蓦地动开手，那一次，我险些瞎了一只眼睛。我得了个好教训，我明白以后若再钻进这种地方，必须有人引路，不必冒这类无意义的险，于是我托人介绍，自己改头换面跑到“土药店”和黑三一类的人物“讲交情”，为一个“朋友”瞥见了，给我散布许多不利于我的无稽的谣言，弄得多少天我无法解释自己。为着这短短三十五页[2]戏，我幸运地见到许多奇形怪状的人物[3]，他们有的投我以惊异的眼色，有的报我以嘲笑，有的就率性[4]辱骂我，把我推出门去。（我穿的是多么寒碜一件破旧的衣服！）这些回忆有的痛苦，有的可笑，我口袋里藏着铅笔和白纸，厚着脸皮，狠着性。一次一次地经验许多愉快的和不愉快的事实，一字一字地记下来，于是才躲到我那小屋子里，埋下头写那么一点点东西。我恨我没有本领把当时那些细微的感觉记载清楚，有时文字是怎样一件无用的工具。我希望我将来能用一种符号记下那些腔调。

---

1 “鸡毛店”是北方最破烂的下等客店，住在那里的乞丐在冷夜里租不起被盖，只好用鸡毛稻草一类的东西铺在地下睡。——底本注。

2 “三十五页”川版作“五十几页”。文化生活版从初版至第26版，第三幕均为第173页到第238页实为66页，而非35页。川版第三幕从第126页到第177页，实为52页。

3 “人物”原刊作“人”。

4 “率性”川版作“索性”。

每一个音都带着强烈地方的情绪[1]，清清楚楚地留在我的耳鼓里，那样充满了生命，有着活人的气息，而奇怪，放在文字里便似咽了气的生物，生生地窒闷死了。结果我知道这一幕戏里毛病一定很多[2]，然而我应该承认没有一个“毛病”不是我经历过而写出来的。这里我苦痛地杀了我在《文季月刊》上刊登的第三幕的附言里那位“供给我材料的大量的朋友”，为着保全第三幕的生命，我只好出来自首了。

曾经有人问过我《雷雨》和《日出》哪一本比较好些，我答不出来。我想批评的先生们会定下怎么叫“好”，怎么叫“坏”，找出原则，分成条理；而我一个感情用事，素来不能冷静分析的人，只知道哪一个最令我关心的，比较说，我是喜欢《日出》的，因为它最令我痛苦。我记得，有一位多子的母亲，溺爱其中一个最不孝的儿子，她邻居问她缘故，她说：“旁的孩子都好，这[3]只有他会磨我！”我爱《日出》恐怕也就是这么一个理由吧。全部《日出》材料的收集都令我受了相当的苦难，（固然我不应否认，尽管我尽力忠诚地采集，里面的遗漏和错误依然很多。）而最使我感到烦难的便是第三幕，现在偶尔念起当时写这段戏，多少天那种寝食不安的情况，而目前被人轻轻地删去了，这回忆诚然有着无限的酸楚的。所以，如果有一位同情的

1 “强烈地方的情绪”川版作“强烈的地方的情绪”。

2 “结果我知道这一幕戏里毛病一定很多”川版作“我知道这一幕戏里‘毛病’一定很多”。

3 “这”原刊作“就”，川版无“这”。

导演，看出我写这一段戏的苦衷[1]，而不肯任意把它删去，我希望他切实地注意到这一幕戏的氛围[2]，造成这地狱空气的复杂的效果，以及动作道白相关联的调和与快慢。关于“这些效果”我曾提到它们：“必须有一定的时间，长短，强弱，快慢，各样不同的韵味，远近。每一个声音必须顾到理性的根据，氛围的调和，以及适当的对意义的点醒和着重。”我更申言过：“果若有人只想打趣，单看出妓院材料的新奇，可以号召观众，便拿来胡炮乱制，我宁肯把这一幕立刻烧成灰烬，”不愿这样被人蹂躏，这些话我一直到现在还相信着。在这一幕里我利用在北方妓院一个特殊的处置，叫作“拉帐子”的习惯，用这种方法，把戏台隔成左右两部，在同一时间内可以演出两面的戏。这是一个较为新颖的尝试，我在欧尼尔的戏（如Dynamo）里看到过，并且知道是成功的。如若演出的人也体贴出个中的妙处，这里面自有许多手法可以运用，有多少地方可以施展演出的聪明，弄得好，和外面的渲染氛围的各种声响打成一片，衬出一种境界奇异的和调[3]是可能的。

朱孟实先生仿佛是一位铁面无私的法官，他那锐利的眼光要刺透我的昏钝不明，他那严正的审问使我无处躲闪。他提出了一个剧作者对于人生世相应该持的态度[4]的问题。他说，写戏有两种态度，一

1 “苦衷”底本作“苦哀”，据原刊、川版改。

2 “氛围”川版作“气氛”。

3 “境界奇异的和调”原刊作“奇异的境界”。

4 “应该持的态度”川版作“应该持什么态度”。

个剧作家究竟“应该很冷静，很酷毒地把人生世相本来面目揭开给人看呢，还是送一点‘打鼓骂曹’式的义气在人生世相中显出一点报应昭彰的道理来，自己心里痛快一场叫听众也痛快一场呢”？孟实先生自己是喜欢第一种，而讨厌戏里面“打鼓骂曹”式的义气。本来，老老实实写人生最困难，最味永，而把自己放在里面，歪曲事实，故意叫观众喝彩，使他们尝到“义愤发泄后的甜蜜”较容易，但也很无聊。舞台上有多少皮相的手法，几种滥用的情绪，如果用得巧，单看[1]这些滥调也可以达到一个肤浅的成功。孟实先生举出几个例子，证明《日出》就用了若干“打鼓骂曹”式的义气来博得一些普通的观众的喝彩。他给我指了一条自新之路，他要我以后采取第一种态度。这种诚挚的关心是非常可感的。不过在这里我不想为这些实例辩白。我更愿意注意他所提出的那个颇堪寻味的“根本问题”。写戏的人是否要一点Poetic justice来一些善恶报应的玩意，还是（如自然主义的小说家们那样）叫许多恶人吃到脑满肠肥，白头到老，令许多好心人流浪一生，转于沟壑呢，还是都凭机遇，有的恶人就被责罚，有的就泰然逃过，幸福一辈子呢？这种文艺批评的大问题，我一个外行人本无置喙之余地。不过以常识来揣度，想到是非之心人总是有的，因而自有善恶赏罚情感上的甄别，无论智愚贤不肖，进了戏场，着上迷，看见秦桧，便恨得牙痒痒的，恨不立刻一刀将他结果，见了好人就希望他苦尽甘来，终得善报。所以应运而生的大团圆的戏的流行，恐怕也有不得已的苦衷。在一个诗人甚至于小说家这种善恶

1 “单看”原刊作“单靠”。

赏罚的问题还不关轻重，一个写戏的人便不能不有所斟酌。诗人的诗，一时不得人的了解，可以藏诸名山，俟诸来世，过了几十年或者几百年，说不定掘发出来，逐渐得着大家的崇拜[1]。一个弄戏的人，无论是演员，导演，或者写戏的，便欲[2]立即获有观众，并且是普通的观众。只有他们才是“剧场的生命”，尽管莎士比亚唱高调，说一个内行人的认识重于一戏院子groundlings[3]的称赞，但他也不能不去博取他们的欢心，顾到职业演员们的生活。写戏的人最感觉苦闷而又最容易逗起兴味的就是一个戏由写作到演出中的各种各样的限制，而最可怕的限制便是普通观众的趣味。怎样一面会真实不歪曲[4]，一面又能叫观众感到愉快，愿意下次再来买票看戏，常是使一个从事于戏剧的人最头痛的问题。孟实先生仿佛提到“获得观众的同情对于一个写戏人是个很大的引诱”。(我猜是这个意思，然而如孟实先生那样说，是为着“叫太太小姐们看着舒服些”，便似乎有些挖苦。)其实，岂止是个引诱，简直是迫切的需要。莎剧里有时便加进[5]些无关宏旨的小丑的打诨，莫里哀戏中也有时塞入毫无关系的趣剧[6]，这些大师为着得到普通观众的欢心，不惜曲意逢迎。做戏的人确实也有许多明知其不可，而又不得已为五斗米折腰的。我说这些话，绝非为自己的作品辩

---

1 “崇拜”川版作“赞美”。

2 “便欲”原刊作“便须”，川版作“必须”。

3 groundlings指当时看莎氏剧，贱价买票，站着看戏的人们。——底本注。

4 “会真实不歪曲”原刊作“使真实不歪曲”，川版作“写得真实，没有歪曲”。

5 “便加进”原刊作“硬加进”。

6 “趣剧”原刊作“闹剧”。

白——如果无意中我已受了这种引诱的迷惑，得到万一营业上的不失败，令目前几个亏本的职业剧团，藉[1]着一本非常幼稚的作品，侥幸地获得一些赢余，再维持下去，这也是一个作者所期望的。中国的话剧运动，方兴未艾，在在需要提携，怎样拥有广大的观众而揭示出来的又不失“人生世相的本来面目”，是颇值得内行的先生们严重[2]讨论的问题。无疑地天才的作家，自然一面拥有大众，一面又把真实犀利地显示个清楚，次一等的人便有些捉襟见肘，招架不来，写成经得演经不得读的东西。不过，万一因才有所限，二者不得兼顾，我希望还是想想中国目前的话剧事业，写一些经得起演的东西，先造出普遍酷爱戏剧的空气，我们虽然愚昧，但我相信我们的子孙会生出天才的。

如若这可以说是我的自白，我的辩解，那么我就得感谢大家已经纵容我饶舌这许久了。我并不想再在这里哓哓不休；但我应该趁着这机会表白一点感激的心情。

我读了《大公报》文艺栏对于《日出》的集体批评，我想坦白地说几句话。一个作者自然喜欢别人称赞他的文章，可是他也并不一定就害怕人家责难他的作品。事实上最使一个作者（尤其是一个年轻的作者）痛心的还是自己的文章投在水里，任它浮游四海，没有人来理睬，这事实最伤害一个作者的自尊心，侥幸遇见了一位好心

1　“藉”底本作“籍”，据川版改。

2　“严重”川版作“严肃”。

的编辑[1]，怕冷淡一个年轻作者的热诚，请许多前辈出来说话，让《日出》也占一点阳光[2]。更幸运地有这些先进肯为着这一本窳陋不堪的作品耗费他们的精神，这已经够使一个年轻人感动的了。读了这些批评文章，使我惊异而感佩的，是每篇文章的公允与诚挚，除了我一两位最好的友人给我无限的鼓励和兄弟般偏爱之外。我知道每篇文章几乎同样地燃烧着一副体贴的心肠，字里行间我觉出他们拿笔[3]的时候是怎样担心一个字下重了，一句话说狠了，会刺痛一个年轻人的情感，又怕过分纵容，会忽略应给与作者的指示。这是一座用同情和公正搭成的桥梁，作者不由得伸出一双手，接收通过来的教导。我感谢前面给与我教益的孟实先生，我也感谢茅盾，圣陶，沈从文，黎烈文，荒煤，李蕤，谢迪克，[4]李广田，李影心，杨刚，陈蓝，王朔先生们，他们有的意存鼓励，有的好心指正，都给我无

---

1 此处川版有"，萧乾先生"。

2 "占一点阳光"原刊作"占润点阳光"，川版作"沾点阳光"。

3 "拿笔"川版作"执笔"。

4 李蕤先生责我对《日出》的人物都有些"过分的护短，即便是鞭打，无意中也是重起轻落。纵放他们躲入无罪中去"。我赞美他的深刻和锐利。《日出》里这些坏蛋，我深深地憎恶他们，却又不自主地怜悯他们的那许多聪明［"怜悯他们的那许多聪明"川版作"原谅他们"］。（如李石清，潘月亭之类。）奇怪的是这两种情绪并行不悖，憎恨的情绪愈高，怜悯［"怜悯"川版作"原谅"］他们的心也愈重，究竟他们是玩弄人，还是为人所玩弄呢，写起来，无意中便流露出这种偏袒的态度［"这种偏袒的态度"川版作"这种毫无道理的偏袒的态度"］。目前的社会固然是黑暗，人心却未必今不若古，堕落到若何田地［"若何田地"川版作"这步田地"］，症结还归在整个制度的窳败，想到这一点，不知不觉又为他们做一些曲宥，轻轻地描淡了他们的责咎［"他们的责咎"川版作"对他们的憎恨"］。

限的兴奋与愉快。最后我愿意把这个戏献给我的朋友巴金、靳以、孝曾。[1]

谢迪克先生以一个异邦人那样细心体会这个剧本，并且那样周密而犀利地发挥他的意见，非常使人感佩。他很爽直地提到剧本长，出场繁，对话也多，这些地方都不是没有原由，而说起剧本犯了“重描”（Over-emphasis）的毛病，我想也颇有道理。我想起写《雷雨》，为着藤萝架走了电，我描述了四遍，原因是怕我们的观众在锣鼓喧天的旧戏场里，吃瓜子，喝龙井，谈闲天的习性还没有大改。注意力浮散，忘性太大，于是不得已地说了一遍再说一遍。在《日出》恐怕也犯了这种涂而又涂的病，弄不到恰好［川版无“，弄不到恰好”］。

荒煤先生说我只“突击了现象”而忘了应该突击的“现实”，所以印象模糊，读完之后还有些茫然。透过“现象”来读［“来读”川版作“写明”］“现实”，本来是很难的事，不过［川版无“不过”］我不十分明白所指“现实”究竟怎么讲？依我的揣测，那“现实”也许可以用“损不足以奉有余”这句话点出，因为这戏里一切现象都归根于这句话里［川版无“里”］。如若说到“现实”是指造成这本戏的原因［“原因”川版作“根本原因”］，那么《日出》这种悲剧的原因［“原因”川版作“根本原因”］果若能由一个剧作者找出来，说出究竟，那未免视一个写戏的人的本领太高了。固然写这样的戏，有时可以道出个造成剧本所指现象的原因，而有时在各种实际钳制下，也只能描摹由于某种原因推演下来的“现象。”［此句川版作“固然这样的戏，有时可以道出造成剧本所写的现象的原因。但有时在各种实际钳制下，也只能描摹由于某种原因发展下来的‘现象’。”］果若读完了《日出》，有人肯愤然地疑问一下：为什么有许多人要过这种“鬼”似的生活呢？难道这世界必须这样维持下去么？什么原因造成这不公平的禽兽世界？是不是这局面应该改造或者根本推翻呢？如果真的有人肯这样问两次，那已经是超过了一个作者的奢望了。——底本注。

1　原刊无此句。

附录一：

附　记

写完第三幕便察觉小东西的死太惨，太刺目了。事实是有这样的（看看每天的报纸吧），并且很多。然而为着看戏的人们这末尾的惊吓又怕过了分。我曾经把结尾改成小东西没有死成，过度的恐惧使她鼓不起勇气把头颈伸进那绳套里，终于扑在地上又哀泣起来。这样也许叫“太太小姐们”看着舒服些。但过后我又念起那些被一帮野兽们生生逼死的多少“小东西”们，（方法自然各各不同，有些甚至于明明是死了都看来还像活着的。）我仿佛觉得她们乞怜的眼睛在黑暗的壁落里灼灼地望着我，我就不得不把太太小姐们的瞧戏问题放在一旁。我求人们睁开眼看看这一段现实，我还是不加变动，留在这里。

这一幕我自认为写得异常拙陋的，而写前材料的收集也确实感到莫大的困难，幸亏我遇见一位爽快的朋友，（在此地我感谢他善意的帮助和同情。）他大量供给我许多珍贵的资料。这一切描写都根据他所述说的北方的情形。第一幕在方达生口里有“上海”字样，那是一

【题注】据1936年8月《文季月刊》第一卷第三期《日出 第三幕》文末“附记”排印。

时的笔误，忘记改掉，因为整个这一本戏并没有限定发生在中国某一处商埠里。

出于不得已我用了不知多少幕后的声音帮造这一幕的氛围，这是一个最令导演头痛的难题。如若幸而演出，这些效果必须有一定的时间、长短、强弱、快慢、各样不同的韵味，远近，每一个声音必须顾到理性的根据，氛围的调和，以及适当的对意义的点醒和着重。果若有人只想打趣，单看出妓院材料的新奇，可以号召观众，便拿来胡炮乱制，我宁肯把这一幕立刻烧成灰烬，诅咒我那一天为什么[1]发生这种狂想，绝不甘心把一个有严肃意义的材料很轻佻地做成太太小姐们的玩意。对着那些抱一腔热情来怜悯这些可怜的动物而毫无其他企图的人们，我自然以至诚献上这个剧本，尤其那演翠喜的演员，如若有一天我有这样荣幸，遇见一位有演技天才有真切同情的人来扮演她，我现在预先对她致无限的敬意。

作者

1 “为什么”原刊作“为生活”，据原刊第四幕后的“附记”改。

附录二：

后　记

异常仓促地把《日出》写完了，这只是一个极粗糙的未定稿，我想在最近仔细地修改删节一下，希望着能比现在订成一个差强人意的戏本。目前这部稿子里错误漏失啰唆之处，举不胜举，其中有现在即须改正的是：

（1）第三四幕发生的时间是在第一二幕一星期后。

（2）露露的原名不是文姗而是竹均。

（3）第三幕五七八页上面第七行的“教唆杀人罪”是“谋杀直系亲属罪”。

（4）第三幕五八四页下面第十六行的“为生活”原是“为什么”，还有其他一些排印的小错误暂时只好不管了。

（5）还有，有人写信来商量这剧本的上演和摄制的事。关于这事情请向文月刊季社（校者注：此处应为“文季月刊社”）接洽，他们为我负一切的责任。

作者

【题注】据1936年9月《文季月刊》第一卷第四期《日出 第四幕》全文结束后所作“后记”排印。

附录三：

重印《日出》后记

重印《日出》，我改正一些错字，作了较少的更动和删节。

为了使陈白露在第四幕里，少参与李石清与潘月亭的争吵，我使陈白露在李石清怒骂潘月亭的最后一段长话之前才上场。她一直没有表示任何态度，但她知道了潘月亭的银行等等生意已经垮台了。

这样改动，是为了着重描述一下陈白露的性格。其次，第四幕开头，陈白露戴一副昂贵的“火油钻”耳环，也是为了这个缘故。然而，如果有人要改回旧本的原样，也未尝不可。此地，我只想说明，我对陈白露的认识，是如此。

这个女主角是不大好演的。有一个原因，是我给她表现的机会少了一些。

我写剧本，素来冗长，经常犯话多、重描、场次繁……许多毛病。因此，每次演出，必须大作删节，才符合今天演出时间，大约两个半小时的要求。删节得恰当，确实看导演、演员与其他舞台艺术家

【题注】据1985年2月四川人民出版社（版权页作“四川文艺出版社”）“曹禺戏剧集”本初版排印。

们如何下功夫了。

我写剧本，经常希望它像小说一样吸引读者坐下来读读，有点兴味。这自然是我的妄想，也许今后我改掉这毛病，也许我改不掉。我不赞同“书斋剧本”，即只为了读，不为演的剧本。剧本还是为了演出写的。但如果它也能吸引读者翻翻，岂不更好么？

有一点请求，演出这个戏，还是不要乱动，(不是说不大加删节)。如果添上些不相干的东西，或硬加上与作者原意相违背的布局，结构和台词等，这就是“乱动”。

一个剧总有所“本”。剧本，剧本，如你连“本”都改掉了，那何必要演这个剧本呢？

我还要念叨两句，就是有关这个剧本“代表光明面的英雄”问题。

我说过多次，这个窳陋的剧本，实在写不出“代表光明面”的英雄。这在《日出》的“跋”中，已讲过了。

如果今天有些朋友还愿意演出这本已演得多次的戏，作者衷心希望有一位热忱的作曲家，愿为代表《日出》内在精神的夯工们，写一支震撼心魂的歌曲。

他将谱出夯工们夯动了大地，震惊人心的夯步和歌子。这是一曲时昂奋，时低沉，时而抑郁俯首，时而快乐冲天，有紧、有慢，随剧情而变化，富有深厚感情的劳动歌子。尤其是剧尾，一切该埋没的妖魔都感到死亡的到来。日光下，窗外雄壮的劳动号子，却高亢地唱将起来。

这奋发的夯声、歌声，是人们在怒吼，是大地在怒吼。它应充分启示着，人们压倒一切腐恶的信心。它指引着前进中胜利与快乐的步伐。沉重的石硪，落在大地上，一下一下，摇晃淫靡腐烂，吃人的禽兽世界。这种代表《日出》精神的夯歌和威武的步伐，告诉人们一定有光明的未来。我希望导演和演出者注意这一点。

也许，我把我对夯歌的感情，说得太夸张了。然而这确是我年轻时期对未来的憧憬和向往。没有这样的夯步和歌声,《日出》是没有意味的，我也不会写这个剧本。

剧本里的《小海号》和《轴号》，只是作者在旧社会观察动土工人们，砸夯劳动时，当时实际记录下来的调子。这只是单纯、朴素的音节，没有加工。但它确是劳动者的声音。词是作者填的。这些只能作为参考。如有必要，可以完全更动，但不要失去原有的雄壮、乐观的气氛和富有生命力的深厚情感。

曹禺

1982年4月23日于上海

日出

1951开明版

【题注】据1951年8月开明书店“新文学选集”《曹禺选集》初版排印。

人　物

（第三幕登场人物另见该幕人物表内）

陈白露——在 × × 旅馆住着的一个女人，二十六岁。

方达生——陈白露从前的朋友，二十七八岁。

张乔治——留学生，三十一岁。

王福升——旅馆的茶房。

潘月亭——大丰银行经理，五十四岁。

顾八奶奶——一个有钱的孀妇，四十四岁。

李石清——大丰银行的秘书，四十二岁。

李太太——其妻，三十四岁。

黄省三——大丰银行的小录事[1]。

黑三（即男甲）——一个地痞。

胡四——一个游手好闲的“面首”，二十七岁。

小东西——一个工人的女儿，十五六岁。

田振洪——一个老工人。

小刘——报馆记者。

1　“小录事”底本人物表作“小书记”，正文作“小录事”。据正文改。

时间和地点

早春：

第一幕　　在××旅馆的一间华丽的休息室内——某日晨五点半。

第二幕　　景同第一幕——当日晚五点。

第三幕　　在三等妓院内—— 一星期后晚十一时半。

第四幕　　景同第一幕——时间紧接第三幕，翌日晨四时许。

第一幕

××大旅馆一间华丽的休息室，正中门通甬道，右——左右以台上演员为准——通寝室，左通客厅，靠后开着一排长方形的上半截圆线状的大窗户。由于窗外稠密的连接着一所所大楼，所以虽在白昼，有着宽阔的窗，屋里也嫌过于阴暗。只有早上斜射过来的朝阳给这间屋一点自然的亮光。

屋内一切陈设是畸形的，现代式的：庸俗生硬，刺激人的感官，并不预备给人舒适。屋正中放着烟几，围着它横竖散乱地摆着方的，圆的，立体的，圆锥形的小凳和沙发。上面堆垒着一些杂色的坐垫。沿着那面大窗户底下是一条有着水浪纹的沙发。在左边有立柜、食物柜和一张小几，上面放着一些化妆品。墙上挂着几张很荒唐的裸体画片、月份牌和旅馆章程。地下零零散散的是报纸、画报、酒瓶和烟蒂头。在沙发上，立柜上乱扔着女人的衣帽、围巾、手套等物。间或也许有一两件男人的衣服在里面。食柜上杂乱地陈列着许多酒瓶、玻璃杯、暖壶、茶碗。右角放一个高架站灯，灯旁有一张圆形小几，嵌着一层一层的玻璃，放些烟具和都市女人爱的零碎东西，如西洋人形、米老鼠之类。

正中悬一架银光熠熠的钟，指着五点半，是夜色将尽的时候。幕开时，室内只有沙发旁的站灯射出一圈光亮。窗前的黄幔幕垂下来，屋内的陈设看不十分清晰，一切丑恶和凌乱都藏在黑暗里。

缓慢的脚步声由甬道传进来，中间门悄悄开了一半，一只手伸进来捻开中间的电灯，室内顿时明亮。进来的是陈白露，她穿着极讲究的晚礼服，乌黑的头发烫成小姑娘式的鬈髫，松松的垂在肩头。高高的身材，面容很清秀，举动伶俐，机警，嘴角上常掠过嘲讽的笑意。

她十分疲乏的走向台中。右手掩着嘴，打了个呵欠。

陈白露　（走了两步，回首向门）进来吧！（掷下皮包，倚着沙发的靠背）你怎么不进来？

〔随声进来一位约二十七八岁的青年，很结实的中等身材，穿一身半旧的西服，皱着眉，显得心情非常沉重。他面对这间房子，一言不发，立在门口。

陈白露　（盯住他）你怎么啦，怕什么？

方达生　（冷冷地）真烦气，到处都是这些人。

陈白露　住在这个地方还怕人？

方达生　（一面走进）这几年，你就在这种地方住！

陈白露　不好么？

方达生　嗯——（不得已地）好！好！

陈白露　（笑着注视他）怎么不脱衣服？

方达生　哦，哦——是的，衣服，我没有脱，（找话说）这屋子相当冷。

陈白露　冷？——冷么？我觉得很热呢。

方达生　窗户大概没关好吧？

陈白露 不。（走到窗前，拉开幔子）你看，不是关着的？（忽然高兴地）看！你快来看！

方达生 （向她走去）什么？

陈白露 （在玻璃窗上划了一下）你看，霜！霜！

方达生 哦！

陈白露 （充满好奇心）都春天了，怎么还有霜呢？

方达生 （无心对答）嗯，奇怪！

陈白露 （兴高采烈地）我顶喜欢霜啦！你记得我小时候就喜欢霜吗？你看霜多美，多好看！（好像又有了新的发现）你看，（抬头）你看这个——（看出他完全心不在焉）

方达生 什么？

陈白露 （不悦）你这人！还跟从前一样，总是别别扭扭。

方达生 是么？（微笑）今天我看了你一晚上，就刚才这一会儿还有点像从前的样子。

陈白露 真的吗？

方达生 你——（看她一眼，不愿说下去，来回踱了两步，停下来环视）

陈白露 （又恢复平日习惯的那种漠然的态度）又看什么？

方达生 （笑了笑）哦，看你住的地方，很讲究。

陈白露 （明白他的意思，但也不屑解辩，顺手拾起脚边一个靠枕，丢在沙发上，将倒在地上的空酒瓶踢进沙发底下，不在意地）住得过去就是了。（忍不住打了一个呵欠）你累么？

方达生 还好。刚才你一个人同那些人在跳，我一直坐着。

陈白露 你为什么不一起玩玩？

方达生 （冷冷地）我不会跳舞，我看着你这些朋友一个个像发疯似地。

陈白露 （笑得有些不自然）发疯，对了！我就天天过的是这样的生活。（远远鸡叫声）鸡都叫了。

方达生 怎么这个地方会有鸡叫？

陈白露 附近就是一个菜市场。（看表）你猜现在是几点钟了？

方达生 大概有五点多，就要天亮了。我在舞场里，五分钟总看一次表。

陈白露 就那么着急么？

方达生 （讽刺地）我看不惯这种太平景象。

陈白露 （淡淡地）这是租界。（理理头发）现在呢？

方达生 还是不惯。不过这里既然没有人，我可以跟你谈几句话。

陈白露 可是（忍住一个呵欠）就要天亮了。（才想起）怎么你不坐下？

方达生 你也没有坐。

陈白露 （笑起来）你真是太客气了，到我这里来的朋友没有等我让坐的。（推他坐在一张沙发上）坐吧。（走到柜前）渴的很，让我先喝口水再陪你，好么？（倒水，又拿起烟盒）抽烟？

方达生 方才告诉过你，我不会抽烟。真想不到，竹均，你现在——

陈白露 （感慨地）竹均，竹均，多少年没有人这么叫我了。（忽然笑了笑）你说我现在怎么样？

方达生　是的，我是说——（抚着前额）不过，很难找到恰当的话来说明我的感觉。（抬头望着她）

陈白露　（摇摇头，望着手中的香烟，微笑着）不，达生，我很明了，你只是很难于说出口，我以为你——

〔这时由右面寝室里蹒跚走出一个衣冠不整穿着礼服的男人，陈白露和方达生一同回过头，那人毫不以为意地立在门前，右手高举扶着门框，歪着头，脸通红，一绺头发搭在前额，翻起白眼向前望，一面打着噎。

张乔治　（神秘地，低声）嘘！（放正眼镜，摇摇晃晃地指点着）

陈白露　（一惊）Georgy！

张乔治　（走向露，亲昵地）露露，你以为我是谁呀！

方达生　（厌恶地）竹均，这是什么人？

张乔治　竹均？（向达生）你弄错了，她叫白露。顶红，顶红的人，她是我的，嗯，是我所最崇拜的红人。

陈白露　（没有办法）你喝醉了！

张乔治　（指自己）我？（摇头）我没有喝醉！（摇摇摆摆地指着白露）是你醉了！（又指达生）你醉了！（达生忍着气愤望白露，他偏偏指着达生）你看你，你看你那眼直瞪瞪的，喝得糊里糊涂的样子！Pah（雪白的手掌翻过来向外一甩，这是他最得意的姿势，接着又是一个饱嗝）我，我真有点瞧不惯。

陈白露　（厉声）你到这里来干什么？

张乔治　什么？你问我干什么？（闪电似地来了一个理由）咦！你们

不是也来啦?

陈白露 这是我的家，我自然要回来。

张乔治 你的家?（腔调抑扬）嗯?

陈白露 你为什么跑到我的卧室里去?

张乔治 你的卧室? ——不对，我没有,（摇头）没有。（拍着前额）我想想看啊……

陈白露 （气极）不要想了，快出去。

张乔治 （摆着手）慢慢地，你等等，不要着急。让我慢慢，慢慢地想想。（他歪歪倒倒地走了几步，口中念念有词）我就喝了，喝了我就转，转了我又喝，我转，转呀，转呀……（他说着转了几个圈，忽然高声）糟了，我又要吐。（堵住嘴）哦，pardon me，mademoiselle，对不起，小姐。（走一步，又回转身）哦，原谅，原谅。（慌忙堵住嘴，三脚两步，踉踉跄跄跌出门去）

〔白露待他出去，将门狠狠关上，走向沙发边，站了片刻，望望方达生，颓然坐下。

方达生 这是个什么人?

陈白露 （聊以解嘲）这是此地的高等出产，你看他好玩吗?

方达生 （愤愤地）我真不明白你为什么跟这种的东西来往?

陈白露 （坐下来）你要知道么? 这个东西是此地最优秀的产品，一个美国留学生，他说他得过什么博士硕士一类的东西，洋名George，在外国他叫乔治张，在中国他叫张乔治。回国来就一直做官，现在口袋里很有几个钱。

方达生　（走近她）这跟你有什么关系呢？

陈白露　不是说了吗？他口袋里有几个钱。

方达生　有钱你就……

陈白露　有钱自然可以认识我，去年我在舞场做事的时候——

方达生　（不愿听下去）那就怪不得了。

陈白露　你这个人，太认真，在此地多住几天你自然就明白一切不过那么一回事。每个人都这样，你大可不必这样拘泥，好了，现在你可以跟我谈一谈了。

方达生　是的，我似乎有很多话要说。

陈白露　我很愿意听听你的意见，达生，你不要有所顾忌，方才你说你想不到我现在——

〔敲门声。

陈白露　谁？

〔旅馆的茶役福升由中门进，一副狡猾的面孔带着谄媚卑屈的神气。

王福升　（赔着笑脸）陈小姐，您早回来了。

陈白露　你有什么事？

王福升　（望望方达生）方才张先生您看见了。

陈白露　看见了。

王福升　我扶他另外开一间房子睡了。

陈白露　（烦厌地）随便他好了，你告诉我做什么！

王福升　说的是呀。张先生说对不起您，喝醉了，跑到您房里，把您的床——

陈白露　啊，他吐在我床上啦？

王福升　可不，您别着急，我这就给您收拾。

陈白露　（皱着眉）那你去吧。

王福升　是。（又转来）今天您一晚上不在家，来的客人可真不少。李五爷，方科长，刘四爷都来过。潘经理看了您两趟。顾家八奶奶也来了电话，说请您明天晚上到她公馆去玩。

陈白露　我知道。回头你打个电话，请她下午先到这儿来。

王福升　胡四爷也说要来看您来着。还有报馆的张总编辑——

陈白露　哦。

王福升　潘经理今天晚上找了您两趟。现在他——

陈白露　（不耐烦）知道知道，你刚才说过了。

王福升　是。

陈白露　好啦，你快去把我屋子收拾收拾吧。

〔福升进卧室。

方达生　竹均，你的变化不小。

陈白露　嗯？怎么样？

方达生　这样好客。

陈白露　我原来就是这样子啊。

方达生　（讽刺地）真比从前大方多了。

陈白露　（笑着）我从前也并不小气呀！算了，你不要尽跟我说好听的话吧。我知道你觉得我太随便，太不在乎。甚至于疑心我很放荡，是不是？

方达生　我当然不愿意这样想。

陈白露　那么为什么不老实告诉我呢？你怎么倒变得不爽快啦？

方达生　对——应该坦白些，你是改变多了，几乎使我不敢认识。你说话、态度、举止、行为，都和从前不一样了，今天晚上在舞场里我一直在观察你。你教我很失望。

陈白露　哦？

方达生　是的，我没有想到你会变成这么随便的女人。

陈白露　你是要教训我么？你知道，我是不喜欢听教训的。

方达生　怎么是教训呢。我只是看不下去你这种样子。老远的听见关于你的种种传说，我不相信。这次在路上碰巧遇见你，我想我还可以找你谈点严肃的问题。我来看你，我发现你在这么一个地方住着；一个单身的女人，长期住在旅馆，交些不三不四的朋友，这种行为简直是，简直是堕落——你要我怎么说呢？

陈白露　（站起，故作怒状）你怎么敢当着面说我堕落！你跟我有什么关系，你能这么教训我？

方达生　（安详地）自然现在我跟你没有什么关系。

陈白露　（不放松）难道从前有关系？

方达生　当然没有，不过你该记得我们曾经有过比较深刻的友谊。我想你也知道我找你谈是为了什么？

陈白露　（倔强地）为什么？我怎么知道！

方达生　（爽直地）竹均，不要这样装糊涂！我很希望你离开这种地方。

陈白露　（睁着大眼睛）离开？到哪儿去？你明明晓得我家里现在没

有一个能赚钱的人。

方达生 我知道，我可以替你找个事情做。

陈白露 （出乎意外）哦，找事情，（嘲讽地）我能做什么呢？

方达生 有的是事情可做，你不是一点能力没有，首先应该离开这儿。

陈白露 马上离开？

方达生 当然好。

陈白露 就这么容易？

方达生 这有什么？是可以这么简单的。

陈白露 简单？我需要人养活我，你不明白？我要舒服，要享受，你不明白？我要坐汽车，要穿好衣服，要玩，要跳舞，你难道看不明白？

方达生 （严肃地）你简直忘了你自己是谁了。

陈白露 忘了不很好么？

方达生 （不屑地）你倒像很得意的。

陈白露 为什么不呢？我一个人闯出来，离开了家，不靠亲戚朋友，混到现在还不是好好活着，我为什么不得意？

方达生 这也叫活着？

陈白露 不要太追究了，在这种社会能混下去就好，何必想那么多呢？

方达生 （望望她）你是这样看！（似乎感到自己是在白费时间，笑了笑，提起往事）那么，你早就跟他离婚了。

陈白露 （伶俐地）不是这样说法，是他早就跟我离了婚，他到他的

“满洲国”做他的生意，爱上另外一个人，就这样跟我离了婚。结婚，离婚，半年的工夫。他说“离婚”，我说“好”，爽爽快快地我答应了他，就走上了我自己的路。

方达生 离开他是好的。

陈白露 只有一样别扭，我觉得很对不起你，没有听你的话。当初我以为我的选择是对的。

方达生 那么你现在的选择对么？

陈白露 你说——

方达生 我是说你现在的路子。

陈白露 哦，这个——我能选择么？

方达生 为什么不？一个青年人总该有他的意志。

陈白露 你看我还是青年人？

方达生 （干脆）你这是推脱。当作一个老朋友，我想问问你，你怎么可以把自己弄到这步田地？

陈白露 穷，你知道我家里有的是老老小小，爸爸被洋行辞退了，弟弟妹妹都一点大，在乡下的哥哥不知被保甲长弄到哪儿去了，可是留下一大堆孩子——

方达生 单单是穷么？不是的，小姐，你的情形正是在这种半殖民地、半封建社会下的现象，我们应该认清，在帝国主义的压迫下——

陈白露 不要对我再谈起这些理论了！你知道，我是听不懂理论的。

方达生 （热烈地）等等，难道这只是理论？这不是根据中国的事实？难道我们年轻的一代——

陈白露 能不能不谈这些呢？——（恳切地）达生，你难得到这里来，我知道你看见我很失望，我也没有法子向你解释清楚，可是见着你，我的老朋友，你想不到我是多么高兴。达生，你是我认为最亲近的人，比我家里的人都亲近得多，在这里，没有一个人真关心我，没有一个人！

方达生 你又何苦在这里混下去？你说我讲的是理论，是空谈，也好，我暂时不向你辩论，不过有一个最低限度的要求，你必须认识，人是应该用劳力换饭吃的，你今天这种生活方式——

陈白露 达生，生活在这种社会，有好多事实我可以反驳你，不过我现在实在没有勇气再谈这些。我只告诉你一点，好也罢，坏也罢，这么多年，我已经习惯了。

方达生 你应该忍痛摆脱掉，应该从一个新的方向看——

陈白露 不，达生，不要再谈这个问题了，让我们轻松一下，谈点快活的事吧。（从盒里抽出香烟）抽根烟吧？

方达生 我说过几次，我不会抽烟。

陈白露 （笑了笑）我的忘性比你的事实还要凶。（拉达生的手）谈谈自己的事情吧，有了爱人了吗？

方达生 （摇摇头）我没有工夫谈这个。

陈白露 忙些什么呢？

方达生 很多的事情。

陈白露 （松开手）还在做你的救亡工作？

方达生 教教书，写写文章，还做些我应该做的事。

陈白露　是不是又被国民党的特务跟上了？

方达生　（沉静地）跟从前一样，现在我没有一定的地方。

陈白露　茶房说有一个姓方的来找我，我真没想到是你，这是你第几次改姓了？

方达生　（笑着）我也记不清是第几次了。

陈白露　想想看，你看我这块材料能够过你这种日子吗？你说教我离开这个地方——

方达生　你弄错了，我不是说一定要你过我这种日子，我只是想你能离开这个地方，找个正常的职业，做一点事情。（抑压下不愉快的情绪）竹均，我确实很冒失，我觉得这次来看你似乎有点多余。

陈白露　我教你失望到这步田地吗？为什么是多余？你来得好，见着你，我心里真是豁亮多了。达生，你不要忙着走，在这里多住几天，你可以观察观察你说的这个半殖民地半封建社会到底是什么样子，（嘲讽地）我要请你看看这个人吃人的地方，这些神头鬼脸，很有意思啊！

方达生　我没有那么多闲情逸致。

陈白露　那么就让我多见你几次好不好呢？你对我的关心就这么一点点，劝不成，拔脚就走？想想我们以往的情感就不能多留几天？

方达生　我并没有说我就离开这里。

陈白露　那就住在这儿吧。你反正是今天不知明天住在哪里的人！就在此地落落脚又有什么关系呢？

方达生 住在什么地方在我是一样，可是连累人我就觉得不必。

陈白露 （自得地）你想，我是怕连累的人？只有住在此地，这种不三不四的地方，你倒可以平安一点，这个地方是不会被那些人注意的。

方达生 我已经从朋友家搬到一个妥当的旅馆。

陈白露 妥当？不见得吧。你的旅馆有一个客人被日本浪人暗杀了。

方达生 （略吃一惊）哦？

陈白露 你几天没有在旅馆住？

方达生 就昨天一夜没回去。

陈白露 这件事是今天一点钟发生的，旅馆现在恐怕还有鬼子的密探在搜查，这份晚报你看看。（站起来）福升。

〔福升上。

陈白露 我出去的时候教你从东方饭店取来的行李，你拿回来没有？

王福升 不就是方先生的？拿回来了。

方达生 竹均，你怎么这么任性。

陈白露 （没有搭理他，对福升）你搁在哪个屋里了？

王福升 东楼二十四号。

陈白露 是顶好的房子么？

王福升 除了您这间，二十四号是顶好的啦。

陈白露 你把我房间收拾好，就领方先生睡去吧，要是方先生看着不合适，告诉我，我把我的房子让给他。

王福升 是啦，陈小姐。（下）

陈白露　（见达生放下报）这个被暗杀了的客人你认识么？

方达生　（摇摇头）不知道。

陈白露　那好。

方达生　你什么时候叫人取的行李？

陈白露　巧得很，你一来找我，我知道你住的旅馆，就派人用我的名字担保，把你的行李取过来，那时候，那位客人还没回来。你放心，我的名字——（笑笑）用你的话来说，是象征着腐化、堕落，方达生跟陈白露连起来，倒是不会有特务找上门的了。

方达生　（望望她，不知说什么好）你——

陈白露　只是委屈你一两天，可是你只管做你的事，我混我的日子，就算教我这个老朋友尽一点点心，咱们谁也不干涉谁，可以么？

方达生　我想我还是走。

陈白露　现在你还到哪儿去？

方达生　没有地方。

陈白露　那就不要这么固执吧。一个老朋友的心你还看不出来么？你不是要说服我？你不愿意再多给我一点机会听听你的话么？走，走，这一次，听我的！

方达生　（沉稳地）好的，我谢谢你。

陈白露　对了，赶快洗个澡，睡个好觉。

〔福升上，远远一声鸡鸣。

陈白露　你听，真不早了，快点睡去吧。（向福）福升，你领方先生去。

〔方达生随福升由中门下。陈白露关上门。倚着门框站了一会，一夜晚的烟酒和激动消耗了她不少的精神，她打一个呵欠，走到桌前，燃着一支香烟。远处鸡鸣。窗外一片墨影渐渐透出深蓝的颜色。她丢下香烟轻快地走到窗前，将电灯熄灭，打开窗子，外面的建筑在黎明前的光影里逐渐显出了轮廓。她探身窗外，贪婪地吸着清晨的凉气。

〔远处传来工厂的汽笛声。屋内还是昏暗的。这时由左面食物柜后悄悄爬出一个人，倚着柜子立起，颤抖着，蹑足向门口走，预备乘机溜掉。白露这时觉得背后悉索声。她立刻转身，那人影钉在那里，一动不动。

陈白露 （低声）谁？（没有回应，吓得不敢动）谁？你是谁？（还是不答应，她大声）你是干什么的？

那　人 （小声）我……我……

〔白露赶紧开了灯，在晃眼的灯光下站着一个瘦弱的小女孩子，举着苍白的小手遮住眼睛。她约莫有十五六岁的样子，两根辫子垂在胸前，头发乱蓬蓬的，一双惊惶的大眼睛望着白露，眼泪沾湿了睫毛，寒冷和恐惧使她的小身体在肥大的旧绸褂里不住地发抖。她双手提着过长的裤管，蹒跚地移动。

陈白露 原来是这么个小东西。

〔小东西望望她依旧不作声，径自一跛一跛地往后退，一不小心踏在裤管上，几乎跌倒。

陈白露　（忍不住要笑——却故意绷起脸）你到我这里来干什么？偷东西？啊！（佯怒）你说！

小东西　（急辩）我没有偷东西。

陈白露　（指着）那你这衣服是谁的？

小东西　（低头估量衣服）是那个妈妈的。

陈白露　谁是你妈妈？

小东西　（望白露一眼，呆呆地撩开眼前的头发）不知道。

陈白露　（笑了——依然忖度她）你这个糊涂孩子，怎么连你妈妈都不知道。她住在什么地方？

小东西　（指屋顶）楼上。

陈白露　楼上。（她恍然明白了）哦，你是楼上的，可怜，你怎么能跑出来了？

小东西　（声音很低，却很坚决）我要跑出来。

陈白露　为什么？

〔小东西低下头不作声。

陈白露　怎么了？

〔小东西噁然不说。

陈白露　（和蔼地）你说呀，这儿不要紧的。

小东西　（半晌）他们前天晚上（她又望望白露）要我跟一个黑胖子一块儿睡，我不肯，他们——

陈白露　就打你？

小东西　（点头）嗯，拿皮鞭子抽。昨天晚上他们又把我带到这儿来，那黑胖子又来了。我叫起来，那黑胖子气走了……

陈白露 他们又打你了。

小东西 （摇头）没有，隔壁有人，他们怕人听见；就堵住我的嘴，掐我，拿……拿……拿烟扦子扎我。（忍住泪）你看，你看！（伸出臂膊，白露拉她的手。小东西不自主地）啊！

陈白露 你怎么啦？

小东西 （痛楚地）痛！

陈白露 天！这只胳膊成了这样！

小东西 不要紧的，（拉下袖管遮住臂膊）他们怕我跑，不给我衣服，叫我睡在床上。

陈白露 你出来的时候，他们在干什么？

小东西 在隔壁抽烟打牌。我才偷偷儿起来，把妈妈的衣服穿上。

陈白露 你怎么不一直跑出去？

小东西 （很解事的）我不认识路，一下楼，就看见他们的人，我就藏到你这儿。

陈白露 你妈妈呢？

小东西 她在楼上。

陈白露 不是，我说你的亲妈妈，生你的妈妈。

小东西 她早死了。

陈白露 父亲呢？

小东西 （眼眶含满了泪）上半个月死的。

陈白露 哦！你跑到我这里来，他们可容易找着你。

小东西 （恐惧）别，别！小姐，千万别找他们，他们准打死我。（拉着白露的手）

陈白露　不，孩子，我没有说把你送回去，你先坐着，放下心。

〔小东西忽然跑去把门关好。

陈白露　不要紧的。你先不要怕。（停）你刚才不是想出去的么？

小东西　（点首）嗯。

陈白露　你预备上哪儿去？

小东西　（低声）家。

陈白露　（奇怪）你有家？你爸爸不是也死了么？

小东西　（低头）嗯，教人害死的，我爸爸在鬼子的工厂做工，他死了，有朋友照护我。

陈白露　（怜悯地）可怜！（拍拍她的肩）你怎么还哆嗦？

小东西　我饿。

陈白露　看我多糊涂！（到食物柜前）你多少时候没吃东西？

小东西　一天多了。他们说要等那黑胖子喜欢了才许我吃。

陈白露　你先吃一点饼干。

〔小东西望着饼干不敢伸手接。

陈白露　吃嘤！

小东西　（接下饼干）谢谢！

〔中间门轻轻推开。

小东西　（赶紧放下食物，在墙角躲起来）啊。

陈白露　谁？

〔福升上。

王福升　我，福升。

〔小东西惊吓地望着福升。

陈白露 不要怕，他是茶房。

王福升 小姐，潘经理还没有走呢。

陈白露 这会儿还没有走？

王福升 旅馆旁边不是要盖一座大楼么？潘经理也许跟他那位秘书谈什么事呢。他嘱咐过，您回来就去请他。

陈白露 那你不要教他来，跟潘经理说，我要睡了。

王福升 您为什么不见见他呢，人家潘经理——

陈白露 （讨厌这个人的啰唆）你不要管。

王福升 （卑屈的神色，谄笑着）是，（由袋里摸出一叠账单）小姐，这又有些账单，要不我念您听听：美丰金店六百五十四块四，永昌绸缎公司三百五十五元五毛五，旅馆二百二十九块七毛六。

陈白露 （不耐烦）不要念，我懒得听。

王福升 小姐，不是我不侍候您，您教我每天这样搪账，说好说歹，今天再没有现钱，实在下不去了。

陈白露 （叹了一口气）钱，钱，永远是钱！（烦躁地）你别拿这事来麻烦我好不好？

王福升 我不敢，小姐，可是，这年头不济，市面紧，今天过了，就不知道明天还过不过——

陈白露 算啦，回头我想法子吧，教他们放心得了。

王福升 是。（正要出门）咦，小姐。哪里来的这么个丫头？

〔小东西望着白露。

陈白露 （走到小东西旁边）你不用管。

王福升 （上下打量小东西）这孩子我好像认得。小姐，我劝您少管闲事。

陈白露 怎么?

王福升 外面有人找她。

陈白露 谁?

王福升 楼上的一帮地痞们，尽是打手。

小东西 （走到福升前面，抓住他）你别告诉他们。

王福升 （闪开，对小东西）少挨着我。

陈白露 （向福）把门关上！锁住。

王福升 小姐——

陈白露 你先锁上。

王福升 （锁门）小姐，这可藏不住，她妈跟她爸爸在这楼里四下里找她呢。

陈白露 给他们一点钱，难道不成?

王福升 您又大方起来了。给他们钱？您有几万?

陈白露 怎么讲?

王福升 您这时出钱，那他们不敲个够。

陈白露 那我们就——

〔外面足步与说话声。

王福升 别说话，外面有人。（听一会）他们来了。

小东西 （抓住白露的衣襟）啊，怎么办?

陈白露 （紧紧拉着她的手）你要再叫，我就把你推出去了。

小东西 （喑哑）不!

陈白露　（低声）别说话。

〔男甲的声音：（暴躁地）这个死丫头，一点造化也没有，放着福不享，偏要跑，真他妈不是人揍的。

〔外面女人的声音：你看这不是活财神来了。这没有人心的孩子，偏跑了，你看这怎么交代？——

〔男甲的声音：（不耐烦地对着妇人咆哮）去你妈的一边去吧。孩子跑了，你不早看着，还叨叨叨，叨叨叨，（女人不作声）喂，老三，你看她不会跑出去吧？

〔老三声：不会的，不会的。

〔女人的声音：她穿我的衣服跑的。会跑哪儿去？可是二楼一楼，都说没看见。

〔男丙的声音：这楼的茶房说刚才见过她。

〔男甲粗暴的声音：（命令的口气）那么一定就在这一层楼里，下功夫找吧。

〔女人声：（狺狺然）哼，反正跑不了，这个死丫头。

〔屋内三人屏息谛听，男女足步声渐远。

陈白露　走了。

王福升　走了，大概是到那边去了。

陈白露　（忽然打开门）让我看看。（正要探出头去，小东西拉着她的手，死命地拉她回来）

王福升　（关好门，警告）不要跟他们打交代。

陈白露　（向小东西）你别怕，不要紧的。（向福）是怎么回事——

王福升　别惹他们。这一帮人不好惹，好汉不吃眼前亏。

陈白露　怎么？

王福升　他们手里都有家伙，都是吃卖命饭的。

陈白露　那他们总不能不讲理呀！把这孩子打成这样，你看，（拿起小东西臂膊）烟扦子扎的，闹急了，我就可以告他们。

王福升　告他们！告谁呀？他们都跟巡捕房洋鬼子有来往，怎么告？这官司啊，打不赢，这点仇您可结上了。

陈白露　难道我把这个孩子给他们送去？

王福升　（摇头）这个事难，我看您乖乖地把这孩子送回去。听说这孩子打了金八爷一巴掌，金八爷火了。您不知道？

陈白露　（没想到）哦，他呀！（望望小东西）你这孩子！

小东西　（狠狠地瞪福升一眼，对白露）就是那黑胖子。

王福升　您想想，金八爷！大财神，又是钱，又是势，又有洋人做他的干爸爸，好家伙，嘁！

陈白露　哦，是他！他怎么会跑到这旅馆来？

王福升　家里不开心，到这儿来玩玩，反正有的是美金洋钞票。

陈白露　（低声）金八，嗯。（向小东西）你怎么单碰上这么个阎王——小东西，你是打了他？

小东西　你说那黑胖子？——嗯。他，他要跟我——我躲不开，也不知怎么，就把他打了。

陈白露　（自语）打的好！打的好！打的痛快！

王福升　（怕事）小姐，这件事我可先说下，没有我在内。您要大发慈悲，管这个孩子，这可是您一个人的事，可没有我。过一会，他们要问到我——

陈白露 （干脆地）好，你说你没看见！

王福升 （望望小东西，不安地）没看见？可是——

陈白露 出了事由我担待。

王福升 （正希望白露说出这句话）好，好，好，由您担待就成。（油嘴滑舌）上有电灯，下有地板，这可是您自己说的。

陈白露 （点头）嗯，自然，我说一句算一句。现在你把潘经理请进来吧。

王福升 （狡黠地）可是您刚才不是不要他老人家来么？

陈白露 （瞪他一眼）我教你去你就去。

王福升 （拖长声音）是——是——是——（不以为然地走出去）

陈白露 （思索片刻，望望小东西，又拿两块饼干给她）你再吃点。

小东西 不，我不吃了。

陈白露 怎么？

小东西 （鼓起勇气）我还是走吧。

陈白露 （过来安慰她）不要紧，你别急，你这会出去还是靠不住。

小东西 我知道，可是小姐，你——

陈白露 （看出她的勇敢）你不要为我担心。（拉过小东西坐）来，我给你想想法子。（倒一杯水递给她）喝口水吧。

〔潘经理进。潘经理——一块庞然大物，裹着一身绸缎，头发已经斑白，行动很迟缓，然而见着白露，他的年纪，举动态度就突然变得又年轻，又活泼，其实他最小的儿子也已经二十出头了。他仿佛刚穿好衣服，领扣还未系好，一只手拿着雪茄，皱着眉却又忍不住笑。

潘月亭　白露，我知道你会找我来的！我等了你一晚上，幸亏李石清来了，跟我谈谈银行的事，我教人看你好几次，你都没回来。你看，我请你吃饭，你不去；我请你跳舞，你不去；可是（非常得意）我知道你早晚会找我的。

陈白露　（睨视）你这么相信你的魔力么？

潘月亭　（自负地）可惜，你没有瞧见我年轻的时候——（忽然低声）我知道你想我，（自作多情）是不是？（呵呵大笑）

陈白露　嗯！我想你——

潘月亭　是的，我知道，（指点着）你良心好。

陈白露　嗯，我想你给我办一件事。

潘月亭　（故意皱起眉头）又是办事，又是办事——你见着我，没有别的，你专门好管这些闲事。

陈白露　你怎么知道的？

潘月亭　福升告诉我了。

陈白露　你管不管？

潘月亭　（走近小东西）嗯，是这么个小东西。

陈白露　你看她多么可怜——她——

潘月亭　得了，我都知道，反正总是那么一套。

陈白露　（要挟地）月亭，你管不管？

潘月亭　我管！我管！

陈白露　小东西，快谢谢潘经理。

〔小东西正要上前。

潘月亭　（拦住她）得了，得了。白露，你真会给我找麻烦。

陈白露　你听！（外面人声）他们好像又来了。小东西，你到（指右面）那屋去。

〔小东西进右屋。

〔门外男甲声：是这间屋子么？

〔门外男乙声：是！

陈白露　（向潘）他们大概指的我这个门。

潘月亭　嗯！

〔男甲声：别含糊，你是看见她进了这个门？

〔男乙声：嗯。

〔男甲声：没有出来？

〔女人声：你看你，走到门口又犹疑什么？

〔男丙声：弄清楚，别走错了门。

〔男人说话混杂声。

陈白露　月亭，你不能等他们进来，你打开门出去，叫他们滚蛋。

潘月亭　这帮人他们大概都认识我，叫他们走倒不难。

陈白露　月亭，谢谢你，谢谢你，你真是个好人。

潘月亭　（傻笑）从我认识你，你第一次说谢谢我。

陈白露　（揶揄地）因为你第一次当好人。

潘月亭　你又挖苦我！白露，你——

陈白露　别说了，你先打发他们走吧。

潘月亭　好。（正要开门）

陈白露　可是月亭，你当然知道这个小东西是金八看上的。

潘月亭　金八。什么？（反身）

陈白露 这孩子把金八得罪了。

潘月亭 什么，这是金八看上的人？

陈白露 福升没有告诉你？

潘月亭 没有，没有，你看你，险点做个错事。（逡巡退回）

陈白露 怎么，月亭，你改主意了？

潘月亭 白露，你不知道，金八这家伙背景复杂，连特务也跟他勾结，现在又巴结上日本鬼子，当上仁丰纱厂的总经理——

陈白露 那就成了皇帝啦？

潘月亭 不是皇帝也差不多！

陈白露 那么，你不管了？

潘月亭 不是我不管，是我不能管，而且为这么一个孩子，你又何必——

陈白露 （负气）好啦，你不管就不管，你不要拦我。

潘月亭 你看，这脾气。

〔男丙声：（粗暴地）敲门，她一定在这儿。

〔男甲声：怎么？

〔男丙声：你看，这不是大妈的手绢？那孩子不是穿着大妈衣服跑的么？

〔女人声：可不是，就是我的手绢。

〔男甲声：那一定是这个门，她一定在这里。开门，开门。

陈白露 （揶揄）月亭，你别怕。（要开门）

潘月亭 （拉住露的手）你别理他们。

〔门外人声：开门，开门。

陈白露　月亭，你先进到那屋去，省得你为难，我要开门。

潘月亭　别，白露。

陈白露　你进去。（指左边）你进去——我可真气了。

潘月亭　好，我进去。

陈白露　快，快。

〔潘月亭进左门，白露立刻大开中门。

陈白露　（对门外）你们是干什么来了？

男　甲　（穿着黑衣服，戴着黑帽子的——不理白露，气汹汹地。对着后边的党羽）进来，你们都进来，搜搜吧。

陈白露　（忽然声色俱厉的）站住，都进来？谁教你们都进来？你们吃什么长大的？你们要是横不讲理，这个码头的祖宗在这儿呢！（笑）你们是搜私货么？我这儿搜烟土有烟土，搜手枪有手枪，不含糊你们！（指左屋）我这间屋里有五百两烟土，（指右屋）那间屋里有八十杆手枪，你们说，要什么吧？这点东西总够你们大家玩的。

〔门口的人一时吓住了。

陈白露　（向门口）进来呀！诸位！（很客气地）你们怎么不进来呀？

男　丙　（懵懵地）进来就进来！这算个什么？

男　甲　混蛋！谁教你进来的？滚出去！

男　丙　（颟顸地）滚就滚！

男　甲　（笑）您别，别多心。您这生的是哪一门子气！我们没有事也不会到这儿来打搅。我们跑丢了一个小孩子，一个刚混事由的。我们到这儿来也是看看，怕她藏在什么地方，回头吓着您。

陈白露 哦，(恍然)你们这一大帮子人闯到我屋来，是为找一个小姑娘呀！

男　甲 (非常关心)那么您大概一定是看见她了。

陈白露 对不起，我没有看见。

男　甲 可是您瞧，在您门口我们捡着她丢的一块手绢。(举起手帕)

陈白露 那她要丢，我有什么法子？

男　甲 您不知道，刚才还有人看见她进来了。

陈白露 到我屋子来了，那我可说在头里：她要偷了我的东西，你们可得赔。

男　甲 您别打哈哈。我们说不定都是一家子的人。您也帮个忙，我看得出来，您跟金八爷一定也是——

陈白露 金八爷？哦，你们也是八爷的朋友？

男　甲 (笑)够不上朋友，常给他老人家办点小事。

陈白露 那么，好极了，金八爷刚才告诉我教你们滚开。

男　甲 刚才？

陈白露 (索性做到底)八爷就在这儿。

男　甲 (疑惑)在这儿！我们刚送八爷出的旅馆。

陈白露 可是你们不知道，他又进来了。

男　甲 又进来了？(停顿，看出她的谎)那我们得见见，我们得把这件事告诉他。(回头向门口)你们说，对不对？

〔门口人声：对，对，我们要见见。

陈白露 (镇静)不成！八爷说不愿见人。

男　甲　他不能不见我。我得见见。

陈白露　不成，你不能见。

男　甲　不能见，我也得见。（看见露向着右边小东西藏的屋子走）八爷大概就在这个屋子。

〔白露忽然又到左边潘月亭藏匿的房屋门口。故意做怕他们进去的样子。

男　甲　八奶奶跟我们打哈哈啦？（向露走来，狞笑。凶恶地）躲开！躲开！

陈白露　你大概要找死！（回头向左门）八爷，八爷，你出来教训教训他们这帮混账东西。

〔门开，潘月亭轻轻走出。

潘月亭　（低声指着门内）白露，吵什么，八爷睡觉了。（望着男甲）咦，黑三？是你，你这是干什么？

男　甲　哦，（想不到）潘四爷，你老人家也在这儿。

潘月亭　我刚跟八爷进来，到这儿来歇歇腿，抽口烟，你们在这儿是要造反，怎么啦？

男　甲　（嗫嚅）怎么，八爷是在这儿，（笑）——呃呃，是在这儿睡觉了？

潘月亭　你要进来谈谈么？那就请进来坐坐吧！（大开门）我烧一口烟，教金八起来陪陪你。

男　甲　（赔着笑）四爷，您别跟我们开心。

潘月亭　不坐坐么？门口那几位不进来歇歇？

男　甲　不，不，您看我们也是有公事——

潘月亭　好极了。你们要有事，那就请你们给我滚蛋，少在这里废话！

男　甲　（服从地）是，潘四爷您别生这么大的气！我们得罪的地方您可得多担待着点儿。（忽然回头向门口的人们）你们看什么，你们这些混蛋还不滚！他妈的这些死人！（又转过笑脸）没有法子！这一群人！潘四爷，回头八爷醒了您可千万别说我们到这儿来过。小姐，您得多替我们美言两句。刚才的事您千万一字不提。方才我对您算开个玩笑，是我该死！（自己打嘴巴）该死！

陈白露　好好，快滚吧。

男　甲　（谄媚）您出气了吧？那我们走了。（下）

陈白露　（关上门）完了，（自语）我第一次做这么一件痛快事。

潘月亭　我第一次做这么一件荒唐事。

陈白露　好啦，走啦，请金八爷归位吧。

潘月亭　哼！“请神容易送神难。”用这个招牌把他们赶走了倒容易，回头见着金八，我们说不定就有乱子，出麻烦。

陈白露　今天不管明天事。反正这事好玩的很。

潘月亭　好玩？哼！

陈白露　我看什么事都“好玩”。（呵欠）我真有点累了，（忽然瞥见地上的日影）喂！你看！

潘月亭　什么？

陈白露　太阳——太阳都出来了。（跑到窗前）

潘月亭　（干涩地）太阳出来就出来得了，这有什么喊头。

陈白露　（对着日光，外面隐隐有雀噪声）你看，天多蓝！——喂，你听，麻雀！（窗外吱吱雀噪声）春天来了。（满心欢悦，尽情地）哦！我喜欢太阳，我喜欢春天，我喜欢年轻，我喜欢我自己。哦，我喜欢！（长长吸一口冷气）

潘月亭　（不感觉兴趣地）喜欢就喜欢得了，说什么！（忽然地）白露，这屋子太冷了，你要冻着，我给你关上窗户。

陈白露　（执拗地）不，我不关！我不关！

潘月亭　好，好，好，不关就不关吧。你这孩子，我真没有办法，我对我的亲生女儿也没有这么体贴过。

陈白露　这有什么希奇，我要是你的亲生女儿，你还会这么体贴我？

潘月亭　说得好，说得透彻。（恳求）那你关上窗户吧，我要着……（张嘴翕鼻，要打喷嚏的样子）着……阿提（大声一个喷嚏）你，看，我已经着凉了。

陈白露　（忽从窗户回来）这个傻孩子，你怎么早不说？

潘月亭　（得意地）可以关上了吧。

陈白露　不，不，我给你多加点衣服。来，你先坐下，你披上我的大衣，围上我的围巾，盖上皮袍子，你看，这不好了么？（弄得老头儿奇形怪状地堆在沙发上）你真像我的父亲，哦，我可怜的爸爸！你尽在我这儿受委屈了。

潘月亭　（推开她）白露，（要立起来）我不要你叫我爸爸。

陈白露　（把他按在沙发里，任性地）我喜欢叫你是我的爸爸，我要叫你是我的爸爸，老爸爸！

潘月亭 （抗议）我不老，你为什么叫我老爸爸。

陈白露 （笑着，娇纵地）我要叫，我偏要叫，老爸爸！老爸爸！

潘月亭 （反而高兴起来，爽快地）也好，叫吧！叫得好，叫得好。（眉开眼笑起来）

陈白露 （忽然）月亭，你好好地坐着。我给你念一段小说听。（拿起一本很精致的书）

潘月亭 我不要听什么小说。

陈白露 你要听。

潘月亭 好，我听我听！（看见书的名字）《日出》，不好，不好，这个名字第一个就不好。

陈白露 好！我说好。

潘月亭 好，好，好，你念吧！

陈白露 （翻阅书本，念）"……太阳升起来了，黑暗留在后面。"

潘月亭 （欠伸）不通，不通，没有一点道理。

陈白露 （不理他，念下去）"……但是太阳不是我们的，我们要睡了。"

潘月亭 （深深一个呵欠）也不通，不过后头这一句"我们要睡了"这句话还有点意思。

陈白露 （不耐烦地关上书）你真讨厌。不许你多嘴，你再说……（正要举书打他）

〔右边卧室内有个小巴儿狗汪汪叫，夹杂着小东西惊号的声音。

潘月亭 这是什么？

〔白露立起。小东西由卧室跑出来，她惊慌地关上门，巴儿狗在门缝儿里吠着。

小东西 （十分狼狈地）小姐……小姐！

陈白露 怎么啦？

小东西 它……它追我！

陈白露 （失色）什么？谁？谁？

小东西 （惊喘）你的巴儿狗,（回头望）要咬我。

陈白露 你这孩子！我还以为那帮人从卧室进来了呢。

潘月亭 你看多麻烦！

〔敲门的声音。

小东西 （望露）有人敲门。

潘月亭 别是他们又回来了？

陈白露 （走近门）谁？

〔方达生推门进。

方达生 是我，竹均。

陈白露 （惊愕）你怎么还没睡！

方达生 太吵，睡不着。茶房告诉我，说你这屋跑进来一个女孩子，我想你也许没睡，就来看看。

陈白露 （指小东西）你看，就是她。

方达生 哦。

潘月亭 （从衣服堆里立起来）白露，这位先生——

陈白露 （望方一眼）哦，我忘了介绍，这是我的一位远房亲戚。

方达生 （向露）他——

潘月亭 （笑吟吟地）潘……潘……（要打喷嚏）

陈白露 潘月亭，潘先生。

潘月亭 （言不由衷）好极了，坐，坐。（忽然）可是快关……（张口翕鼻指点着）……关……啊提！（喷嚏）你看，这一次我真着凉了。

——幕落

小海号[1]

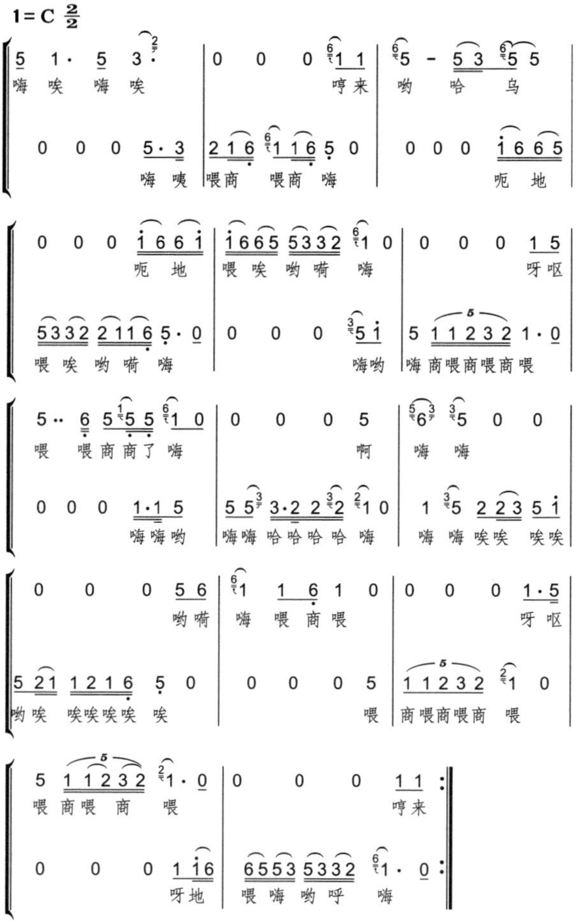

上列谱中，每小节打二拍，第一拍表示重砸，第二拍表示轻砸。

1　第一小节第二个“唉”字的后倚音2原为3，据底本五线谱改。第四小节“嗨”字的节奏原无符点，据底本五线谱加。第九小节“唉”字的5原为5̣，据底本五线谱改。

轴号[1]

1=C $\frac{2}{2}$

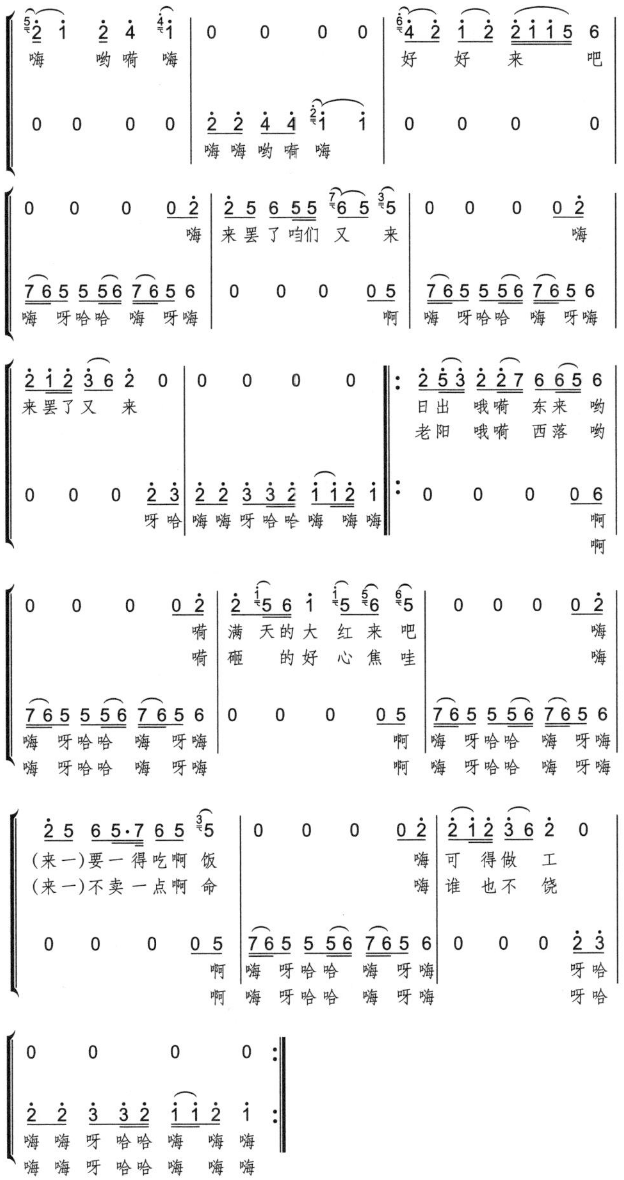

上列谱中，每小节打二拍，每拍表示一轻硪。

---

1 第五小节“又”字的6原为6̣，据底本五线谱改。

第二幕

景同第一幕，还是××旅馆那间华丽的休息室。

黄昏了，室内一片夕阳的返照，窗外有节奏地传来小工们打地基的桩歌，由近渐远，掺杂着多少人的步伐和石硪落地的沉重的声音。这些工人们在此处一共唱着两种打桩的歌："小海号"和"轴号"。现在他们正呼着"小海号"，一个高亢的声音领头，二三十个嗓音接应着，唱声停顿的空间夹杂着两三排"木夯"（木夯是一种砸地的工具，木做的，两个人握着柄，一步一移向前砸。一排多半是四个夯，八个人）"嗨唉，嗨唉"砸地的工作声。

这时福升一个人在房里收拾桌上的烟具，非常不耐烦的样子，频频向外望，一面打着呵欠。

王福升 （捺不住了，对着窗口，唾了一口）呸！嗨唉！总他妈的嗨唉！这楼要是盖好，还不把人吵死。（接着又是远远举着"石硪"打地基的工人们唱着"小海号"，他听了一会，狠狠地）没完了！就靠白天睡会觉，这帮死不了的嚷嚷起来没完啦！眼看着就要天黑，真他妈的不嫌麻烦。（又吐一口唾沫）

〔"叫号"的小工们越唱越响，改了调门，唱"轴号"："日出东来，满天的大红，要得吃饭，可得做工。

王福升 （忽然坐下，把两只耳朵里塞好了的纸团取出来，挖挖耳朵，挑衅地）来吧！唱吧！你嗨唉吧！我跟你算泡上啦，我听，你唱，他妈看谁耗过谁！（爽性闭上眼）看谁耗过谁！

〔唱声渐低，方达生进。

王福升 （听见有人，回头望望，站起）方先生，您都回来了。今天外面可热闹。

方达生 什么热闹？

王福升 您没碰上？工人学生示威大游行，在我们旅馆门口又跟巡捕干上了。

方达生 哦！

王福升 这次可比上次凶，听说日本鬼子又要出兵了。

方达生 哦。晚报来了吗？

王福升 在陈小姐屋。小姐在陪客人打牌，您找她么？

方达生 不用，他们还在打牌么？

王福升 天一黑，客人一多，更玩上了。

方达生 那孩子怎么样了？

王福升 还不在那屋藏着呢！

〔方达生向右门走。

王福升 方才有几位学生来看您。

方达生 见到了。（由右门下）

〔敲门声。

王福升 谁？

〔福升开中门。黄省三很畏缩地走进，惨白的脸没有一丝血色，满脸惭愧和惶恐的神气。他骨瘦如柴，只穿着一条夹裤和一件败色的旧薄棉袍。他是一个胆小而非常神经质的人。笑起来也是那样凄惨惨的，每说一句话总要鼓起很多的气力，声音很低，说完了，就不自主地咳嗽两声。他是这样谦卑，不自信，甚至于疑心连自己的声音都会使人不耐。他年纪不算大，然而经年的忧虑和劳碌，逼得他近乎一个衰弱的老人了。

〔他手里攥着一条围巾，不安地四面张望着。

王福升 是你呀，你又来了！（板起脸）你是干什么的？

黄省三 对不起！（很谦虚地笑出声来）对……对不起！（鞠着躬）我……我大概是走错门了。（咳嗽，他转过身要出去）

王福升 （一把拉住他）回来！回来！你上哪儿去？

黄省三 （红了脸，连忙分辩）先生，我是走错门了。

王福升 （找碴）你走错了门你也得回来。好，这门是你随便走错的么？

黄省三 （非常疚歉地）可是，先生我已经走错了，我，我也道歉了。

王福升 你不知道，旅馆里面什么样的人都有。你为什么不敲门就闯进来啦？

黄省三 （神经质地笑着）我，我敲了门了，先生……

王福升 （强词夺理）我怎么没有听见哪？

黄省三 （苦笑）先生，你要不听见，你叫我怎么办？

王福升 （厉声）你混人！你到底找谁？

黄省三　（不安地揉弄着围巾）找，找李先生。

王福升　姓李的多的很，谁是李先生？

黄省三　是,（忙解释）不，我找的是五十二号。

王福升　这房子就是五十二号。

黄省三　（露出喜色）那，那我还是对了。（无目的地打量一番，又对福，有礼貌地）我找李石清李先生。

王福升　（干脆）没有来。

黄省三　（犹疑半天）要是潘经理有工夫的话，我想见见潘经理。先生，请你传一声。

王福升　（估量他）潘经理，倒是有一位，可是（酸溜溜地）你？你想见潘经理？（大笑）

黄省三　（无可奈何地）我，是大丰银行的录事。

王福升　（欺凌地）录事？你祖宗也是白搭。潘四爷在这儿是串门，玩来的，向来不见客。

黄省三　可是,（哀求）先生，求您去请他老人家一趟好吧？

王福升　不在这儿！（不耐烦）告诉你潘四爷不在这儿呢！去，去，去！别讨厌，谁知道你是干什么的？

黄省三　（一再解白）先生，我，我是大丰银行的录事，我姓黄——

王福升　（打开门，向外推黄）去！去！去！少给我添麻烦。

黄省三　（一面被他推着，一面回头）先生，我叫黄省三，我从前——

王福升　（得意地）我知道，你从前是录事，你姓黄，你叫黄省三，你找李先生，潘经理，大丰银行的人你都找。你到处装孙子，要找事。你当我不知道，不认识你？

黄省三 （气得手发抖）先生，你认识我，（赔着笑容）那就更好了。

王福升 （愉快地骂着他）我在这儿看见过你好几次，你都不认识我，就凭你这点王八记性，你还找事呢！（拉着黄，不由分说，用力向外一推）去你个蛋吧！

黄省三 （踉跄摔在门框，几乎瘫在那儿）你为什么骂人？我知道我穷，可是你不能骂我是王八，你，你不能——

王福升 （恶意的玩笑）那你问你家里去，我哪儿知道？（拍着他的肩，狞笑）好，好，你不是王八，你儿子是王八的蛋，好吧？

黄省三 （突然好像疯狂了，他立起来，仿佛要以全身的重量压死面前这个禽兽，举起手）你，你，我要……

王福升 （活脱脱一个流氓，抓着黄胸襟）你敢怎么样？

〔半晌。

黄省三 （睁着疯人似的眼睛，惧怕而愤怒地盯着他，他的颈子被衣服勒住，挤得凸起一条条的青筋，手不自主地颤抖着。半天——低声，虚弱地）让——我——走！——让——我——走！

〔福升放开手，黄省三垂头走出门。外面打夯声"嗨唉""嗨唉"渐近。

〔一阵紧促的电话铃响，福升走向小几，拿起电话。

王福升 喂，你哪儿？（听不清，大声）你哪儿？……你要哪儿？……（暴躁地）你到底找哪儿！……啊，你骂人……你才王八蛋？你才……什么？（声渐低）什么？你，你姓金？

啊……哪……你老人家是，是金八爷！……是……是……是……我就是五十二号……您，我实在看不见，我不知道是您老人家……（赔着笑）您尽管骂吧！（他笔直地站着，不自觉地一次次俯首呵腰，满脸光彩地听取一连串灌入他耳中的诟骂）是……是……您骂的对！您骂的对！

〔潘月亭由左边门进。

潘月亭 （向福升）谁？谁来电话？是李石清先生么？

王福升 （狼狈地，不知应付哪一面好，望着潘摇头）……是，我不敢……是，下次我再不敢……是……您千万别生气……（似乎对面气消了些）是我王八蛋……是……您找，是，您找潘经理？您等一下，他老人家来了。（向潘）您的电话。（要把耳机递过去，听见话筒里又有声音，他急忙又凑到耳边）是……是，我不是人揍的，（递过耳机）我混蛋！（长长叹一口气）

潘月亭 （按着耳机上的喇叭口，低声）你这个糊涂蛋！是谁打来的？

王福升 （气得失了神）啊？谁？是金八，金八爷。

潘月亭 （向福）李石清，李先生还没有来么？

王福升 没有来。李先生没有来。

潘月亭 你进去问问李太太，她先生说什么时候到这儿来？

王福升 是。（垂头丧气地走出）

潘月亭 （清了清喉咙）是金八爷么？……我是月亭……是……是，你的存款不会有错的。你先维持三天……三天之后，你来提，我一定拨过去……是……是……现在大丰银行营业还不错，我做的公债盐税、裁兵，都赚了点，你，啊？是的，都赚了点，你放心，三天，你大丰存款一定完全归清……什么？……笑话！……哦？没有的事，大宗提款？……没有，没有，谁说的？……呃，呃，这都是谣言，谣言，不要信他们，你看，八爷，银行现在不是在旅馆旁边又盖大丰大楼么？……自然，也是繁荣市面，叫钱多活动活动的意思……三天，多少年的交情啦，你只维持三天，统统还清……是的，（笑）八爷……公债有什么特别的消息么？……哦，哦……也这么听说，看涨。看涨……你没有买点么？……哦，是的……

王福升　（由左门进）李太太说李先生就来。（回头）顾八奶奶，四爷在这儿。

〔顾八奶奶进——一个俗不可耐的肥胖的中年女人。涂着浓厚的脂粉，为着掩藏脸上的皱纹。穿一件花旗袍镶着灿烂的金边，紧紧地箍在她的身上，浑身珠光宝气。她总是兴高采烈地笑，心广体胖，结实得像一条小牛却自命多病，时常这里酸那里痛的闹个不休。她总是那么年轻，年月似乎将她遗忘，前年她说三十岁，今年依旧是三十——而她已经有一个大学毕业的女儿。

〔门内一阵笑语声，顾八奶奶推开左面的门，麻雀牌和吵闹的声音遽然加强。她仿佛是逃出来的，步伐极力地轻盈，笑着，喘着。

顾八奶奶 （兴冲冲地进来，看见潘月亭，妖媚地）四爷呀！怎么你一个人在这儿？

〔潘月亭鞠了一躬。指着电话，示意就说完。福升由中门下。

顾八奶奶 （点点头，转向门内）不，不，王科长，我累了。不，白露，说什么我也不打了，我心里真不好受，再打，我的老病又要犯了。（又回转身，一阵风似地来到潘的面前，同时向门内）你们让我歇歇吧。（重甸甸地坐进沙发）可累死我了。

潘月亭 ……好，好，再见，再见。（放下电话）顾八奶奶……

顾八奶奶 （滔滔地）四爷，你呀，好好地放着牌不打，一个人在这里偷偷地打电话！（低声，故意地大惊小怪）你小心点，别忘了白露可就在那屋打牌呢。（非常体已的）告诉我不要紧，你又找谁啦？打电话的这个女人是谁？我算看透了，你们男人什么都好，又能赚钱，又能花钱的，可是就是一样，不懂得爱情，爱情的伟大，伟大的爱情——

潘月亭 顾八奶奶是天下最多情的女人！

顾八奶奶 （很自负地）所以我顶悲观，顶痛苦，顶热烈，顶没有法子办。

潘月亭 （笑着）咦，你怎么打着打着不打啦？打牌就有法子办了。

顾八奶奶 （提醒了她）哟，对了，劳您驾，四爷，你给我倒一杯水。（打开皮包）

潘月亭 （倒着水）你又怎么啦？

顾八奶奶 吃药，吃药，快给我水，吃完药再说。（摸着心，轻轻捶着）

潘月亭 （递给她水）怎么样？白露这儿什么样的药都有。我看你最好吃一点安眠药，睡个觉。

顾八奶奶 （像煞有介事）不，用不着，我是心痛！我刚才不打牌，就因为我忽然想起胡四这个没良心的东西，我的心又痛起来，一痛就跳，你不信你摸摸！

潘月亭 （怕碰她）我信，我信。

顾八奶奶 （坚持）你摸摸呢！

潘月亭 （不得已地把手伸出去）是，是。（应卯的样子）还好，还好。

顾八奶奶 （不高兴的神气）还好？我都快死了，我的心都要跳出来了，我找过多少医生，都说我没有病，我就不相信！我花二百块钱教法国有名的杜大夫检查一下，他立刻说我有心脏病，我才觉得我的心常痛，我有心病。你不信，再摸摸，你听听，扑腾扑腾的。（拉着潘的手）

潘月亭 （只好把头也伸过去听）是，是，是，是扑腾扑腾的。

〔陈白露由左门进，兴致勃勃的。

陈白露 咦！月亭，你没走？

〔潘月亭走到桌前点烟卷。

顾八奶奶 （搭讪着）你看！四爷给我治病呢。

陈白露 （敷衍）又是心病？（见方达生不在）我那位亲戚呢？刚才我好像还看见他在这儿。

顾八奶奶 白露，不就是那位一见人就直皱眉头的那位先生么？（一挥手）可别再请他来！我怕他。（向窗走）

陈白露 （不理顾，向右门走）达生！

〔方达生应声：啊。

陈白露　你在干什么？

〔同时方达生出现在右门口。

方达生　我正跟小东西谈话呢。

陈白露　你出来大家玩玩好不好？（走近达，低声）为什么不认识认识这些人呢？

方达生　（望望潘和顾，厌烦地）不，我要跟这个孩子好好谈谈。（回转身，把门关上）

陈白露　（自语）这个人简直是没办法。（坐在沙发扶手上，望着潘和顾）

潘月亭　顾八奶奶，你看胡四这两天又不到银行办事来了。

顾八奶奶　我说过他，他就生气。四爷，您千万别放在心上，这个人哪——

潘月亭　好，我们不要提他吧。（与顾共立在窗前）你看，大丰大楼已经动了工，砸好地基，眼看着就可以盖起来。地势好，房子只要租出去，最低总可以打一分五的利息。市面要略微好一点，两分多三分利也说不定。

顾八奶奶　白露，你听，四爷想得多有道理，四爷，你怎么说来着？市面一不怎么样，经济一怎么样，就应该怎么样？

潘月亭　我说市面一恐慌，经济一不巩固，就应该买房产。

顾八奶奶　对呀，白露，你看，我现在要不出钱盖大楼，我的市面不就不巩固了么？所以，四爷，你这次想法子盖大丰大楼是一点也不错的。有二分利，每月有三两千块钱进款，贴补点零用就差不多了。

〔福升上。

王福升 四爷，报馆的张先生来了。

陈白露 他这会来找你干什么？

潘月亭 我约他来的，我想问问他这两天的局势怎么样。

王福升 就请进来吧？

潘月亭 不，你请他到三十四号好了。

王福升 小姐，董太太来了，刘小姐也来了。

陈白露 都请到那边去。她们是打牌来的，说我一会儿就过来。

王福升 是。（下）

潘月亭 顾八奶奶，就这么说定了，你银行那笔款子我就替你调派了。

顾八奶奶 我完全放心，交给你反正是没错。

潘月亭 好，回来谈。

陈白露 月亭，你记得我说的事？

潘月亭 什么？

陈白露 关于那个小东西的事。你跟金八商量商量。

潘月亭 好，好，我想是可以的。

陈白露 谢谢你。

潘月亭 不用谢谢。少叫我几声“爸爸”，我就很满意了。（由中门下）

顾八奶奶 （望着潘走出，又滔滔地）白露，我真佩服你！我真不知道怎么夸你好。你真是个杰作！又香艳，又美丽，又浪漫，又肉感。一个人在这么个地方，到处都是朋友。就说潘四爷吧，他谁都不赞成，他说他就赞成你，潘四爷是个顶能干的好人，用个文明的词，那简直是空前绝后：地产，股票，公债，哪一样不数他第一？我的钱就完全交他调派，可是你看，你一下就把他抓住了，你，你说什么是什么，所以我说你是中国顶有希望的女人。

陈白露 （燃烟）我并没有抓潘四，是他自己愿意，我有什么法子？

顾八奶奶 （想逢迎她）反正是一句话："王八看绿豆……"不，不是，这点意思不大对……（又很骄傲地极力掩饰）你不知道，这半年我交了不少新派朋友，肚子里名词一搁多了，常常不知道先说哪一句话好。

陈白露 你现在真是一天比一天会说话，我一见你就不知话该打哪儿说，好听的话都教你说尽了。

顾八奶奶 （飘飘然）真的吗？

陈白露 可不是。

顾八奶奶 倒也是，我自己也这么觉得。自从我那老头子去了世，我就像开了窍似地，忽然地聪明起来啦，什么话都能讲了。（自负而又自怜地）哎，会说话又有什么用，反正也管不住男人的心。现在，白露，我才明白，男人是真没有良心。你待他怎么好也是白搭。

陈白露 怎么，胡四又跟你怎么样了？

顾八奶奶 （长叹一声）谁知他怎么样了！这两天就没见着他个影子。我打电话，寄信，亲自去找他，他都不在家。你说这个人，我为他用了多少钱，我待他的情分可真不算薄啦，你看，他一不高兴，就几天不管我。

陈白露　那你当然不必再管他，这不是省你许多事。

顾八奶奶　那……那也不能这么说。我觉得一个女人新派倒成，可是“三从四德”的意思也应该讲究着点。所以胡四尽管待我怎么不好，我对他总得有相当的情分。

陈白露　哎呀八姐，你真一天比一天地活得有道理，现在你跟胡四居然要讲起“三从四德”来了！

顾八奶奶（大不以为然）咦，你当我是那不三不四的坏女人？

陈白露　可是，我的顾八奶奶，要讲“三从四德”你总得再坐一次花轿，跟胡四规规矩矩地再配配才成呀！

顾八奶奶　你是说我跟胡四结婚？（连忙摇头）那可不成。结婚以前他待我都这样，一结婚那我不是破鞋，更提不上了么？现在这文明结婚，压根儿就没有什么用，他要变心，说不要我就不要我。不像以前我嫁我那死了的老东西的时候，说什么我也是他拿花轿娶来的太太，他就得乖乖地高高在上养着我，你说离婚，不要自己的老婆？那是白天做大梦！哼，美得你！可是，现在……（感慨系之）咳……白露，你是个顶聪明的人，你想想结婚有什么意思？

陈白露　结婚不结婚都没有什么意思。

顾八奶奶　你这话也对，反正情人总比丈夫有意思，两个人吃吃，玩玩，跳跳舞，亲亲热热的，一结了婚，哼！……所以胡四说什么都成，他要跟我求婚，我可就是不能依。再，我也怕他结了婚现原形，还有我那位大女儿你也是知道的——

陈白露 你说你那位大学毕业的小姐吗？

顾八奶奶 就是她！（又是一套）你不知道我这个人顶爽快，顶不像我的女儿。我的女儿好咬文嚼字，信耶稣，好办个慈善事业，有点假门假事的。我就不然，我从前看上老邱，我满心眼里尽是老邱；现在我看中了胡四，我一肚子尽是胡四。你看，我的女儿那样，我偏偏儿这样，你看这不是有点遗传！（很得意，不自主地咳嗽起来）

陈白露 可是，这跟你结婚有什么关系呀？

顾八奶奶 哦，说着说着我忘了。（凑近白露的耳朵，低声指手画脚地）我告诉你，我的女儿她顶反对胡四——其实我也明白，自然是因为怕胡四花完了我的钱，你想我嫁给胡四，我那女儿的年纪……跟他……呃，呃，看着差不多少。你说将来叫我的女儿怎么称呼他，这不有点教做妈的难以为情。

陈白露 （打着呵欠，有点厌烦地敷衍）胡四这样成天地对不起你，你何必永远忘不了他。

顾八奶奶 （很自负地）那就是爱情啰！其实我也知道他死不长进，我好说歹说托潘四爷给他在银行找了事。潘四爷说市面紧，可是为着我裁了十来个人，才给他挤出一个事。你看，他不是嫌钱少，就是说没意思，去了两天，现在又不常去了。又懒又没出息，没有办法——天生是这么一个可怜的人！我不管他，谁管他？哎，从前我不懂，现在我才明白爱情是怎么回事。

陈白露　无怪乎你这么聪明了。

顾八奶奶　爱情啊，就是你甘心情愿地拿出钱来叫他花，他怎么胡花你也不心痛——那就是爱情！

陈白露　（讽刺地）怪不得常听人说爱情是要有代价的。

顾八奶奶　是啊，所以我想还给胡四再加点“代价”。我想找潘四爷替他在电影公司找个事。白露，我们是好姊妹，你替我跟四爷说说，我真有点不好意思开口了。

陈白露　哦，你想要他当电影明星？

顾八奶奶（热烈地）嗯，他当明星准红！你看他长的哪一点都不含糊：身材，相貌，鼻子，眼睛——

陈白露　那，你不怕旁的女人追他么？

顾八奶奶（理直气壮地）那不能啊，那只要他当了电影明星，我就得想法子嫁给他。

陈白露　恭喜，恭喜，恭喜你现在又觉得结婚有意思了，我得好好吃你一杯喜酒。不过，你的大学小姐呢？你怎么办？

顾八奶奶　嗯！胡四当了电影明星就大不同了。我叫胡四在她的什么慈善游艺会，以电影明星的资格，唱个浪漫歌，（手势）跳个胡拉舞，你看她不乐得飞飞的。

陈白露　八姐，我一定替你办，你真聪明，想得真周到。

顾八奶奶（感激莫名）谢谢你！露露，谢谢你！

〔福升由中门上，拿着一叠账单。

王福升　八奶奶在这儿？

顾八奶奶　你干什么？

王福升　我找小姐。（向露，递账单）小姐。潘四爷已经把昨天那些应该付的钱都给您付了，他叫我把这些账条交给您。

陈白露　知道，你扔了吧。

王福升　是。

〔福升正要退出，张乔治由左门上。他穿一身大礼服，拿着礼帽，白手套，象牙手杖，举着一束花，得意扬扬地走进来。

张乔治　（满腔热忱）Hello！ Hello！我一猜你们就在这儿！（拉手）Hello！ Hello！（那样紧紧地握着两个女人的手）

顾八奶奶　博士来了！

张乔治　哦，密丝顾！（打量上下）你真是越过越漂亮了。（顾眉飞色舞的正想说话，他就撇开顾，转向露）Oh，my！我的小露露，你今天这身衣服——

陈白露　（效他的口气）Simply beautiful！

张乔治　一点也不错！你真聪明，你总知道我要说什么。（又转过身，向着福升）By the way，哦，boy！

王福升　也斯（Yes），死阿（sir）！

张乔治　你跟里面的客人说，说我不去陪他们打牌了。

王福升　也斯，死阿！（由左门下）

陈白露　你不要这么猴儿似的，你坐下好吧。

张乔治　哦，O.K.，my dear。

顾八奶奶　喂，你们两个不要这么叽里呱啦地翻洋话好不好？

张乔治　Oh，sorry，sorry！完全对不起，我简直忘了中国话怎么说，说外国话总好像方便一点。

陈白露 咦，Georgy，今天怎么大礼服都穿上了？

张乔治 哎，说来话长，在这种倒霉的国民党衙门做官，真麻烦，今天工人学生大游行——

顾八奶奶 又为什么？

张乔治 还不是为仁丰纱厂那个打死的工人？他们冲到租界，市长正结婚——

顾八奶奶 哟！

张乔治 我是伴郎，日本领事带着武官冲进市政府，拍桌子骂市长，要我们保护他们的纱厂，他们的租界，要不就开炮轰。吓得市长屁滚尿流，我这个伴郎也只好跟着他跑，婚也没结成。

陈白露 （冷笑）这市长大人真体面。

张乔治 体面！God damn！得了，还是玩我们的吧。露露，（摇头晃脑）这束花是市长大人亲手递给我的，我特意拿来转送给你，祝你永远像今天这么美，并且也让它代表我的歉意。昨天晚上，我原来的意思，跑到你房里是——

顾八奶奶 昨天晚上你们怎么了？

陈白露 没有什么。

张乔治 没有什么，那好极了，我知道你向来是大量的。

顾八奶奶 博士，你这两天没跟胡四一起玩么？

张乔治 胡四？前两天我在俱乐部看见他很亲热地拉着——

顾八奶奶 （急躁地）谁？

张乔治　一条狗，一块走出来走进去。

顾八奶奶　这个没有良心的东西，他情愿跟一条狗走，不跟我在一起。

张乔治　怎么，你们又闹翻了么？咦，那他在门口坐在汽车里做什么？

顾八奶奶　（惊急）什么！他在楼底下？门口？

张乔治　奇怪！你不知道？

顾八奶奶　博士，你真不像念书的人，你怎么早不告诉我？

张乔治　念了书不见得一定算得出来顾八奶奶现在想见胡四呀。

顾八奶奶　我不跟你说了。（匆匆忙忙地走到中门，回身）白露，别忘了我刚才托你的事。见着四爷，给我说一声。

陈白露　知道了。

顾八奶奶　博士，“古得拜！”“拜——拜！”（匆匆下）

张乔治　（嘘出一口气）Oh，my，这个宝贝走了。（很热烈地转向白露）白露，我告诉你一件好消息。

陈白露　什么好消息？是你太太又替你生了少爷了？

张乔治　（又是他那最得意的一甩手）Pah！岂有此理。

陈白露　那么你一定又是升了官了。

张乔治　这个喜信跟升了官也差不多少。我告诉你（拉着白露的手，亲密而愉快地）昨天下午我跟我太太离婚了，正式离婚了！

陈白露　哦。

张乔治　还有好消息，第二个。

陈白露　Georgy，今天你的好消息真多呀！

张乔治　（忽然非常温存地盯着她）露露，你知道昨天晚上我为什么到你这里来？

陈白露 （讪笑他）难道是要跟我求婚来啦？

张乔治 （惊愕）Oh，my！ My good gracious！你简直是上帝，你怎么把我心里的事都猜透了？

陈白露 （诧异）什么？你——

张乔治 不，露露，你应该可怜我，可怜一个没有人疼的男人，你必须答应我。

陈白露 怎么，你昨天晚上，闹成那个样子，（厌恶地）吐了我一床，你原来是要我嫁给你？

张乔治 那是因为我喝醉了。

陈白露 我当然知道你是喝醉了。

张乔治 那是因为我太喜欢了。我，我一刻也忘不了我就要成世界上最幸福的人，我知道你一定会嫁给我。

陈白露 奇怪，为什么你们男人自信心都那么强？

张乔治 露露，我现在在广东路有一所房子，仁丰纱厂我也有些股票，在大丰银行还存着几万块钱现款，自然你知道我现在还在衙门做事。将来只要我聪明一点，三四千块钱一月的收入是一点也不费事的，并且，我在外国也很不坏，我是哲学博士，经济学士，政治硕士，还有……

〔方达生由右面寝室走出。

方达生 （看见他们两个坐在一起）哦，对不起。（想反身进屋）

陈白露 达生，你来得好，快把窗户打开。

张乔治 干什么？

陈白露 吸一点新鲜空气。这屋子忽然酸得厉害。

方达生 酸?

陈白露 可不是,你闻不出来?(转过话头)小东西跟你谈些什么?

方达生 (拉过陈白露,低声,很兴奋地)我告诉你一件事,你晓得这孩子的父亲是谁么?

陈白露 不是个工人么?

方达生 对,就是仁丰纱厂那个打死的工人傅荣生,被金八指使特务害死的。

陈白露 我记得,前些日子在报纸上登了好几天的。

方达生 今天大游行也是因为他,你屋里藏着的是他的女儿。

陈白露 没想到,我藏了这么一个孩子。

方达生 她叫傅连珍,我跟她讲了半天,她才讲出她的父亲,这孩子有骨头,她说等她大了一定要报仇。

陈白露 这孩子嘴可真紧,这些事她一句也没跟我说。

方达生 难怪她小心,你想她在旅馆这些天,尽看见些什么人。她现在还不知道害她父亲的就是日本纱厂的总经理金八。我想再慢慢问问她,她究竟住在什么地方。

陈白露 她还没说?

方达生 没有,我想应该给她联络一下,找着她父亲的朋友,把她送回去。

张乔治 (拿着一本美国杂志随意翻阅着,抬头望望他们,不耐烦地)哎,白露,别谈起来没完,给我介绍介绍。

陈白露 (仍对达生)那当然好。(和达一同走过来,向乔)你们不认识?

张乔治 （看了看）很面熟，仿佛在哪儿见过似的。

方达生 我认识你。

张乔治 （一愣，忽然）哦，我们见过，我们是老朋友了！

陈白露 真的?

张乔治 老朋友！我想起来了，五年前，我们一块从欧洲回来，同船，（走到达生面前，非常热烈地握手）啊，你看这多少年了。好极了，好极了，请坐，请坐。（取吕宋烟）

〔李石清由左门上，他原来是大丰银行一个小职员，他的狡黠和逢迎的本领使他目前升为潘月亭的秘书。他善于察言观色，羡慕而又忌恨那些高高在上的人，在这些人面前，他总是自惭形秽，因此就格外拘泥作态，极力做出他心目中大人物的气派，但始终无法掩饰鄙陋的原形。平时他很能忍气吞声，蒙受屈辱，却暗中将一肚子愤怒发泄在妻儿们身上。他瘦高身材，沙沙的细嗓音，眉发稀少，有对老鼠似的小眼睛。

李石清 陈小姐！博士！（鞠躬）

张乔治 你来得正好！李先生，我得给你介绍介绍我的一个老朋友。

李石清 是，是，是。

张乔治 （对达生）这是李石清，李先生，大丰银行的秘书，潘四爷面前顶红的人。

李石清 不敢，不敢。这位贵姓是——

张乔治 这是我从欧洲一块回来的老同学，他姓——这个——

方达生 我姓方。

张乔治 （拍着脑门）对了，你看我这个记性，姓方，方先生！

李石清 久仰！久仰！

〔方达生点点头，由右门下。

陈白露 李先生，李太太正找你呢。

李石清 是吗？（笑）她哪有工夫，她正打着牌呢。

陈白露 还在打么？输了赢了？

李石清 我的内人打的不好，自然是输的，不过输的很有限，三四百块钱，不算多。

张乔治 还没有见着潘经理么？

李石清 我正在找他。

陈白露 他大概在三十四号，你问福升就知道了。

李石清 是。陈小姐，那么我先跟您告一会假。失陪，失陪，博士。

〔李石清鞠躬点头地正要走出，顾八奶奶推着胡四由中门上。胡四毕竟是胡四。苍白的脸，高高的鼻梁，削薄的嘴唇，一口整齐的白牙齿，头发梳得光光的，嘴边上有两条极细的小胡子，他不大爱笑，仿佛是很忧戚的，话也不多，非常自得。好修饰，衣服是他的第二个生命，那是神圣不可侵犯的。现在他穿着西服，黑衬衫，白丝领带，藕荷色带着杂色斑点的衣服，裁得奇形怪样的时髦。手里持着一只很短很精致的小藤杖和银亮亮的链子。他做出一副从容不迫的神气，脸上向来没有一丝表情，不惊愕，不客气，见人也并不招呼。

李石清 顾八奶奶,（很熟稔地）胡四爷。

顾八奶奶 （对李）你给我拉他进来。

李石清 这是怎么了?

胡　四 （看了顾一会，回过头对李说，若无其事的样子）别管她。

李石清 对不起，我要见潘经理，失陪，失陪。（下）

顾八奶奶 （娇憨地）你跟我来！我不让你看，我不让你看嘿!（一手推进胡四，骄傲地立在自己的俘虏和朋友前面，一半对着胡四,一半对着其余的人，胜利地）我不许你看，你就不能看！你听着不听着?

胡　四 （厌恶而又毫无办法）好！好！好！我听着。可是你瞧你！（皱起眉甩开她的手，指着被顾八奶奶握成许多皱纹的袖管）

〔她放下手，故做不在意的笑。

胡　四 好好的衣服!（用手撣了撣衣服，整理自己的领带）

顾八奶奶 （似笑非笑。急于把这点难堪掩饰过，矜持地）你瞧你!

陈白露 你们这是怎么回事?

胡　四 没什么。（乖觉地，一手拉起顾八奶奶的手，嫣然而笑）你瞧你!（一手理起油亮亮的头发。两个人不得已地互相笑了，顾八奶奶当时平了气）

顾八奶奶 （对白露）你看我们成天打架，我们好玩不?（对胡）我问你，你刚才为什么偏要看那个女人？有什么美？又粗，又胖，又俗气。

胡　四 得了，得了，你老说什么?（自己先坐下，取出手帕擦擦脸，又拿出一把小梳子理理头发）你看，我不是听你的话进来了么？（忽然看见张乔治，欠欠身）咦，博士，你早来了。

张乔治 胡四，好久没见，你这两天滚到什么地方玩去了？

胡　四 没有什么新鲜玩意。到俱乐部泡泡，舞场里“蹭”“蹭”（跟女人混混的意思），没有意思，没劲儿。

顾八奶奶 哼，你多半又叫什么坏女人把你迷住了。

胡　四 你瞧你！（毫不在意，慢吞吞地）你要说有就有。

〔方达生由右门进。

方达生 竹均。

陈白露 胡四，你见过么？

〔胡四懒懒地探起身。

陈白露 这是方先生。（向方）这是胡四，中国第一个美男子。

顾八奶奶 （正和乔治谈话，回过头，喜孜孜地）你不要这么夸他，他更要跟我要脾气了。

陈白露 好，你们谈谈吧！我到那边屋子去一下就来。（由左门下）

胡　四 （不觉又理理头发，回头向穿衣镜照照，望着方达生，半晌，忽然脱口而出）久仰，久仰，您多照应着点。

〔方达生厌恶地望胡四一眼，拿起桌上的帽子由中门下，三人望他下场，互递眼色。

胡　四 这个家伙怎么一脑门子的官司？

张乔治 奇怪，这个人我又好像不大认识似的。

胡　四 （燃纸烟）博士，我现在会开汽车了。

顾八奶奶 对了，博士，你没有看见他开汽车，开得快着呢。

胡　四　现在有人邀我进电影公司，要我当小生。你看我现在骑马，游水，跳舞，穿洋服，一点一点地学起来，博士，你看我这一身洋服穿得怎么样，很有点意思啦吧？

张乔治　还将就，还将就。不过洋服最低限度要在香港做，价钱至少也要二百七十元一套。

胡　四　（望着顾八奶奶）你听见没有？你要我到大丰银行做事，干一个月还不够我一套西服钱呢！

顾八奶奶　你不要不知足，李石清一天忙到黑，一个月才二百块，那还是白露的情分，跟潘四爷说好了才成的。

胡　四　那是他贱骨头，谁也不能卖得这么贱。

〔白露由左门上。

陈白露　（立在门口）点心预备好了。快来吃吧。（回头看）刘小姐，你看Georgy来了。

张乔治　（远远向在左门里面的刘小姐边走边伸出手，高声嚷着）Bonjour，bonjour，mademoiselle！（摇着手）——哦，我的刘小姐。你不必起来。我来就你！……我来就你！（嚷着走进去，里面欢呼声）

胡　四　（慢吞吞地，提一下裤带，拉一拉衣襟，还是那满不在乎，无精打采的样子，对着顾八奶奶）你倒是走呀，我进门就饿了。

顾八奶奶　（瞪他一眼）饿了不早说！还不快点走！（蹬蹬地走上前）

胡　四　（瞟他一眼，更慢了）你瞧你！

顾八奶奶　（已走到左门口，回头看胡四还立在那里，于是伸出手招他，笑着）快点来，胡四。

胡　四　（胜利地）哧！

〔胡四稳稳当当地走入左门，对白露很妩媚地笑了笑。

陈白露　（四面望望）咦，达生呢？（回头，忽然发现李太太在背后）哦，李太太，您不吃点东西么？……哦，那么，您请进来吧。

〔李太太上，一个十分瘦弱的女人，举止端重，衣服不甚华丽。神色温良，充满了忧戚，她薄薄敷一层粉，没有怎么修饰，仿佛很勉强地来到这里，客气而很不自在地和白露说话。

陈白露　（和蔼地）您要找李先生？

李太太　是的，陈小姐。

陈白露　（按电铃）你们两人感情真好，这么一会儿都离不开。

〔福升上。

陈白露　福升，你去请李先生来！说李太太在这儿等他。

王福升　是。（下）

陈白露　李太太，您请坐一下，我有一点事。（向右门走）达生！

〔小东西由白露的卧室走出来。她的神气已和十二小时前的模样不同了，她穿着白露的玫瑰紫的旧旗袍，肥肥大大的披在身上，她望着白露和李太太一声也不响。

陈白露　方先生在屋里么？

小东西　他走了。

陈白露　他还是走了。（玩笑地）你这孩子本事真大，你到底把他支使走了。你为什么不告诉我你的父亲是谁?

小东西　特务老跟着我们，我怕你听着害怕。

陈白露　好孩子，你叫连珍吗?

〔小东西点点头。

陈白露　怪不得方先生喜欢你，你安心待着，一会方先生就会找着你的亲人来接你的。

小东西　嗯。

陈白露　你还是回屋吧。

〔小东西点点头　向卧室走。

陈白露　屋里那个通过道的门你记得锁上。

〔李石清由中门进。

小东西　（一面向屋走）哦。（走进卧室）

陈白露　（回头）李先生可来啦，李太太找你呢，你们真亲热。

李石清　（凑趣）您不知道，陈小姐，我们也是一对老情人，我的太太要是一点钟不跟我说一次情话是过不得的。

陈白露　（笑着）真的么?那你们尽管在这儿谈吧，我不打搅了。

〔白露由左门下。

李石清　（鞠躬，望着白露出了门，半晌，四面看看，拉下脸，严重地）打得怎么样?输了?赢了?

李太太　（哀声地）石清，让我回去吧?

李石清　你又输了?

李太太　（低声）嗯。

李石清　（有些慌）我给你那一百五十块钱都输了?

李太太 （畏惧）还没有都输——也差不多少。

李石清 （急躁）可是怎么能输这么些！

李太太 我心里着急，我怕输，牌更打不好了。

李石清 （厉声厉色）着急？都是一样地打牌，你着什么急？你真不见世面。

李太太 （委屈，落下泪）我不打牌，你偏要我打牌。我不愿意来到这儿，你偏逼我来。我听你的话，我来了，陪着这帮有钱人们打大牌——输了钱，你又——（泣出声）

李石清 （更生气）哭！哭！哭！你就会哭！这个地方是你哭的么？这成什么样子？（勉强）不用哭了。我这儿有的是钱，得了，得了。

李太太 我不要钱。

李石清 （不耐烦）你要什么？

李太太 （怯弱地）我要回家。

李石清 少说废话，这儿有钱。（取出皮夹[1]来安慰她）你看，我这儿有一百块钱，先分给你八十，好吧？

李太太 你在哪儿弄来的钱？

李石清 你不用管。

李太太 （疑心）你的皮大氅呢？

李石清 在家里，没有穿来。

李太太 （瞥见李手内一卷钞票内夹着的一张纸）石清，你这是

1 “皮夹”底本作“皮箧”，据1994人文版改。

什么？

李石清 （抢）这是……（但已被李太太抢去）

李太太 （看看当票，又交还李）你又把你的皮大衣当了。

李石清 你不要这么大声嚷嚷！

李太太 唉，石清，你这是何苦！

李石清 （不高兴）你不用管，我跟你说，你不用管。

李太太 石清，我实在受不了啦。你教我回家去吧，好不好？这不是我们玩的地方，没有一个正经人，没有一句正经话——

李石清 谁说没有正经人，潘经理不就是个正经人么！你看他办学校，盖济贫院，开工厂，这还不是好人做的事？

李太太 可是你没有看见他跟这位陈小姐——

李石清 我怎么没看见。那是经理喜欢她。他有的是钞票，他爱花这个钱，这有什么正经不正经？

李太太 好了，这都不是我们的事。（哀求地）你难道不明白，你的进款这样少，我们配到这个地方来陪着这位陈小姐？陪着这些有钱的人们玩么？

李石清 我跟你说过多少遍，这些话你要说在家里说，不要在这儿讲。人家听见笑话你。

李太太 （委屈地）我的确觉得他们都有点笑话我们。

李石清 谁敢笑话我们？我们一样有钱，一样地打着牌，不是百儿八十地应酬着么？

李太太 可是这何苦呢！我们家里有一大堆孩子！小英儿正在上学，芳儿都要说人家，小五儿又在不舒服。妈妈连一件像样的过冬的衣服都没有。放着这许多事情都不做，拿着我们这样造孽的钱陪他们打牌，百儿八十地应酬，你……你叫我，怎么打得下去？

李石清　（低头）不用提了，不用提了。

李太太　你想，在银行当个小职员，一天累到晚，月底领了薪水还是不够家用，也就够苦了。完了事还得陪这些上司们玩，打牌，应酬；孩子没有上学的钱，也得应酬，到月底没有房租的钱，还得应酬；孩子生了病，没有钱找好医生治，还是得应酬——

李石清　（爆发）你不要说了！你不要再说下去了！（沉痛地）你难道看不出我心里整天难过？你看不出我自己总觉得我是个穷汉子吗？我恨，我恨我自己为什么没有一个好父亲，生来就有钱，教我少低头，少受气，这帮东西，并不比我好，没有脑筋，没有胆量，没有一点心肝。他们跟我不同的地方是他们生来有钱，有地位，我生来没钱没地位就是了。我告诉你，这个社会没有公理，没有平等。什么礼义，廉耻，那是他们骗人。你老老实实地干，做到老也是穷死。只有大胆地破釜沉舟地跟他们拼，还许有出头的那一天！

李太太　石清，你只顾拼，你怎么不想想我们自己的孩子，他们将来怎么了？

李石清　（叹一口气）孩子！哼，要不是为我们这几个可怜的孩子，我肯这么厚着脸皮拉你到这种地方来？陈白露是个什么东西？舞女不是舞女，娼妓不是娼妓，姨太太又不是姨太太，这么一个贱货！我还得奉承她。素贞，你没有觉出有时我是多么讨厌我自己，我这么不要脸连人格都不顾地巴结他们。我四十多的人，成天鞠着躬跟这帮王八蛋，甚至于像胡四这个贱东西混，什么人我都要奉承，联络。我李石清，一个男子汉，我——（低头不语）

李太太 石清，你不要难过，我明白你在外面受了许多委屈。

李石清 我才不难过。（抬起头，愤恨地）哼，我要起来，我要报复，我要硬得成一块石头，决不讲一点人情，决不可怜人。在这儿干了二十年，我受了多少肮脏气？我早晚要起来，要狠狠地出口气，你看着吧，我就要出头了。

〔潘月亭由中门进。

潘月亭 你回来了，石清。

李石清 （立刻恭谨地）早来了。我听说您正跟报馆的人谈天，所以没敢叫人请您去。

潘月亭 李太太有事么？

李石清 没有事，没有事。（对李太太）你还是进去打牌去吧。

〔李太太无可奈何地由左门下。

李石清 报馆有什么特别关于时局的消息么？

潘月亭 你先不用管这些，教你买的公债都买好了么？

李石清 买了，一共二百万，本月份。

潘月亭 成交是怎么个行市？

李石清 七七五。

潘月亭 买了之后，情形怎么样？

李石清　我怕不大好。外面有谣言，说日本军部要动手，行市只往下落，有公债的都抛出，可是您——

潘月亭　我倒买进。

李石清　您自然是看涨。

潘月亭　我买进，难道我会看落？

李石清　（表示殷勤）经理，平常做存货没什么大危险，再没办法，我们收现，买回来就得了。可是现在情形特别，行市一个劲儿往下跌。要是平定一点，行市还有翻回来的那一天，那您就大赚了。不过这可是由不得我们的事。

潘月亭　（拿吕宋烟）你怎么知道谣言一定可靠？

李石清　（卑屈地笑）是，是，您说这是空气？这是空户们要买进，故意造出的空气？

潘月亭　空气不空气，我想我干公债这么些年，总可以知道一点真消息。

李石清　（讨好地）不过金八的消息最灵通，我听说他老人家一点也没有买，并且——

潘月亭　（不愉快）石清先生，一个人顶好自己管自己的事，在行里，叫你做的你做，不叫你做的就少多事，少问。这是行里做事的规矩。

李石清　（被这样顶撞，非常不悦，但极力压制着自己）是，经理，我不过是说说，跟您提个醒。

潘月亭　银行里面的事情，不是说说讲讲的事，并且我也用不着你提醒。

李石清 是，经理。

潘月亭 你到金八爷那儿去了么？

李石清 去过了。我跟他提过这回盖大丰大楼的事情。他问银行现在怎么会有钱盖房子？后来他又讲局面太坏，地价落，他说这楼既然刚盖，最好立刻停工。

潘月亭 你没有说这房子已经订了合同，定款已经付了么？

李石清 我自然说了，我说包给一个外国公司，钱决不能退，所以金八爷在银行的存款一时实在周转不过来，请缓一两天提。

潘月亭 他怎么说？

李石清 他想了想，他说"再看吧"，看神气仿佛还免不了有变故。

潘月亭 这个流氓！一点交情也不讲！

李石清 （偷偷瞟了他一眼）哦，他还问我现在银行所有的房地产是不是已经都抵押出去了？

潘月亭 （惊愕）怎么，他会问你这些事情？

李石清 是，我也奇怪呢。

潘月亭 你对他说什么？

李石清 我自然极力否认这件事。（停一下。又偷偷看了潘一眼，胆子大起来）虽然我是知道银行的产业早已全部押给人了。

潘月亭 （愣住）你——谁跟你说押给人了？

李石清 （抬起头）经理，您不是在前几个月把最后的一片房产由长兴里到黄仁里都给押出去了么？

潘月亭 （故作镇静）笑话，这是谁说的？

李石清 经理，您不是全部都押给友华公司了么？

潘月亭　哦，哦，（走了两步）哦，石清，你从哪儿得来这个消息？（坐下，显然露出惶恐）怎么，这件事会有人知道么？

李石清　（明白已抓住了对方的短处）您放心，您放心，除了我没有人知道。别人也不会看见这个合同。

潘月亭　你在哪儿看见合同？

李石清　在您的抽屉里。

潘月亭　你怎么敢——

李石清　不瞒您说，（狡猾地一笑）因为我在行里觉得很奇怪，忽而又是盖大楼，又是买公债的，有一天趁您见客的那一会工夫，我就开了您的抽屉看看。（笑）可是，我知道我这一举是有点多事。

潘月亭　（呆了半天）不不——这不算什么。不算多事。（不安地笑着）互相监督也是好的。怎么不坐？坐，坐，我们再谈谈。

李石清　经理，不客气。

潘月亭　不，你坐坐，别拘束呀。（坐下）你既然知道了这件事，你自然明白这件事的秘密性，这事决不可泄漏出去，弄得银行本身有些不便当。

李石清　是，我知道最近银行大宗提款的不算少。

潘月亭　我们本是一个船上的人。我们应该互相帮忙，把银行办好。这些日子关于银行的谣言很多，他们都疑惑行里准备金不够。

李石清　（俨然知己）的的确确行里不但准备金不足，而且有点周转不灵。金八爷这次提款不就是一个例子么？

潘月亭　（不安地）可是，石清——

李石清　（抢一句）可是，经理，自从您宣布银行赚了钱，把银行又要盖大丰大楼的计划宣布出去，大宗提款的又平稳了些。

潘月亭　你很聪明，你明白我的用意。所以现在的大楼必须盖。哪一天盖齐不管他，这一期的建筑费拿得出去，那就是银行准备金充足，是巩固的。

李石清　不过不赚钱，行里的人是知道的。

潘月亭　所以抵押房产，同金八提款这两个消息千万不要教人知道。这个时候，随便一个消息可以造成风波，你要小心。

李石清　我自然会小心，侍候经理我一向是谨慎，这件事我不会做错的。

潘月亭　我现在正想旁的方法。这一次公债只要买得顺当，目前我们就可以平平安安地渡过去。这关渡过去，你这点功劳我要充分酬报的。

李石清　我总是为经理服务的。呃，呃，最近我听说襄理张先生要调到旁的地方去？

潘月亭　（沉吟）是，襄理——是啊，只要你不嫌地位小，这件事总可以帮忙。

李石清　谢谢，谢谢，经理，您放心，我总是尽我的全力为您做事。

潘月亭　好，好——哦，那张裁员单子你带来了么？

李石清　带来了。

潘月亭　人裁了之后，大概可以省出多少钱？

李石清　一个月只省出五百块钱左右。

潘月亭 省一点是一点，上次修理房子的工钱，你扣下了么？

李石清 扣下了，二百块钱，就在身上。

潘月亭 怎么会这么多？

李石清 多并不算多，扣到每个小工也不过才一毛钱。

潘月亭 好的，再谈吧。（向左门走了两步，忽然回过头来）哦，我想起来了，你见着金八，提到昨天晚上那个小东西的事么？

李石清 我说了，我说陈小姐很喜欢那孩子，请他老人家抬抬手。

潘月亭 他怎么样？

李石清 他摇摇头，说根本不知道有这么一件事。

潘月亭 这个混蛋，他装不知道，简直一点交情也不讲——好，让他去吧。

李石清 是，经理。

〔潘四爷下。

〔忽然电话铃响。

李石清 （拿起耳机）喂，你哪儿？哦！你是报馆张先生，潘四爷，他不在这儿……我是石清。跟我说，一样的。是，什么？金八也买了这门公债了，多少？三百万！奇怪，哦……哦，怪不得我们经理也买了呢！……是，是，本来公债等于金八自己家里的东西，操纵完全在他手里，不过这回时局……是，是，那么要看涨了……好……我就告诉经理去，再见，张先生！再见！（放下耳机。沉吟一下，正预备向左门走）

〔黄省三由中门进。

黄省三　（胆小地）李……李先生。

李石清　又是你，谁叫你到这儿来找我的？

黄省三　（无力地）饿，家里的孩子大人没有饭吃。

李石清　（冷冷地）找我也没用，这是旅馆，不是救济所。

黄省三　李先生，可当的都当干净了。我实在没有法子，不然，我决不敢再找到这儿来麻烦您。

李石清　（厌恶地）哧，我跟你是亲戚？是老朋友？还是我欠你的？我走哪儿你跟哪儿，你这一趟一趟的算怎么回事？

黄省三　（苦笑，很凄凉地）您说哪儿的话，我都配不上。李先生，我在行里一个月才用您十三块来钱，您辞了我，我可到哪儿找事去？银行现在不要我，就等于不教我活着，我这儿又实在无亲无故。

李石清　（烦厌地）谁不教您活着？照你这么说，银行就不能辞人啦。银行又不是给你保了险，你想一辈子就吃上银行啦。

黄省三　（卷弄他的围巾）不是，不是，李先生，我……我知道银行待我不错；我不是不领情。可是……您是没有瞅见我家里那一堆活蹦乱跳的孩子，我得天天找东西给他们吃。行里辞了我，家里米也完了，他们饿得直叫。房钱也一个半月没有付，眼看着就要没有房子住。（嗫嚅地）李先生，我实在是没有路走啦！

李石清　（冷酷地）那怨谁？

黄省三　是啊，怨谁呢，李先生，我在银行没做过一件错事。我每天天亮就上班，晚上才回来，一天干到晚，李先生——

李石清 （不耐烦）得了，不错，我知道你是个安分守己的好人，可是你难道不知道现在时局不好，市面萧条，经济恐慌？我不是没跟你说过，银行要裁员减薪，我也预先警告你！

黄省三 （踌躇地）李先生，银行现在不是还盖着大楼，行里面还添人，添了新人。

李石清 那你管不着！那是银行的政策，要繁荣市面。至于裁了你，又添了新人，我想你做了这些年的事，你难道这点世故还不明白？

黄省三 我……我明白，李先生。（很凄楚地）我知道我身后没有人撑腰。

李石清 那就得了。

黄省三 不过我当初想：上天不负苦心人，苦干也许能补救我这个缺点。

李石清 所以银行才留你四五年，不然你会等到现在？

黄省三 （乞求）可是，李先生，我求求您，您行行好。我求您跟潘经理说说，只求他老人家再让我回去。就是再累一点，再加点工作，就是累死我，我也心甘情愿的。

李石清 你这个人真麻烦。经理会管你这样的事？你们这样的人，就是这点毛病，总把自己看得太重，换句话，就是太自私。你想潘经理这样忙，会管你这样小的事？不过，奇怪，你干了三四年，就一点存蓄也没有？

黄省三 （苦笑）存蓄？一个月十三块来钱，养一大家子人？存蓄？

李石清 我不是说你的薪水。从薪水里，自然是挤不出油水来。可是——在别的地方，你难道没有得到一点的好处？

黄省三 没有，我做事凭心，李先生。

李石清 我说——你没有从笔墨纸张里找出点好处？

黄省三 天地良心，我没有，您可以问庶务刘去。

李石清 哼，你这个傻子，这时候你还讲良心！怪不得你现在这么可怜了。好吧，你走吧。

黄省三 （着慌）可是，李先生——

李石清 有机会，再说吧。（挥挥手）现在是毫无办法。你走吧。

黄省三 李先生，您不能——

李石清 我告诉你，你以后再要狗似地老跟着我，我到哪儿，你到哪儿，我就不跟你这么客气了。

黄省三 李先生，那么，一点办法也没有？

李石清 快走吧！回头，一大堆太太小姐们进来，看见你跑到这儿找我，这算是怎么回事？

黄省三 好啦！（泪汪汪的，低下头）李先生，真对不起您老人家。（苦笑）一趟一趟地来麻烦您，我走啦。

李石清 走就走吧。

黄省三 （长长地叹一口气，走了两步，忽然跑回来，沉痛地）可是，您叫我到哪儿去？您叫我到哪儿去？我没有家，我拉下脸跟你说吧，我的女人都跟我散了，没有饭吃，她受不了这样的苦，她跟人跑了。家里有三个孩子，等着我要饭吃。我现在口袋里只有两毛钱，（咳嗽）我身上又有病，我整天地咳嗽！李先生，您叫我回到哪儿去？您教我回到哪儿去？

李石清 （可怜他，但又厌恶他的软弱）你愿意上哪儿去，就上哪儿去吧。我跟你讲，我不是不想周济你，但是这个善门不能开，我不能为你先开了例。

黄省三 我没有求您周济我，我只求您赏给我点事情做。我为着我这群孩子，我得活着！

李石清 （想了想，翻着白眼）其实，事情很多，就看你愿意不愿意做。

黄省三 （燃着了一线希望）您说——

李石清 第一，你可以出去拉洋车去。

黄省三 （失望）我……（咳嗽）我……拉不动，您知道我有病。医生说我这边的肺已经（咳）——靠不住了。

李石清 哦，那你还可以到街上要——

黄省三 （脸红，不安）李先生，我也是个念过书的人，我实在有点——

李石清 你还有点叫不出口，是么？那么你还有一条路走，这条路最容易，最痛快——你可以到人家家里去。

黄省三 哦，您说，（嘴唇颤动）您说，要我去——（只见唇动，听不见声音）

李石清 “偷！”“偷！”这怕什么？这有什么做不得，这些官僚买办的钱可以从人家手里大把地抢，你没有胆子，你怎么不能偷？

黄省三　李先生，真地我急的时候也这么想过。（惧怕地）我怕，我怕，我下不了手。

李石清　（愤慨地）怎么你连偷的胆量都没有，那你教我怎么办？你既没有好亲戚，又没有好朋友，又没有了不得的本领。好啦，教你要饭，你要顾脸，教你拉洋车，你没有气力，教你偷，你又胆小，你满肚子的天理良心，仁义道德，你只想凭着老实安分，养活你的妻儿老小，可是你连自己的老婆都养不住，你简直就是个大废物，你还配养一大堆孩子！我告诉你，这个世界不是替你这样的人预备的。（指窗外）你看见窗户外面那所高楼么？那是百货公司十三层高楼，我看你走这一条路是最稳当的。

黄省三　（呆若木鸡，低得几乎听不见的声音）李先生，您说叫我"自——"（忽然爆发地悲声）不，不，我不能死，李先生，我要活着！我为着我的孩子们，为我那没了妈的孩子们我得活着！我的望望，我的小云，我的——李先生，您得教我活着！（拉着李的手）您得帮帮我，帮我一下！我不能死，活着再苦我也死不得，拼命我也得活下去啊！（咳嗽）

〔左门大开。里面有顾八奶奶，胡四，张乔治……等的笑声。潘月亭露出半身，面向里面，说："你们先打着。我就来。"

李石清　（甩开黄的手）你放开我。有人进来，不要这样没规矩。

〔黄省三只得立起，倚着墙，潘月亭进。

潘月亭　啊？

黄省三 经理!

潘月亭 石清，这是谁?他是干什么的?

黄省三 经理，我姓黄，我是大丰的录事。

李石清 他是这次被裁的录事。

潘月亭 你怎么跑到这里来,(对李)谁叫他进来的?

李石清 不知道他怎么找进来的。

黄省三 (走到潘面前，哀痛地)经理，您行行好，您要裁人也不能裁我，我有三个小孩子，我不能没有事。经理，我给您跪下，您得叫我活下去。

潘月亭 岂有此理!这个家伙，怎么能跑到这儿来找我。(厉声)滚开!

黄省三 可是，经理——

李石清 起来!起来!走!走!走!(把他一推，倒在地上)你要再这样麻烦，我就叫人把你打出去。

〔黄省三望望李石清，又望望潘四爷。

潘月亭 滚，滚，快滚!真岂有此理!

黄省三 好，我起来，我起来，你们不用打我!(慢慢立起来)你们是不让我活了!你，你，你们两个说什么也不叫我再活下去了。(疯狂似地又哭又笑地抽咽起来)哦，我太冤了。你们好狠的心哪!你们给我一个月不过十三块来钱，可是你们左扣右扣的，一个月我实在领下的才十块二毛五。我为着这辛辛苦苦的十块二毛五，我整天地写，整天给你们伏在书桌上写;我抬不起头，喘不出一口气地写;我从早到晚地写；我背上出着冷汗，眼睛发着花，还在写；刮风下雨，我跑到银行也来写！（做势）五年哪！我的潘经理！五年的工夫，你看看，这是我！（两手捶着胸）几根骨头，一个快死的人！我告诉你们，我的左肺已经坏了，（尖锐的声音，不顾一切地）我跟你说，我是快死的人，我为着我的可怜的孩子，跪着来求你们。教我还能够跟你们写，写，写——再给我一碗饭吃。把我这个不值钱的命再换几个十块二毛五。可是你们不答应我！你们不答应我！你们自己要弄钱，你们要裁员，你们一定要裁我！（更沉痛地）可是你们要这十块二毛五干什么呀！我不是白拿你们的钱，我是拿命跟你们换哪！并且我也拿不了你们几个十块二毛五，我就会死的。（愤恨地）你们真是没有良心哪，你们这样对待我——是贼，是强盗，是鬼呀！你们的心简直比禽兽还不如——

潘月亭 这个混蛋，你疯了，还不给我滚出去！

黄省三 （哭着）你才疯了，我现在不怕你们啦！不怕你们啦！（抓着潘经理的衣服）我太冤了，我非要杀了——

潘月亭 （很敏捷地对着黄的胸口一拳）什么！

〔黄省三立刻倒在地下。

〔半晌。

李石清 经理，他是说他要杀他自己——他这样的人是不会动手害人的。

潘月亭 （擦擦手）没有关系，他这是晕过去了。福升！福升！

〔福升上。

潘月亭　把他拉下去。放在别的屋子里面，教金八爷的人给他拍拍捏捏，等他缓过来，拿三块钱给他，教他滚蛋！

王福升　是！

〔福升把黄省三拖下去。

李石清　张先生来电话了。

潘月亭　说什么？

李石清　您买的公债金八买了三百万。

潘月亭　（喜形于色）我早就知道，那么，一定看涨了。

李石清　只要这个消息是确实，金八真买了，那自然是看涨。

潘月亭　（来回走）不会不确实的，不会的。

〔左门大开，张乔治、胡四、顾八奶奶、白露上，在门口立着，其他的女客在谈笑着。

张乔治　（兴高采烈，捏着雪茄）——所以我说在中国活着不容易，连这种外国租界都不成，不必说别的，我的Jacky，（对胡四）就是我从美国带来的那条大洋狗，他吃的牛肉都成了我每天的大问题。脏，不干净，没有养分，五毛钱一磅的牛肉简直是不能吃。你看，每天四磅生牛肉搁在它面前，（伸出鼻子嗅嗅）它闻闻，连看都不看，夹着尾巴就走了。你们想，连禽兽在中国都这样感受着痛苦，又何况乎人！又何况乎像我们这样的人！（摇头摆尾，大家哄笑起来）

〔外面方达生在喊：“连珍，连珍！”“傅连珍！”

陈白露　（对乔挥手）别说话，听，达生在喊什么？

〔方达生慌忙进来，后随田振洪，一位老工人。

方达生　竹均，你瞧见连珍那孩子吗？

陈白露　不是在屋子里么？

方达生　（不信地）在屋子里？（跑进右屋，喊）连珍！

田振洪　（跟过去）连珍！

顾八奶奶　干嘛呀这是？

方达生　（从右屋跑出）没有，她不见了。我们刚才在楼梯上走，我好像看见她跟着两三个男人一起坐电梯下去，在我眼前一晃，就不见了。我不相信，你看，她果然叫人弄走了。我刚找着这位田先生来接她回去的。

田振洪　方先生，我们赶快去追吧。

方达生　好，快走。

〔田振洪、方达生二人匆匆下。

陈白露　（走至潘面前）月亭，这是我求你办一点事！（忽然）达生，你们等等我！

〔白露披上大衣就走。

潘月亭　白露！

〔白露不顾，跑下。

——幕急落

第三幕

人　物

人物（此表专为第三幕用）

翠　喜——一个三十左右的老妓女。

小顺子——宝和下处的伙计。

小东西——小翠，一个才混事三天的女孩子。

王福升——××旅馆的侍役。

胡　四——游手好闲的面首。

黑　三——小东西的养父。

方达生——一个青年。

田振洪——一个老工人。

郭玉山——一个青年工人。

后台的人们

胖子和胖子的朋友们

租唱话匣子的

卖报的

卖水果的，卖其他各种食物的

婴儿的哭声

卖唱的，拉丝弦的

报花名的伙计

唱“数来宝”的乞丐二人

唱二簧的漂泊汉

敲梆子的

各种男女欢笑声……

卖硬面饽饽的

闭幕前唱“叫声小亲亲”的嫖客

低声隐泣的女人

这是在一星期后的夜晚，约莫有十二点钟的光景，在各种叫卖，喧嚣，诟骂女人，打情骂俏的声浪充塞了的地狱一般的宝和下处。

那大门口常贴着什么“南国生就美佳人，北地天然红胭脂”一类的春联，中门框总是“情郎艳乡”或“桃源佳境”的横幅。门前两三个女人指指点点挤弄眉眼，轻薄的男人们走过时常故意望着墙上的乌光红油纸（上面歪歪涂了四行字：“赶早 × 角，住客 × 元 ×，大铺 × 角，随便 × 角。”），对着那些厚施脂粉的女人们乱耍个贫嘴，待到女人以为是生意经向前拉去，又一哄而散。这一条胡同蚂蚁窝似地住满了所谓“人类的渣滓”，在饥饿线上挣扎着。

进到院内，是一排一排的鸽笼似的小屋子，在生意好的时候，从这个洞到那个洞川流不息来往着各色各样的人：小商人，小职员，轮船茶房，洋行侍役，和一些短打扮敞开胸前一条密密的纽绊，大模大样的大汉子。院子里可以随随便便走来走去，进了大门，一个跛了腿的男人喊，“前边！”“来客！”用绳子拉的铜铃也响起来，从各个小鸽笼走出来一个一个没有一丝血色的动物，机械般地立刻簇聚起来，有时也笑着，嚷着，骚动着。“客人”们被让到房子里，东溜溜，西看看，于是由伙计用尖锐得刺痛人的耳鼓的声音喊：“见客啦！见客！”那些肥的，瘦的，依次走上前去，随着伙计叫出她的花名的声音，在“客人”面前瞟瞟眼笑着闪过去。站在后面的便交头接耳地吱吱喳喳起来，直到其中一个被客人挑中了，其余的才各归各的地方。

尽管小鸽笼里面讲情话或者做出各种丑恶的勾当，院子外面始终在叫嚣着；唱曲的姑娘，沿门唱“数来宝”的乞丐，或者哼一两段二簧的漂泊汉，租唱话匣子的，卖水果花生栗子的，抽着签子赌赢东西的，哑着声音嘶喊的卖报的，拉着丝弦逗人来唱的，卖热茶鸡蛋的……各式各色最低的卖艺人，小买卖，都兜揽生意，每个人都放开喉咙沿着每个小窗户喊，有时甚至于掀开帘子进去，硬要“客人”们替他们做点生意。

观众能看见的一个小鸽笼—— 一间长隘黑秽的小房子。

屋子正面有两个门，一左一右，都通外院，各有一蓝布帘子遮风，破敝不堪。两门之中是个幔帐，挂在与墙成直角的铁丝上；拉起来，可以把一间屋子隔成两间。客人多了，不相识的便各据一面，各不相扰，于是一个妓女可以同时招待两帮客人。这样经济地方，又省得走路，也省电灯同炉火。现在那布幔子——上面黄斑点点，并且下面裂成犬牙状——吊在墙边，没有拉起。屋子里没有多少客人。

屋子右面放一张木床，铺着单薄的旧床单，堆叠着棉被。靠床的右中墙贴满“猪八戒招亲”，“大过年”，“胖娃娃采莲花”和一些烟卷公司的美人画，依门倒贴一个红“福”字，是“福倒（到）了”的意思。近床有一张破旧梳妆台，上面放一只破脸盆，一两个花碗。床下横七竖八有几双花鞋，床前搁几把椅子。

左面靠墙一张方桌，一边一只椅子，上面排置着不全的茶具和一个装烟卷的破铁筒。右面还悬着一副满染黑污的对联，左联：“貌比西施重出世，”右联：“容似貂蝉又临凡。”两条对子正嵌住一个照得人凹鼻子凸眼的穿衣镜，上面横挂着四个字“千金一笑”。还有一两张帆布躺椅歪歪地放在那里。

靠左右都有窗户，用个小红布幔遮着，左窗下有一个没生火的铁炉子。靠桌边一个煤球炉子燃着微火，煤就堆在方桌下面。在左边小门上悬一个镜框，嵌着“花翠喜”三个字，那大概是这个屋子的姑娘的花名。

开幕时，翠喜立在左门口，背向观众，掀起门帘向外望——翠喜大约有三十岁左右，一个已经为人欺凌蹂躏到几乎完全麻木的动物。她并不好看，人有些胖，满脸涂着粉，一双眼皮晕晕地扑一层红胭脂，头发披在肩上，前额一块块故意掐成的紫痕，排列整齐如一串花瓣。她穿一件绛红色的棉袍，套上一件绒坎肩，棉鞋棉裤，黑缎带扎住腿。她右手里一只烟蒂头，时而掸一下灰放在口边，左手指搔弄着头发。

她仿佛在招呼谁，笑着，叫着。

外面的声音糅成一团嘈杂。

〔甲声：（尖锐地）橘子大香蕉啊！人果栗子啊！

〔乙声：（有气无力地）唱话匣子！

〔丙声：（一个小姑娘，随着抑扬顿挫的丝弦）唱个小曲儿吧！

〔男女的笑声打骂声……

翠　喜　（向门外招手）明儿见，胖子！明儿见，张二爷！明儿见，陈二爷！

〔胖子和他的朋友的声音：（不清楚地）明儿见，翠喜。

翠　喜　（蓦地踮起脚，高起声音）胖子，大冷天，穿好衣裳，别冻着。

〔胖子的声音：（仿佛他又走回来：拉着翠喜的手，亲亲热热而又嘻嘻哈哈地）我的喜儿，哎哟，你比我的媳妇还痛我，来，我的喜儿！（随着语气似乎把翠喜蓦地一拉）

翠　喜　（几乎跌倒在帘子外，扶着门框站直，推开那胖子的手，又笑又喘地）缺了德的，胖子，你放开手。你回家找你媳妇吃"喳儿"[1]去吧，少跟我起腻！

〔胖子的一个朋友：（连连咂着嘴，故意地做出羡慕的声调）哟……哟……哟，这小两口子看劲头儿吧。胖子，你看，娘儿们直跟你上劲，你住在这儿吧。

〔胖子的声音：（故意稀里糊涂地）嗯，我的喜儿，我不走了。

翠　喜　（知道他们是拿她打趣。推着他们）去！去！去！别打哈哈。胖子，你明儿来"回头"，准来呀！两位二爷一块来玩呀！

〔男人们含含糊糊的声音：好，好，喜儿。

〔一个卖报的低哑的声音：看报，看晚报！看一家子喝鸦片烟的新闻。看报，看晚报，看小录事跳大河的新闻。

翠　喜　（望着卖报的，转过眼来才知道胖子一帮人已经快走出门外。忽然嚷起来）胖子，你明儿准来！你明儿要不来，你养出儿子可没有屁眼儿，你听见了没有？（笑着。一扭身，

1　"奶头"的意思。——底本注。

扔下烟卷头，唾一口痰，走至左面方桌前，拿起胖子放下的角票，数一数，叹口气，又放在桌子上。坐在方桌旁的椅子上）妈（语助词），一天不如一天，这事由简直混不下去了。（由桌上拾起一段烟头，点上）

〔外面吆唤各种叫卖声。

翠　喜　（回头向左面那间小屋子）小翠！小翠！（她走到左门口，掀起帘子）小翠，你还不起来？你再不听话——（忽然）这死心眼的孩子，我没有那么大工夫理你。

〔进来一个小矮子，短打扮，提着水壶，厚嘴唇向上翻，两个大门牙支出来，说话有些关不住风，还有点结巴。他走到方桌面前，放下水壶，数数角票，翻着白眼望翠喜。

翠　喜　你看嘛[1]？小顺子？

小顺子　这是那胖……胖……胖……胖子二爷给的？

翠　喜　你嫌少？人家留着洋钱“置”（买）坟地呢。

小顺子　（摇摇头）都……都交柜么？

翠　喜　不都交柜，掌班的印子钱一天就一块，你给？

小顺子　可你……你……你吃什么？

翠　喜　还用着吃？天天喝西北风就饱了。（走到煤球炉子前烤火）

小顺子　（回转身子，仿佛不大肯说）你的老……老……老头子又……又……又来了。

翠　喜　来了也不是白搭，打死我我也没有钱给他。我要是事由混

1　“什么”的意思。——底本注。

的好，谁不愿意往家里捎个块儿八角，三块两块的？家里孩子大人，都喜欢！要他一趟一趟地来找我？（低头沉思，忽然）妈的，我刚在班子混事的时候，事由儿多“火棒”[1]，一天二十几帮客，小顺子，连你不一天也从我的屋里拿个块儿八角的？哼，（摇摇头）不成了，人过时了。

〔在窗下有一个唱“数来宝”的乞丐，打着“七块板”，右手是“五甩子”，左手甩起两块大竹板，“提提哒，提提哒，提提哒，提提哒，提提哒。”用很轻快的声音唱起来。

〔乞丐：（咳一声）“嘿，紧板打，慢板量，眼前来到美人堂。美人堂前一副对，能人提笔写的详。上写白天推杯来换盏，天天晚上换新郎。（提提哒，提提哒，提提哒提哒提哒）一步两步连三步，多要卖茶少卖铺，（提提哒，提提哒，提提哒，提哒，提哒）黑脸的喝茶白脸的住，老板陪客也在行，又有瓜子又有糖，小白脸，小宝贝，搂在怀里上洋劲儿。”（复用苍老的腔调）掌班的老板们，可怜可怜我瞎子吧。

翠　喜　去，去，去。别在这门口吵殃子，没有钱！（把嘴上的烟蒂头扔到门外）去，赏你一个烟卷头抽。（看见乞丐拿起烟头）咦，你看年头改良啦，瞎子看见烟卷头就伸手啦。

〔乞丐：（笑嘻嘻地）我一个眼儿瞎。回见，大老板。（走开）

小顺子　你爷……爷儿们要你带着孩子回家住。

翠　喜　（啐一口痰）回家？这大冷天回家找冻死去？孩子搁在这儿

1　“热闹”的意思。——底本注。

死不了。你跟瘸子说我这儿有客，回头我就出去。瘸子在门口站着不是么？

小顺子 让他进来，他不进来，瘸子说：他，他……嫌寒伧。

翠　喜 哼，自己养不起自己的娘儿们，活王八也当那么些年了，脸上还有什么挂不住的！

小顺子 （擦桌子）新搬来的那孩子呢？

翠　喜 你说小翠？在屋里。

小顺子 （低声）我看一会儿黑三又要来。

翠　喜 （叹一口气）你看吧！这一晚上她一个盘儿也没有卖，你看黑三来了，还不把她揍死。

〔小翠由左面慢慢走出来。

小东西 （横了心）揍死就揍死，反正是一条命。

翠　喜 （惊异地）哟，小翠，怎么啦？

小顺子 小翠改……改……改了词了。不怕黑三了？

〔小东西擦擦眼泪，不说话。她穿着蓝布夹上衫，黑裤子，她的神气改了，从前脸上那一团孩子气为一层严肃沉郁遮盖着，几天的遭遇，磨得她更坚强了。

小顺子 你这孩……孩子也“格涩”[1]，放着生意不做，一天就懂得哭。娘……娘儿们不擦个粉，不抹个胭脂，你……你想，你怎么挂得上客？

〔小东西坐在方桌旁，低头摩弄自己的衣裾，不理他。

---

1 “与人不同”的意思。——底本注。

翠　喜　（对小顺子）你别理她，这孩子天生“刺儿头”；你跟她说一百句：她是土地庙里泥胎，是个死哑巴。

〔小顺子提水壶由正左门下，半晌。

小东西　黑三还来不来？

翠　喜　还怕他不来？我跟你说，你到这儿三天啦，一天也没挂上个客人，可哪一天黑三又让你好好地过啦？你别想你是从大旅馆搬来，看过好客人。到这儿来，就得说这儿的规矩，你今天一天又没有好生意，你看黑三那个狗杂种会饶过你？

小东西　罪也有受够的时候。

翠　喜　受够？这个罪没个够。我跟你说，咱们姐妹不是什么亲的热的，东来西往地你在老姐姐我的屋子搭住这三天也是咱们姐儿们的缘分。我不是跟你小妹妹瞎“白货”[1]，我从前在班子的时候也是数一数二的红唱手[2]，白花花的千儿八百的洋钱也见过。可是人老珠黄不值钱，岁数大了点，熬不出来，落到这个地方，不耐心烦受着，有什么法子？我告诉你，亲妹子，你到了这个地方来了，你就不用打算再讲脸。人家爱怎么样就怎么样；教他妈的哪儿讲脸去？

小东西　（急得想哭）可……可是——

翠　喜　可是什么？男人没有一个是好东西。到这儿来的，哪个不

1　夸口的意思。——底本注。

2　“妓女”。——底本注。

是色催的？打打闹闹说说笑笑，有钱的大爷们玩够了，取了乐了，走了，可是谁心里委屈谁知道，半夜里想想：哪个不是父母养活的？哪个小的时候不是亲的热的妈妈的小宝贝？哪个大了不是也得生儿育女，在家里当老的？哼，都是人，谁生下就这么贱骨肉，愿意吃这碗老虎嘴里的饭？（低头，似乎要落泪）

小东西　（拿出手帕，给她）你擦擦吧。

翠　喜　我没有哭。（嘘出一口气）我才不哭呢。我跟你说，人心都是肉长的，我这是老了，早晚替家里大的小的累死了，用芦席一卷，往野地一埋就完事。你年轻，你还有的是指望。熬几年，看上个本分人，从了良，养个大小子就快活一辈子。你现在跟黑三用不着别扭，顺着他点，少受多少眼前的罪。咱们到这儿来，出不去，顶不济是死，还说到哪儿去？凭什么受这兔崽子一顿一顿的打？咱们娘儿们“恼在心里，喜在面上”，心里分就得了。他说好听的，听着；说不好听的，就给他一个“实棒槌灌米汤”，来个寸水不进，我算是满没有听提，这才能过日子。

小东西　我……我实在过不去了。

翠　喜　这叫什么话，有什么过不去的。太阳今儿个西边落了，明儿个东边还是出来。没出息的人才嚷嚷过不去呢。妈的，（叹气）人是贱骨头，什么苦都怕挨，到了还是得过，你能说一天不过么？

〔卖报的声音：看报，看晚报，看看小录事跳大河的新闻。

看报来，看小晚报，看看合家子喝鸦片烟的新闻。

小东西 你听！

〔卖报的声音：（渐远）看报，看看小录事跳大河的新闻。

翠　喜 别听这个，“尽听拉拉蛄叫，别种庄稼了。”打扮打扮回头好见客。

〔左边小门传出小孩子哭醒了的声音。

小东西 你的孩子醒了。你进去喂喂他吧。

翠　喜 嗯。

〔外面叫卖声，在门内小儿的哭声和翠喜唔唔地拍着孩子睡觉的声音。

〔小东西一声不响地坐在床上。

〔隔壁传出一个女人淫荡地随着二胡唱小曲的声音。

叫声小亲亲

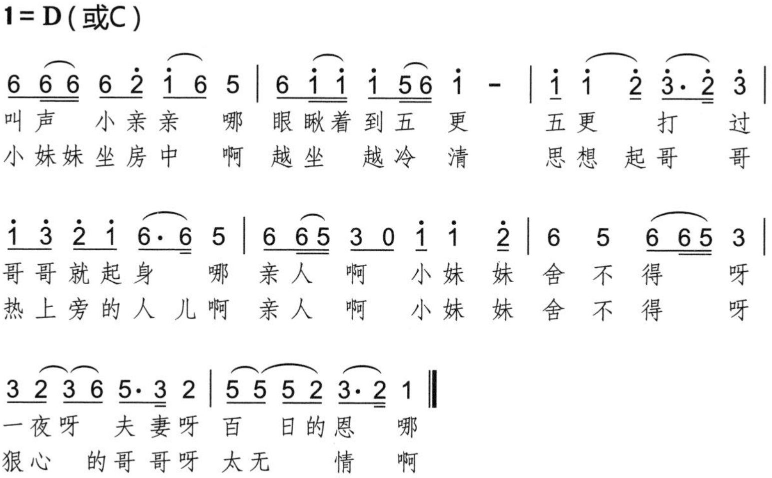

〔唱了几句，忽然停住，男女欢笑声喧然。

〔小东西扑在床上抽咽起来。小顺子由正左门走进来，走到小东西面前。

小顺子 （望着小东西）我……我说，小翠……你这样……是自己……

〔小东西望了他一眼……

小顺子 （叹一口气）小翠，你……打算怎么样？

小东西 （擦擦泪，倔强地）不打算怎么。

小顺子 （厚嘴唇翻上翻下地）你怎么这么个死心眼呢？到了这个地方，你还有……有个什么讲究。你看，你看这三天教……教黑三打……打……打成什么样？

小东西 （忽然）为什么我爸爸会教人打死了呢？

小顺子 你爸爸活着，不也是臭屎壳郎，没人理；一个破工人，他能怎么样？

小东西 才不呢，我爸爸有好些朋友。他教日本老板害死了，叔叔大爷们待我才好呢。

小顺子 待你好还会落到这个地方？

小东西 不是，那是我不听话，偷着出门买东西，叫人骗走的。

小顺子 这不结了，反正是已就已就了，你爸爸也死了，叔叔大爷们也见不着了。

小东西 我要找他们，我非得找他们去。

小顺子 你也得出得去，你就死了心吧，想法挂个客要紧，黑三饶得了你？

〔小顺子坐在方桌旁，窗外有一个人敲着破碗片按板，有韵味地唱秦琼发配："（流水）将身儿来至在大街口，尊一声列位听从头。一非响马兵贼寇，二非强盗把诚投，杨林他道我私通贼寇，因此上发配到登州。舍不得大老爷待我的恩情厚，舍不得衙门众班头，舍不得街坊四邻好友，实难舍老母白了头。儿是娘身一块肉，儿行千里娘担忧。眼望着红日坠落在西山，尊一声公差把店投。"

〔唱戏人声：（唱完重重地将碗片铿然一声，凄凉的嗓音）有钱的老爷们，可怜可怜吧。我是出门在外困在这个地方了。大冷天的，赏个店钱吧，有钱的老爷们！

小东西 几点了？

小顺子 十二点多了。

小东西 快完事了吧？

小顺子 倒也该落灯了。可也说不定，客人也……也许这时候哄哄地来一大帮子。

小东西 （看了看小顺子，俯在桌上哭）爸爸。

〔外面尖锐的声音：请这边走，腾屋子。

小顺子 有客。（向里面）三姑娘，有客来了。（站起提着水壶走出去）

〔翠喜由左屋出来。

翠　喜 你一个人坐在这儿干么呢？

小东西 你孩子睡着了？

翠　喜 睡着了。

〔外面尖锐的声音：见客啦！

翠　喜 （对小东西）去吧，看看去吧。挂上一个好住客，你也省得今天再受罪。

〔小东西机械地立起来。

〔外面尖锐的声音：见客啦，前院后院的都出来呀！见客啦！

〔小东西被翠喜推出去。

〔外面尖锐的声音：（每一个花名都停顿一下）宝兰，金桂，翠玉，海棠，黛玉……

〔铃声响。

〔另一个声音：让屋子，让屋子。二爷这边坐。请这边坐。

〔小顺子掀开帘子，让进来福升和胡四。胡四穿着皮大衣，琵琶襟紫呢坎肩，高领碎花灰缎夹袍，花丝袜子，黑缎鞋，歪戴着西瓜帽，白衬衫袖子有寸来长卷在外边，风流潇洒地走进来。福升也是兴高采烈的，油光满面，他穿一件旧羊皮袍子，露出号衣底襟，看得出他是很忙地披上衣服就跑出旅馆来的。进门来，胡四四面望望，拿出手帕掩住鼻子。

王福升　怎么？

胡　四　这屋子好大味。（倚着桌角斜坐下去）

王福升　（用手在桌上一抹）瞧衣服。

胡　四　（忙站起，掸大氅）他妈的，这缺德地方。

王福升　（油嘴滑舌的）四爷，我可把您送到这个地方来了。我得回旅馆去了。

胡　四　（一把拉住他）不，不成。你得陪着我，你不能走。

王福升　我的爷爷，旅馆正忙，潘经理正请客，我得回去照应。

胡　四　你不是托别的伙计照应了么？

王福升　您叫我陪您到这儿来，这可是谁都不知道。回头叫顾八奶奶知道了，我可把话擂在头里，这可是您一个人来的。

胡　四　我哪一次玩的时候连累过你？

王福升　好，那我待一会，一会我就回去。

胡　四　我一会儿也回去。

小顺子　（对福升）二爷，您好久没来了。您招呼那五姑娘都挪了地方了。您另招呼个人吧。

王福升　不，不是我，是四爷。（指胡）我们胡四爷要到这儿来开开眼，玩玩。

小顺子　那么，叫几个您看看？

胡　四　（非常在行地）嗯，见见，先叫几个来见见。

小顺子　是，四爷。（出去）见客来，见客啦。

王福升　您费半天的劲叫我陪您看看这小东西，到这儿您又不要了。

胡　四　（翻翻白眼）为什么不？大爷花了钱，不多看几个不有点冤的慌，傻瓜蛋，反正回头我们挑那孩子玩玩就得了。

〔小顺子撩开正右门的帘子，自己立在外边。

小顺子　（对着那些妓女）向里边站。

〔胡四和福升立在门口向外看。

〔另一个声音：见客啦！前院后院都来见客啦，玉兰！

〔便有个妓女在他们眼前一晃。

胡　四　（吐舌头）老倭瓜啦。

〔另一个声音：（很快地接下去）翠玉！金桂！海棠！黛玉！

〔随着名字一个个妓女在门口晃一下，各种各样的笑声。

胡　四　（仿佛检查牲畜一般，轻薄地随着每个妓女的出进作各种姿态的评断）不好，简直地恶心，这个不错，可惜瘦点！（向福升丢眼色）好肥萝卜[1]！越看越不济！——这个名字倒不错，哼，可惜模样有点看不下去。

〔福升也随和着。

〔另一个声音：翠喜！

胡　四　（望见翠喜）劲头不小。

〔小东西套上一件花布旗袍站在门口。

〔另一个声音：小翠。

王福升　（低声对胡四）就是她，就是这孩子。

〔另一个声音：凤娥！小小！月卿！

小顺子　（对胡四）都齐了，四爷。有告假的，有病的，都齐了。

胡　四　（对小顺子）翠喜，小翠，这是姐儿俩？

小顺子　嗯，都是一屋子的姐妹。

胡　四　招呼这姐儿俩！

小顺子　三姑娘，八姑娘。

〔翠喜和小东西进了门。小顺子出去。

翠　喜　（非常老练地）侍候哪位？

胡　四　（指自己）我。

翠　喜　我这妹子呢？（指小东西）

胡　四　（指自己）也是我。

1　“好肥萝卜”底本作“好肥卜萝”，当作“好肥萝卜”。

翠　喜　（笑嘻嘻地）这合适么?

胡　四　这有什么不合适的。

〔小东西认出福升。

翠　喜　（对胡四）二爷贵姓?

胡　四　胡，胡四。

翠　喜　（朝胡四）胡四爷。（指福升）四爷，您引见引见。

胡　四　（胡扯）这是王八爷。

王福升　王倒姓王，可不行八。

〔小顺子提茶壶进。由口袋拿出一包瓜子，打开放在方桌上一个铁盘里。等一个伙计奉手巾。

翠　喜　（奉瓜子）四爷，八爷，四爷您不宽宽大衣。

胡　四　（油腔滑调）不，我刚吃了好的，怕凉。（用手帕大掸床上的被单才坐下）

翠　喜　（向小东西）你这么愣着干么，（对着胡四）四爷，您得多包涵着点，这孩子是个“雏”，刚混事没有几天。

王福升　（替胡四说）没有说的。

胡　四　（拉着小东西的手）我得瞧瞧你。这孩子倒是不错，难怪金八看上她啦。

王福升　（指自己）你认识我不认识我?

小东西　（切齿地）你磨成灰我也认识你。

王福升　（高了兴）喝，这小丫头在这儿三天，嘴头子就学这么硬了。

胡　四　（赏鉴）这孩子真是头是头，脑是脑。穿几件好衣服，不用旁人，教我胡四跟她出个衣服样子，我带她到马场俱乐部走走，这码头不出三天她准行开了。

王福升　那赶子好。可是您问她有这么大福气么？

胡　四　可是……（忽然对小东西）是你把金八爷打了么？

〔小东西狠狠地向福升身上投一眼，又低下头，一语不发。

翠　喜　四爷跟你说话啦，傻丫头。

〔小东西石头似地站在那儿。

王福升　瞧瞧，这块木头。

胡　四　（点着烟卷）奇怪，这么点个小东西怎么敢把金八打了？

王福升　可不，金八爷看上她，这不是运气来了？吃，喝，玩，穿，乐，哪一样不是要什么有什么。他妈的，（回过头对小东西）这孩子偏偏一心要守着黄花闺女，贵贱她算是不卖了。（指着小东西，似乎很为她不平）可你爸爸是银行大经理？还是开个大金矿？大洋钱来了，她往外推，你说（对翠喜）这不是邪行？

翠　喜　咳，"是儿不死，是财不散。"这都是罡着，该她没有那份财喜。

王福升　（对小东西越看越有气）妈的，这一下子玩完了，这码头你以后还想待得住？他妈的，我要有这么一个女儿，她也跟我装这份儿蒜，把这么一个活财神爷都打走了，我就Kay了她，宰了她，活吃了她。（指指小东西）真他妈的"点煤油的副路"[1]。

1　Damned-fool.——底本注。

胡　四　你这是干什么？

王福升　我……（笑）我这是越说越有气，替这混孩子别扭得慌。

小东西　（走到那一头对福升）你到这边来。

王福升　怎么啦？（望望胡四，丢个眼色，自得地走过去）你要干什么？

小东西　（硬冷地）那天在旅馆里，你说陈小姐找我，把我骗出来。

王福升　怎么？

小东西　现在黑三死看着我，我一辈子回不去啦。

王福升　人家旅馆陈小姐也没有要你回去呀。

小东西　（浑身发抖）我好容易逃出来。你把我又扔在黑三手里。

王福升　小东西，妈的，我们送你到这儿来，给你找婆家，你他妈的还不知情。还埋怨人？

翠　喜　（对小东西）你这孩子又犯了病了？

小东西　（不理她）我，我恨死你。

胡　四　（走到小东西面前，故意打趣）别恨啦，疼还疼不过来呢。（又拉小东西的手，叫她坐在他的膝上）

〔小东西甩开胡四的手跑到福升面前，连着打他两个嘴巴，揪着福升拼命。

王福升　这东西。（挣脱开她的手）

翠　喜　（拉着小东西）你发疯了。

〔小顺子进来。

小顺子　怎么啦？

〔正在开门，黑三进。

翠　喜　（对小东西）黑三来了！

小东西　（立刻放下手，惊吓地）啊！

黑　三　（狞笑，很和气地向小东西招手）过来！

〔小东西望着房里每个人的脸，不敢走到黑三面前，寂静。

王福升　去吧！孩子！（把小东西一推）

黑　三　（更和气地）过来呀！

〔小东西慢慢走过去。

黑　三　（一把抓住小东西的小手，对胡四）您受惊。四爷！这孩子有点不大懂规矩。（对翠喜）三姑娘，你先好好陪陪四爷，给他老人家多多上点劲。八兄弟，今天可委屈你了。

〔狼咬着小鸡子似地黑三把小东西拉出房门。门一关上就听见：

〔黑三的声音：（狠狠地）妈的！（在小东西脸上一巴掌）妈的！（又一巴掌）那屋去！走！走！

翠　喜　这是怎么说的？这孩子的脾气也是太"格涩"，八爷，您刚才没有撞破哪儿？这真怪过意不去的。

王福升　没有说的，没有说的。

小顺子　（笑）可不是孩子小，小孩子脾气，二位多包涵着点。

胡　四　去你的，谁问你啦？

小顺子　是，没问我，就算我没说。（搭讪着出去）

胡　四　福升，怎么样？刚才那两下痛不痛？

王福升　没什么！这孩子连金八爷都劈拍两耳刮子[1]，我王八爷挨这两

---

1 "两耳刮子"底本作"两耳括子"，当作"两耳刮子"。

下子打，算什么委屈。

〔外面铃声。

〔外面的声音：让屋子，来客啦。

胡　四　人就是那么一回子事，活着不玩玩就是个大混蛋，挨两下子打算个什么？

王福升　走吧，四爷。我看您也该回旅馆了。

翠　喜　谁说的？（对福升）去！去！去！你看你这个忙劲儿。

王福升　挨了打，还在这儿死赖皮做什么？

翠　喜　八爷，混事由的，都不易，得原谅着点，就原谅着点。

〔小顺子进屋。

小顺子　二爷迁就迁就，拉拉帐子。

〔小顺子将左边方桌上的东西移到右边，拉上中间的幔子，于是一间屋子隔成两间。小顺子走到左边。

〔在左面——小顺子打开门，让进方达生和田振洪。

〔田振洪，一个四十八九岁的老工人，坚强，老练。

小顺子　您二位先这边落落。

〔外面连叫“小顺子”！小顺子应声下。

田振洪　方先生，这一晚上走这么些地方，您可累了。

方达生　只要找着她就好了。（半晌）他们真会把这孩子弄到这个地方吗？

田振洪　我们问过旅馆那些流氓，他们既然推得干干净净，根本不承认丢了人这件事，我算计，连珍这孩子多半在这种地方可以找到。

方达生　他们也许有所顾忌，可能先把她藏起来。

田振洪　您多想了一层，他们不会顾忌的。这是租界，帝国主义的殖民地。这些流氓特务跟帝国主义一样，从来没把我们工人放在眼里。他们杀了连珍的爸爸，就敢把连珍弄到此地来。

方达生　可是这种地方这么多——

田振洪　（愤懑地）是啊，您问问，这里的女人，哪一个不是劳苦大众的女儿？早晚我们要把她们都救出来。连珍这孩子我们一定要查到，从她那天不见起，我们的弟兄们已经在四下里找。

〔在右面——胡四把翠喜拉到身边。

胡　四　（低声）你来，我跟你说句话。

翠　喜　（笑着）干嘛呀！

胡　四　（拉住她的手）你过来呢！（低语）

翠　喜　（格格地笑）去你的吧。

胡　四　真的？（又低语）

翠　喜　（拧了胡四一把，胡四哎哟一声）看你馋不馋？

胡　四　（对翠喜挤眼）馋！（又低语）

翠　喜　（故做怒状）去你的，喜欢浪，坐飞机去。

胡　四　怎么？

翠　喜　美得你好上天哪！

〔胡四大笑，又拧了翠喜一把，翠喜叫一声，两个人对笑起来。

〔右稍暗。在左面——小顺子上。

小顺子 两位二爷有熟人提一声。

方达生 （脱口而出）没有，我们要找个人。

小顺子 （诧异）找人？

方达生 嗯。

田振洪 （望望方，随意地）玩来的嚜，何必单找她？（对小顺子）这位二爷乐意年轻的，你把你们那顶小的十五六的姑娘找几个来见见。

方达生 （稍稍一愣）对。

小顺子 （望望他们）对，叫几个小的给二位见见。

〔小顺子下。

田振洪 （和蔼地）方先生，您这样性急不成，跟他们说找人就不大合适。我跟您说话太直，您别在意。

方达生 当然不会。

〔在右面——福升渐渐注意左面，由幔缝偷偷向左面张望。

王福升 （低声向胡）四爷，四爷，您瞅，方先生来了。

胡　四 （放开翠喜）谁？

王福升 您在旅馆看见的那位方达生。

胡　四 （低声，好奇地）让我瞧瞧。

〔胡四凑过去看，福升站在他背后，想了想，忽然跑出去。

〔翠喜走近胡四，问什么事，胡四只顾看，不理她。她无聊地到镜台旁，燃起一支香烟，走到门边，倚着门框闲站着。门口一个乞丐的声音，打着带铃的牛胯骨唱“数来宝”。

〔乞丐:（打着牛胯骨，提提哒，提提哒，提提哒，提哒，提哒）“毛竹打，更不错，老板身穿花丝葛，人才好，穿得阔，未曾说话抿嘴乐，哪天都有回头客!”——老板可怜一个吧。

翠　喜　（站在门口）讨厌，又是你。

〔乞丐：老板，可怜可怜吧，您行好，明天就从良，养个大小子。

翠　喜　去你的，今天晚上就冻死你兔崽子。

〔在左面——黑三上，后随小顺子。

黑　三　（打量方和田）二爷，我们这儿没有十五六的姑娘，要不都叫出来您挑挑。

方达生　（注视黑三）好。

黑　三　小顺子，叫姑娘们见客。（对田、方）二位候候。

〔黑三下，小顺子随下。

田振洪　（低声）先生，我们可能没白跑。您留神没有？先那个人说有岁数小的，后来这个人又说没有。

方达生　（想一想）我仿佛在旅馆见过后来的这个人。

田振洪　真见过?

方达生　（肯定地）嗯，是见过。

田振洪　（低声）方先生，我看有点门，我们先走吧。

方达生　这就走?

田振洪　别又性急，也许这孩子在这儿，也许不。先弄清楚这件事，得绕个弯子办，别再问下去，招得他们注意。

〔小顺子上。

小顺子　（掀着门帘子嚷）前院后院的见客啦！

田振洪　不必了。（对方）我们走吧。

小顺子　（跟在他们后面）对不起，两位二爷。坐会吧，不沏壶茶喝喝。

〔田振洪与方达生下。

〔在右面——

胡　四　（坐在桌旁，抓了一把瓜子，向翠）来，给四爷嗑个瓜子。

翠　喜　（接过嗑了一个）给你。

〔胡四凑过嘴去接。

翠　喜　（笑着将手缩回）还不错呢！

〔门口，乞丐又走回，打起牛胯骨“提提哒，提提哒，提哒，提哒……”

〔福升上，后随小顺子。

王福升　（对乞丐）去，去，去！（扔出一个铜元）少在这儿麻烦。

〔乞丐：费心老爷。（又走到旁屋门口，打起牛胯骨）

胡　四　（对福升）怎么样？

王福升　黑三是个“愣头青”，我教他少惹事，好好地把方先生跟那个人送走。我看四爷，您也该走了。

胡　四　走？还没尝着味儿呢，小翠儿呢？

王福升　这就来。（睨望胡）四爷，别“逗”啦，走吧。

〔黑三上。

王福升　走啦？

黑　三　走啦，八兄弟。（对胡四）四爷，您先歇着，我给您叫小翠来陪您。

王福升 不用啦，黑三，我们也该走啦。

胡　四 我们待的时候不少了。

黑　三 别截，您先玩会儿。（忙走出去，叫）小翠！

王福升 快回去吧，您这身新衣服也该在八奶奶面前显派显派。

胡　四 （又想起他的“第一美男子”的浑号，很高兴地）你说，这身衣服我穿着不错吧？

王福升 可不，我看您这身比哪一身都好。

胡　四 （不自主地又开始搔首弄姿，撢撢衣服，自满地）我看也不大离。

〔黑三进，后随小东西。

黑　三 好好地侍候四爷一会。四爷好多照应你。叫声四爷。

小东西 （一字一抽噎）四……四……四爷。

黑　三 给王八爷赔个礼。

〔小东西望着福升——

王福升 没有说的，没有说的。

黑　三 （得意扬扬）给四爷倒杯茶，求八爷明儿陪着四爷来。

胡　四 明儿见。（起身）得了，别客气啦，没有什么说的。

〔翠喜由屋内出来。

翠　喜 谁说走？谁也不许走，四爷，您刚才怎么说的？（耳语）

胡　四 （频频点头）对，对——（坏笑）可我实在有事。今儿个不成，明儿见。

王福升 （笑）有事，明儿见吧！

黑　三　这是碰着四爷，好说话的，好，要碰着个刺儿头，这不连窑子都砸了。

翠　喜　（拉着胡四）那明儿你一定来？

〔胡四嘻嘻哈哈地点头。这时小东西已斟好茶，正向胡四送过去。

王福升　（开玩笑）小心点，别烫着手，小姐。

〔小东西低头，走到胡四面前，眼泪汪汪地。

王福升　四爷，你瞧，小翠跟你飞眼呢。

〔小东西气得回首望福升。

胡　四　（高兴）是么？（想拧小东西的脸蛋）小东西你看上了我么？

小东西　（蓦地回过头来，没想到胡四这样近靠着她，茶碗碰着胡四的手，茶水溅湿他的衣服）啊！

胡　四　你看！

黑　三　（大吼）妈的，你看你！

小东西　（失手，一碗茶整个地倒在胡四的新衣服上）啊！

胡　四　（急青了脸）我入你奶奶的！（连忙用手帕揩）

黑　三　（跳到小东西面前，举手就要打）你他妈的——

〔小东西躲在翠喜背后。

翠　喜　（拦住黑三）你先别打！

王福升　（也拦住黑三）黑三，先别急，人家衣服要紧。

黑　三　（忙）小顺子，赶快拿手巾来。

〔小顺子拿手巾跳进。大家一起擦衣服。只有小东西站在一旁呆望。

胡　四　（恼怒）去，去，去，别擦了！（凑在灯前看衣服）哼，这一身新衣服算毁了。妈的，（对福升）走！走！走！（忽然跑到小东西面前）你这贱骨头，我——（仿佛就要动手）

〔小东西后退。

胡　四　（一扭身）死货！（从袋里，取出一束钞票，对小东西）你瞧见这个么？大爷有的是洋钱。可就凭你这脑袋，（向黑三）一个子也不值！（对小顺子）把这个给三姑娘盘子！（一张钞票给小顺子）这个给外边。（又一张钞票）

小顺子　谢谢。

胡　四　（点点头）走！（对福升）回旅馆。

〔胡四扬长走出。福升后面跟着，小顺子也随出去。

翠　喜　（送到门外，应卯地）明儿来呀，四爷！明儿来呀！（忙回屋内）

黑　三　（野兽似地盯着小东西，低低地）过来。你跟我到这屋子来！（指左面小屋）

〔小东西呆立不动。

黑　三　（走到小东西面前，拉她）走！

翠　喜　（抱住小东西）黑三，你别打她！（哀求）这不怨她，你别打她！

黑　三　（在方桌下面，抽出一条鞭子）你别管！

翠　喜　黑三，这孩子再挨不得打了。

黑　三　（一手推倒她）你他妈的，去你个妹子的吧。走！（拉着小东西进屋，把门关上）

翠　喜　（忽然想起自己的孩子，跑到左小门前，敲门）开门，黑三，让我抱上孩子，开门，开门。

〔里面不应，黑三咀咒着，鞭子抽在小东西的身上，小东西仿佛咬紧了牙挨着一下一下的鞭打。孩子受惊大哭。

翠　喜　（慌急，乱打着门）黑三，黑三，你吓着我的孩子。我的儿！

〔孩子哭声。

翠　喜　（不顾一切地喊着）开门，黑三，开门，我的宝贝，你别怕！妈就来！

〔小东西突然拼命地嚎叫，小儿哭声更高，外面有许多人看热闹，小顺子跑进来。

翠　喜　（疯狂地乱打着门）你开门不开！黑三！你再不开，我就要喊巡警了。

小顺子　黑三，外边有人找你。

〔黑三开了门提着鞭子拉着小东西出来，一脸油光。

黑　三　（回头向左小门）先便宜你这小杂种。

〔翠喜立刻跑进房里，屋里一片啼声和抽噎声。

黑　三　（向小顺子）谁，谁来找我？

小顺子　旅馆来的人。

〔外边有小铃声，半晌。

黑　三　什么事？

小顺子　不知道，他没说。

黑　三　（用鞭子指小东西）这次先饶了你，待会要是有住客，你他妈的再挂不上，你明儿别见我。

〔小东西低头不语。

黑　三　（回身向小顺子）小顺子，我去了，明儿见。

小顺子　您走吧，明儿见。

〔黑三走出去。

小顺子　（向屋内）三姑娘，出来吧，瘸子可等急了，你快去见见他吧。

翠　喜　（由左边小门走出）哎，这过的是什么日子！

〔翠喜和小顺子一同出门。小东西站在房中央。

小东西　（像困在笼中的小野兽，顿足，低声叫着）死我也要出去！死我也要出去！

〔外面伙计声：落灯啦！落灯啦！

〔叫卖声：硬面饽饽！硬面饽饽！

〔打更的木梆声。

〔小顺子进来，由抽屉内拿出蜡烛点上，把电灯熄灭，屋内暗下来。

小顺子　（望望小东西）歇着吧，明儿个又得够你一受！

〔小东西不语，走到方桌边坐下。

〔远远听见翠喜哭嚷声。

〔一个男人的声音：你走不走？你走不走？

〔翠喜的声音：你打吧，你打吧，你今天要不打死我，你不是你爸爸揍的。

小顺子　（对小东西）你听见没有？翠喜男人又打她呢。（叹口气，一半自语）也是苦命，丈夫娶上她就招上了脏病瘸了，儿子生下来就瞎了眼，还有老婆婆瘫在床上，就靠着这儿弄几个钱养活一大家子人。

〔小东西坐在那里发呆。

小顺子 她来了。（向外叫）三姑娘。

〔翠喜哭哭啼啼走进。

小顺子 又怎么啦？

翠　喜 （自言自语）妈的，我跟你回去，今天我就跟你回去，回去咱们就散，这日子还有什么过头！（叨叨着进了左面小门）

小顺子 （望她背影）哎！

〔翠喜抱着孩子由左小门走进。

翠　喜 （望小东西，抽咽着）妹……妹子，（一字一噎地）怎么还……还没有住客么？

小顺子 （摇头）没有。

翠　喜 （拉着小东西的手）苦……苦命的孩子，也……也好，你今天就一个人在我这个床上睡吧，省得我在这儿挤，半夜里冷，多盖点被，别……别冻着。明天再说明天的，你自己先……先别病了，落在这个地方，病了更……更没人疼了！

〔小东西望望她，忍不住忽然大哭起来。

翠　喜 （心酸的掉下泪，将她拉在身边贴紧）妹……妹子，你……别哭，我……我走了。明天一大清早我……我就来看你。

〔小东西抽咽。

翠　喜　我走了。

小东西　嗯。

小顺子　我也歇去了。（对小东西）你睡吧。

〔翠喜和小顺子同下。

〔外面人声：落灯啦！落灯啦！

〔打更木梆声。舞台更暗。

〔室内静悄悄的，小东西倚桌子站着，将头俯在桌上。

〔叫卖声：（凄凉地）硬面饽饽！硬面饽饽！

〔外面伙计声音：（怕叫醒住客，低声）见住客，没有客的见住客！

〔小顺子进。

小顺子　小翠，又有客，去见见吧。

〔小东西抬头望望小顺子。

小顺子　（走过去拉她）去吧，你这孩子怎么这么别扭，能挂上个客，明天也就省得黑三把你揍个半死。（边走，边推小东西）去，走！

小东西　（推开他）别管我！（气愤地出门）

〔房里片刻无人。

〔外面有人低声报花名。

〔外面人声：（低声报花名）宝兰，海棠，金桂，兰弟，小翠，让客！

〔随声，小顺子掀开门帘，让进一位客人。他缓缓走进来，留神向四面张望。小东西站在门外，小顺子一把将她推进来，一面拧开电灯。

小顺子　（一脚站在门外，探身）二爷，您先落落，我给您沏茶。（放下门帘，随手掩上门，下）

〔小东西在门前倚墙站着，没有抬头。

客　（向四面望望，走到小东西面前，低声）连珍！

小东西　（望见他，惊喜地）郭叔叔。

郭玉山　（急促地）小声点，可见着你了！听我说，我们正四处找你，刚才你田大伯伯来过——

小东西　（管不住兴奋）田大伯来过！——我知道，我知道你们会来的。

郭玉山　（压低声音）你爸爸的朋友们都在外面，我先进来探听的，田大伯也在外面等着你。（静静地听了一下）走吧。

小东西　（喜极，但声音很低）郭叔叔！

郭玉山　（把小东西拉在身边）孩子，放大胆子，我们出门！

——幕急落

第四幕

与第三幕在同一个夜晚。

半夜后，大约有四点钟的光景，在 × × 大旅馆那间华丽的休息室内。

屋内帘幕都垂下来，在强烈的灯光下，满屋弥漫着浓厚的烟氲，酒瓶歪在地上，香槟酒杯的碎玻璃和水果皮渣堆在小几上。墙上的钟正指着四时许。

左面的屋子里面还是稀里哗啦地打着牌，有时静下来，只听见一两下清脆的竹牌声，有时说的，笑的，愤愤然击着牌桌的……和洗牌的声音搅成一片。

开幕时，白露一个人站在窗前，背向观众，正撩开帷幕向下望。她穿着黑丝绒的旗袍，周围沿镶洒满小黑点的深黄花边，神色忧郁，通身都是黑色。

她独自立在窗前，屋内没有一丝动静。

半晌。

左面的门大开，立刻传出人们打牌喧笑的声音。

〔里面的男女声音：露露！露露！

〔白露没有理他们，还是站在那里不动。

〔张乔治的声音：露露！露露！（一面走出，一面向里面人说）我就来。（自负地）你看我来请她。

〔乔治走出来，穿着最讲究的西服，领带散着，背心的纽子没有扣好。他一手抓住香槟酒瓶，一手是酒杯，兴高采烈地向白露走过来。

张乔治 （一步三摇地走近白露，灵感忽然附体）哦！我的小露露。（上下打量，指手画脚）So beautiful！ So charming，and so melancholic！

〔白露看着窗外，不动。

张乔治 （走到她侧面）你真美。你今天晚上简直是美！（摇头摆尾，闭目吟味）美极了！你真会穿衣服，你穿得这么忧郁，穿得这么诱惑！并且你真会用香水，闻起来（连连嗅着，一声长长的"嗯"！）这么清淡，而又这么幽远！我一闻着那香水的香味，你的美丽的身体所发出的那种清香，就教我想到当初我在巴黎的时候，（飘飘神往）哦，那巴黎的夜晚！那夜晚的巴黎！（赞美地）嗯！ Simply beautiful！

陈白露 （依然不动）你喝醉了吧。

张乔治 喝醉了？今天我太高兴了！你刚才瞧见刘小姐么？她说她要嫁给我，她一定要嫁给我，可是我跟她说了：（趾高气扬的样子）我说："你！（藐视）你要嫁给我！你居然想嫁给我！你？你居然想嫁给George Chang！ Pah！（一甩手）这世界上只有陈白露才配嫁给George Chang呢！"（他等白露的笑，但是——）咦，露露，你为什么不笑？

陈白露 （态度依然）这有什么可笑的？（低沉地）你还有酒么？

张乔治 （奇怪）你还想喝？

陈白露 嗯。

张乔治 你看我多么会侍候你，这儿早就预备好了。

〔乔治倒酒的时候，由右屋传来顾八奶奶叫白露的声音。他把酒倒好，递给白露，她一口灌下，看也不看就把酒杯交给乔治。

〔顾八奶奶由右门出，她穿戴仍然鲜艳夺目，气势汹汹地走进来。

顾八奶奶 （在门口）白露，究竟你的安眠药在哪儿?（忽然看见乔治）哟！博士，原来是你们俩偷偷地躲在这屋子说话呢。白露，快点，你的安眠药在哪儿?

陈白露 在我床边那个小柜子里。

张乔治 怎么啦，八奶奶?

顾八奶奶 （摸心）我心痛，我难过极了。

张乔治 又为什么?

顾八奶奶 还不是那个没良心的东西气的我。这一气，三天我也睡不着。我非得拿点安眠药回家吃不可。得了，你们两个好好谈话吧。（翻身就走）

张乔治 别，别走。坐一坐跟我们谈谈。

顾八奶奶 不，不，不，我心痛得利害，我先得吃点杜大夫的药。

张乔治 你在这里吃不一样?

顾八奶奶 可是你听听我的心，又是扑腾腾扑腾腾的，（揉着心，痛苦的样子）哎哟！我的妈哟，不成，我得躺躺。

〔忽然右门大开，又传进种种喧笑声。

〔顾八奶奶由左门下。

〔刘小姐的声音：Georgy~~~~~

张乔治　（以手抵唇）嘘！（指白露，做势叫刘小姐进来）

〔刘小姐的声音：（严厉地）Georgy！！——

陈白露　刘小姐叫你呢。

〔刘小姐的声音：（更严厉地）Georgy！你来不来！

张乔治　（诚惶诚恐地——）我来，我来，我就来。（慌慌张张地笑着走进右门）

〔半晌。

陈白露　（缓缓回过身来，神色忧伤，酒喝多了。满脸红晕，她轻轻捶着胸，捶了两下，仿佛绝了望似地把手又甩下来。叹一口气）嗯！（仰起头，泪水由眼角流下来，把手帕铺在脸上）

〔敲门声。

陈白露　（取下手帕，擦擦眼睛）谁？

〔福升声：我，福升。

陈白露　进来。

〔福升进。他早已回到旅馆，现在又穿起他的号衣施施地走进来。

王福升　小姐。

陈白露　你来干什么？

王福升　（看白露哭过）哦，您没有叫我？

陈白露　没有。

王福升　哦，哦……（望着白露）方先生不在这儿？

陈白露　他还没有回来。有事么？

王福升　没有什么要紧的事。刚才有人送来一封快信，是给方先生的。

陈白露　在哪儿？

王福升　（由口袋取出来）您要？

陈白露　回头我自己交给他。

〔福升把信交给白露。

陈白露　还早吧？

王福升　（看看自己的手表）早？都四点来钟了！

陈白露　（失神地）那些人没有走。

王福升　这儿又是吃，又是喝，有的是玩的，谁愿意走？

陈白露　（悲戚地点头）哦，我这儿是他们玩的地方。

王福升　嘁，那可不！

陈白露　他们玩够了呢？

王福升　您瞧，那回家去呀。各人有各人的家，谁还能一辈子住旅馆？

陈白露　（低声自语）对，谁还能一辈子住旅馆！我大概是真玩够了。（坐下）够了！（沉思）我也想回家去，回老家去。

王福升　（诧异）小姐，您……有家？

陈白露　嗯，玩够啦，该回老家了。

王福升　小姐，您真有这个意思？

陈白露　我常这么想。

王福升　（赶紧）小姐，您要是真想回老家，那您在这儿欠的那些账，您得——

陈白露 对了，我还欠了许多债。（有含意地）不过这些年难道我还没有还清？

王福升 （现实地）小姐，您刚还了八百，又欠了两千，不是我说您，您这样花法，一辈子也是还不清的。今天下午，他们又来了，您看，这些账单（从口袋里望外拿），这一共是——

陈白露 你不要拿出来，我懒得看，我不要看！

王福升 可是他们说明天下午您非还清不可，我一个劲跟他们说好话——

陈白露 谁教你跟他们说好话？冤有头，债有主，我自己没有求过他们，要你去求。

王福升 可是小姐——

陈白露 （烦躁地）我知道，我知道了。你不要再提了，钱！钱！钱！为什么你们老这样子逼我。

〔电话铃响。

王福升 （接电话）喂……你哪儿！哦……我这儿是五十二号陈小姐的房间。

陈白露 谁？

王福升 李太太，（对耳机）哦，是是。李先生不在这儿。他今天下午来过，又早走了……是……是……可是李先生刚才跟这儿潘四爷打过电话，说请他老人家候候，说一会儿还要来这儿的，对了，一会儿还来，要不，您一会儿再来个电话吧。（放下耳机）

陈白露 什么事？

王福升 李先生的少爷病得很重，李太太催李先生赶快回去。

陈白露 嗯。好，你去吧！

〔潘四爷喜形于色，由中门走进来。福升让进潘月亭，由中门下。

潘月亭 露露，露露，客没有走吧。

陈白露 没有。

潘月亭 好极了。来，都别让走，今天大家得玩个痛快。

陈白露 干什么？

潘月亭 我大概真正走了好运，我得着喜信了。

陈白露 什么？喜信？是金八答应你提款缓一星期了。

潘月亭 不，不是，这个金八前两天就答应我了。我告诉你，公债到底还要涨，涨，大涨特涨。这一下子真把我救了！你知道，我今天早上忽然听说公债涨是金八在市面故意放空气，闹玄虚，故意造出谣言说他买了不少，教大家也好买，其实他是自己在向外抛，造出好行市向外甩。那时候我真急了！我眼看上了他的当，我买的公债要大落，我整个的钱都教他这一下子弄得简直没有法子周转，你看我这一大堆事业，我一大家子的人，你看我这么大年纪，我要破产，我怎么不急？我告诉你，露露，我连手枪都预备好了，我——（咳嗽）

陈白露 （无动于衷）可怜！

潘月亭 （兴高采烈）我现在一点也不可怜，我跟你说人不能没有钱，没有钱就不要活着，露露，我现在真真有钱了，我过两天要有很多很多的钱，再过些天，说不定我还要有更多更多的钱。（忽然慷慨地）哦，我从此以后要做点慈善事业，积积德，弥补弥补——

陈白露 不过，你们轻轻把小东西又送到金八手里，这件事是很难弥补的。

潘月亭 （忽然想起来）哦，小东西怎么样了？你难道还没有把她找回来？

陈白露 找回来？她等于掉在海里了。

潘月亭 不要紧，有钱，我有钱。我一定可以把小东西还是活蹦乱跳地找回来。叫你高兴高兴。

陈白露 （绝望地）好，好吧！哦，你知道李石清要这时候来见你么？

潘月亭 知道。他说他有好消息告诉我。这个东西太混账，他以为我好惹，这次我要好好地给他一点颜色看。

〔顾八奶奶由右门上。

顾八奶奶 露露！露露！——哟，潘四爷，这一晚上你上哪儿去了？（撒娇地）真是的，把我们甩在这儿，不理我们，你们男人们，真是的！——对了，四爷，您看胡四进了电影公司正经干多了吧。还是四爷对，四爷出了主意，荐的事总是没有错儿的。（不等潘月亭回答，就跑到左面立柜穿衣镜前照自己，忽转向露）露露，你看我现在气色怎么样，不难看吧？

潘月亭　（无可如何）露露，你陪八奶奶谈吧，我去到那屋看看客人去。

〔潘月亭由左门下。

顾八奶奶　四爷，您走了。（对露冒然）你说他还来不来？他叫我在你这儿等着他，他要跟我说戏，说“坐楼杀惜”，你看快天亮了，他的魂也没有见一个。唉，我真，我……我真想叫福升问问他……

陈白露　（厌烦，不等她说完便叫）福升！福升！

〔福升由中门进。

陈白露　你知道胡四爷上哪儿去了？

王福升　不，不知道。

顾八奶奶　（没好气地）他就会说不知道。

王福升　实……（谄笑）实在是不知道。不过仿佛胡四爷说他先去——

顾八奶奶　（暴躁地）
王福升　（假笑地）　}（同时说）换衣服去了。

顾八奶奶　（急躁）换衣服！换衣服！你就会说换衣服。

陈白露　怎么？（对福）你知道胡四干什么去了？

王福升　（谦逊地）顾八奶奶刚才问了我四五遍，怪不得她老人家听腻了。您想，她老人家脾气也是躁一点，再者她老人家……

顾八奶奶　去！去！去！什么她老人家，她老人家的，我瞅你就生气，谁教你进来给我添病的。

王福升　是，是。（由中门下）

顾八奶奶　胡四进了电影公司两天，越学越不正经干，我非死了不可！露露！你的安眠药我都拿去了。

陈白露　（略惊）怎么，你要吃安眠药？

顾八奶奶　嗯，非吃不可。

陈白露　（劝她）那你又何必呢？你还给我。（伸手）

顾八奶奶　不，我非吃了不可，我得回家睡觉去。我睡一场好觉，气就消了。杜大夫说睡一点钟好觉，就像多吃两碗饭。我要多吃两碗饭，气气他。

陈白露　哦！（放下心）不过我先警告你，这个安眠药是很厉害的。你要吃了十片，第二天就会回老家的，你要小心点。

顾八奶奶　（拿着安眠药看）哦！吃十片就会死。

陈白露　十片就成了。

顾八奶奶　那……那，我就……我就吃半片。

陈白露　那才好，刚才我以为——

顾八奶奶　哦，（恍然）你说我吃安眠药寻死？我才不呢。我不傻，我还得乐两年呢！哼，我刚刚懂一点事，我为他……哼，胡四有一天要跟我散了，我们就散。我再找一个，我非气死他不可！

陈白露　（冷冷地望着她）你不累么？

顾八奶奶　可不是，我是有点累了。我得打几副牌休息休息我的脑筋。你跟我一块来吧。

陈白露　不，你先去吧，我想一个人坐一坐。

〔顾由左门下。

〔中门敲门声。

陈白露 谁？

〔方达生由中门进。

陈白露 怎么样，连珍那孩子找着了吗？

方达生 没有，我找着仁丰纱厂的工人，跟他们一道找了许多地方，直到我有事，离开他们的时候，还没找到。

陈白露 （叹口气）我知道是找不到的。

方达生 不见得，对的事情，没有做不成的，只要行动起来。

陈白露 （幽默地望着他）这两天你又有什么行动？

方达生 你想我能在这旅馆里天天看着你们打牌吗？（坐在沙发上）

陈白露 没有特务跟上你吧？（坐在他对面）

方达生 大概没有，但是我要搬家了。

陈白露 为什么？

方达生 住下去对你也不很合适。

陈白露 那有什么？

方达生 对我也不方便。

陈白露 怎么？又要逃命吗？

方达生 （笑笑）我从来没有单为逃命搬过地方。

陈白露 那么，是有更重要的事情要你做啰。

方达生 我只是一个普普通通的中国人，我能做的从整个的看也不一定很重要，但是现在事情是很多的，需要许多人参加。你知道时局可能有很重大的变化。

陈白露 （有点俏皮地）又是帝国主义的压迫吗？

方达生　我不大喜欢你说这句话的口气，你仿佛永远是一个站在局外的人，根本不承认这种人吃人的社会是帝国主义勾结国民党，勾结金八，潘四这群又是买办，又是封建代表合起来造成的。

陈白露　对不起，我实在脑筋简单，我真看不出你们这样东奔西跑会带来什么希望。

方达生　（冷静地）一个人成天跟金八，我说得重一点，跟这些帝国主义的奴才们混，是不容易看出希望，看出力量的。

陈白露　（讽刺地）你看见了？

方达生　自然。

陈白露　在哪儿？

方达生　（望着她）就是成千成万被压迫的劳苦大众，这个有组织的力量。跟他们一块，参加他们的工作，中国就有翻身的一天。（委婉地）但是竹均，我说得太多了，我的话也很不中听，我只想再问你一句，你肯离开这种地方么？

陈白露　你想我能离开吗？

方达生　是的，这两天我也是劝得你太厌烦了。不过你看吧，这一群妖魔鬼怪，眼看着就会被中国老百姓的力量扫得干干净净。追不上时代的，不参加实际工作的，必定没有路走。我要去了，我真感谢你，这几天，对我这个老朋友的照顾，我必须说我应该对你说的话，你不要生气。

陈白露　请讲，不要客气。

方达生　日后的世界没有不劳而获的生活，也没有人剥削人的生活。

陈白露 （一愣）难道我剥削过人？

方达生 你没有，但是你依赖这些剥削者的钱生活，所以你，竹均，老朋友是应该讲真话的，你现在走的不仅仅是堕落的路，并且是一条——

陈白露 死路。这个我早知道了。

方达生 （笑着）怎么样，不跟我生气吧？

陈白露 （也笑笑）我已经用不着生气了。

方达生 我说这些话是有点不近人情，你会明白我是诚恳的。（站起来）我该走了。

陈白露 （有点凄然）真要走了吗？达生，（站起来，握着他的手）真可惜，我不能多见你。

方达生 （乐观地）有的是机会，只要你来，你就会找到我。我走了以后，如果万一有什么信来，请你替我烧掉。

陈白露 哦，我想起来了，这儿有你一封快信。（交给他信）

方达生 （拆看——沉默）我的弟弟死了。

陈白露 （吃一惊）什么？

方达生 我的最小的弟弟，在“满洲国”的监狱里。

陈白露 （望着他，温和地）达生！（拿过信看）

方达生 （眼泪流下来）是个有骨气的孩子，临死也没有屈服。

〔敲门声。

陈白露 谁？

〔李石清由中门进，有些趾高气扬。后随福升。

李石清 陈小姐。

陈白露　（微微颔首，转身向达）到你屋去谈谈吧。

〔方达生和白露由中门下。

李石清　（对福）你下去教我的汽车等着我，我也许一会儿跟潘经理谈完话就回公馆的。

王福升　是，襄理。您太太方才打电话来的。

李石清　（厌烦地）我知道了。经理在么？

王福升　我瞧瞧去。

李石清　不用，我自己去。

〔胡四由中门进。他又换了一套衣服，更"标致"了，他手腕上搭着大衣，夹着烟卷，嘴里哼着流行调，开了中门。

王福升　四爷。

胡　四　（仿佛到了自己的家，把帽子和大氅扔在沙发上，口里不住地吹着哨，他仿佛一个人也没有看见，径直走到穿衣镜前照照自己，打着呵欠）她呢？

王福升　您说谁？

胡　四　老妖精！

王福升　您说八奶奶呀，刚才还瞅见她呢。

胡　四　（又打了一个呵欠）真困。

〔整整自己的衣服，正预备进右门，右门开了，走出潘月亭和李石清。

李石清　（对潘）里面人太多，还是在这儿谈方便些。

潘月亭　好，也好。

胡　四　哟，石清，你在这儿，我跟你先说一句话。

李石清　什么？

胡　四　（笑嘻嘻地）我昨儿格在马路上又瞧见你媳妇了，（低声对着他的耳朵）你的媳妇长得真不错，回头见。（很伶俐地由右门下）

李石清　（瞪胡一眼）岂有此理。

潘月亭　请坐吧。有什么事么？

李石清　（坐下很得意地）自然有——月亭，（感觉不大顺口）经理知道了市面上怎么回事么？

潘月亭　（故意地）不大清楚，你说说看。

李石清　（低声秘语）我这是从一个极秘密的地方打听出来的。现在您可以放心，我们这一回的公债算做对了，金八这次真是在收，谣言说他故意造空气，好向外抛，完全是神经过敏，假的。

潘月亭　哦，哦。

李石清　不过，我只怀疑一点，这几天这种局面，他怎么居然大量的收——

潘月亭　是的，是的。

李石清　不管怎么样，反正这个消息是极可靠的。这一次是绝对拿准了，刚才我一算，我们现在一共是四百五十万，这一“倒腾”[1]说不定有三十万的赚头。

潘月亭　（唯唯否否地）是啊……嗯……嗯。（不等李石清说完）哦，

1　掉换的意思。——底本注。

我听福升说你太太——

李石清 （不屑于听这些琐碎的事）那我知道，我知道——我跟您说，我们说不定有三十万的赚头。这还是说行市就照这样涨。要是一两天这个看涨的消息越看越真，空户们再忍痛补进，跟着一抢，凑个热闹，（志满意得地）我跟你说，不出十天，再多赚个十万二十万，随随便便地就是一说。

潘月亭 是的，是的，是你的太太催你回去么？

李石清 不要管她，先不管她。我提议，月亭，现在行里这点公债我们是绝对不卖了的。我看这个行市还要大涨特涨，不会涨到此为止。并且（非常兴奋地）我劝你，月亭，我们最好明天看情形再补进，明天的行市还可以买，还是吃不了亏。

潘月亭 对的，石清，你知道你的儿子病了么？

李石清 那不要紧，不要紧——（更兴奋）还是买。对！我们就这么决定了。月亭，这是千载一时的好机会。这一次做成功了，我主张，以后行里再也不冒这样的险。说什么我们也不必拆这个烂污，以后留点信用吧。不过，这一次，我们破釜沉舟干一次，明天，一大清早。我们看看行市，买进。

潘月亭 不过——

李石清 我们再加上五十万，凑上一个整数，我想这决不会有错的。我计算着我们应该先把行里的信用整顿一下，第一，行里的存款要——

潘月亭 石清！你还是回家看看吧，你知道你的儿子病得很重么？

李石清 你何必老提这个?

潘月亭 我看你太高兴了。

李石清 不错,这次事我帮您做得相当漂亮。我的确高兴。

潘月亭 (冷冷一笑)对不起,我忘了你这两天做了襄理了。

李石清 经理,您这是?

潘月亭 (不搭理他)李襄理,现在我手里这点公债是一笔钱了?

李石清 自然。

潘月亭 这一点赚头已经足够还金八的款子了吧。

李石清 我计算着还有富余。

潘月亭 好极了。有这点富余再加我潘四这点活动劲儿,你想我还怕不怕人跟我捣乱。

李石清 我不大明白经理的话。

潘月亭 我的意思说不定有人要宣传我银行的准备金不够,或者说我把银行房产都抵押出去,或者——

李石清 (谄笑)经理,何必提这个?这不——

潘月亭 我不愿意提,可是说不定有人偏要提。

李石清 经理,这话说得太远了。

潘月亭 (冷冷地看着他)就在前六七天,李襄理,你还跟我当面说过。

李石清 经理,您这是何苦呢?圣人说过:"小不忍则乱大谋。"一个做大事的人多忍似乎总比不忍强。

潘月亭 (睖他一眼)我想我这两天很忍了一阵。不过,我要跟你说一句实在话:我很讨厌一个自作聪明的人在我的面前多插嘴，我也不大愿意教旁人看我好欺负，以为我甘心受人要挟。最可恶是行里的同人背后骂我是个老糊涂，瞎了眼，教一个不学无术的三等货来做我的襄理。

李石清 （极力压制自己）我希望经理说话无妨客气一点。字眼上可以略微斟酌斟酌再用。

潘月亭 我很斟酌，很留神。

李石清 （狞笑）好极了，这些名词字眼都无关紧要：头等货，三等货，都是这么一说，差别倒是很有限。不过，经理，我们都是多年在外做事的人，我想，大事小事，人最低应该讲点信用。

潘月亭 信用?（大笑）你要谈信用？我想我活了这么大年纪，我该明白跟哪一类人才需要讲信用。

李石清 那么，经理仿佛是不预备跟我讲信用了。

潘月亭 （尖酸地）这句话真不像你这聪明人说的。

李石清 经理自然是比我们聪明。

潘月亭 那倒也不见得。不过我也许明白一个很要紧的小道理。就是对那种太自作聪明的坏蛋，我有时可以绝对不讲信用的。（忽然）你知道你的太太跟你打电话了么?

李石清 （眩惑地）我知道，我知道。

潘月亭 你的少爷病得快要死了，李太太催你快回家。

李石清 （怒目向潘）我就要回去。

潘月亭 那好极了。（刻薄地）你的汽车在门口等着你。坐汽车回家是很快的。回家之后，你无妨再多多练习自己的聪明，你这样精明强干的人不会没有事的。有机会你还可以常常开开人家的抽屉，譬如说看看人家的房产是不是已经抵押出去了，调查调查人家的存款究竟有多少……不过我可以顺便声明一下，省得你替我再多操心，我那抽屉里的文件现在都存在保险箱去了。

李石清 （目瞪口呆）嗯！

潘月亭 （由身上取出一个封套）李先生，这是你的薪水清单。我跟你算一算。襄理的薪水一月一共是二百七十五元。你做了三天，会计告诉我你已经预支了二百五十元，我想我们还是客气点好，我支给你一个月的全薪。现在剩下的二十五块钱，请你收下，不过你今天坐的汽车账行里是不能再替你付的。

李石清 可是，潘经理——（忽然住口，狼狈地盯了潘一眼，伸出手）好，你拿来吧。（接下钱）

潘月亭 （点起雪茄）好，我先走了，你以后没事可以常到这儿来玩玩。以后你爱称呼我什么就称呼我什么，你叫我月亭也好，称兄道弟也好，现在我们是平等了。（由右门下）

李石清 （愤怒使得他麻木）好！好！（手中紧握着钞票恨恨地低声）二十五块！（更低声）二十五块钱。（扔在桌上咬牙切齿）我要宰了你呀！

〔电话铃响一下。

李石清 （不理）为着你这点公债，我连家都忘了，孩子的病我都没有理，我花费自己的薪水来做排场，打听消息。现在你成了功赚了钱，忽然地不要我了。（狞笑）不要我了，你把我当成贼看，你当面骂了我，侮辱我，（刺着他的痛处，高声）啊，你瞧不起我！（打着自己的胸）你把我当作混蛋给耍了。

〔电话铃又响了响。

李石清　（嘲弄自己，尖锐地笑起来）我是“自作聪明”！“坏蛋”！“三等货”！（怪笑）

〔电话铃又响了一阵。

李石清　可是你以为我就这样跟你了啦？你以为我怕你……哼，（眼睛闪出愤恨的火）今天我要宰了你，宰了你们这帮东西，我一个也不饶，一个也不饶你们的。

〔忽然中门急促敲门声。

李石清　谁？

〔李太太慌张走进，容颜更憔悴，衣服满是皱纹，眼中含泪。

李太太　石清！你怎么啦？你出去一天为什么现在还不回家！

李石清　（眼直瞪瞪地）我不回家！

李太太　（哭出声音）小五儿快不成了，舌头都凉了，石清。我现在同妈叫了个车送他到医院，走了三个医院，三个医院都不肯收。

李石清　（情急）不收？是治不了啦？

李太太　医院要钱。（忽然四面望望）他们要押款[1]，都要现钱。最低

1　“押款”底本作“现款”，当作“押款”。

的都要五十块押款。现在家里只有十五块钱，我都拿出来也不够。（抽噎）石清，你得想法子救救我们的孩子。

李石清 （摸摸自己的身上，掏出几张零碎票子）都拿去吧。

李太太 （忙数）这……这只有十七块多钱。

李石清 那……那……那有什么法子。

李太太 （擦眼泪）石清，（望着他）小五这孩子——

李石清 （悲愤）为什么我们要生这么一大堆孩子呢！（忽然不由己地他拿起方才的钞票，紧紧握着，咽下愤恨交给李太太，辛酸地）拿去！拿去，这是二十五块"卖脸钱"。

李太太 （连忙接下。急切地）你不一块去？

李石清 你先去！我一会来。

李太太 那怎么成，你不去怎么成？

李石清 （咆哮起来）叫你先走，你就先走。吵什么！快走！快走！你不要惹我！

〔叩门声。

李太太 （恳求）石清——

〔叩门声。

李石清 谁？

〔不答，叩门声仍响。

李石清 进来！

〔叩门声仍响。

李石清 （暴躁地）谁？进来。（走至中门，猛地开了门）

〔黄省三像一架骷髅立在门口，目光灼灼地望着他。

李石清　（吃了一惊。低声）你！

〔黄省三幽然走进，像吹来一阵阴风。他此时的形状教人联想到半夜从坟墓里爬出来的僵尸。他的长袍不见了。上身是一件藏青破棉袄，领扣敞着，露出棱棱的颈骨，底下只穿一条单裤，他头发散乱，人也更佝偻了，但不像以前那样畏怯，他的神色阴惨，没有表情，呆滞地望着李石清。

李石清　（对李太太）你走吧。有人来了。

李太太　你不去。（怨望的看他一眼，低声哭泣地走出中门）

李石清　（望她出了门，愤怒地）哼，我不走的，我不走的，我想不出办法，我死了也不走的。（来回走，忘记黄省三在他面前）

黄省三　经理！

李石清　（突然立住）你——你这流氓。

黄省三　经理！

李石清　（疑惑地）什么，经理？谁是经理？

黄省三　（机械地，背书一般）经理，我是银行的小录事。我姓黄，我叫黄省三，我一个月赚十块二毛五。我有三个孩子，经理，三个孩子……我一个月赚十块二毛五！

李石清　（看看他，忽然明白）你！你是——（烦厌）你为什么又找上我了？

黄省三　潘经理！我求你，求求你！

李石清　（急躁地）滚你的，潘经理，我不姓潘，我姓李！（指自己）你难道不认识我？

黄省三　（点头）认识，认识，潘经理。

李石清 你是怎么回事？你？你为什么单拣这个时候来跟我开心。

黄省三 （还是呆滞的）他们不教我死！他们不答应教我死。

李石清 你死就死吧，死去吧。

黄省三 可是那些官儿们，老爷们，他们偏要放我，他们偏说我那个时候神经失常，硬说我没有罪。（诚恳地）我求您，我求您行行好，重重地给我一拳，（指着自己的肺部）这儿，给我一拳，您行行好，潘经理。

李石清 （大声）听见没有，我不姓潘，你看清楚一点，我姓李，我叫李石清。

〔半晌。

黄省三 （忽然嘤嘤地像一个女人似地哭泣起来）我的孩子，我的可怜的孩子们，爹爹把你们害死了。

李石清 怎么，你的孩子——

黄省三 都上了天了。（忽然）你们为什么不让我死？（神经错乱，以为仍在法庭）我没有犯神经病！庭长！我实在没有犯神经病！我很清楚，我自己买的鸦片烟。那钱是潘经理给我的三块钱，两块钱还了房钱，我拿一块钱买的鸦片烟。庭长，我自己买的红糖掺上的，教孩子们喝的，我亲手把他们毒死的。我没有钱再买烟，你们难道就不许我跳河？你们为什么不让我死？我明白，我没有犯神经病。你们有你们的法律。庭长！（抓住李的手）我亲手毒死了人，毒死我的儿子，我的望望，我的小云，我的……（抱着李）我的庭长，您杀死我呀！

李石清　（用力挣开）躲开我，你放下手。你这个混账东西！你看看，你到了哪儿？（用力摇撼他）你看看我是谁？

黄省三　（看李，四面望，半晌，忽然）潘……潘……经理，我这是到了哪儿了？

李石清　真！死鬼，你跟我缠些什么？走，走，滚，滚，你再不滚开，我就要叫巡捕抓你了。（要按电铃）

黄省三　别，别。（沉痛辛酸地）潘经理，人不能这么待人呀，不能这么待人呀！前些日子我孩子们在，我要活着，我求你们叫我活着，可是你们偏不让我活。现在（涕哭）他们死了，我要死，我求你们叫我死，你们又偏不让我死。潘经理，我们都是人，人不能这么待人呀！（绝望地）不能这么待人呀！

李石清　真！……你这个混蛋！你简直把我的心搅乱了。快滚，快滚，（连连顿足）我也要疯了。滚，你这个流氓，你给我滚哪。

黄省三　不，我求您，潘经理，您行行好吧，我再也活不下去了，活不下去了！（说着跪下，双手蒙面，哀哀哭泣）

李石清　（拉起他）好，我让你死，我让你死。你先起来，你得先认认我是谁，我姓李，你再听一遍，我姓李，姓李，李，李。

黄省三　（记不起来）李？

李石清　你不记得那天你到这儿找我……我……我劝过你拉洋车？

黄省三　哦？

李石清　我还劝你要饭。

黄省三　要饭？

李石清　我还劝过你偷。

黄省三　（恍然）哦，你还劝过我跳楼！（忽然疯狂一般欢喜，向四面望，看到窗户，直奔过去）

李石清　（追上去，一手拉住他，一面向门大嚷）福升！福升！

〔福升由中门进。

李石清　把他拉出去，这个人疯了。

王福升　（一把抱住黄的腰）你又来了。

〔福升生拉活扯地将黄省三向外拖，他徒然挣扎着，终于被拉出去。

李石清　（愤愤地）这个傻王八蛋，你为什么疯了，你为什么疯了？你太便宜他了。

〔电话铃又急响。

李石清　（拿起耳机）喂，哪儿？报馆张先生吗？我是石清……刚才你打过电话来？什么事？……哦，送来一封信？没有，还没收到……（惊讶地）啊？局面不好？公债要跌？——

〔小刘推门进——小刘，报馆里的人。

小　刘　（匆忙地）李先生。

李石清　（对电话）哦……哦……小刘来了，好，好，我当面问他吧，再见。（放下电话，对小刘）怎么啦？出了什么事？

小　刘　张先生教我来的，这是信，请你交给潘经理，我忙得很，还有事，（摆摆手）走啦。

李石清　（接下信，阻止他）等等，小刘，别忙，你先给我说说，是怎么回事？

小　刘　局面有变化，日本军舰又开进了码头，怕要开火。

李石清　为什么？

小　刘　仁丰纱厂罢工的事更闹大了，国民党派来军警特务，也镇压不住工人，现在全市的纱厂都要起来响应。

李石清　哦？

小　刘　工人一致要求抗日，要赶走日本鬼子，今天晚上突然又有发展，日军司令部说工人藏了军火，向日本监工开枪，打死了他们的人，他们认为这是暴动，宣布要用武力采取断然的处置。

李石清　要打？

小　刘　日本海军陆战队已经在街上出动——

李石清　那么公债？

小　刘　消息不好，市面上已经有人搬家。我走了。

李石清　别忙，等等，那么你看公债，你以为——

小　刘　哎呀，你这个老行家还用问我？这个卖国政府的公债还会站得住，当然要跌。

李石清　大跌特跌？

小　刘　跌得一个钱也不值。你存多少？

李石清　（冷笑）我有？

小　刘　那你运气，明天交易所会一片乱，就是金八也吃了他日本老子的亏，这些消息都在这封信里，你快交给潘经理吧，我真得走了，再见。（匆匆下）

李石清　（低语）大跌特跌！（急忙拆开信看）好，好，好，来得好，来得正是时候。

〔白露由中门上。

李石清　（连忙站起，满面笑容）陈小姐。

陈白露　哦，襄理，请坐，请坐。

李石清　客人都走了，陈小姐？

陈白露　就要走了。

李石清　小姐要是回屋，就费心您请四爷快出来一下，有人送来一封信，很重要的事情，请他老人家立刻吩咐吩咐该怎么办。

陈白露　好的。（由右门下）

李石清　（收起信，心神不安地来回走）我怎么反而稳不住了。

〔潘月亭由右门进。

潘月亭　你还没有走？

李石清　是，经理，我心里老惦念您行里的公事。

潘月亭　你找我做什么？

李石清　（低声下气）您的牌打得怎么样？

潘月亭　（看看他）还顺遂！

李石清　我听说您现在手气很好。

潘月亭　是不坏。信呢？

李石清　信？

潘月亭　白露说我有一封在你手里。

李石清　是的，报馆张先生派人送来的，您想看么？

潘月亭　拿来。（自语）可能是公债。（对李）给我。

李石清 自然是公债，我一看，我简直惊讶极了。

潘月亭 你怎么看见的？

李石清 经理，我又先拆开看了。

潘月亭 （强压下愤怒）把信给我。

李石清 （笑嘻嘻地）不拆开，怎么能知道是喜信，好给您报喜呢？（慢慢掏出信）您不会生气吧。您不会说我自作聪明，故意多事吧？（故意慢慢把信摊在桌上）请您慢慢看吧。

〔潘月亭仿佛觉出很蹊跷。不信任地望着李石清，急忙拿起信。

李石清 （隔岸观火，慢吞吞地）这件事简直是没想到，怎么工人会这么利害，闹得这么凶，连我们吃投机饭的人都遭了殃。我看这一定是谣言。

潘月亭 （看完信，脸色大变）我……我不相信，这是假的。（又看信）这个消息一定是不可靠的。（连忙打电话）喂喂，是新报馆么？我姓潘，我是潘四爷呀！……我找总编辑张先生说话。快点！快点！……啊？出去了？他刚才……哦，他刚出去……你知道他上哪儿去了么？……不知道吗？……混蛋！你怎么不问一声？……（放下耳机，稍停，又拨电话）喂，你是俱乐部么？我找丁先生说话……就是金八爷的私人秘书，丁牧之，丁先生……啊？他回家了！他怎么会这时候回家？现在不过（看自己的手表）才——

李石清 现在不过才五点多，快天亮了。

潘月亭 （望了李石清一眼）那么他家里的电话号码呢？……

四三五四三，好……好。（放下耳机）这帮东西，求着他们，他们都不知跑到哪儿去了？（又拨电话）喂……喂……喂，你是丁宅么？（再转号码）喂……喂……喂。（再转，自语）怎么会没有人接？

李石清 大概是底下人都睡觉了。

潘月亭 （重重放下耳机）都睡死了！（颓然坐下）荒唐，荒唐！局面会变得这么快？不会的，不会的。

〔李石清目光眈眈，不转眼地望着他。

〔白露由右门进。望望他们二人。

潘月亭 劳驾，给我倒一杯开水。

陈白露 怎么啦？

潘月亭 我有点头痛。

〔白露去倒水。

李石清 我也想这消息是不可靠的。（似乎很诚恳地）您早上不是没听见什么嚜？

潘月亭 （自语）开玩笑。这简直是开玩笑。

陈白露 （把水递给他）月亭，什么事？

潘月亭 （把信交给她）你看！（坐在那里发痴）

李石清 （走到潘的面前，仿佛很善意地低声）经理，其实这件事也没有什么大不了的，咱们这个政府呀，还是得跟日本鬼子磕头敷衍。自然公债是要落的，可是落个一毛两毛的，也没有什么大损失。您没细看看，经理，那信上真提没提要落多少？

潘月亭　（霍地立起来）哦，露露，把信给我。（一把抢过来，忙忙地看）

李石清　（在潘后面，指指点点）不，不，在这一张，在这一张，（和潘二人低声读信）“……此消息已传布市面，明日行市定当一落千丈，决无疑义……”

陈白露　他明明说行市一定要大落。

潘月亭　（呆望着信）嗯。他的意思是说明天开了盘就要停拍。

李石清　这封信以后，张先生又来了电话。

潘月亭　（又燃起希望）又来了电话！哦？他说什么？

李石清　他说公债一时没有办法，局面太坏，大势如此。

潘月亭　这个混账东西！

〔福升推中门进。

陈白露　什么事？

王福升　报馆张先生来了。

陈白露　请他进来。

王福升　（向潘）他说这边人太多，他还在十号等您。

〔潘月亭立刻向门走。

〔与福升进门差不多同时电话铃响。李石清接电话。

李石清　喂，你哪儿？……我是五十二号。哦……我是石清，哦……哦，您找潘四爷？他就在这儿。（拦住潘月亭）金八的秘书丁先生要找你说话。

潘月亭　（接电话）喂，丁先生吗？我月亭，刚才我找你半天，哦，你在纱厂，情形是很严重吗？……市面上怎么样？嗯……

嗯……哦？那么你看公债的行市？……（绝望地）哦，哦。（惶然）什么？他要提款？明天早上完全要？……喂，喂，我跟金八爷明明说好再缓一个星期，啊？日本老板要提款？那是仁丰纱厂的钱？（暴躁地）可是日本人也不能不讲信用呀……“信用”，请他跟日本鬼子讲，金八说好了再缓一个星期……喂……喂，我要跟他谈一下……不见人？喂，喂……（乱敲半天，没有回应，放下耳机）这个狗食，洋奴才，纱厂罢工把他吓昏了头，这么晚他才通知我。（废然倒在椅上）

王福升　四爷，报馆张先生……

潘月亭　去，去，去！你们别再来搅我。

李石清　不过，经理——

潘月亭　（咆哮）走！走！（对李石清）快走！

〔李石清走出中门。

潘月亭　（对白露）你先到那边去，让我歇歇。

陈白露　月亭，你——

潘月亭　（摇摇手）你先去看看客人，他们大概都要走了。

〔白露走出右门。

潘月亭　（来回徘徊，坐立不安）这简直是开玩笑。

〔中门悄悄推开。

潘月亭　（心惊肉跳）谁？谁？

李石清　是我，经理。自作聪明的坏蛋又来了。

潘月亭　你要干什么？

李石清 我想我们两个人谈谈可以痛快一点。

潘月亭 你还要谈什么？

李石清 不谈什么，三等货来看看头等货现在怎么样了。

潘月亭 混蛋！

李石清 你混蛋！

潘月亭 给我滚！

李石清 （也厉声）你先给我滚！（冷笑）现在我们是平等了。

潘月亭 （按下怒气，坐下）你小心，你这样说话，你得小心。

李石清 我不用小心，我家没有一个大钱，我口袋里尽是当票，我用不着小心！

潘月亭 小心有人请你吃官司，你这穷光蛋。

李石清 穷光蛋，对了。不过你还是先看看你自己吧！我的潘经理。我没有债，我没有成千成万的债。我没有人逼着我要钱，你可怜可怜你自己吧。你还不及一个穷光蛋呢，我叫一个流氓要了，我只是穷，你叫一个更大的流氓要了，他要你的命。（尖酸地）哦，你是不跟一个自作聪明的坏蛋讲信用的。可是人家跟你讲信用？你不讲信用，人家比你还不讲信用，你以为你聪明，人家比你还要聪明。你挖苦我！侮辱我，你还骂了我！（大声）现在我快活极了！我高兴极了！明天早上我要亲眼看着你的银行要挤兑，看着你付不出款来，看着那些十块八块的穷户头，骂你，咒你，他们要宰了你，吃了你，你害了他们！你害了他们！他们要剥你的皮，挖你的心！你现在只有死，只有死你才对得起他们！只有死，你才逃得了！

潘月亭 （暴躁地敲着桌子）不要说了！不要说了！

李石清 我要说，我要痛痛快快地说——你这老混蛋，你这天生的狗食，你瞎了眼，昏了头——

潘月亭 （跳了起来）我……我先宰了你再说。（要与李拼命，一把抓着李的头颈正要动手——）

〔白露闻声跑出。

陈白露 月亭，月亭。你让他去吧！

李石清 （他的头颈为潘掐住，挣扎）你杀了我吧！你，你宰了我吧。可是金八不会饶了你，在门口……门口……

陈白露 月亭，你让他去吧。

潘月亭 （甩开他，高声）门口，怎么样？

李石清 （站稳）怎么样？门口黑三正等着你。

潘月亭 为……为什么？

李石清 金八教他来侍候你，他怕你跑了。

〔半晌，潘月亭垂首。

陈白露 （低声）李先生，你走吧。

潘月亭 （忽然对李惨笑）你现在大概可以满意了！

〔李石清望望潘。电话铃急响。

潘月亭 白露，你先替我接一下。

李石清 （欲上前）让我接。

陈白露 不，不，我接。（已经拿起耳机）

〔李石清与潘月亭各据左右，二人都紧张地望着白露。

陈白露　喂，你哪里？我是五十二号！陈白露啊！啊？李太太……是的……你找李先生，他就在这儿。（回首向李石清）李太太由医院打来的电话。

〔潘月亭颓然走开。

李石清　（拿起耳机）我石清！你们到了医院了。哦，哦……小五怎么？（焦急地，和方才不关心的心情恰恰相反）什么？啊？你大声点……我听不清楚……什么？小五，小五，断……断……断了气了？那……那你找医生啊！（痛苦地拍着桌子）找医生啊！不是已经带了钱么？给他们钱！你给他们钱哪！……他……他在路上死……死的……（眼泪流下来）叫着爸爸……就……（扔下耳机，呜咽起来）哦，我的儿子啊！……小五啊。（忽然又拿起耳机）我就来！我就来！

〔李石清一边抓起帽子，一边揩着眼泪望了潘月亭一眼，潘月亭也呆呆望了他一眼，李石清便由中门走出去。

陈白露　月亭，你们这是为什么？

〔远处鸡叫。

潘月亭　白露，客走了么？

陈白露　早走了，只有胡四，顾八他们还在这儿。

潘月亭　（无力地）我难道会有这一天么？白露，你等等，我想跟报馆张先生再商量商量。

陈白露　月亭，你好些么？

潘月亭　还好，还好，我去一下，我回头再来。

陈白露　你就走了么？

潘月亭　不，回头就来。

陈白露　好，你去吧！

〔潘月亭由中门下。

〔远处鸡鸣声。

陈白露　（忧郁地）天又要亮了。（走去将当中的电灯熄灭，只剩下沙发边的站灯）

〔由右门走进了胡四和顾八奶奶，胡四烟容满面，一脸油光。他用手掌在脸上抹了一把，一面继续地说。顾八奶奶崇拜英雄一般跟在后面，头歪歪地望着他。

胡　四　（大概是刚推开烟盘子，满意地嘘一口气）这一口烟还不离，真提神！（接说）底下紧接着鼓点。大锣，小锣，一块儿来！八拉达长，八拉达长，八拉达长，长长令长，八拉达，达，达……（咳嗽，吐一口痰在地上）

顾八奶奶　又吐痰，你倒好好地给我说啊。（完全不觉察到白露的心情，得意地）露露，你听，你听胡四给我说"坐楼杀惜"呢。（卖弄地）这家伙点叫"急急风"。

胡　四　（烟吸多了，嗓音闭塞发哑，却非常有兴味，翻着白眼）这怎么叫"急急风"，你看你这记性，还学戏呢。

顾八奶奶　（掩饰地）哦，哦，这叫"慢长锤"[1]。

胡　四　去，去，得了吧！这不叫"慢长锤"。算了，算了，你就听家伙点就成了：（重说）八拉达长，八拉达长，八拉达长，

1　"慢长锤"底本作"慢长锥"，据原刊改。

长长令长，八拉达！（突停，有声有色，右手向下敲了三下，当作鼓板）达！达！达！（手向下一敲锣）长！（满身做工，满脸的戏，说得飞快）你瞧着，随着家伙点，那“胡子”一甩“髯口”，一皱眉，一瞪眼，全身乱哆嗦。这时家伙点打“叫头”，那“胡子”咬住了银牙，一手指着叫，（手几乎指到顾的鼻端）“贱人哪！……”

顾八奶奶 什么“贱人贱人”的！我不爱听胡子，我学的是花旦。

胡　四 （藐视）你学花旦？（愣一下）成！可你也得告诉我是哪一段呀？

顾八奶奶 （仿佛在寻思）就是那一句“忽听得……”什么来着，前面是谁唱着来着：“叫声大姐快开门”的。

胡　四 （卖弄）哦，那容易，那容易！

顾八奶奶 你给我连做派带唱先来一下。

胡　四 那还难？那还难？胡琴拉四平调：已格弄格里格弄格弄格弄，唱，（摇头摆尾）“叫声大姐快开门！”白口：“大姐，开门来！”

顾八奶奶 我要花旦。

胡　四 别着急！紧接着，掀帘子，上花旦！（自己便扭扭捏捏地拿起手绢扮演起来）台步要轻俏，眼睛要灵活，出台口一亮相，吃的是劲儿足！就这样！（非常妩媚而诱惑的样子）已格弄弄格里格弄已格弄，（用逼尖了喉咙）“忽听得”，（又用原来的声音）已格弄（混身做工）“门外有人唤”，已格弄……

〔远处鸡叫。

陈白露　（视若无睹）你们听听。

胡　四　（还摆着姿势）什么？

陈白露　鸡叫了！

〔远处鸡鸣。

顾八奶奶　可不是鸡叫了！（忽然望到窗外）哟，天都快亮了。（对胡四）走吧！走吧！快回去睡吧。今天可在这儿玩晚了。

胡　四　（满不在乎的样子）我那五百块钱的账怎么办呢？

顾八奶奶　回家就开一张支票叫大丰银行给你。[1]可是你——

胡　四　（伶俐地）听你的话，下一次我再也不到那个坏女人那里去了。

顾八奶奶　好啦，别在露露面前现眼啦。你快穿衣服，走吧。你明天，哦，你今天不还要到电影厂拍戏去么？

胡　四　（应声虫，一嘴的谎）是，是啊，导演说今天我不来，片子就不能拍了。

顾八奶奶　那你就赶快穿衣服，回家睡吧。我今天也跟你一块去电影厂。参观参观。

胡　四　（吃了一惊）什么？你，你也……（但先不管这个，于是非常仔细，慢吞吞地穿衣服）

顾八奶奶　（一回转身，向白露，得意地）露露，现在我告诉你，胡四要成大明星了。眼瞅着要红起来了，公司里说他是个空

1　此句底本作“回家就给我开一张支票叫大丰银行给你。”，据戏剧版改。

前绝后的大杰作，要他连演三套片子。过两天，电影杂志就都要登他的相片，大的，那么老大的。说不定也要登我的相片。

陈白露 你的？

顾八奶奶 嗯，我的，我跟胡四的；顾八奶奶跟中国头等杰作大明星胡四的。因为，（低声，女孩子似地羞怯，不好意思说出来）我想……我想，我现在还是答应他的好。我想……我想我们后天就……就结婚。你看，露露，那好不好？

陈白露 好，好的很。不过——

顾八奶奶 （眉飞色舞）露露，你跟我当伴娘，一定，一定。

陈白露 （更低）好，好，不过——

顾八奶奶 （打露一下，喜滋滋地）瞧你，什么呀，不过不过的。

陈白露 我问你，你的钱是不是现在是存在大丰银行里？

顾八奶奶 自然是存在那里头。你问这个做什么？

陈白露 不做什么！随便问问。

顾八奶奶 （望着胡四，赞美地）啊！（把自己的皮包打开，拿出粉盒，正预备擦粉，忽然看见那药瓶）露露，你看我，我现在还要这个东西干什么？（拿出药瓶）谢谢你，这安眠药还是还给你，我不用了。

陈白露 谢谢你，（接过来）我正想跟你要回来呢。

顾八奶奶 好极了，还是你拿去用吧。

胡　四 （穿好衣服）走吧，走吧！

顾八奶奶 别忙呢，让我擦点粉吧。

胡　四　（一把拉住顾）得了吧，天快亮了，谁还看你？走吧，走吧！

〔拉着顾八奶奶向中门走。

顾八奶奶　（得意地，对白露）你看我这个活祖宗！（被胡四拉了两步）再见啊！

胡　四　白露，再见。（把帽子戴好，向下一捺，与顾八奶奶一齐由中门走出）

〔白露走到窗前，打开窗户，外面静悄悄地，对面房屋的轮廓逐渐由黑暗中显露出来，一切都和第一幕一般，外面很悠静又很凄凉，远远隐约听见工厂的汽笛声，夹杂着自市场传来一两声鸡鸣，是太阳还未升出以前的黎明时光。

〔中间门敲门声。

陈白露　（未回头）进来吧。

〔福升由中门进，微微打了一个呵欠。

陈白露　（没有转身）月亭，怎么样？

王福升　小姐。

陈白露　（回转身）嗯，是你。

王福升　四爷叫我过来说，他不来了。

陈白露　哦。

王福升　他说怕这一两天都不能来了。

陈白露　（镇定地）我知道。

王福升　他叫我跟您说，叫您好好保重，叫您以后凡事要小心点，多多爱护自己，他说……

陈白露　我明白，他不能再来了。

王福升 嗯，对了。不过，小姐，您为什么偏要得罪潘四爷这么有钱的人呢？……您得罪一个金八还不够，您还要——

陈白露 （摇头）你不明白，我没有得罪他。

王福升 那么，我刚才把您欠的账条顺手交给他老人家，四爷只是摇头，叹口气，一句话也没有说就走了。

陈白露 唉，你为什么又把账单给他看呢？

王福升 可是，小姐，今天的账是非还不可的，他们说闹到天也得还！一共两千五百元，少一个也不行！您自己又好个面子，不愿跟人家吵吵闹闹地。您说这钱现在不从四爷身上想法子，难道会从天上掉下来？

陈白露 总有办法吧。

王福升 那就看您这几个钟头的本事吧。我福升实在不能再替您挡这门账了。

陈白露 （拿起安眠药瓶，紧紧地攥着）好，你去吧。

〔福升正由中门下，右面有人乱敲门，嚷着“开门，快开门。”福升跑到右门，推开门，张乔治满脸的汗跑出来。

张乔治 （心神恍惚地）怎么，你们把门锁上做什么？

王福升 （笑）没有锁，谁锁了？

张乔治 （摸着心）白露，我做了一个可怕的梦，哦，可怕极了，啊，Terrible！ Terrible！我梦见这全楼满是鬼，乱跳乱蹦，楼梯，饭厅，床，沙发底下，桌子上面，一个个啃着活人的脑袋，活人的胳臂，又笑又闹，拿着脑袋壳丢过来，扔过去，嘎嘎地乱叫。忽然哄地一声，大楼塌了，你压在底下，我压在底下，许多许多人都压在底下……

王福升 （望望他）邪门。（由中门下）

陈白露 （不听他）你没有走？

张乔治 咦，我走了，你现在还看得见我？我在那屋墙犄角一个沙发睡着了。

陈白露 你又喝了不少的酒。

张乔治 对了，一点也不错，我又喝得太多了，神经乱了，我才做这么一个恶梦。（打了一个呵欠）我累了，我要回去了。哦，（忽然提起精神）我告诉你一件事……

陈白露 不，我现在求你一件事。

张乔治 你说吧。你说的话没有不成的。

陈白露 有一个人……要……要跟我借三千块钱。

张乔治 哦，哦。

陈白露 我现在手下没有这些钱借给他。

张乔治 哦，哦。

陈白露 Georgy，你能不能设法代我弄三千块钱借给这个人？

张乔治 那……那……就当要……另作别论了。我这个人向来是大方的。不过也要看谁？你的朋友我不能借，因为……因为我心里忌妒他。不过要像你这样漂亮的人要借这么有限几个钱花花，那自然是不成问题的。

陈白露 （勉强地）好！好！你就当作我亲自向你借的吧。

张乔治 你？露露要跟我借钱？跟张乔治借钱？

陈白露 嗯，为什么不呢？

张乔治　得了，这我绝对不相信的。露露会要这么几个钱用，no，no，这我是绝不相信的。你这是故意跟我开玩笑了。（大笑）你真会开玩笑，露露会跟我借这么一点钱。啊，小露露，你真聪明，真会说笑话，世界上没有再像你这么聪明的人。好了，再见了。（拿起帽子）

陈白露　好，再见。（微笑）你倒是非常聪明的。

张乔治　谢谢！谢谢！（走到门口）哦，对了，我刚才要告诉你，到了后来，我实在缠不过她，我还是答应她了。我想，我们想明天就去结婚。

陈白露　明天？

张乔治　明天。除非日本领事又带着武官冲到市政府找我麻烦。不过，我说过，我是要你当伴娘的。

陈白露　要我当伴娘？

张乔治　自然是你，除了你找不着第二个合适的人。

陈白露　好，再见。

张乔治　再见。就这么办。Good night！哦，good morning！我的小露露。（挥挥手，由中门走出）

〔晨光渐渐由窗口透进。

〔白露关好窗，拉紧窗幔，屋内又陷入夜晚的气氛。她走了两步，依恋地向四面望望，从小几上拿起酒瓶倒酒，站在那里出神。

陈白露　（将酒一饮而尽，握着空杯）哎！（放下杯子，拿起那瓶安眠药，径直走入卧室）

〔站灯的灯光，孤零零的照着空沙发，照着杂物狼藉的地板。

〔外面打地基的小工们又聚集在一起，开始一天的劳动，“哼唷唷，哼唷唷”声传进来。

〔田振洪沉静地推开中门进，后随方达生，提着一只小小的皮箱，把门关好。

方达生 怎么？

田振洪 （机警地）先在这屋待一待看看情形。

〔方达生走到窗前，拉开窗幔，往下探望。田振洪跟着过去。

方达生 （回过身）像是要走了。

田振洪 您旁的东西不要拿了，我想现在已经有人到了您屋里。这群国民党卖国的杂种！

方达生 我看我们可以从太平门走。

田振洪 再等一下，您披上我的大衣，我领您走。

方达生 好。幸亏你来通知我，我原想八点钟走的。怎么样，都组织好了吗？

田振洪 （点点头）全市的工厂都在今天罢工。一会儿连这些盖房子的弟兄们都有联络。

方达生 码头上日本陆战队的机关枪又架上了？

田振洪 嗯，帝国主义就这两手，他们压不倒我们。

方达生 对，中国人民从来不向帝国主义者低头的。

田振洪 我告诉您一件喜事，连珍那孩子找到了。

方达生 （惊喜）哦！

田振洪 烈士的孩子！（走到窗前探望）

〔达生走到白露卧室门前。

方达生 竹均，竹均，连珍那孩子找着了。（敲敲门，没有应声）睡了么？

田振洪 （走过来）让她睡吧，我们可以走了。

方达生 对，走。

〔二人由中门下。

——幕落

日出

1954人文版

【题注】据1954年6月人民文学出版社《曹禺剧本选》初版排印。

天之道其犹张弓与？高者抑之，下者举之；有余者损之，不足者补之。天之道损有余而补不足；人之道则不然，损不足以奉有余。

——老子《道德经》七十七章

登场人物

陈白露——在 ×× 旅馆住着的一个女人，二十三岁。

方达生——陈白露从前的“朋友”，二十五岁。

张乔治——留学生，三十一岁。

王福升——×× 旅馆的茶房。

潘月亭——大丰银行经理，五十四岁。

顾八奶奶——一个有钱的孀妇，四十四岁。

李石清——大丰银行的秘书，四十二岁。

李太太——其妻，三十四岁。

黄省三——大丰银行的小录事。

黑　三——一个地痞。小东西的养父。

胡　四——一个游手好闲的“面首”，二十七岁。

小东西——一个刚到城里不久的女孩子，十五六岁。

第三幕登场人物

翠　喜——一个三十左右的老妓女。

小顺子——宝和下处的伙计。

小东西——小翠，一个才混事三天的女孩子。

卖报的——一个哑巴。

王福升

胡　四

黑　三

方达生

后台的人们

胖子和他的朋友们

租唱话匣子的

卖报的

卖水果的，卖其他各种食物的

哭着的婴儿

卖唱的，拉丝弦的

报花名的伙计

唱数来宝的乞丐二人

唱二簧的漂泊汉

敲梆子的

欢笑的男女多人

卖硬面饽饽的

闭幕前唱“叫声小亲亲”的嫖客

低声隐泣的女人

时间和地点

第一幕　　早春，某日晨五时。——在××旅馆的一间华丽的休息室内。

第二幕　　当日晚五时。——景同第一幕。

第三幕　　一星期后晚十一时半。——在三等妓院内。

第四幕　　紧接第三幕，翌日晨四时许。——景同第一幕。

第一幕

是××大旅馆一间华丽的休息室，正中门通甬道，右——左右以台上演员为准，与观众左右相反——通寝室，左通客厅，靠后偏右，开着一片长方形的上半截圆线状的大窗户。因为窗外挤挤地竖立着一所所的大楼，所以虽在白昼，有着宽阔的窗，屋里也嫌过于阴暗。除了在早上斜射过来的日光使这间屋有些光明之外，整天是见不着一线自然的光亮的。

屋内一切陈设都是畸形的，现代式的：生硬而肤浅，刺激人的好奇心，但并不给人舒适之感。正中立着烟几，围着它横着竖着摆着方的，圆的，立体的，圆锥形的小凳和沙发。上面凌乱地放些颜色杂乱的坐垫。沿着那不见棱角的窗户是一条水浪纹的沙发。在左边有立柜，食物柜和一张小几，上面放着些女人临时用的化妆品。墙上挂着几张很荒唐的裸体画片，月份牌和旅馆章程。地下零零散散的是报纸，画报，酒瓶和烟蒂头。在沙发上，立柜上搁放许多女人的衣帽，围巾，手套等物。间或也许有一两件男人的衣服在里面。食柜上杂乱地陈列着许多酒瓶，玻璃杯，暖壶，茶碗。右角立一架阅读灯，灯旁有一张圆形小几，嵌着一层一层的玻璃，放些烟具和女人爱的零碎东西，如西洋人形，米老鼠之类。

正中悬一架银耀耀的钟，指着五点半，是夜色将尽的时候。幕开时，室内只有沙发旁的阅读灯射出一圈光明。窗前的黄幔幕垂下来，屋内的陈设还看不十分清晰。

缓慢的脚步声由甬道传进来。正中的门呀地开了一半，陈白露走进来，捻开中间的灯，室内豁然明亮。她穿着极讲究的晚礼服，颜色鲜艳，多褶的裙裾和上面的两条粉飘带，拖在地面如一片云彩。她发际插一朵红花，乌黑的头发烫成小姑娘似的鬈髻，垂在耳际。她的眼明媚动人，举动伶俐而机警，一种嘲讽的笑总挂在嘴角上。但是她的神色时常露出倦怠和烦厌；这种生活的倦怠是她那种漂泊人特有的性质。她爱生活，她又厌恶生活。她认定自己所习惯的种种生活的方式，是最残酷的桎梏，使她即使怎样羡慕着自由，也难以逃出自己的环境的网罗。她曾几次试着逃出，但像寓言中那习惯于束缚在金丝笼里的鸟，已失掉在自由的树林里盘旋的能力和兴趣，她终于回到自己的丑恶的生活圈子里，而她又不甘心这样活下去。她现在拖着疲乏的步子向台中走。右手盖着嘴，打了个呵欠。

陈白露 （走了两步，回首向门）进来吧！（掷下皮包，倚着当中沙发的靠背。蹙着眉，脱下银色的高跟鞋，快意地揉抚着她的尖瘦的脚。真的，好容易到了家，索性靠在柔软的沙发上舒展一下）咦！（忽然她发现背后的那个人并没有跟进来。她套上鞋，倏地站起，转过身，一只腿还跪在沙发上，笑着向着房门）咦！你怎么还不进来呀？

〔果然，有个人——方达生——进来了。约莫有二十七八岁的光景，脸色不好看，皱着眉，穿一身半旧的西服。不知是疲倦，还是厌恶，他望着房内乱糟糟的陈设，就一言不发地立在房门口。但是白露误会了他的意思，她眼盯住他，看出他是一副惊疑的神色。

陈白露 走进来点！怕什么呀？

方达生 （冷冷地）不怕什么！（忽然不安地）你这屋子没有人吧？

陈白露 （看看四周，故意地）谁知道？（望着他）大概是没有人吧！

方达生 （厌恶地）真讨厌。这个地方到处都是人。

陈白露 （有心来难为他，自然也因为他的态度使她不愉快）有人又怎样？住在这个地方还怕人？

方达生 （望望白露，又周围地望望）这几年，你原来住在这么个地方！

陈白露 （挑衅地）怎么，这个地方不好么？

方达生 （慢声）嗯——（不得已地）好！好！

陈白露 （笑着看达生那样呆呆地失了神）你怎么不脱衣服？

方达生 （突然收敛起来）哦——衣服？（想不起话）是的，我没有脱，脱衣服。

陈白露 （看他怪好玩的）我知道你没有脱。我问你为什么这样客气，不肯自己脱大衣？

方达生 （找不出理由，有点窘迫）嗯——是不是这屋子有点冷？

陈白露 冷么？我觉得热得很呢。

方达生 （想法躲开她的注意）你看，你大概是没有关好窗户吧？

陈白露 （摇头）不会。（走到窗前，拉开幔子，露出那流线状的窗户）你看，关得好好的。（望着窗外，忽然惊喜地）喂，你看！你快来看！

方达生 （不知为什么，慌忙跑到她面前）什么？

陈白露 （用手在窗上的玻璃划一下）你看，霜！霜！怎么，春天来了，还有霜呢。

方达生 （对她没有办法）嗯，奇怪。

陈白露 （兴高采烈地）我顶喜欢霜啦！你记得我小的时候就喜欢霜。你看霜多美，多好看！（孩子似地，忽然指着窗）你看，你看，这个像我么？

方达生 什么？（伸头过去）哪个？

陈白露 （急切地指指点点）我说的是这窗户上的霜，这一块，（达生偏看错了地方）不，这一块，你看，这不是一对眼睛！这高的是鼻子，凹的是嘴，这一片是头发。（拍着手）你看，这头发，这头发简直就是我！

方达生 （如同一个瞎子）我看不出来。

陈白露 （败兴地）你这个人！还是跟从前一样地别扭，简直是没有办法。

方达生 是么？（忽然微笑）今天我看了你一夜晚，就刚才这一点还像从前的你。

陈白露 怎么？

方达生 （露出愉快的颜色）还有从前那点孩子气。

陈白露 （方才那一阵的兴奋突然如一阵风吹过去，叹一口气，很苍老地）达生，我从前有过这么一个时期，是一个快活的孩子么？

方达生 （明白她的心情，鼓励地）只要你肯跟我走，就可以还跟从前一样，快活，自由。

陈白露 （摇头，久经世故地）哼，哪儿有自由？

方达生 你——（看她一眼，不愿说下去，来回踱了两步，停下来环视）

陈白露 （又恢复平日习惯的那种漠然的态度）又看什么？

方达生 （笑了笑）哦，看你住的地方，很讲究。

陈白露 （明白他的意思，但也不屑解辩，顺手拾起脚边一个靠枕，丢在沙发上，将倒在地上的空酒瓶踢进沙发底下，不在意地）住得过去就是了。（忍不住打了一个呵欠）你累么？

方达生 还好。刚才你一个人同那些人在跳，我一直坐着。

陈白露 你为什么不一起玩玩？

方达生 （冷冷地）我不会跳舞，我看着你这些朋友一个个像发疯似的。

陈白露 （笑得有些不自然）发疯，对了！我就天天过的是这样的生活。（远远鸡叫声）鸡都叫了。

方达生 奇怪，怎么这个地方会有鸡叫？

陈白露 附近就是一个市场。（看表，忽然抬起头）你猜，现在是几点钟了？

方达生 （扬颈想想）大概有五点半，就要天亮了。我在那舞场里，五分钟总看一次表。

陈白露 （奚落地）就那么着急么？

方达生 （爽直地）你知道我现在在乡下住久了；在那种热闹地方总有点不耐烦。

陈白露 （理着自己的头发）现在呢？

方达生 （吐出一口气）自然比较安心一点。我想这里既然没有人，我可以跟你说几句话。

陈白露 可是（手掩着口，又欠伸着）现在就要天亮了。（忽然）咦，为什么你不坐下？

方达生 （拘谨地）你——你并没有坐。

陈白露 （笑起来，露出一半齐整洁白的牙齿）你真是书呆子，到我这里来的朋友没有等我让坐的。（走到他面前，轻轻地推他坐在一张沙发上）坐下。（回头，走到墙边小柜前）渴的很，让我先喝一口水再陪着你，好么？（倒水，拿起烟盒）抽烟么？

方达生 （瞪她一眼）方才告诉过你，我不会抽烟。

陈白露 （善意地讥讽着他）你真是个好人！（自己很熟练地燃上香烟，悠悠然呼出淡蓝色的氤氲）

方达生 （望着白露巧妙地吐出烟圈，忽然，忍不住地叹一声，同情而忧伤地）真的我想不到，竹均，你居然会变——

陈白露 （放下烟）等一等，你叫我什么？

方达生 （吃了一惊）你的名字，你不愿意听么？

陈白露 （感慨地）竹均，竹均，仿佛有多少年没有人这么叫我了。

方达生 （难过地）竹均，我看你现在这个样子。你不知道我的心，我的心里头是多么——

〔——但是由右面寝室里蹒跚出来一个人，穿着礼服，硬领翘起来。他摇摇荡荡的，一只袖管没有穿，在他前后摆动着。白露和达生一同回过头，那客人毫不以为意地立在门前，一手高高扶着门框，脸通红，一绺一绺的头发耷拉下来。一副白金眼镜挂在鼻尖上，他翻着白眼由镜子上面望过去，牛吼似地打着噎。这就是张乔治。

张乔治 （神秘地，低声）嘘！（放正眼镜，摇摇晃晃地指点着）

陈白露 （大吃一惊）Georgy[1]！

张乔治 （更神秘地，摆手）嘘！（飘飘然地走到达生面前，低声）什么？（指着达生）怎么？（亲昵地对着白露）白露，这个人是谁呀？

方达生 （不愉快而又不知应该怎么样）竹均，他是谁？这个人是谁？

张乔治 （仿佛是问他自己）竹均？（向达生）你弄错了，她叫白露。她是这儿顶红，顶红的人，她是我的，嗯，是我所最崇拜的红人。

陈白露 （没有办法）你喝醉了！

张乔治 （指自己）我？（摇头）我没有喝醉！（摇摇摆摆地指着白露）是你喝醉了！（又指着达生）是你！（达生望望白露的脸，回过头，脸上更不好看，但进来的客人偏指着达生说）你看你，你看你那眼直瞪瞪的，喝得糊里糊涂的样子！我，我真有点看不下去。（接着又是一个饱嗝）

陈白露 （真看不下去了）你到这里来干什么？

方达生 （大了胆）对了，你到这里来干什么？（两只质问的眼睛盯着

---

1 英文名字，即George（乔治）的昵称。——底本注。

张乔治）

张乔治　（醉醺醺地）嗯，我累了，我要睡觉，（闪电似地来了一个理由）咦！你们不是也到这儿来的么？

陈白露　这是我的家，我自然要回来。

张乔治　（不大肯相信）你的家？（腔调抑扬）嗯？

陈白露　（更急了）你进了我的卧室，你是什么意思？

张乔治　什么？（更不相信）我进了你的卧室？不对，我没有，（摇头）没有。（拍着前额）我想想看啊……（望着天仿佛在想）

陈白露　（哭不得，笑不得，望着达生）他还要想想！

张乔治　（摆着手，仿佛是叫他们先沉沉气）慢慢地，你们等等，不要着急。让我慢慢，慢慢地想想。（于是他模糊地追忆着，口中念念有词）于是我就喝了，我就转，转了我又喝，我就转，转呀转，转呀转的……后来——我就上了电梯——（很高兴地，敲着前额）我就进了这间屋子……我就觉得恶心，我就倒在床上哇啦哇啦地——（拍脑袋，放开平常的声音说）对了，那就对了。可不是，我现在出来了！

陈白露　（严厉地）你现在再给我出去！

张乔治　（食指抵住嘴唇，好莱坞明星的样子）嘘！（高声）糟了，我又要吐。（堵住嘴）哦，Pardon！[1]对不起！请原谅！……再见！……Good night！[2]Good night！（哇的一声，慌忙堵住嘴，

1　英语，意思是："对不起！"——底本注。

2　英语，意思是："晚安！"——底本注。

三脚两步，跌出门去）

白露望望达生，没有办法地坐下。

方达生 （说不出的厌恶）这是个什么人？

陈白露 （嘘出一口气）这是此地的高等出产，你看他好玩不？

方达生 我不明白你为什么跟这种东西来往？

陈白露 （夹起烟）你要知道么？这是此地最优秀的产品，一个外国留学生，他说他得过什么博士硕士一类的东西，洋名George，在外国他叫乔治张，在中国他叫张乔治。回国来听说当过几任科长，现在口袋里很有几个钱。

方达生 （走近她）这跟你有什么关系呢？

陈白露 （掸了掸烟灰）我没有告诉你么？他口袋里有几个钱。

方达生 有钱你就……

陈白露 （爽性替他说出来）有钱自然可以认识我，从前我在舞场时候，他很追过我一阵。

方达生 （明白坐在他面前的女人早已不是从前的人）那就怪不得他对你那样了。（低下头）

陈白露 你真是个乡下人，太认真，在此地多住几天你就明白活着就是那么一回事。每个人都这样，你为什么这样小气。好了，现在好了，没有人啦，你跟我谈你要谈的话吧。

方达生 （从深思醒过来）我刚才对你说什么？

陈白露 你真有点记性坏。（明快地）你刚才不是说你心里头怎么啦！张乔治先生就来了。

方达生 （叹一口气）对了，“心里头”，我就是这么一个人，永远在心里头活着。可是竹均,(诚恳地)我看你这个样子,你真不知道我心里头是多么——(门呀地开了,他停住了嘴)大概是张先生又来了。

〔进来是旅馆的茶房——王福升,一副狡猾的面孔,带着谗媚卑屈的神气。

王福升 不是张先生,是我。(赔着笑脸)陈小姐,您早回来了。

陈白露 你有什么事?

王福升 方才张先生您看见了。

陈白露 嗯,怎么样?

王福升 我扶他另外开一间房子睡了。

陈白露 (不愉快)他爱上哪里,就上哪里,你告诉我做什么!

王福升 说的是呀。张先生说十分对不起您,喝醉了,跑到您房里来,把您的床吐,吐——

陈白露 啊,他吐在我床上啦?

王福升 是,陈小姐您别着急,我这就给您收拾。(白露起来,福升拦住她)您也别进去,省得看着别扭。

陈白露 这个东西,简直——也好,你去吧。

王福升 是。(又回转来)今天您一晚上不在家,来的客人可真不少。李五爷,方科长,刘四爷都来过。潘经理看了您三趟。还有顾家八奶奶来了电话,说请您明天——嗯,今天晚上到她公馆去玩玩。

陈白露 我知道。回头你打个电话,请她下午先到这儿来玩玩。

王福升 胡四爷还说过一会儿要到这儿来看看您。

陈白露　他愿意来就叫他来。我这里，什么人都欢迎。

王福升　还有报馆的张总编辑——

陈白露　知道。今天他有空也请他过来玩玩。

王福升　对了，潘经理今天晚上找了您三趟。现在他——

陈白露　（不耐烦）知道知道，你刚才说过了。

王福升　可是，陈小姐，这位先生今天就——

陈白露　你不用管。这位先生是我的表哥。

方达生　（莫名其妙）表哥？

陈白露　（对着福升）他一会儿就睡在这儿。

方达生　不，竹均，我不，我是一会儿就要走的。

陈白露　好吧，（没想到他这样不懂事，不高兴地）随你的便。（对福升）你不用管了，走吧，你先把我的床收拾干净。

〔福升由卧室下。

方达生　竹均，怎么你现在会变成这样——

陈白露　（口快地）这样什么？

方达生　（叫她吓回去）呃，呃，这样地好客——这样地爽快。

陈白露　我原来不是很爽快么？

方达生　（不肯直接道破）哦，我不是，我不是这个意思……我说，你好像比从前大方得——

陈白露　（来得快）我从前也并不小气呀！哦，得了，你不要拿这样好听的话跟我说。我知道你心里是不是说我有点太随便，太不在乎。你大概有点疑心我很放荡，是不是？

方达生　（忽然来了勇气）嗯——对了。你是比以前改变多了。你简直不是我以前想的那个人。你说话，走路，态度，行为，都，都变了。我一夜晚坐在舞场来观察你。你已经不是从前那样天真可喜的女孩子，你变了。你现在简直叫我失望，失望极了。

陈白露 （故作惊异）失望？

方达生 （痛苦）失望，嗯，失望，我没有想到我跑到这里，你已经变成这么随便的女人。我在几千里外听见关于你种种的事情，我不相信。我不相信我从前最喜欢的人会叫人说得一个钱也不值。我来看你，我发现你在这么一个地方住着。一个单身的女人，自己住在旅馆里，交些个不三不四的朋友。这种行为简直是，放荡，堕落——你要我怎么说呢？

陈白露 （立起，故意冒了火）你怎么敢说我堕落！在我的面前，你怎么敢说对我失望！你跟我有什么关系，你敢这么教训我？

方达生 自然现在我跟你没有什么关系。

陈白露 （不放松）难道从前我们有什么关系？

方达生 （嗫嚅）呃，呃，自然也不能说有。（低头）不过你应该记得你是很爱过我，并且你也知道我这一次到这里来是为什么。

陈白露 （顽石一般）为什么？我不知道！

方达生 （恳求地）我不喜欢看你这样，跟我这样装糊涂！你自然明白，我要你跟我回去。

陈白露 （睁着大眼睛）回去？回到哪儿去？你明明晓得我家里现在没有人。

方达生　不，我说你回到我那里。你应该有个自己的家。

陈白露　（恍然大悟的样子）哦，你昨天找我原来是要给我说媒，要我嫁人啊？（方才明白的语调）嗯！——

方达生　（还是那个别扭劲儿）我不是给你说媒，我要你嫁给我。（取出车票）车票就在这里。要走，天亮以后，坐早十点的车我们就可以离开这儿。

陈白露　我瞧瞧。（拿过车票）你真买了两张，一张来回，一张单程——哦，连卧铺都有了。（笑）你真周到。

方达生　（急煎煎地）那么你是答应了，没有问题了。

陈白露　不，等等，我只问你一句话——

方达生　什么？

陈白露　（很大方地）你有多少钱？

方达生　（没想到）我不懂你的意思。

陈白露　不懂？我问你养得活我么？

〔达生的字典里没有这样的字，于是惊吓得说不出话来。

陈白露　咦？你不要这样看我！你说我不应该这么说话么？咦，我要人养活我，你难道不明白？我要舒服，你不明白？我出门要坐汽车，应酬要穿些好衣服，我要玩，我要花钱，要花很多很多的钱你难道听不明白？

方达生　（冷酷地）竹均，你已经忘了你自己是个读过书的人，还是个书香门第的小姐。

陈白露　你知道么？我还是个社交明星，演过电影，当过红舞女呢！

方达生　（不屑地）你倒像很得意的？

陈白露　为什么不呢？我一个人闯出来，不靠亲戚，不靠朋友，能活就活，不能活就算。到了现在，你看我不是好好活着，我为什么不得意？

方达生　可你以为你这样弄来的钱是名誉的么？

陈白露　可怜，你个书呆子。你以为这些有名誉的人物弄来的钱就名誉么？我这里很有几个场面上的人，你可以瞧瞧，种种色色：银行家，实业家，做小官的都有。假若你认为他们的职业是名誉的，那我这样弄来的钱要比他们还名誉得多。

方达生　我不明白你究竟是什么意思，也许名誉的看法——

陈白露　嗯，也许名誉的看法，你跟我有些不同。我没故意害过人，我没有把人家吃的饭硬抢到自己的碗里。我同他们一样爱钱，想法子弄钱。可我弄来的钱是我牺牲过我最宝贵的东西换来的。我没有费脑子骗过人，我没有变着方法抢过人。我的生活是别人甘心愿意来维持，因为我牺牲过我自己。我对男人尽过女子最可怜的义务，我享着女人应该享的权利！

方达生　（望着白露明灼灼的眼睛）可怕，可怕——哦，你怎么现在会一点顾忌也没有，一点羞耻的心也没有。你难道不知道金钱一迷了心，人生最可宝贵的爱情，就会像鸟儿似地飞了么？

陈白露　（略带酸辛）爱情？（掸掸烟灰，悠长地）什么是爱情？（一口烟袅袅地把这两个字吹得无影无踪）你是个小孩子！我不跟你谈了。

方达生 （不死心）好，竹均，我看你这两年的生活已经叫你死了一半。不过我来了，我看见你这样，我不能看你这样下去。我一定要感化你，我要——

陈白露 （忍不住笑）什么，你要感化我？

方达生 好吧，你笑吧，我现在也不愿意跟你多辩了。我知道你以为我是个傻子：从那么远的路赶到这里来找你，说出这一大堆傻话。不过我还愿意做一次请求，我想再把这件事跟你说一遍。我希望你还嫁给我，请你慎重地考虑一下，二十四小时内，希望你给我一个满意的答复。

陈白露 （故做惊吓状）二十四小时，可吓死我了。不过，如若到了你的期限，我的答复是不满意的，那么，你是否就要逼着我嫁你么？

方达生 如果你不嫁给我——

陈白露 怎么样？

方达生 （苦闷地）那——那我也许自杀。

陈白露 什么？（不高兴地）你怎么也学会这一套？

方达生 不，（觉得自己有点太时髦了）不，我不自杀。你放心，我不会为一个女人自杀的，我自己会走，我要走得远远的。

陈白露 （放下烟）对呀，这还像一个大人说的话。（立起）好了，我的傻孩子，那么你用不着再等二十四小时啦！在任何情形之下，我是不会嫁给你的。

方达生 为，为什么？

陈白露　不为什么！你真傻！这类的事情说不出个什么道理来的。你难道不明白？

方达生　那么，你对我没有什么感情？

陈白露　也可以这么说吧。

〔达生想拉住白露的手，但她飘然走到墙边。

方达生　（望着白露，颓然跌在沙发里）方才的话是你真心说的话，没有一点意气作用么？

陈白露　你看我现在还像个再有意气的人么？

方达生　（立起）竹均！（拿起帽子）

陈白露　你这是做什么？

方达生　我们再见了。

陈白露　哦，再见了。（夸张的悲戚，拉住他的手）那么，我们永别了。

方达生　（感伤地）嗯，永别了。

陈白露　（看他到门口）你真预备要走么？

方达生　（孩子似地）嗯。

陈白露　那么，你大概忘了你的来回车票。

方达生　哦！（走回来）

陈白露　（举着车票）你真要走么？

方达生　（抬起头）怎么？

陈白露　（举车票）这是不是你的车票？

方达生　嗯，怎么？

陈白露　你看，这一下，（把车票撕成两片）这又一下，（把车票撕成四片，扔在痰盂里）我替你保存在这里头，好不好？

方达生 你，你怎么——

陈白露 你不懂？

方达生 （稍露喜色）怎么，竹均，你又答应我了么？

陈白露 不，不，你误会我的意思，我没有答应你，我方才是撕你的车票，我不是撕我的卖身契。我是一辈子卖给这个地方的。

方达生 那你为什么不让我走？

陈白露 （诚恳地）你以为世界上就是你一个人这样多情么？我不能嫁给你，难道就是我恨了你？你连跟我玩一两天，谈谈从前的事的情分都没有了么？你有点太古板，不结婚就不能做一个好朋友？难道想想我们以往的情感，不能叫我们也留恋一点么？你一进门就斜眼看着我，东不是，西不是的。你说我这个不对，那个不对。你说了我，骂了我，你简直是瞧不起我，你还要我立刻嫁给你。还要我二十四小时内答复你，哦，还要我立刻跟你走。

方达生 （憨直地）我向来是这个样子，我不会表示爱情。你叫我说些好听的话，我是不会的。

陈白露 是啊，所以无妨你先在我这里多学学，过两天，你就会了。好了，你愿意不愿意跟我再谈一两天？

方达生 （爽直地）可是谈些什么呢？

陈白露 话自然多得很，我可以介绍你看看这个地方，好好地招待你一下，你可以看看这里的人怎样过日子。

方达生　不，用不着，这里的人都是鬼。我不用看。并且我的行李昨天已经送到车站了。

陈白露　真送到车站么？

方达生　自然我从来不——从来不说谎话的。

陈白露　福升。

〔福升由卧室出。

王福升　陈小姐，您别忙，您的床就收拾好。

陈白露　我走的时候，我叫你从东方饭店取来的行李，你拿回来了么？

王福升　您说方先生的是不是，拿回来了。我从饭店里拿回来了。

方达生　竹均，我的行李你怎么敢随便就取出来了。

陈白露　嗯——我从你的旅馆居然就敢取出来了。你这不会说谎的笨东西。（对福升）你现在搁在哪个房间里？

王福升　东边二十四号。

陈白露　是顶好的房子么？

王福升　除了您这四间房，二十四号是这旅馆顶好的。

陈白露　好，你领着方先生去睡吧。要是方先生看着不合适，告诉我，我把我的屋子让给他。

王福升　是，陈小姐。（下）

方达生　（红了脸）可是竹均，这不像话——

陈白露　这个地方不像话的事情多得很。这一次，我要请你多瞧瞧，把你这副古板眼镜打破了，多看看就像话了。

方达生　不，竹均，这总应该斟酌一下。

陈白露 不要废话。走吧。（推他）福升，福升，福升！

〔福升上。

方达生 在这样的旅馆里，我一定睡不着的。

陈白露 睡不着，我这里有安眠药，多吃两片，你就怎么也不嫌吵的慌了。你要么？

方达生 你不要开玩笑，我告诉你，我不愿看这个地方。

陈白露 不，你得看看，我要你看看。（对福升）你领着他去看房子。（一面推达生，一面说）赶快洗个澡，睡个好觉。起来，换一身干净衣服，我带你出去玩玩。走，乖乖的，不要不听话，听见了没有？ Good night！——（远远一声鸡鸣）你听，真不早了。快点睡去吧。

〔达生勉勉强强地被推下去。福升随下。

〔白露关上门，倚着门框站了一会。一夜晚的烟酒和激动消耗了她不少的精神。她打一个呵欠，走到桌前，燃着一支香烟。远处鸡鸣。窗外一片墨影后面渐渐透出深蓝的颜色。她丢下香烟，轻快地走到窗前，将电灯熄灭，打开窗子，外面的建筑在黎明前的光影里逐渐显出了轮廓。她探身窗外，贪婪地吸着清晨的凉气。

〔远处传来工厂的汽笛声。屋内还是昏暗的。这时由左面食物柜后悄悄爬出一个人，倚着柜子立起，颤抖着，蹑足向门口走，预备乘机溜掉。白露这时觉得背后悉索声。她立刻转身，那人影定在那里，一动不动。

陈白露 （低声）谁？（没有回应，吓得不敢动）谁？你是谁？（还是不答应，她大声）你是干什么的？

那　人　（小声）我……我……

〔白露赶紧跑到墙边开灯，室内大放光明。在她面前立着一个瘦弱胆怯的小女孩子，约莫有十五六岁的样子，两根小辫垂在胸前，头发乱蓬蓬的，惊惶地睁着两个大眼睛望着白露，两行眼泪在睫毛下挂着。她穿一件满染油渍，十分肥大的蓝绸褂子，衣裾同袖管几乎拖曳地面。下面的裤子也硕大无比，裤管总在地上摩擦着。这一身衣服使她显得异样怯弱渺小，如一个婴儿裹在成人的袍褂里。因为寒冷和恐惧，她抖得可怜，在她亮晶晶的双眼里流露出天真和哀求。她低下头，一寸一寸地向后蹒跚，手提着裤子，提心吊胆，怕一不谨慎，跌在地上。

陈白露　（望着这可笑又可怜的动物）哦，原来是这么一个小东西。

小东西　（惶恐而忸怩地）是，小姐。（一跛一跛地向后退，一不小心踏在自己的裤管上，几乎跌倒）

陈白露　（忍不住笑——但是故意地绷起脸）啊，干嘛跑到我这儿来偷东西？啊！

小东西　（手弄着衣裾）我……我没有偷东西。

陈白露　（指着）那你这衣服是谁的？

小东西　（低头估量自己的衣服）我，我妈妈的。

陈白露　谁是你妈妈？

小东西　（望白露一眼，呆呆地撩开眼前的头发）我妈妈！——我不知道我妈妈是谁。

陈白露 （笑了——依然忖度她）你这个糊涂孩子，你怎么连你妈妈都不知道。你妈妈住在什么地方？

小东西 （指屋顶）在楼上。

陈白露 在楼上。（恍然明白了）哦，你在楼上，可怜，你怎么跑出来的？

小东西 （声音细得快听不见）我，我要跑出来。

陈白露 为什么？

〔小东西低下头不做声。

陈白露 怎么了？

小东西 （恧然）他们前天晚上——（惧怕使她说不下去）

陈白露 你说，这儿不要紧的。

小东西 他们前天晚上要我跟一个黑胖子一块睡，我怕极了，我不肯，他们就——（抽咽）

陈白露 就打你。

小东西 （点头）嗯，拿皮鞭子抽。昨天晚上他们又把我带到这儿来，那黑胖子又来了。我实在是怕他，我吓得叫起来了，那黑胖子气走了，他们……（抽咽）

陈白露 他们又打你了。

小东西 （摇头，眼泪流下来）没有，隔壁有人，他们怕人听见。堵住我的嘴，掐我，拿（哭起来）……拿……拿烟扦子扎我，（忍住泪）您看，您看！（伸出臂膊）

〔白露拉她的手。

小东西 （不自主地）啊！

陈白露 你怎么啦？

小东西 （痛楚地）痛！

陈白露 天！你这只胳膊怎么会这样……

小东西 不要紧的。（盖上自己的臂膊）他们怕我跑，不给我衣服，叫我睡在床上。

陈白露 你跑出来的时候，他们在干什么？

小东西 在隔壁抽烟打牌。我才偷偷地起来，把妈妈的衣服穿上。

陈白露 你怎么不一直跑出去？

小东西 （仿佛很懂事的）我上哪儿去？我不认识人，我没有钱。

陈白露 你妈妈呢？

小东西 在楼上。

陈白露 不是，我说你的亲妈妈，生你的妈妈。

小东西 她？（眼眶含满了泪）她早死了。

陈白露 父亲呢？

小东西 前个月死的。

陈白露 哦！可是你怎么跑到我这里来？他们很容易找着你的。

小东西 （恐惧）不，不，不！（跪下）您修个好吧，千万不要叫他们找着我，那他们会打死我的。（拉着白露的手）小姐。

陈白露 你起来，（把她拉起来）我没有说把你送回去，你先坐着，让我们想个法子。

小东西 好，好。（忽然跑到门前，把门关好）

陈白露 （拍着她的肩）不要紧的。你先不要怕。

小东西 （颤抖）嗯，不怕，我不怕。

陈白露 你怎么还哆嗦？

小东西 （低头）我饿。

陈白露 看我多糊涂！（到食物柜前）你没有吃东西？

小东西 嗯，一天多了。他们说是要等那黑胖子笑了才给我。

陈白露 （拿饼干给她）你先吃一点饼干。

〔小东西望着，不敢接。

陈白露 吃吧。

小东西 （接下）谢谢。

〔中门呀地开了。

小东西 （赶紧放下食物，在墙角躲起来）小姐。

陈白露 谁？

〔福升上。

王福升 是我，福升。

小东西 （惊惧）他……

陈白露 不要怕，他是侍候人的茶房。

王福升 小姐，大丰银行的潘经理，昨天晚上来了三遍。

陈白露 知道，知道。

王福升 他还没有走。

陈白露 没有走？为什么不走？

王福升 这旅馆旁边不是要盖一座大楼么？潘经理这会儿也许跟他那位秘书谈这件事呢。可是他说了，小姐回来，就请他去。

陈白露 真奇怪，他们盖房子就得了，偏要半夜到这个地方来谈。

王福升 说的是呢。

陈白露 你就跟潘经理说，我要睡了。

王福升 您为什么不见见他呢，人家潘经理，大银行开着——

陈白露 （讨厌这个人的啰唆）你不要管，我不愿意见他。

王福升 （卑屈的神色，谗笑着）是，小姐。（由袋里摸出一叠账单来）小姐，这又有些账单，要不我念您听听：美丰金店六百五十四块四，永昌绸缎公司三百五十五元五毛五，旅馆二百二十九块七毛六，洪生照相馆一百一十七块零七毛，久华昌鞋店九十一块三，这一星期的汽车七十六元五——还有——

陈白露 （忍不住）不要念，不要念，我懒得听。

王福升 小姐，不是我不侍候您老人家。您叫我每天这样搪账，说好说歹，今天再没有现钱，实在下不去了。

陈白露 （叹了一口气）钱，钱，永远是钱！（烦躁地）你别拿这事来麻烦我好不好？

王福升 我不敢，小姐。可是，这年头不济，市面紧，今天不知道明天——

陈白露 我从来没有跟旁人伸手要过钱——

王福升 小姐身份固然要紧。可是——

陈白露 好吧，回头我想法子吧，叫他们放心得了。

王福升 是。（正要出门）咦，小姐。哪里来的这么个丫头？

〔小东西乞怜地望着白露。

陈白露 （走到小东西旁边）你不用管。

王福升 （上下打量小东西）这孩子我好像认得。小姐，我劝您少管闲事。

陈白露 怎么？

王福升 外面有人找她。

陈白露 谁？

王福升 楼上的一帮地痞们，尽是打手。

小东西 （吓出声音）啊，小姐，（走到福升前面，恳求地）伯伯！

王福升 （对小东西）少挨着我！

陈白露 （向福升）把门关上！锁住。

王福升 可是，小姐——

陈白露 锁上门。

王福升 （锁门）小姐，这藏不住，她妈妈跟她爸爸在这楼里到处找她呢。

陈白露 给他们一点钱，难道不成？

王福升 您又大方起来了。给他们钱？您有几万？

陈白露 怎么讲？

王福升 您这时出钱，那他们不敲个够。

陈白露 那我们就——

〔外面足步与说话声。

王福升 别出声！外面有人。（听一会）他们来了。

小东西 （失声）啊，怎么办？

陈白露 （紧紧握着她的手）你要再叫，我就把你推出去。

小东西 （暗哑）不，不。

陈白露 （低声）别说话。

〔黑三的声音:（暴躁地）这个死丫头，一点造化也没有，放着福不享，偏要跑，真他妈不是人揍的。

〔女人的声音：你看这不是活财神来了。这没有人心的孩子，偏跑了，你看这怎么交代？——

〔黑三的声音:（不耐烦地对着妇人咆哮）去你妈的一边去吧。孩子跑了，你不早看着，还叨叨叨，叨叨叨。

〔女人不做声。

〔黑三的声音：喂，老三，你看她不会跑出去吧？

〔老三的声音：不会的，不会的。

〔女人的声音：她穿我的衣服跑的。会跑哪儿去？可是二楼一楼，都说没看见。

〔男乙的声音：这楼的茶房说刚才见过她。

〔黑三的声音:（粗暴的命令的口气）那么一定就在这一层楼里，下功夫找吧。

〔女人的声音:（狺狺然）哼，反正跑不了，这个死丫头。

〔屋内三人屏息谛听，男女足步声渐远。

陈白露 走了。

王福升 走了，大概是到那边去了。

陈白露 （忽然打开门）让我看看。（正要探出头去，小东西拉着她的手，死命地拉她回来）

王福升 （关好门，警告地）不要跟他们打交道。

陈白露 （向小东西）你别怕，不要紧的。（向福升）怎么回事——

王福升 别惹他们。这一帮人不好惹，好汉不吃眼前亏。

陈白露 怎么？

王福升 他们手里都有家伙，都是吃卖命饭的。

陈白露 那他们总不能不讲理呀！把这孩子打成这样，你看，（拿起小东西臂膊）拿烟扦子扎的，闹急了，我就可以告他们。

王福升 （鄙夷地）告他们！告谁呀？他们都跟地面上的人有来往，怎么告？就是这官司打赢了，这点仇您可跟他们结的了？

陈白露 难道我把这个孩子给他们送去？

小东西 （恐惧已极，喑哑声）不，小姐。（眼泪暗暗流下来，她用大袖子来揩抹）

王福升 （摇头）这个事难，我看您乖乖地把这孩子送回去。我听说这孩子打了金八爷一巴掌，金八爷火了。您不知道？

陈白露 （没料到）哦，他呀！（望望小东西，担心地）你这孩子。

王福升 您想想，金八爷！大财神，又是钱，又是势，这一帮地痞都是他手下的，好家伙！

陈白露 哦，是他！他怎么会跑到这旅馆来？

王福升 家里不开心，到这儿来玩玩，反正有的是钱。

陈白露 （低声）金八！（向小东西）你怎么单碰上这么个阎王——小东西，你是打了他？

小东西 你说那黑胖子？——嗯，他，他要跟我——我躲不开，也不知怎么，就把他打了。

陈白露 （自语）打的好！打的好！打的痛快！

王福升 （怕事）小姐，这件事我可先说下，没有我在内。您要大发慈悲，管这个孩子，这可是您一个人的事，可没有我。过一会，他们要问到我——

陈白露 （干脆地）你说你没看见！

王福升 （望着小东西，不安地）没看见？可是——

陈白露 出了事由我担待。

王福升 （正希望白露说出这句话）好，好，好，由您担待。（油嘴滑舌）上有电灯，下有地板，这可是您自己说的。

陈白露 （点头）嗯，自然，我说一句算一句。现在你把潘经理请进来吧。

王福升 您刚才不是不要他老人家来么？

陈白露 叫你去，你就去，少说废话——

王福升 （拖长声音）是——是——是——（不以为然地走出去）

陈白露 （向小东西）吃饱了没有？

小东西 （痴痴地）饱了。

陈白露 （望着她手里的饼干）怎么，你没有吃么？

小东西 我吃不下，我怕，我实在是怕的慌。（忍不住哭出声来）

陈白露 （过来安慰她）不要哭！不要哭！

小东西 你不会送我到他们那儿去吧。

陈白露 不，不会的。你别哭了，别哭了，你听，外边有人！

〔小东西立刻止住哭声。

〔潘经理进。潘经理—— 一块庞然大物，裹着一身绸缎。头发已经斑白，行动很迟缓，然而见着白露，他的年纪，举动，态度就突然变得又年轻，又活泼，其实他最小的儿子也已经二十出头了。他的眼睛眯得小小的，鼻子像个狮子狗；有两撇胡子，一张大嘴，金质的假牙时常在呵呵大笑的时刻夸耀地闪烁着。他穿一件古铜色的獂绒皮袍。上面套着是缎坎肩。挂着金表链和翡翠坠儿。他仿佛刚穿好衣服，领扣还未系好，一只手拿着雪茄，皱着眉却又忍不住笑。

潘月亭 白露，我知道你会找我来的！我等了你一晚上，幸亏李石清来了，跟我谈谈银行的事，我叫人看你好几次，你都没回来。你看，我请你吃饭，你不去；我请你跳舞，你不去；可是（非常得意）我知道你早晚会找我的。

陈白露 （睨视）你这么相信你的魔力么？

潘月亭 （自负地）可惜，你没有瞧见我年轻的时候，（低声）我知道你想我，（自作多情）是不是？

陈白露 嗯！我想你——

潘月亭 是的，我知道，（指点着）你良心好。

陈白露 嗯，我想你给我办一件事。

潘月亭 （故意皱起眉头）又是办事，又是办事——你见着我，没有别的，你专门好管这些闲事。

陈白露 你怎么知道的？

潘月亭 福升全告诉我了。

陈白露 你管不管？

潘月亭 （走近小东西）嗯，原来是这么个小东西。

陈白露 你看她多么可怜——她——

潘月亭 得了，我都知道，反正总是那么一套。

陈白露 （要挟地）月亭，你管不管？

潘月亭 我管！我管！

陈白露 小东西，快谢谢潘经理。

〔小东西正要上前——

潘月亭 （拦住她）得了，得了。白露，你真会跟我找麻烦。

陈白露 你听！

〔外面人声。

陈白露 他们好像又来了。小东西，你到（指右面）那屋去。

〔小东西进右屋。

〔黑三的声音：是这个门口么？

〔男甲的声音：是！

陈白露 （向潘月亭）他们大概指着我的这个门。

潘月亭 嗯！

〔黑三的声音：别含糊，你是看见她进了这个门？

〔男甲的声音：嗯。

〔黑三的声音：没有出来？

〔女人的声音：你看你，走到门口又犹疑什么？

〔男乙的声音：弄清楚，别走错了门。

〔男人说话混杂声。

陈白露 月亭，你不能等他们进来，你打开门出去，叫他们滚蛋。

潘月亭 这帮人他们大概都认识我，叫他们走还容易。

陈白露 好，月亭，谢谢你，谢谢你，你真是个好人。

潘月亭 （傻笑）自从我认识你，你第一次说谢谢我。

陈白露　（揶揄地）因为你第一次当好人。

潘月亭　你又挖苦我！白露，你——

陈白露　别说了，你打发他们走吧。

潘月亭　好。（正要开门——）

陈白露　可是月亭，你当然知道这个小东西是金八看上的。

潘月亭　金八？（缩回手来）

陈白露　她把金八得罪了。

潘月亭　什么，这是金八看上的人？

陈白露　福升没有告诉你？

潘月亭　没有，没有，你看你，险点做个错事。（逡巡退回）

陈白露　怎么，月亭，你改主意了。

潘月亭　白露，你不知道，金八这个家伙背景复杂，不大讲面子。

陈白露　那么，你不管了？

潘月亭　不是我不管，是我不能管，而且为这么一个乡下孩子，你又何必——

陈白露　（负气）好啦，你不管就不管，不要拦我。

潘月亭　你看，这脾气。

〔男乙的声音：（粗暴地）敲门，她一定在这儿。

〔黑三的声音：怎么？

〔男乙的声音：你看，这不是大妈的手绢？那孩子不是穿着大妈衣服跑的么？

〔女人的声音：可不是，就是我的手绢。

〔黑三的声音：那一定是这个门，她一定在这里。开门，开门。

陈白露　（揶揄）月亭，你不要怕啊！（正要开门迎出——）

潘月亭　（拉住白露的手）你别理他们。

〔门外人们的声音：开门，开门。

陈白露　月亭，你先进到那屋去，省得你为难，我要开门。

潘月亭　别，白露。

陈白露　你进去。（指左边）你进去——我可真气了。

潘月亭　好，我进去。

陈白露　快，快。

〔潘月亭进左门，白露立刻大开中门。

陈白露　（对门外）你们是干什么来啦？

〔黑三穿着黑衣服，戴着黑帽子站在门外。

黑　三　干什么来啦？（气汹汹的，对着后边的党羽）进来，你们都进来，搜搜吧。

陈白露　（忽然声色俱厉地）站住，都进来？谁叫你们都进来？你们吃什么长大的？你们要是横不讲理，这个码头不讲理的祖宗在这儿呢！（笑）你们是搜私货么？我这儿搜烟土有烟土，搜手枪有手枪，（挺起胸）不含糊你们！（指左屋）我这间屋里有五百两烟土，（指右屋）那间屋里有八十杆手枪，你们说，要什么吧？这点东西总够你们大家玩的。（门口的人一时吓住了。向门口）进来呀！诸位！（很客气地）你们怎么不进来呀？咦，怎么啦，怕什么呀！

男　乙　（懵懂地）进来就进来！这算个什么？

黑　三　混蛋！谁叫你进来的？滚出去！

男　乙　（颟顸地）滚就滚，这又算什么！

黑　三　（笑）您别，别多心。您这生的是哪一门子气！我们没有事也不会到这儿来打搅。我们跑丢了一个小孩子，一个刚混事由的。我们到这儿来也是看看，怕她藏在什么地方，回头吓着您。

陈白露　哦,（恍然）你们这一大帮人赶到我这儿来，是为找一个小姑娘呀！

黑　三　（非常关心）那么您大概一定是看见她进来了。

陈白露　对不起，我没有看见。

黑　三　可是您瞧，在您门口我们捡着她丢的一块手绢。

陈白露　那她要丢，我有什么法子？

黑　三　您不知道，刚才还有人看见她进来了。

陈白露　到我的屋子来，那我可说在头里。她要偷了我的东西，你们可得赔。

黑　三　您别打哈哈。我们说不定都是一家子的人。您也帮个忙，我看得出来，您跟金八爷一定也是——

陈白露　金八爷？哦，你们也是八爷的朋友？

黑　三　（笑）够不上朋友，常给他老人家办点小事。

陈白露　那么，好极了，金八爷刚才告诉我叫你们滚开。

黑　三　刚才？

陈白露　（索性做到底）八爷就在这儿。

黑　三　（疑惑）在这儿！我们刚送八爷出旅馆。

陈白露　可是你们不知道，他又进来了。

黑　三　又进来了？（停顿，看出她的谎）那我们得见见，我们得把这件事告诉他。（回向门口）你们说，对不对。

〔门口的人们：对，对，我们得见见。

陈白露　（镇静）不成！八爷说不愿见人。

黑　三　他不能不见我。我得见见。

陈白露　不成，你不能见。

黑　三　不能见，我也得见。（看见白露向着右边小东西藏的屋子走）八爷大概就在这个屋子。

陈白露　（忽然跑到左边潘月亭藏匿的房屋门口。故意用两手挡着门）好，你进到那屋子去吧。

黑　三　哦——八奶奶又要跟我们打哈哈啦。（向白露走来，狞笑，凶恶地）躲开！躲开！

陈白露　你大概要找死！（回头向左门）八爷，八爷，你先出来教训教训他们这帮混账东西。

〔门开，潘月亭披着一件睡衣出。

潘月亭　（低声，指着门内）白露，吵什么，八爷睡觉了。（望着黑三）咦，黑三？是你，你这是干什么？

黑　三　哦，（想不到）潘四爷，您老人家也在这儿。

潘月亭　我刚跟八爷进来，到这儿来歇歇腿，抽口烟，你们在这儿是要造反，怎么啦？

黑　三　（嗫嚅）怎么，八爷是在这儿，（笑）——呃呃，是在这儿睡觉了？

潘月亭　你要进来谈谈么？那请进来坐坐吧！（大开门）我烧一口烟，叫金八起来陪陪你好么？

黑　三　（赔着笑）潘四爷，您别跟我们开心。

潘月亭　不坐坐么？门口那几位不进来歇歇么？

黑　三　不，不，您看我们也是有公事——

潘月亭　好极了。你们要有事，那就请你们给我滚蛋。少在这里费话！

黑　三　（服从地）是，潘四爷，您别生这么大的气！我们得罪的地方您可得多担待着点。（忽然回头向门口的人们）你们看什么，你们这些混蛋还不滚！他妈的这些死人！（又转过笑脸）没有法子！这一群人！回头，潘四爷，八爷醒了之后您可千万别说我们到这儿来过。小姐，您得多替我们美言两句。刚才的事您千万一字不提。方才我对您算开的玩笑，是我该死！（自己打自己的嘴巴）该死！该死！

陈白露　好，好，快滚吧。

黑　三　（谗媚）您出气了吧？好，我们走了。（下）

陈白露　（关上门）完了，（自语）我第一次做这么一件痛快事。

潘月亭　完了，我第一次做这么个荒唐事。

陈白露　好啦，走啦，请金八爷归位吧。

潘月亭　哼！“请神容易送神难。”用这个招牌把他们赶走了倒容易，回头见着金八，我们说不定就有乱子，出麻烦。

陈白露　今天不管明天事。反正这事好玩的很。

潘月亭　好玩？

陈白露 我看什么事都“好玩”，你说是不是？（呵欠）我真有点累了，（忽然瞥见地上的日影）喂，你看，你看！

潘月亭 什么？什么？

陈白露 太阳——太阳都出来了。（跑到窗前）

潘月亭 （干涩地）太阳出来就出来得了，这有什么喊头。

陈白露 （对着日光，外面隐隐有雀噪声）你看，天多蓝！——喂，你听，麻雀！（窗外吱吱雀噪声）春天来了。（满心欢悦，尽情地）哦！我喜欢太阳，我喜欢春天，我喜欢年轻，我喜欢我自己。哦，我喜欢！（长长吸一口冷气）

潘月亭 （不感觉兴趣地）喜欢就喜欢得了，说什么！（忽然地）白露，这屋子太冷了，你要冻着，我给你关上窗户。

陈白露 （执拗地）不，我不关！我不关！

潘月亭 好，好，好，不关就不关吧。你这孩子，我真没有办法，我对我的亲生女儿也没有这么体贴过。

陈白露 （回过头来）这有什么稀奇，我要是你的亲生女儿，你还会这么体贴我？

潘月亭 说得好，说得透彻。（恳求）那你关上窗户吧，我要着……着……（张嘴翕鼻，要打喷嚏的样子）着…………啊提！（一个喷嚏）你，看，我已经着凉了。

陈白露 （忽从窗户回来）这个傻孩子，你怎么早不说？

潘月亭 （得意地）那么你可以关上窗户吧。

陈白露 （摇头）不，不，我给你多加衣服。来，你先坐下，你披上我的大衣，围上我的围巾，盖上皮袍子，你再拿着我这个热水袋，你看，这不好了么？（弄得老头奇形怪状地堆在沙发上）我真喜欢你，你真像我的父亲。哦，我可怜的爸爸！你尽在我这儿受委屈了。

潘月亭 （推开她）白露，（要立起来）我不要你叫我爸爸。

陈白露 （推他跌在沙发里）我喜欢叫你是我的爸爸，我要叫你是我的爸爸，我的老爸爸。

潘月亭 （抗议地）我不老，你为什么叫我老爸爸。

陈白露 （娇纵地）我要叫，我偏要叫，老爸爸！老爸爸！

潘月亭 （反而高兴起来）也好，叫吧！叫得好，叫得好。（眉开眼笑）

陈白露 （忽然）月亭，你好好地坐着。我给你念一段小说听。（拿起一本很精致的书）

潘月亭 我不要听什么小说。

陈白露 你要听。

潘月亭 好，我听我听！（看见书的名字）《日出》，不好，不好，这个名字第一个就不好。

陈白露 好！我说好。

潘月亭 好，好，好，你念吧！

陈白露 （翻阅书本，念）"……太阳升起来了，黑暗留在后面。"

潘月亭 （欠伸）不通，不通，没有一点道理。

陈白露 （不理他，念下去）"……但是太阳不是我们的，我们要睡了。"

潘月亭 （深深一个呵欠）也不通，不过"我们要睡了"，这句话还有点意思。

陈白露　（不耐烦地关上书）你真讨厌。不许你多嘴，你再说……（正要举书打他——）

〔右边卧室内有个小巴儿狗汪汪叫，夹杂着小东西惊号的声音。

潘月亭　这是什么？

〔白露立起。小东西由卧室跑出来，她惊慌地关上门，巴儿狗在门缝儿里吠着。

小东西　（十分狼狈地）小姐……小姐！

陈白露　怎么啦？

小东西　它……它追我。

陈白露　（失色）什么？谁？谁？

小东西　（惊喘）您的巴儿狗醒了。（回头望）它咬我。

陈白露　你这孩子！我还以为那帮人从卧室进来了呢。

潘月亭　你看多麻烦！

〔敲门的声音。

小东西　（望白露）有人敲门。

潘月亭　别是他们又回来了？

陈白露　（走近门）谁？

〔方达生推门进。

方达生　是我，竹均。

陈白露　（惊愕）你怎么还没睡！

方达生　这个地方太吵，睡不着。方才茶房告诉我，说你刚认一个干女儿。

陈白露 干女儿？

方达生 嗯。

陈白露 哦，（指小东西）在这儿！这就是我的干女儿。她叫“小东西”。

方达生 （有兴味地）哦，“小东西”！

潘月亭 （从衣服堆里立起来，红红绿绿的围巾，大氅披满一身）喂，喂，白露，你别谈得这么高兴，这位先生是谁呀？

陈白露 你不知道？让我介绍一下，这是我的表哥。

潘月亭 （惊讶）表哥？

方达生 （这才发现还有一个男人在屋子里，向白露）怎么，他？

陈白露 （一本正经地）咦，你不认识，这是我的爸爸。

方达生 （惊愕地）你的爸爸？

潘月亭 （对白露，玩笑地）哦，是一家人！（忽然，指着窗户）可是快关……关……（指指点点地）……关……啊提！（喷嚏）你看这一次我真着凉了。

——幕急落

第二幕

景同第一幕，还是××旅馆那间华丽的休息室。

黄昏了，室内一片夕阳的返照，窗外有节奏地传来小工们打地基的桩歌，由近渐远，掺杂着多少人的步伐和石硪落地的沉重的声音。这些工人们在此处一共唱着两种打桩的歌："小海号"和"轴号"。现在他们正呼着"小海号"，一个高亢的声音领头，二三十个嗓音接应着，唱声停顿的空间，夹杂着两三排木夯[1]"嗨唉，嗨唉"砸地的工作声。

这时福升一个人在房里收拾桌上的烟具，非常不耐烦的样子，频频向外望，一面打着呵欠。

王福升 （捺不住了，对着窗口，唾了一口）呸！嗨唉！总他妈的嗨唉！这楼要是盖好，还不把人吵死。

〔接着又远远传来工人们举着石硪打地基的声音，唱"小海号"的声音。

王福升 （听了一会，狠狠地）没完了！就靠白天睡会觉，这帮死不了的嚷嚷起来没完啦！眼看着就要天黑，真他妈的不嫌麻

1　一种砸地的工具，木做的，两个人握着柄，一步一移向前砸。一排多半是四个夯，八个人。——底本注。

烦。（又吐一口唾沫）

〔“叫号”的小工们越唱越响，改了调门，唱“轴号”：日出东来，满天的大红！要得吃饭，可得做工！……

王福升 （忽然坐下，把两只耳朵里塞好了的纸团取出来，挖挖耳朵，挑衅地）来吧！唱吧！你嗨唉吧！我跟你算泡上啦，我听，你唱，他妈看谁耗过谁！（爽性闭着眼）看谁耗过谁！

〔唱声渐低，方达生进。

王福升 （觉得背后有人，立起，回过头）哦，方先生，您早起来了？

方达生 （不明白他问的意思）自然——天快黑了。

王福升 （难得有一个人在面前听他发发牢骚）不起？人怎么睡得着！就凭这帮混账，欠挨刀的小工子们——

方达生 （指窗外，叫他不要说话）嘘，你听！

王福升 听什么？

方达生 （指指窗外，非常感觉兴趣）你听，听他们唱，不要说话。

王福升 （嘿然）哦，这是唱啊？！

方达生 （不客气地）对了。

〔外面正唱着：老阳西落，砸得好心焦！不卖点命，谁也不饶！……

〔唱完最后一句，不知为什么窗外哄然一阵笑声，但立刻又听见木夯工人以整齐的节拍“哼哼唷，哼哼唷 ”地砸向前去。

方达生 （扶窗，高兴地往下望）唱得真好听！

王福升 （莫名其妙）好听？

方达生 （叹一口气，但是愉快地）你看他们满脸的汗，唱的那么高兴！

王福升 （讪笑）天生的那份穷骨头嘿。要不，一辈子就会给人打夯，卖苦力，盖起洋楼给人家住啦！

方达生 这楼是谁盖的？

王福升 谁盖的，反正有钱的人盖的吧。大丰银行盖的，潘四爷盖的，大概连（指左边屋内）在屋里的顾八奶奶也有份，（无聊地）有钱嘿！你看，（随手一指）就盖大洋楼。（感慨系之）越有钱的越有钱嘿！

方达生 顾八奶奶？你说的是不是满脸擦着胭脂粉的老东西？

王福升 对了，就是她！老来俏，人老心不老，人家有钱，您看，哪个不说她年轻，好看？不说旁的，连潘四爷还恭维着她呢。您看刚才潘四爷不是陪着小姐，顾八奶奶一同到屋里（指左边）打麻将去啦么？顾八奶奶阔着得呢！

方达生 怎么？我出去一会子啦，（厌恶）这帮人现在还在这屋子里打牌，没有走？

王福升 走？上哪儿去？天快黑了，客来多了，更不走了。

方达生 （来回走了两趟）这地方真是闷气！讨厌极了，讨厌极了。

〔敲门声。

方达生 谁？（没有应声）又是谁来了。

王福升 谁？（正要开门）

方达生 （拦住他）你等等！让我先到那屋去。（由右门下，进了白露

的卧室）

王福升 （嫌厌地）你看，这臭讲究！（开中门）

〔黄省三很畏缩地走进，惨白的脸没有一丝血色，满脸惭愧和惶恐的神气。他骨瘦如柴，只穿着一条夹裤和一件败色的旧薄棉袍。他是一个胆小而又非常神经质的人，笑起来也是那样凄惨惨的。每说一句话总要鼓起很大的气力，声音很低，说完了，就不自主地咳嗽两声。他是这样谦卑，不自信，甚至于疑心连自己的声音都会使人不耐。他年纪不算大，然而经年的忧虑和劳碌，逼得他近乎是一个衰弱的老人了。

〔他怯畏地立在房门口，四面望着。

王福升 是你呀，你又来了！（板起脸）你是干什么的？

黄省三 （颤声）对不起！（很谦虚地笑出声来）对……对不起！（鞠着躬）我……我大概是走错门了。（咳嗽，他转过身要出去）

王福升 （一把拉住他）回来！回来！你上哪儿去？

黄省三 （红了脸，连忙分辩）先生，我是走错门了。

王福升 你走错了门你也得回来。好，这门是你随便走错的么？

黄省三 可是，先生我已经走错了，我，我也道歉了。

王福升 你不知道，旅馆里面什么样的人都有。你为什么不敲门就闯进来啦？

黄省三 （神经质地笑着）我，我敲了门了，先生……

王福升 （强词夺理地）我怎么没有听见哪？

黄省三 （苦笑）先生，您要不听见，您叫我怎么办？（可怜地）您叫

我走吧，先生。（回身）

王福升 混人！你到底找谁？

黄省三 （不安地揉弄着围巾）找，找李先生。

王福升 姓李的多的很，谁是李先生？

黄省三 不，（忙解释）不，我找的是五十二号。

王福升 这房子就是五十二号。

黄省三 （禁不住露出喜色）那，那我还是对了。（又向着福升，有礼貌地）我找李石清，李先生。

王福升 没有来。

黄省三 （犹疑半天）要是潘经理有工夫的话，我想见见潘经理。先生，请你说一声。

王福升 （估量他）潘经理，倒是有一位，可是（酸溜溜地）你？你想见潘经理？

黄省三 （无可奈何地）我，是大丰银行的录事。

王福升 录事？你祖宗也是白搭。潘四爷在这儿是串门，玩来的，向来不见客。

黄省三 可是，（乞怜地）先生，求您去请他老人家一趟好吧？

王福升 不在这儿！（不耐烦）告诉你潘四爷不在这儿呢！去，去，去！别讨厌！不知哪家哪院的，开了门就找人，谁知道你是干什么的？

黄省三 （一再解白）先生，我，我是大丰银行的录事，我姓黄——

王福升 （忽然对黄省三，指自己）你认识我不认识我？

黄省三 （看了半天）不，不敢说认识。

王福升　那，你就给我“开路”!（推他）请走!

黄省三　可是先生，我姓黄……

王福升　（打开门，向外推黄省三）去！去！去！少给我添麻烦。你要再来，我就——

黄省三　（一面被他推着，一面回头）先生，我姓黄，我叫黄省三，我从前——

王福升　（得意地）我知道，你从前是录事。你姓黄，你叫黄省三。你找李先生，潘经理，大丰银行的人你都找。你到处装孙子，要找事。你当我不知道，不认识你?

黄省三　（气得手发抖）先生，你认识我,（赔着笑容）那就更好了。

王福升　（愉快地骂着他）我在这儿旅馆看见你好几次，你都不认识我，就凭你这点王八记性，你还找事呢!（拉着他，不由分说，用力向外一推）去你个蛋吧!

黄省三　（踉跄摔倒，几乎瘫在那儿）你为什么骂人？我知道我穷，可是你不能骂我，你，你不能——

王福升　（恶意的玩笑）那你问你家里去，我哪儿知道?（拍着他的肩，狞笑）好，好，你不是王八，你儿子是王八的蛋，好吧?

黄省三　（突然好像疯狂了，立起来，仿佛要以全身的重量压死面前这个禽兽，举起手）你，你，我要……

王福升　（活脱脱一个流氓，竖起眉毛，抓着黄省三胸前的衣襟）你敢怎么样？动一下，我打死你!

〔半晌。

黄省三　（睁着疯人似的眼睛，惧怕而愤怒地盯着他，手不自主地颤抖着。半天——低声，无力地）让——我——走！——让——我——走！

〔福升放开手，黄省三垂头走出门。外面的打夯声又“哼哼唷，哼哼唷”抑郁沉闷地哼着。

〔一阵电话铃响，福升走向小几，拿起耳机。

王福升　喂，你哪儿？（听不清，大声）我问你哪儿？你要哪儿？（暴躁地）你到底要哪儿？……啊，你骂人……你才是……什么？（声渐低）你姓金？啊……哪……你老人家是，是金八爷！……是……是……是……我就是五十二号……您，我实在看不见，我不知道是您老人家……（赔着笑）您尽管骂吧！（笔直地站着，不自觉地一次次俯首呵腰，满脸光彩地听取一连串灌入他耳中的诟骂）是……是……您骂的对！您骂的对！

〔潘月亭由左边门进。

潘月亭　（向福升）谁？谁来电话？是李石清先生么？

王福升　（狼狈地，不知应付哪一面好，望着潘月亭摇头）……是，我不敢……是，下次我再不敢……是……您千万别生气……（似乎对面气消了些）是我王八蛋……是……您找，是，您找潘经理？您等一下，他老人家来了。（向潘月亭）您的电话。（要把耳机递过去，听见话筒里又有声音，他急忙又凑到耳边）是……是，我不是人揍的，（递过耳机）我混蛋！（长长叹一口气）

潘月亭　（按着耳机上的喇叭口，低声）你这个糊涂蛋！是谁打来的？

王福升　（气得失了神）啊？谁？……是金八，金八爷。

潘月亭　（向福升）李石清，李先生还没有来么？

王福升　没有来。李先生没有来。

潘月亭　你进去问问李太太，她先生说什么时候到这儿来？

王福升　是。（垂头丧气走出）

潘月亭　（清了清喉咙）是金八爷么？……我是月亭……是……是，你的存款不会有错的。你先维持三天，三天之后，你来提，我一定拨过去……是……是……现在大丰银行营业还不错，我做的公债"盐税"，"裁兵"，都赚了点，你，啊？是的，都赚了点。你放心，三天，你在大丰存的款一定完全归清……什么？……笑话！……没有的事，大宗提款！……没有，没有，谁说的？……呃，呃，这都是谣言，谣言，不要信他们，你看，八爷，银行现在不是在旅馆旁边又盖大丰大楼么？……为什么盖？……自然，也是繁荣市面，叫钱多活动活动的意思。你放心！现在银行的准备没有问题！……三天！看多少年的交情，你只维持三天，统统还清……是的，（笑）八爷……公债有什么特别的消息么？……哦，哦，是……也这么听说，看涨。看涨……你没有买点么？……是，是……

王福升　（由左门进）李太太说李先生就来。（回头看）顾八奶奶，四爷在这儿。

〔顾八奶奶进。她是一个俗不可耐的肥胖女人。穿一件花旗袍，镶着灿烂的金边，颜色鲜艳夺目，紧紧地箍在她的身上。走起路来，小鲸鱼似的。肥硕的臀峰，一起一伏，惹得人眼花缭乱，叫人想起这一层衣服所包裹的除了肉和粗恶以外，不知还有些什么。她脸上的皱纹很多，但是她将脂粉砌成一道墙，把这些深深的纹路遮藏着。她总是兴高采烈地笑。笑有种种好处，一则显得年轻些，二则自己以为笑的时候仿佛很美，三则那耀眼的金牙只有在笑的当儿才完全地显露出来。于是嘴，眼睛，鼻子挤在一起，笑，笑，以至于笑得令人想哭，想呕吐。她的眉毛是一条线，耳朵上悬着珠光宝气的钻石耳环，说起话来总是指手画脚，摇头摆尾，于是小棒槌似的指头上的宝石以及耳环，光彩四射，惹得人心发慌。她着实是心广体胖，结实得像一条小牛，却不知为什么，她的病很多，动不动便晕，吐，痛，闹个不休。但有时也仿佛“憨态可掬”，自己以为不减旧日的风韵，那种活泼，“娇小可喜”之态委实令人佩服胡四——她的新“面首”——的耐性。有时甚至于胡四，也要厌恶地掉转头去。然而顾八奶奶是超然的，她永远分不清白人家对她的讪笑。她活着，她永远那么快乐地，那么年轻地活着，因为前年据她自己说她才三十，而今年忽然地二十八了——然而她还有一个大学毕业的女儿。胡四高兴起来，也很捧场，总说她还看不到有那样大的年纪，于是，她在男人面前越发地“天真”起来。

〔门内有一阵说笑声，顾八奶奶推开左面的门，麻雀牌和吵闹的声音更响。她仿佛由里面逃出来，步伐极力地故做轻盈，笑着，喘着。

顾八奶奶 （对着里面）不，可累死我了，我说什么也不打了。（回过头，似乎才看见潘月亭，妖媚地）四爷呀！怎么你一个人在这儿？

潘月亭 （鞠躬）顾八奶奶。（指着电话，表示就说完的意思）

〔福升由中门下。

顾八奶奶 （点点头，又转向门内）不，不，王科长，我累了。不，白露，我心里真不好受，再打，我的老病就要犯了。（又回转身，一阵风似地来到潘月亭的面前，向门内）你们让我歇歇吧。（重甸甸地坐进沙发）可累死我了。

潘月亭 ……好，好，再见，再见。（放下电话）顾八奶奶……

顾八奶奶 （滔滔地）四爷，你呀，真不是个规矩人，放着牌不打，一个人在这里打电话！（低声，故意地大惊小怪）你小心点，白露可就在那边打牌呢。（非常体己地）告诉我不要紧！你又找谁啦？打电话给你的这个女人是谁？我算看透了，你们男人什么都好，又能赚钱，又能花钱的。可是就是一样，不懂得爱情，爱情的伟大，伟大的爱情——

潘月亭 顾八奶奶是天下最多情的女人！

顾八奶奶 （很自负地）所以我顶悲剧，顶痛苦，顶热烈，顶没有法子办。

潘月亭 咦，你怎么打着打着不打啦？打牌就有法子办了。

顾八奶奶 （被提醒）哟，对了，劳您驾，四爷，你给我倒一杯水。（坐下，由手提包里取药）

潘月亭 （倒着水）你又怎么啦？

顾八奶奶 吃药，吃药，快给我水，我吃完药再说。（摸着心，轻轻捶着）

潘月亭 （递给她水）怎么样？白露这儿什么样的药都有。

顾八奶奶 （喝下去药）好一点！

潘月亭 （站在她旁边）要不，你吃一点白露的安眠药，你睡睡觉好不好？

顾八奶奶 （像煞有介事）不，用不着，我心痛！我刚才不打牌，就因为我忽然想起胡四这个没良心的东西，我的心又痛起来。你不信，你摸摸我的心！

潘月亭 （怕碰她）我信，我信。

顾八奶奶 （坚持）你摸摸呢！

潘月亭 （不得已地把手伸出去）是，是。还好，还好。

顾八奶奶 （不高兴的神气）还好？我都快死了，我的心都要跳出来了。我找过多少医生，都说我没有病，我就不相信！我花二百块钱叫法国有名的杜大夫检查一下，他才查出来，"心脏病！"怪不得我的心常痛呢！我有心病，你不信，再摸摸，你听听，扑腾扑腾。（拉着潘月亭的手）

潘月亭 （只好把头也伸过去听）是，是，是，（频频点头）是扑腾扑腾的。

〔陈白露由左门进，兴致勃勃的。

陈白露　（不意地见着他们，不知说什么好）咦！月亭，你也在这儿？

〔潘月亭走到桌前点烟卷。

顾八奶奶　（搭讪着）你看！四爷给我治病呢！

陈白露　又是心病？（回过头向着敞开的门；门内依然是说话声与麻将声）刘先生，三番让你和吧。李太太，我少陪了。要什么东西，尽管跟他们要。（见达生不在）咦，我那位表哥呢？

顾八奶奶　白露，不就是那位一见人先直皱眉头的那位先生么？可别再请他来！我怕他。（向窗走）

陈白露　（笑了笑）嗯——达生！达生！

〔方达生由右门进。

方达生　（立门口）哦，你！你叫我干什么？

陈白露　你出来跟大家玩玩好不好？

方达生　我正跟小东西谈话呢。（很愉快地）这个小孩很有点意思。

陈白露　你到这里来跟我们谈谈好吧。（走近达生）你来一起玩玩，不要这样不近人情。

方达生　（望望潘月亭和顾八奶奶）不，不，还是让我跟那个小孩谈谈吧。（回转身，把门关上）

陈白露　这个人简直是没有一点办法。

潘月亭　顾太太，你看胡四这两天又不到银行办事来了。

顾八奶奶　我说过他，他就生气。四爷，您千万别放在心上，他，他呀——

潘月亭 好，我们不要提他吧。（与顾八奶奶共立在窗前）你看，大丰大楼已经动了工，砸地基之后，眼看着就可以盖起来。地势好，房子只要租出去，最低总可以打一分五的利息。市面要略微好一点，两分多三分利也说不定。

顾八奶奶 白露，你听，四爷想得多有道理，四爷，你怎么说来着？市面一不怎么样，经济一怎么样，就应该怎么样？

潘月亭 我说市面一恐慌，经济一不巩固，就应该买房产。

顾八奶奶 对呀，白露，你看，我现在要不出钱盖大楼，我的市面不就不巩固了么？所以，四爷，你这次想法子盖大丰大楼是一点也不错的。有二分利，每月有三两千块钱进款，贴补点零用就差不多了。

〔福升上。

王福升 四爷，报馆的张先生来了。

陈白露 他忽然来找你干什么？

潘月亭 我约他来的，我想问问这两天的消息。

王福升 就请进来吧？

潘月亭 不，你请他到三十四号好了。

王福升 小姐，董太太来了，刘小姐也来了。

陈白露 都请到那边去。她们是打牌来的，说我一会儿就过来。

王福升 是。（下）

潘月亭 顾八奶奶，好，就这么说定了，在银行那笔款子我就替你调派了。

顾八奶奶 我完全放心，交给你反正是没错。

潘月亭 好，回来谈。

陈白露 月亭，你回来，你记得我说的事？

潘月亭 什么？

陈白露 那个小东西，我要把她收做我的干女儿。你跟金八说说，给咱们一点面子。

潘月亭 好，好，成，成，都成！（由中门下）

陈白露 看他油嘴滑舌的。

顾八奶奶 （望着潘月亭走出，回过头，又滔滔地）白露，我真佩服你！我真不知道怎么夸你好。你真是个杰作！又香艳，又美丽，又浪漫，又肉感。一个人在这么个地方，到处都是朋友。就说潘四爷吧，他谁都不赞成，他说他就赞成你。潘四爷是个顶能干的好人，说个文明词，那就是空前绝后的头等人儿。地产，股票，公债，哪一样不数他第一？我的钱就交他调派。可是你看，你一眼就看中了他，抓着他，你说个“是”，他不敢说“不”字，所以我总说你是个顶有希望的女人。

陈白露 （燃烟）我并没有抓潘四，是他自己愿意来，我有什么法子？

顾八奶奶 （想逢迎她）反正是一句话：“王八看绿豆”，是对了眼了。

陈白露 （故意地）你现在真是一天比一天会说话，我一见你就不知话该打哪儿说起。

顾八奶奶 （飘飘然）真的么？

陈白露 可不是。

顾八奶奶 倒也是，我自己也这么觉得。自从我那老头子去世，我就像开了窍似的，忽然地聪明起来，什么话都能讲了。（自负而又自怜地）可是会说话又有什么用，反正也管不住男人的心。现在，白露，我才明白男人是真没有良心。你待他怎么好也是枉然。

陈白露 怎么，胡四又跟你怎么样了？

顾八奶奶 （长叹一声）谁知他怎么样了！这两天就没见着他个影子。打电话，寄信，我亲自去找他，他都是不在家。你说这个人，我为他用了这么多的钱，我待他的情分可真不算薄，你看，他一不高兴，就几天不管我。

陈白露 那你当然不必再管他，这不是省你许多事。

顾八奶奶 那……那也不能这么说。我觉得一个女人尽管维新，这“三从四德”的意思也应该讲究着点。所以胡四尽管待我不好，我对他总得有相当的情分。

陈白露 恭喜，恭喜！奶奶。

顾八奶奶 （愕然）怎么？

陈白露 恭喜你一天比一天地活得有道理，现在你跟胡四居然要讲起“三从四德”了！

顾八奶奶 （翻着眼）咦，你当我是那不三不四，不规矩的坏女人？

陈白露 可是，我的顾八奶奶，要讲“三从四德”，你总得再坐一次花轿，跟胡四龙啊凤啊再配配才成呀！

顾八奶奶 你是说我跟胡四结婚？（连忙摇头）那可不成！结婚以前他待我都这样，结婚以后那我不是破鞋，更提不上了么？

现在这文明结婚压根儿就没有什么用。他要变心，他就会找律师不要我。不像以前我嫁我那死了的老东西的时候，说什么我也是他的太太，拿花轿娶来的太太，他就得乖乖地高高在上养着我，供着我，你说离婚，不要自己花轿娶来的老婆？那是白天做大梦！美得你！可是，现在……（感慨系之）咳……白露，你是个聪明人，你想想结婚有什么意思？有什么意思？

陈白露　（叹一口气）结婚不结婚都没有什么意思。不过我常常是这么想，好好地把一个情人变成了自己的丈夫，总觉得怪可惜似的。

顾八奶奶　（固然不大懂白露的话，但猜得出大概是那样的意思，于是——）说的也就是这个意思啊！你想吃吃饭，跳跳舞，两个人只要不结婚总是亲亲热热的，一结了婚，哼——（仿佛看见胡四已做了没有良心的丈夫，不由自主地——）说到大天！这件事办不到，所以胡四说什么都成，他要跟我求婚，我可就是不依。再，我也怕他结了婚，现原形，而且我那位大女儿你也是知道的——

陈白露　你说你那位大学毕业的小姐么？

顾八奶奶　就是她！

陈白露　她怎么？

顾八奶奶　（又有了道理）你不知道，我这个人顶爽快，我顶不像我的女儿。我的女儿好咬文嚼字，信耶稣，好办个慈善事业，有点假门假事的。我就不然，我从前看上老邱，我满心眼里尽是老邱；现在我看中了胡四，我一肚子尽是胡四。你看，也怪，我的女儿那样，我偏偏儿这样，你看这不是有点遗传！

陈白露 可是，这跟你结婚又有什么关系呀？

顾八奶奶 哦，说着说着我忘了。（凑近白露的耳朵，低声指手画脚地）我告诉你，我的女儿顶反对胡四——其实我也明白，自然是因为怕胡四花完了我的钱，你想我嫁给胡四，我那女儿的年纪……跟他……呃，呃，看着差不多少。你说将来叫我的女儿怎么称呼他，这不有点叫做妈的难为情。

陈白露 （打着呵欠，有点厌烦地敷衍）胡四这样成天地对不起你，你何必永远忘不了他。

顾八奶奶 （很自负地）那就是爱情啰！其实我也知道他懒，死不长进。我好说歹说托潘四爷给他在银行找了事。潘四爷说市面紧，可是为着我在银行裁了好几个人才给挤出一个事。你看，他不是嫌钱少，就是说没意思。去了两天，现在又不常去了。又懒又没出息，没有办法——唉，天生是这么一个可怜的人！我不管他，谁管他？哎，爱情！从前我不懂，现在我才真明白了。

陈白露 （讽刺地）怪不得你这么聪明了。

顾八奶奶 我告诉你，爱情是你甘心情愿地拿出钱来叫他花，他怎么胡花，你也不心痛——那就是爱情！——爱情！

陈白露 怪不得常听人说爱情是要有代价的。

顾八奶奶 是啊，那是一点也不错的。所以我想找潘四爷给胡四在电影公司再找个事。白露，我们是好姊妹，你在四爷面前替我给他说说，我真有点不好意思再多麻烦他啦。

陈白露 哦，你说你要他当电影明星？

顾八奶奶 （热烈地）嗯，他当明星，准红！你看他哪一点不像个电影明星？身材，相貌，鼻子，眼睛——

陈白露 可是，你不怕旁的女人追他么？

顾八奶奶 不，这一点我最放心他。他什么都不好，就是对我死心眼，总像个小狗似地跟着我。（忽然觉得有点不大符事实）自然这两天他没有见我，可是这也难怪他。他要用三百块钱，我没有给他。他劝我换一辆小“雪佛兰”的汽车，我一时不凑手，也没买。后来，他就跟我求婚，我又没有答应他，难怪他气了。

陈白露 所以你想，你要给他找个好事，叫他平平气。

顾八奶奶 我这次可许了他了，只要他当了电影明星，我就想法子嫁给他。我给你痛痛快快地说吧，我都想过，画报上一定登那么老大的照片，我的，胡四的，我们俩的，报纸每天登着我们蜜月的新闻。并且——

陈白露 可你结了婚，你的大学小姐呢？怎么办呢？

顾八奶奶 （不以为然的口气）嗯！胡四当了电影明星就大不同了。我叫胡四在她的什么慈善游艺会，以电影明星的资格，唱个浪漫歌，（手势）跳个胡拉舞，你看，她不乐得飞飞的。

陈白露 八姐，我一定替你办，你真聪明，想得真周到。我一定找潘四爷，明天就叫他进电影公司，好吧？

顾八奶奶 （感激莫名）谢谢你！谢谢你！你看，我说过，露露你是个“空前绝后”的杰作，那是一点也不错的。

〔福升由中门上，拿着一叠账单。

王福升 哦，八奶奶在这儿！

顾八奶奶 你干什么？

王福升 我找小姐。（向白露，递账单）小姐，潘四爷已经把昨天那些应该付的钱都给您付了，他叫我把这些账条交给您。

陈白露 给我搁抽屉里。

王福升 是……是，可是这里（正要由口袋取出）还有——

陈白露 还有？

王福升 要不，您听着：——（正要念下去——）

陈白露 你没有看见这儿有客么？

王福升 是，是。

〔福升正要退出，张乔治由左门上。他穿一身大礼服，持着礼帽，白手套，象牙镶着的手杖，举着一束花，得意扬扬地走进来。

张乔治 （满腔热忱）Hello！ [1]Hello！ 我一猜你们就在这儿！（拉手）Hello！ Hello！（那样紧紧地握着两个女人的手）

顾八奶奶 博士来了！

张乔治 密斯顾！（上下打量）你真是越过越漂亮了！（顾八奶奶眉飞

---

1 英语中跟人打招呼时说：“哈啰！”——底本注。

色舞地正想说话，他又转向白露）Oh，my！[1]我的小露露，你今天这身衣服——

陈白露　（效他的神气）美丽极了！

张乔治　一点也不错！你真聪明，你总知道我要说什么。（转过身，向着福升）By the way[2]，哦，boy！[3]

王福升　也斯，死阿！[4]

张乔治　你跟里面的人说，说我不去陪他们打牌了。

王福升　也斯，死阿！（由左门下）

陈白露　你不要这么猴儿似的，你坐下好吧。

张乔治　哦，O.K.，my dear。[5]

顾八奶奶　喂，博士，你别老这么叽里呱啦地翻洋话好不好？

张乔治　Oh，sorry，sorry！[6]完全对不起，我简直不习惯说中国话，说外国话总觉得稍稍地方便一些。

陈白露　Georgy，今天怎么啦，又换了打扮啦？

张乔治　你不知道，在衙门里做事是真麻烦。今天要参加什么典礼，明天要当什么证婚。今天部里刘司长结婚，我给他当伴郎，忽然我想到你，我简直等不了换衣服，我就要来。哦，这

1　英语，意思是：“哎呀！”——底本注。

2　英语中顺便提起一件事时的口头语。——底本注。

3　英语，意思是：“茶房！”——底本注。

4　英语“Yes，Sir！”的译音，意思是：“是，先生！”——底本注。

5　英语，意思是：“好的，我亲爱的。”——底本注。

6　英语，意思是：“哦，对不起，对不起！”——底本注。

一束花是我送给你的，我祝你永远像今天这么美，并且也让它代表我的歉意。昨天晚上，我原来的意思，跑到你房里是——

顾八奶奶 昨天晚上，你们怎么了？

陈白露 没有什么。

张乔治 没有什么！那好极了，我知道你向来是大量的。

顾八奶奶 博士，你这两天没跟胡四一起玩么？

张乔治 胡四？前两天我在俱乐部又看见他拉着他那条狗，一块走来走去。

顾八奶奶 这个没有良心的东西，他情愿拉一条狗也不带着我。

张乔治 怎么，你们又闹翻了么？咦，那他在门口坐在汽车里做什么？

顾八奶奶 什么！他在门口？

张乔治 奇怪！你不知道？

顾八奶奶 博士，你真不像念书的人，你怎么早不告诉我？

张乔治 念了书不见得一定算得出来顾八奶奶想见胡四呀。

顾八奶奶 好了，我不跟你说了。我要走了。（匆匆忙忙地走到中门，回身）可是白露，你得记住我刚才托你的事。见着四爷，别忘了替我说一声。

陈白露 好吧。

顾八奶奶 博士，古得拜！[1]拜——拜！[2]（下）

---

1 英语“good-bye！”的译音，意思是：“再见！”——底本注。

2 英语“bye-bye！”的译音，意思是：“再见！”——底本注。

张乔治　（嘘出一口气）好容易这个宝贝走了。（很热烈地转向白露）白露，我告诉你一件好消息。

陈白露　什么好消息？是你太太又替你生了少爷了？

张乔治　（又是那最得意的一甩手）你！岂有此理。

陈白露　那么你一定又是升了官了。

张乔治　这个喜信跟升了官也差不多少。我告诉你（拉着白露的手，亲密而愉快地）昨天下午我跟我太太离婚了，正式离婚了！

陈白露　哦。离婚？怎么，你太太不是替你生了三个小孩么？你怎么一回了国就要跟她离婚呢？

张乔治　咦，我给她钱，给她钱啦。你这个人怎么啦？还有好消息，第二个！（忽然非常温存地盯着她）露露，你知道昨天晚上我为什么到你这里来？

陈白露　（讪笑着他）难道你也是要跟我求婚来的？

张乔治　（惊愕）Oh，my！ My good gracious！[1]你简直是上帝，你怎么把我心里的事都猜透了？

陈白露　（惊怪）什么？你——

张乔治　不，露露，你应该可怜我，可怜一个没有人疼的男人，你必须答应我。

陈白露　怎么，你昨天晚上，闹成那个样子，（非常厌恶地）吐了我一床，你原来是求婚来的！

张乔治　那是因为我喝醉了。

1　英语，意思是："哎呀！我的天！"——底本注。

陈白露　我当然知道你是喝醉了。

张乔治　那是因为我太喜欢了。我一刻也忘不了我就要成世界上最幸福的人，我知道你一定会嫁给我。露露，我现在在广东路有一所房子，大兴煤矿公司我也有些股票，在大丰银行还存着几万块钱现款，自然你知道我现在还在衙门做事。将来只要我走运一点，三四千块钱一月的收入是一点也不费事的。并且，我在外国也很不坏，我是哲学博士，经济学士，政治硕士，还有……

陈白露　（喊起来）达生，达生，你快出来。

〔方达生由右面寝室走出。

方达生　（看见他们两个坐在一起）哦，对不起。（回身）

陈白露　我是叫你。你赶快把窗户打开。

张乔治　干什么？

陈白露　我要吸一点新鲜空气。这屋子忽然酸得厉害。

方达生　酸？

陈白露　（讥诮地）可不是，你闻不出来？

张乔治　（望着达生）喂，白露，你也给我介绍介绍，别这样不客气。

陈白露　咦，你们不认识？

张乔治　（看了看）很面熟，仿佛在哪儿见过似的。

方达生　见过？

张乔治　（忽然）哦，当然，当然，我们见过，老朋友了！

陈白露　真的？在哪儿？

张乔治　老朋友，我想起来了，两年前，我们同船一块从欧洲回来

的。（忽然走到达生面前，用力地握着他的手，非常热烈地）啊，好极了，好极了，请坐，请坐。（回头取吕宋烟）

陈白露　（低声）这是怎么一回事？

方达生　（微笑）谁知道他是怎么回事！

〔李石清由左门上。他原来是大丰银行一个小职员，他的狡黠和逢迎的本领使他目前升为潘月亭的秘书。他很萎缩，极力地仿效他心目中大人物的气魄，却始终掩饰不住自己的穷酸相，他永远偷偷望着人的颜色，顺从而谗媚地笑着。当他正言厉色的时候，我们会发现他额上有许多经历的皱纹，一条一条的细沟，蓄满了他在人生所遭受的羞辱，穷困和酸辛。在这许多他所羡慕“既富且贵”的人物里，他是时有“自惭形秽”之感的，所以在人前，为了怕人的藐视，他时而也无中生有地夸耀一下，然而一想起家里的老小便不由得低下头，忍气吞声受着屈辱。他恨那些在他上面的人，他又不得不逢迎他们。他把愤恨倒咽在肚里，只有在回家以后，一起发泄在自己可怜的妻儿身上。他是这么一个讨厌而又可悯的性格——他有一对老鼠似的小眼睛，头发稀稀拉拉的，眉毛淡得看不出，嘴边只布着几根毛，扁鼻子，短下巴，张开嘴露着几颗黑牙齿，声音总是很尖锐的。他很瘦，很小，穿一件褪了颜色的碎花黄缎袍，外面套上一件崭新的黑缎子马掛。他格登格登地走进来，脚下的漆皮鞋，是不用鞋带的那一种，虽然旧破，也刷得很亮，腿上绑着腿带。

李石清 陈小姐!（向着张乔治）博士!（鞠躬）

张乔治 你来得正好！李先生，我得给你介绍介绍我的一个老朋友。

李石清 是，是，是。

张乔治 （向着达生）这是李石清，李先生，大丰银行的秘书，潘四爷面前顶红的人。

李石清 不敢，不敢。这位贵姓是——

张乔治 这是我从欧洲一块回来的老同学，他姓这个，姓这个——

方达生 我姓方。

张乔治 （打着脑袋）对了，你看我这个记性，姓方，方先生!

李石清 久仰！久仰!

陈白露 李先生，你小心点，李太太正找着你，说有话跟你讲。

李石清 是么?（笑）她哪有工夫跟我说话，她正打着牌呢。

陈白露 还在打么？她早就说不肯打了。怎么？输了赢了?

李石清 我的内人打的不好，自然是输的。不过输的很有限，只三四百块钱，不——

陈白露 （替李石清说出）不算多。

李石清 陈小姐顶聪明了，专门会学人的口头语。（不自然地笑）其实，到陈小姐这儿打牌，输了也是快活的。

陈白露 谢谢，谢谢，不要恭维了，我担不起。

张乔治 没有见着潘经理么?

李石清 我正是找他来的。

陈白露 他大概在三十四号，你问福升就知道了。

李石清 是。陈小姐，那么我先跟您告一会假。失陪，失陪，博士。

失陪，方先生。

〔李石清鞠躬点头地正要走出，顾八奶奶推着胡四由中门上。胡四毕竟是胡四。苍白的脸，高高的鼻梁，削薄的嘴唇，一口整齐的白牙齿，头发梳得光光的，嘴边上有两条极细的小胡子，偶尔笑起来那样地诱惑，尤其他那一对永远在做着“黯然消魂”之态的眼睛，看你又不看你，瞟人一眼又似乎怕人瞧见，那态度无论谁都要称为妩媚的。他不大爱笑，仿佛是很忧戚的，话也不多，但偶尔冒出一两句，便可吓得举座失色，因为人再也想不出在这样一副美丽的面形下面会藏蓄这么许多丑陋粗恶的思想和情感。但他并不掩饰自己，因为他不觉得自己是丑陋的，反之他很自负地以为自己——如许多人那样当面地称赞他——是“中国第一美男子”。他时常照镜子，理头发，整整衣服；衣服是他的第二个生命，那是神圣不可侵犯的宝物。现在他穿着西服：黑衬衫，白丝领带，藕荷色带着杂色斑点的衣服，裁得奇形怪样地时髦。手里持着一只很短很精致的小藤杖和银亮亮的链子。

〔他带着一副从容不迫的神气，脸上向来没有一丝表情，不惊愕，不客气，见人也并不招呼，那样“神秘”——这是顾八奶奶对他的评语——地走进来。

李石清　顾八奶奶，（很熟稔地）胡四爷。

顾八奶奶　（对李石清）你给我拉他进来。

李石清　又怎么了？

胡　四　（看了顾八奶奶一眼，回过头对李石清，若无其事的样子）别管她。

李石清　对不起，我要见潘经理，失陪，失陪。（下）

顾八奶奶　（一个天真未凿的女孩子似的，撒着娇。当然看得出来她在模仿着白露）你跟我来！我不让你看，我不让你看嘿！（一手推进胡四，一半对着胡四，一半对着其余的人，胜利地）我不许你看，你就不能看！你听着不听着？

胡　四　（厌恶而又毫无办法）好！好！好！我听着。可是你瞧你！（皱起眉甩开顾八奶奶的手，指着袖管，已经被她馒头似的手握成许多皱纹）好好的衣服！（用手掸了掸衣服，整理自己的领带）

顾八奶奶　（似笑非笑，在人面前又不得不生着气）你瞧你！

陈白露　你们这是怎么回事？

胡　四　没什么。（乖觉地一手拉起顾八奶奶的手，嫣然而笑）你瞧你！（下面的话自然是："你急什么？"但他没有说，却一手理起油亮亮的头发。两个人不得已地互相笑了，顾八奶奶当时平了气）

顾八奶奶　（又和好地，对白露）你看我们成天打架，我们好玩不？

陈白露　当着人就这么闹，你们简直成了小孩子了。

顾八奶奶　我们本来就是一对小孩子嘿！（向胡四）你说是不是？我问你，你刚才为什么偏要看那个女人？有什么美？又粗，又胖，又俗气，又没有一点教育……

胡　四　得了，得了，你老说什么？（自己先坐下，取出手帕擦擦脸，又拿出一面小镜子照照）你看，我不是听你的话进来了么？（忽然看见张乔治，欠欠身）咦，博士，你早来了。

张乔治　胡四，好久没见，你这两天滚到什么地方玩去了？

胡　四　没有什么新鲜玩意。到俱乐部泡泡，舞场里“蹭蹭”[1]，没有意思，没劲儿。

顾八奶奶　哼，你多半又叫什么坏女人把你迷住了。

胡　四　你瞧你！（毫不在意，慢吞吞地）你要说有就有。

顾八奶奶　（急了）我可并没说你一定有。

胡　四　（还是那副不在乎的表情）那不就得了。

〔福升由左门上。

王福升　小姐，点心预备好了，摆在五十一号，您先看看，好么？

陈白露　（正和方达生谈话，转身）好，我就去。

王福升　是。（由左门下）

陈白露　胡四，你见过我的新客人么？

〔胡四懒懒地探起身。

陈白露　方先生，新到这儿来，我的表哥。（向方达生）这是胡四，中国第一美男子。

顾八奶奶　（正和张乔治谈话，回过头，非常高兴地）你别这么夸他，他更要跟我耍脾气了。

陈白露　好，你们好好地谈吧！我要到那屋子去看看就回来。（由左门下）

---

1 “跟女人混混”的意思。——底本注。

胡　四　（不知不觉地又理理头发，回头向穿衣镜照照，对着方达生半天，忽然冒出一句）久仰，久仰，您多照应着点。

方达生　（不知答些什么好）哦，哦。

胡　四　您很面熟。

方达生　是么？

胡　四　您多大？

方达生　（没想到）什么？

胡　四　你长得不错。拿得出去，在这块儿，保您吃得开。博士，你看，方二爷像不像我那位朋友黄韵秋？（上下打量方达生）

张乔治　黄韵秋？

胡　四　大舞台唱青衣的。

方达生　（厌恶）你大概是个唱花旦的。

胡　四　好眼力！不敢，会一点。顾八奶奶就是我的徒弟，白露也跟我学过。

方达生　（自语）这个东西！

〔半晌。

胡　四　（莫名其妙，忽然很正经地）博士，你饿不饿？

张乔治　（愕然）我？——不饿！

顾八奶奶　（也奇怪胡四为什么忽然冒出这一句）你——饿了？

胡　四　我。（看看方达生）不，（摇头）——也不饿。

〔半晌。

方达生　（望望这三个人，叹气）对不起，我想在外边走走。

张乔治　不过，方先生，你——

方达生　我不陪了。

〔方达生由中门下。三人望他下场，三个人互递眼色。

胡　四　这个家伙怎么一脑门子的官司？

顾八奶奶　白露大概是玩腻了，所以不知在哪儿叫来这么一个小疯子来开开心。

张乔治　奇怪，这个人我又好像不大认识似的。

胡　四　（燃纸烟）博士，我现在会开汽车了。

顾八奶奶　对了，博士，你没有看见他开汽车，开得快着得呢！

胡　四　博士，现在有人邀我进电影公司，要我当小生。你看我现在骑马，游水，跳舞，穿洋服，一点一点地学起来。博士，你看我这一身的洋服穿得怎么样，很有点意思啦吧？

张乔治　还将就，还将就。不过洋服最低限度要在香港做，价钱至少也要二百七十元一套。

胡　四　（望着顾八奶奶）你听见没有？你要我到大丰银行做事，干一个月还不够我一套西服钱呢！

顾八奶奶　你不要不知足，李石清一天忙到黑，一个月才二百块。那还是白露的情分，跟潘四爷说好了才成的。

胡　四　那是他贱骨头，谁也不能卖得这么贱。

〔白露由左门上。

陈白露　（立在门口）点心预备好了。来吧！你们都进来吃吧。今天都是熟朋友。（回头看）刘小姐，你看Georgy来了。

张乔治　（远远望见左门里面的刘小姐，老远就伸出手，一边走着，高声嚷着Bonjour，bonjour，mademoiselle！[1]摇着手）——哦，我的刘小姐。你不必起来。我来就你！……我来就你！（嚷喝着走进去，里面欢呼声）

胡　四　（慢吞吞地，提一下裤带，摸摸衣服，又是他那满不在乎，无精打采的样子，对着顾八奶奶）起来吧！我进门就饿了。

顾八奶奶　（瞪他一眼）饿了不早说！还不快点走！（蹬蹬地走上前）

胡　四　（瞟她一眼，更慢了）你瞧你！

顾八奶奶　（已走到左门口，回头看胡四还立在那里，于是伸出手招他，笑着）快点来，胡四。

胡　四　（翻翻白眼，胜利似地）咔！（稳稳当当地走入左门，对白露很妩媚地笑了笑）

陈白露　（四面望望）咦，达生呢？（回头，忽然见李太太在背后）哦，李太太，您不吃点东西么？……哦，那么，您请进来吧。

〔李太太上，一个十分瘦弱的女人，举止端重，衣服不甚华丽。神色温良，但罩满了忧戚，她薄薄敷一层粉，几乎没有怎么修饰，仿佛很勉强地来到这里，客气而很不自在地和白露说话。

陈白露　（和蔼地）是您要找李先生说话？

李太太　是，陈小姐。

陈白露　（按电铃）你们夫妇两人感情真好，这一会儿都离不开。我真羡慕你们。

1　法语，意思是：“早安，早安，小姐！”——底本注。

〔福升上。

陈白露 福升，你去请李先生来！说李太太等他有话说。

王福升 是。

陈白露 喂！方先生在外头么？

王福升 没有，没有看见。

陈白露 你去吧！

〔福升下。

陈白露 李太太，请您等一下，我有一点事。（向右门走）达生，达生！

〔小东西由白露的卧室走出来。她已和十二小时前的模样大改了，她穿着白露的玫瑰紫的旧旗袍，还是肥大，一望而知不是她自己的衣服。乌黑的头发垂下来，白净的脸抹上两块红胭脂。一半因为这几天哭多了，一半因为四周的新奇，她有些迷惑。她望着白露和李太太，一声也不响。

陈白露 方先生在屋里么？

小东西 方先生？

陈白露 就是刚才跟你说话的那位先生。

小东西 他呀！他不在屋。

陈白露 他又跑了。（忽然对小东西）咦，谁叫你跑出来的？

小东西 （惶恐地）我！我听见您叫唤我就出来了。

陈白露 （笑问她）那么，你忘记昨天晚上那些人啦？

小东西 （立刻往里跑）是，小姐。

陈白露 回来。

〔小东西退回来。

陈白露 屋里有一个通过道的窗户可要关好了，听见了没有？

小东西 嗯，嗯。（又跑回屋）

〔李石清由中门进。

陈白露 哦，李先生，你可来了！你看你太太非要找你不可，你们真亲热。

李石清 （凑趣）您不知道，陈小姐，我们也是一对老情人，我的太太要是一点钟不跟我说一次情话，是过不得的。

陈白露 真的么？那你们尽管在这儿谈吧，我不打搅了。（由左门下）

李石清 （鞠躬，望着白露出了门，半晌，四面看看，拉下脸，严重地）打得怎么样？输了？赢了？

李太太 （哀声地）石清，你让我回去吧！

李石清 你又输了？

李太太 （低头）嗯。

李石清 （有些慌）我给你一百五十块钱都输了？

李太太 （低声）还没有都输——也差不多少。

李石清 （半天，想不出办法）可是怎么能输这么些！

李太太 我心里着急，我怕输，牌更打不好了。

李石清 （不觉气起来）着急？都是一样地打牌，你着什么急？你真，真不见世面。

李太太 （受不了这样的委屈，落下眼泪）我不去打牌，你偏要我打牌。我不愿意来，你偏逼我到这儿来。我听你的话，我来了，陪着这帮有钱的人们打大牌——输了钱，你又——（泣

出声）

李石清　（看着她，更气起来）哭！哭！哭！你就会哭！这是你哭的地方么？这成什么样子？不用哭了。（不耐烦地）我这儿有的是钱，得了，得了。

李太太　我不要钱。

李石清　你要什么？

李太太　（怯弱地）我要回家。

李石清　少说废话，这儿有钱。（取出皮夹来安慰她）你看，我这儿有一百块钱，你看。先分给你八十，好不好？

李太太　你在哪儿弄来的钱？

李石清　你不用管。

李太太　（忽然）你的皮大氅呢？

李石清　在家里，没有穿来。

李太太　（瞥见李石清手内一卷钞票内夹着的一张纸）石清，你这是什么？

李石清　（抢着说）这是……（但纸已被李太太抢去）

李太太　（望望那张纸，又交还李石清）你又把你的皮大衣当了。

李石清　你不要这么大声嚷嚷！

李太太　唉，石清，你这是何苦！

李石清　（不高兴）你不用管，我跟你说，你不用管。

李太太　石清，我实在受不了啦。你叫我回家去吧，好不好？这不是我们玩的地方，没有一个正经人，没有一句正经话——

李石清　谁说没有正经人，潘经理不就是个正经人么！你看他办学校，盖济贫院，开工厂，这还不是好人做的事？

李太太 可是你没有看见他跟这位陈小姐——

李石清 我怎么没看见。那是经理喜欢她，他有的是钞票，他爱花这样的钱，这有什么正经不正经？

李太太 好了，这都不是我们的事。（哀求地）你难道不明白，我们的进款这样少，我们不配到这个地方来陪着这位陈小姐，陪着这些有钱的人们玩么？

李石清 我跟你说过多少遍，这样的话你要说，在家里说。不要在这儿讲。省得人家听见笑话你。

李太太 （委屈地）我的确觉得他们都有点笑话我们。

李石清 （愤恨地）谁敢笑话我们？我们一样有钱，一样地打着牌，不是百儿八十地应酬着么？

李太太 可是这是做什么呀！我们家里有一大堆孩子！小英儿正在上学，芳儿都要说人家，小五儿又在不舒服。妈妈连一件像样过冬的衣服都没有。放着这许多事情都不做，拿着我们这样造孽的钱陪他们打牌，百儿八十地应酬，你……你叫我怎么打得下去？

李石清 （低头）不要提了。

李太太 你想，在银行当个小职员，一天累到死，月底领了薪水还是不够家用，也就够苦了。完了事还得陪着这些上司们玩，打牌，应酬。孩子没有上学的钱，也得应酬，到月底没有房租的钱，还得应酬。孩子生了病，没有钱找好医生治，还是得应酬。

李石清　（爆发）你不要说了！你不要再说下去了！（沉痛地）你难道看不出来我心里整天难过？你看不出我自己总觉得我们穷么？我恨，我恨我自己为什么没有一个好父亲，生来就有钱，叫我少低头，少受气。我不比他们坏，这帮东西，你是知道的，并不比我好，没有脑筋，没有胆量，没有一点心肝。他们跟我不同的地方是他们生来有钱，有地位，我生来没钱没地位就是了。我告诉你，这个社会没有公理，没有平等。什么道德，服务，那是他们骗人。你按部就班地干，做到老也是穷死。只有大胆地破釜沉舟地跟他们拼，还许有翻身的那一天！

李太太　石清，你只顾拼，你怎么不想想我们自己的孩子，他们将来怎么了[1]？

李石清　（叹一口气）孩子！哼，要不是为我们这几个可怜的孩子，我肯这么厚着脸皮拉着你，跑到这个地方来？陈白露是个什么东西？舞女不是舞女，娼妓不是娼妓，姨太太又不是姨太太，这么一个贱货！这个老混蛋看上了她，老混蛋有钱，我就得叫她小姐；她说什么，我也说什么；可是你只看见我把他们当作我的祖宗来奉承。素贞，你没有觉出有时我是怎么讨厌我自己，我这么不要脸，连人格都不顾地来巴结他们！我四十多的人，成天鞠着躬跟这帮王八蛋，甚至于像胡四这个贱东西混，我一个一个地都要奉承，拉

1　这里是“怎么办”的意思。——底本注。

拢。我，李石清，一个男子汉，我——（低头不语）

李太太 石清，你不要难过，不要丧气，我明白你，你在外面受了许多委屈。

李石清 我才不难过。（抬起头，愤恨地）哼，我要起来，我要报复，我要硬得成一块石头，决不讲一点人情，决不可怜人。在这儿干了二十年，我受了多少肮脏气？我早晚要起来，要狠狠地出口气，你看着吧，我就要出头了。

〔潘月亭由中门进。

潘月亭 石清！你回来了。

李石清 （恭谨地）早来了。我听说您正跟报馆的人谈天，所以没敢叫人请您去。

潘月亭 李太太有事么？

李石清 没有事，没有事。（对李太太）你还是进去打牌去吧。

〔李太太由左门下。

李石清 报馆有什么特别关于时局的消息么？

潘月亭 你不用管这些事。叫你买的公债都买好了么？

李石清 买了，一共二百万，本月份。

潘月亭 成交是怎么个行市？

李石清 七七五。

潘月亭 买了之后，情形怎么样？

李石清 我怕不大好。外面有谣言，市面很紧。行市只往下落，有公债的都抛出，可是您反而——

潘月亭 我反而买进。

李石清　您自然是看涨。

潘月亭　我买进，难道我会看落？

李石清　（十分殷勤）经理，平常做存货没什么大危险，再没办法，我们收现，买回来就得了。可现在情形特别，行市一个劲儿往下跌。要是平定一点，行市还有翻回来的那一天，那您就大赚了。不过这可是由不得我们的事。

潘月亭　（拿吕宋烟）你怎么知道谣言一定可靠？

李石清　（卑屈地笑）是，是，您说这是空气？这是空户们要买进，故意造出的空气？

潘月亭　空气不空气？我想我干公债这么些年，总可以知道一点真消息。

李石清　（讨好地）不过金八的消息最灵通，我听说他老人家一点也没有买，并且——

潘月亭　（不愉快）石清先生，一个人顶好自己管自己的事。在行里，叫你做的你做，不叫你做的就少多事，少问。这是行里做事的规矩。

李石清　（被这样顶撞，非常不悦，但极力压制着自己）是，经理，我不过是说说，给您提个醒。

潘月亭　银行里面的事情，不是说说讲讲的事。

李石清　是，经理。

潘月亭　你到金八爷那儿去了么？

李石清　去过了。我跟他提过这回盖大丰大楼的事情。他问银行现在怎么会有钱盖房子？后来他又讲市面太坏，地价落，他说这楼既然刚盖，最好立刻停工。

潘月亭 你没有说这房子已经订了合同，定款已经付了么？

李石清 我自然说了，我说包给一个外国公司，钱决不能退，所以金八爷在银行的存款一时实在周转不过来，请缓一两天提。

潘月亭 他怎么样？

李石清 他想了想，他说："再看吧。"看神气仿佛还免不了有变故。

潘月亭 这个流氓！一点交情也不讲！

李石清 （偷看潘月亭）哦，他还问我现在银行所有的房地产是不是已经都抵押出去了。

潘月亭 怎么，他会问你这些事情？

李石清 是，我也奇怪呢。

潘月亭 你对他说什么？

李石清 我自然跟他说没有这回事。（停一下。又偷偷看潘月亭一眼，胆子大起来）固然我知道银行的产业早已全部押给人了。

潘月亭 （愣住）你——谁跟你说押给人了？

李石清 （抬起头）经理，您不是在前几个月把最后的一片房产由长兴里到黄仁里都给押出去了么？

潘月亭 笑话。这是谁说的？

李石清 经理，您不是全部都押给友华公司了么？

潘月亭 哦，哦。（走了两步）哦，石清，你从哪儿得来这个消息？（坐下）怎么，这件事会有人知道么？

李石清 （明白已抓住了对方的短处）您放心，您放心，除了我，没有人知道。别人也不会看见您签字的合同。

潘月亭 你在哪儿看见这个合同？

李石清 在您的抽屉里。

潘月亭 你怎么敢——

李石清 不瞒您说。（狡猾地一笑）因为我在行里觉得很奇怪，忽而又是盖大楼，又是买公债的，有一天趁您见客的那一会工夫，开了你的抽屉看看。（笑）可是，我知道我这一举是有点多事。

潘月亭 （呆了半天）不不——这不算什么。不算多事。（不安地笑着）互相监督也是好的。请坐，请坐，我们再谈谈。

李石清 经理。不客气？

潘月亭 不，你坐坐，别拘束呀。（坐下）你既然知道了这件事，你自然明白这件事的秘密性，这是决不可泄漏出去，弄得银行本身有些不便当。

李石清 是，我知道最近银行大宗提款的不算少。

潘月亭 好了，我们是一个船上的人啦。我们应该互相帮助，团结起来，把银行办好。这些日子关于银行的谣言很多，他们都疑惑行里准备金是不够的。

李石清 的的确确行里不但准备金不足，而且有点周转不灵。金八爷这次提款不就是个例子么？

潘月亭 （不安地）可是，石清——

李石清 （抢一句）可是，经理，自从您宣布银行赚了钱，把银行又要盖大丰大楼的计划宣布出去，大家提款的又平稳了些。

潘月亭 你很聪明，你明白我的用意。所以现在的大楼必须盖。哪一天盖齐不管他，这一期的建筑费拿得出去，那就是银行准备金充足，是巩固的。

李石清 然而不赚钱，行里的人是知道的。

潘月亭 所以抵押房产，同金八提款这两个消息千万不要叫人知道。这个时候，随便一个消息可以造成风波，你要小心。

李石清 我自然会小心，伺候经理我一向是谨慎，这件事我不会做错的。

潘月亭 我现在正想旁的方法。这一次公债只要买得顺当，目前我们就可以平平安安地渡过去。这关渡过去，你这点功劳我要充分酬报的。

李石清 我总是为经理服务的。呃，呃，最近我听说襄理张先生要调到旁的地方去？

潘月亭 （沉吟）是，襄理——是啊，只要你不嫌地位小，这件事我总可以帮忙。

李石清 谢谢，谢谢，经理，您放心，我总是尽我的全力为您做事。

潘月亭 好，好——哦，那张裁员单子你带来了么？

李石清 带来了。

潘月亭 人裁了之后，大概可以省出多少钱？

李石清 一个月只省出五百块钱左右。

潘月亭 省一点是一点。上次修理房子的工钱，你扣下了么？

李石清 扣下了，二百块钱，就在身上。

潘月亭 怎么会这么多？

李石清 多并不算多，扣到每个小工也不过才一毛钱。

潘月亭　好的，再谈吧。（向左门走了两步，忽然回过头来）哦，我想起来了，你见着金八，提到昨天晚上那个小东西的事么？

李石清　我说了，我说陈小姐很喜欢那孩子，请他讲讲面子给我们。

潘月亭　他怎么样？

李石清　他摇摇头，说根本不知道有这么一件事。

潘月亭　这个混蛋，他装不知道，简直一点交情也不讲——好，随他去吧。

李石清　是，经理。

〔潘月亭下。

〔忽然电话铃响。

李石清　（拿起耳机）喂，你哪儿？哦！你是报馆张先生。你找潘四爷，他不在这儿……我是石清。跟我说，一样的。是，什么？金八也买了这门公债了，多少！三百万！奇怪，哦……哦，怪不得我们经理也买了呢！……是，是，本来公债等于金八自己家里的东西，操纵完全在他手里……是，是，那么要看涨了……好……我就告诉经理去，再见，张先生！再见！（放下耳机。沉吟一下，正预备向左门走——）

〔黄省三由中门进。

黄省三　（胆小地）李……李先生。

李石清　又是你，谁叫你到这儿来找我的？

黄省三　（无力地）没有办法！家里的孩子大人没有饭吃。

李石清　（冷冷地）你到这儿就有饭吃么？这是旅馆，不是粥厂。

黄省三 李先生，可当的都当干净了。我实在没有法子，不然，我决不敢再找到这儿来麻烦您。

李石清 （烦恶地）哧，我跟你是亲戚？是老朋友？还是我欠你的？我走哪儿你跟哪儿，你这一趟一趟的算怎么回事？

黄省三 （苦笑，很凄凉地）您说哪儿的话，我都配不上。李先生，我在银行里一个月才用您十三块来钱，您辞了我，我可到哪儿找事去？银行现在不要我，等于不叫我活着。

李石清 （烦厌地）谁不叫你活着？照你这么说，银行就不能辞人啦。银行又不是给你保了险，你一辈子就可以吃上银行啦？

黄省三 （卷弄他的围巾）不，不，不是，李先生。我……我，我知道银行待我不错，我不是不领情。可是……您是没有瞅见我家里那一堆活蹦乱跳的孩子，我得每天给他们找吃的。银行辞了我，没有进款。家里米也完了，他们都饿得直叫。房钱有一个半月没有付，眼看着就要没有房子住。（嗫嚅地）李先生，您没有瞅见我那一堆孩子，我实在没有路走啦。

李石清 （冷酷地）那怨谁？

黄省三 怨谁呢？李先生，我在银行没做过一件错事。我总天亮就去上班，夜晚才回来，我一天干到晚，李先生——

李石清 （不耐烦）得了，得了！我知道你是个好人，你是安分守己的。可是你难道不知道现在市面萧条，经济恐慌？我不是没跟你说过，我跟你说过多少遍，银行要裁员减薪，我预先告诉过你！

黄省三 （踌躇地）李先生，银行现在不是还盖着大楼，银行里面还添人，添了新人。

李石清 那你管不着！那是银行的政策，要繁荣市面。至于裁了你，又添了新人，我想你做了这些年的事，你难道这点世故还不明白？

黄省三 我……我明白，李先生。（很凄楚地）我知道我身后没有人撑腰。

李石清 那就得了。

黄省三 不过我当初想，上天不负苦心人，苦干也许能补救我这个缺点。

李石清 所以银行才留你四五年，不然你会等到现在？

黄省三 （乞求）可是，李先生，我求求您，您行行好。我求您跟潘经理说说，只求他老人家再让我回去。就是再累一点，再加点工作，就是累死我，我也心甘情愿的。

李石清 你这个人真麻烦。经理会管你这样的事？你们这样的人，就是这点毛病。总把自己看得太重，换句话，就是太自私。你想潘经理这样忙，会管你这样的小事？不过，奇怪，你干了这几年，就一点存蓄也没有？

黄省三 （苦笑）存蓄？一个月十三块来钱，养一大家子人，存蓄？

李石清 我不是说你的薪水。从薪水里，自然是挤不出油水来。可是——在别的地方，你难道没有得到一点的好处？

黄省三 没有，我做事凭心，李先生。

李石清 我说——你没有从笔墨纸张里找出点好处？

黄省三 天地良心，我没有，您可以问庶务刘去。

李石清 哼，你这个傻子，这时候你还讲良心！怪不得你现在这么可怜了。好吧，你走吧。

黄省三 （着慌）可是，李先生——

李石清 有机会，再说吧。（挥挥手）现在是毫无办法。你走吧。

黄省三 李先生，您不能——

李石清 我告诉你，你以后再要狗似地老跟着我。我到哪儿，你到哪儿，我就不跟你这么客气了。

黄省三 李先生，那么，一点办法也没有？

李石清 快走吧！回头一大堆太太小姐们进来，看见你跑到这儿找我，这算是怎么回事？

黄省三 好啦！（泪汪汪的，低下头）李先生，真对不起您老人家。（苦笑）一趟一趟地来麻烦您，我走啦。

李石清 走吧。

黄省三 （长长地叹一口气，走了两步，忽然跑回来，沉痛地）可是，您叫我到哪儿去？您叫我到哪儿去？我没有家，我拉下脸跟你说吧，我的女人都跟我散了，没有饭吃，她一个人受不了这样的苦，她跟人跑了。家里有三个孩子，等着我要饭吃。我现在口袋里只有两毛钱，我身上又有病，（咳嗽）我整天地咳嗽！李先生。您叫我回到哪儿去？您叫我回到哪儿去？

李石清 （可怜他，但又厌恶他的软弱）你愿意上哪儿去，就上哪儿去吧。我跟你讲，我不是不想周济你，但是这个善门不能开，我不能为你先开了例。

黄省三 我没有求您周济我，我只求您赏给我点事情做。我为着我这群孩子，我得活着！

李石清 （想了想，翻着白眼）其实，事情很多，就看你愿意不愿意做。

黄省三 （燃着了一线希望）真的？

李石清 第一，你可以出去拉洋车去。

黄省三 （失望）我……我拉不动。（咳嗽）您知道我有病。医生说我这边的肺已经（咳）——靠不住了。

李石清 哦，那你还可以到街上要——

黄省三 （脸红，不安）李先生，我也是个念过书的人，我实在有点——

李石清 你还有点叫不出口，是么？那么你还有一条路走，这条路最容易，最痛快——你可以到人家家里去，（看见黄省三的嘴喃喃着）——对，你猜的对。

黄省三 哦，您说，（嘴唇颤动）您说，要我去——（只见唇动，听不见声音）

李石清 你大声说出来，这怕什么？“偷”！“偷”！这有什么做不得，有钱的人的钱可以从人家手里大把地抢，你没有胆子，你怎么不能偷？

黄省三 李先生，真地我急的时候也这么想过。（惧怕地）可是，我怕，我怕，我下不了手。

李石清 （愤慨地）怎么你连偷的胆量都没有，那你叫我怎么办？你既没有好亲戚，又没有好朋友，又没有了不得的本领。好啦，叫你要饭，你要顾脸；叫你拉洋车，你没有气力；叫你偷，你又胆小。你满肚子的天地良心，仁义道德，你只想凭着老实安分，养活你的妻儿老小，可是你连自己一个老婆都养不住。你简直就是个大废物，你还配养一大堆孩子！我告诉你，这个世界不是替你这样的人预备的。（指窗外）你看见窗户外面那所高楼么？那是百货公司十三层高楼，我看你走这一条路是最稳当的。

黄省三 （不明白）怎么走，李先生？

李石清 （走到黄省三面前）怎么走？（魔鬼般地狞笑着）我告诉你，你一层一层地爬上去。到了顶高的一层，你可以迈过栏杆，站在边上。你只再向空，向外多走一步，那时候你也许有点心跳，但是你只要过一秒钟，就一秒钟，你就再也不可怜了，你再也不愁吃，不愁穿了——

黄省三 （呆若木鸡，低得几乎听不见的声音）李先生，您说叫我"自——"（忽然，悲声）不，不，我不能死，李先生，我要活着！我为着我的孩子们，为我那没了妈的孩子们我得活着！我的望望，我的小云，我的——哦，这些事，我想过。可是，李先生，您得叫我活着！（拉着李石清的手）您得帮帮我，帮我一下！我不能死，活着再苦我也死不得，拼命我也得活下去啊！（咳嗽）

〔左门大开，里面有顾八奶奶，胡四，张乔治等的笑声。潘月亭露出半身，面向里面，说："你们先打着。我就来。"

李石清 （甩开黄省三的手）你放开我。有人进来，不要这样没规矩。

〔黄省三只得立起，倚着墙。潘月亭进。

潘月亭 啊？

黄省三 经理！

潘月亭 石清，这是谁？他是干什么的？

黄省三 经理，我姓黄，我是大丰的录事。

李石清 他是这次被裁的录事。

潘月亭 你怎么跑到这里来？（对李石清）谁叫他进来的？

李石清 不知道他怎么找进来的。

黄省三 （走到潘月亭面前，哀痛地）经理，您行行好，您要裁人也不能裁我，我有三个小孩子，我不能没有事。经理，我给您跪下，您得叫我活下去。

潘月亭 岂有此理！这个家伙，怎么能跑到这儿来找我求事。（厉声）滚开！

黄省三 可是，经理——

李石清 起来！起来！走！走！走！（把他一推，倒在地上）你要再这样麻烦，我就叫人把你打出去。

〔黄省三望望李石清，又望望潘月亭。

潘月亭 滚，滚，快滚！真岂有此理！

黄省三 好，我起来，我起来，你们不用打我！（慢慢立起来）那么，你们是不让我活了！你！（指潘月亭）你！（指李石清）你们两个说什么也不叫我再活下去了。（疯狂似地又哭又笑地抽咽起来）哦，我太冤了。你们好狠的心哪！你们给我一个月不过十三块来钱，可是你们左扣右扣的，一个月我实在领下的才十块二毛五。我为着这辛辛苦苦的十块二毛五，我整天地写，整天给你们伏在书桌上写；我抬不起头，喘不出一口气地写；我从早到晚地写；我背上出着冷汗，眼睛发着花，还在写；刮风下雨，我跑到银行也来写！（做势）五年哪！我的潘经理！五年的工夫，你看看，这是我！（两手捶着胸）几根骨头，一个快死的人！我告诉你们，我的左肺已经坏了，哦，医生说都烂了！（尖锐的声音，不顾一切地）我跟你说，我是快死的人，我为着我的可怜的孩子，跪着来求你们。叫我还能够跟你们写，写，写——再给我一碗饭吃。把我这个不值钱的命再换几个十块二毛五。可是你们不答应我！你们不答应我！你们自己要弄钱，你们要裁员，你们一定要裁我！（更沉痛地）可是你们要这十块二毛五干什么呀！我不是白拿你们的钱，我是拿命跟你们换哪！并且我也拿不了你们几个十块二毛五，我就会死的。（愤恨地）你们真是没有良心哪，你们这样对待我——是贼，是强盗，是鬼呀！你们的心简直比禽兽还不如——

潘月亭 这个混蛋，你疯了，还不给我滚出去！

黄省三 （哭着）你才疯了！我现在不怕你们啦！我不怕你们啦！（抓着潘月亭的衣服）我太冤了，我非要杀了——

潘月亭 （很敏捷地对着黄省三的胸口一拳）什么！

〔黄省三立刻倒在地下。

〔半晌。

李石清 经理，他是说他要杀他自己——他这样的人是不会动手害人的。

潘月亭　（擦擦手）没有关系，他这是晕过去了。福升！福升！

〔福升上。

潘月亭　把他拉下去。放在别的屋子里面，叫金八爷的人给他拍拍捏捏，等他缓过来，拿三块钱给他，叫他滚蛋！

王福升　是！（把黄省三拖下去）

李石清　张先生来电话了。

潘月亭　说什么？

李石清　您买的公债金八买了三百万。

潘月亭　（喜形于色）我早就知道，那么，一定看涨了。

李石清　只要这个消息是确实，金八真买了，那自然是看涨。

潘月亭　（来回走）不会不确实的，不会的。

〔左门大开，张乔治，胡四，顾八奶奶，白露上，在门口立着，其他的女客在谈笑着。

张乔治　（兴高采烈，捏着雪茄）——所以我说在中国活着不容易，到处没有一块舒服的地方，不必说别的，连我的Jacky[1]，（对胡四）就是我从美国带来的那条猎狗，它吃的牛肉都成了我每天的大问题。脏，不干净，没有养分，五毛钱一磅的牛肉简直是不能吃。你看，每天四磅生牛肉搁在它面前，（伸出鼻子嗅嗅）它闻闻，连看都不看，夹着尾巴就走了。你们想，连禽兽在中国都这样感受着痛苦，又何况乎人！

1　英文名字，即Jack（贾克）的昵称。——底本注。

又何况乎像我们这样的人!(摇头摆尾)

〔大家哄笑起来。

〔外面方达生在喊:“小东西!小东西!”

陈白露 咦,你们听,达生在喊什么?

〔方达生慌忙进来。

方达生 小东西!竹均,你瞧见小东西了么?

陈白露 不是在屋子里?

方达生 (不信地)在屋子里?(跑进右屋,喊)小东西!小东西!

顾八奶奶 干嘛呀,这是?

〔达生跑出。

方达生 没有,她不见了。我刚才在楼梯上走,我就看见她跟着两三个男人一起坐电梯下去,在我眼前一晃,就不见了。我不相信,你看,跑到这儿,她果然叫人弄走了。(拿起帽子)再见!我要找她去。(跑下)

陈白露 (走至潘月亭面前)月亭,这是我求你办一点事!(忽然)达生,你等等我!我跟你一同去!(披起大氅就走)

潘月亭 白露!

〔白露不顾,跑下。

顾八奶奶 (也紧张起来)真的,干嘛呀这是?(拉着胡四)胡四!

胡　四 (慢吞吞地甩开她)你瞧你!(又照起镜子来)

——幕急落

第三幕

这是在一星期后的夜晚，约莫有十二点钟的光景，在各种叫卖，喧嚣，女人诟骂，打情卖笑的声浪沸油似地煮成一锅的地狱的宝和下处。

那大门口常贴着什么“南国生就美佳人，北地天然红胭脂”一类的春联，中门框总是“情郎艳乡”或“桃源佳境”的横幅。门前两三个女人指指点点挤弄眉眼，轻薄的男人们走过时常故意望着墙上的乌光红油纸，（上面歪歪涂了四行字：“赶早 × 角，住客 × 元 ×，大铺 × 角，随便 × 角。”）对着那些厚施脂粉的女人们乱耍贫嘴，待到女人以为是生意经向前拉去，又一哄而散。这一条胡同蚂蚁窝似地住满了所谓“人类的渣滓”，她们都在饥饿线上奋斗着，与其他瘪着肚皮的人们不同的地方是别的人可以愁眉苦脸地空着肚子，她们却必须笑着的。

进到院内，是一排一排的鸽笼似的小屋子，在生意好的时光，从这个洞到那个洞川流不息来往着各色各样的人：小商人，电机匠，小职员，轮船茶房，洋行侍役，和一些短打扮敞开胸前一条密密的纽襻，大模大样的大汉子。院子里可以随随便便走来走去。进了大门，一个跛了腿的男人喊：“前边！”“来客！”用绳子拉的铜铃也响起来，从各个小鸽笼走出来一个一个没有一丝血色的动物，机械般地立刻簇聚起来，有时也笑着，嚷着，骚动着。“客人”们自然早已让到房子里。眼珠子东溜溜，西看看。于是由伙计用尖锐得刺痛人的耳鼓的声音喊:“见客啦！见客!”那些肥的，瘦的，依次走上前去，随着伙计叫出她的花名的声音，在“客人”面前瞟瞟眼笑着闪过去。站在后面的便交头接耳地吱吱喳喳起来，直到有一个动物似乎很欢喜地被某一个“客人”挑中了，其余的才各归各的地方。

很令人惊奇的是尽管小鸽笼里面讲情话或者做出各种勾当，院子外面始终在叫嚣着；唱曲的姑娘，沿门唱“数来宝”的乞丐，或者哼一两段二黄的漂泊汉，租唱话匣子的，卖水果花生栗子的，抽着签子赌赢东西的，哑着声音嘶喊的卖报的，拉着丝弦逗人来唱的，卖热茶鸡蛋的……各式各色最低的卖艺人，小买卖都兜揽生意，每个人都放开喉咙沿着每个小窗户喊，有时甚至于掀开帘子进去，硬要“客人”们替他们做点生意。

但是观众只能看见一个小鸽笼——一间长隘黑秽的小房子。

屋子正面有两个门，一左一右，都通外院，各有一蓝布帘子来遮风，破敝不堪。两门之中是个幔帐，挂在与墙成直角的铁丝上，拉起来，可以把一间屋子隔成两间。客人多了，不相识的便各据一面，一样能喝茶说话，各不相扰，于是一个可怜的动物可以同时招待两帮客人，这样经济地方，又省得走路，也省电灯同炉火。现在那布幔子——上面黄斑点点，并且下面裂成犬牙状——只堆在墙边，没有拉起。屋子里当然没有多少客人。

屋子右面放一张木床，铺着单薄的旧床单，堆叠着棉被。靠床的右中墙贴满“猪八戒招亲”,“大过年”,“胖娃娃采莲花”，和一些烟卷公司的美人画，依门倒贴一个红“福”字，这是“福倒（到）了”

的意思。近床有一张破旧梳装台，上面放一只破脸盆，一两个花碗。床下横七竖八有几双花鞋，床前搁几把椅子。

左面墙边立一张方桌，一边一只椅子，上面排置着不全的茶具和一个装烟卷的破铁筒。右面还悬着一副满染黑污的对联，左联："貌比西施重出世"，右联："容似貂蝉又临凡"，两条对子正嵌住一个照得人凹鼻子凸眼的穿衣镜，上面横挂着四个字："千金一笑"。还有一两张帆布躺椅歪歪地睡在那里。

靠左右都有窗户，用个小红布幔遮着，左窗下有一个铁炉子，燃着就要熄灭的火。靠桌立一个煤球炉子，煤球就堆在方桌下面。在左边小门上悬一个镜框，嵌着"花翠喜"三个字，那大概是这个屋子的姑娘的花名。

开幕时，翠喜立在左门口，背向观众，掀起门帘向外望——翠喜大约有三十岁左右，一个已经为人欺凌蹂躏到几乎完全麻木的动物。她并不好看，人有些胖，满脸涂着粉，一双眼皮晕晕地扑一层红胭脂，头发披在肩上，前额一块块地故意掐成的紫痕，排列整齐如一串花瓣，两个太阳穴，更红紫得吓人。她穿一件绛红色的棉袍，套上一件绒坎肩，棉鞋棉裤，黑缎带扎住腿。她右手里一只烟蒂头，时而吹一下灰放在口边，时而就用那手指搔弄自己的头发。

她仿佛在招呼谁，笑着，叫着。

外面的声音糅成一团嘈杂。

〔甲的声音：（尖锐地）橘子大香蕉啊！人果栗子啊！

〔乙的声音：（有气无力地）唱话匣子！

〔一个小姑娘的声音:(随着抑扬顿挫的丝弦)唱个小曲儿吧!

〔男女的笑声，打骂声。

翠　喜　(向门外招手)明儿见，胖子!明儿见，张二爷!明儿见，陈二爷!

〔胖子和他的朋友的声音:(不清楚地)明儿见，翠喜。

翠　喜　(蓦地踮起脚，扬起声音)胖子，大冷天，穿好衣裳，别冻着。

〔胖子的声音:(仿佛又走回来:拉着翠喜的手，亲亲热热而又嘻嘻哈哈地)我的喜儿，哎哟，你比我的媳妇还疼我，来，我的喜儿!(随着语气似乎把翠喜蓦地一拉)

翠　喜　(几乎倒在帘子外那胖子的怀里，扶着门框直立起来，推开那胖子的手，又笑又喘地)缺了德的，胖子，你放开手。你回家找你媳妇吃“咂儿”[1]去吧。少跟我起腻!

〔胖子的一个朋友的声音:(连连咂着嘴，故意地做出羡慕的声调)哟……哟……哟……这两小口子看劲头儿吧。胖子，你看，娘儿们直跟你上劲，你住在这儿吧。

〔胖子的声音:(故意稀里糊涂地)嗯，我的喜儿，我不走了。

翠　喜　(知道他们是拿她打趣。推着他们)去!去!去!别打哈哈。胖子，你明儿来“回头”，准来呀!两位二爷一起陪来玩呀!

1　“奶头”的意思。——底本注。

〔男人们的声音:（含含糊糊地）好，好，喜儿。

〔一个卖报的声音:（低哑地）看报，看晚报！看一家子喝鸦片烟的新闻；看报，看晚报，看小录事跳大河的新闻。

翠　喜　（望着卖报的，转过眼来才知道胖子一帮人已经快走出门外。忽然嚷起来）胖子，你明儿准来！你明儿要不来，你养出孩子可没有屁眼儿，你听见了没有?（笑着）

〔翠喜一扭身，扔下烟卷头，唾一口痰，走到左面方桌前，拿起胖子放下的角票，数一数，叹口气，又放在桌子上。

翠　喜　（坐在方桌旁的椅子上）妈的，一天不如一天，这事由简直混不下去了。（由桌上拾起一根烟头，点上。外面吆唤各种叫卖声，她回头向左面那间小屋子）小翠！小翠!（她走到左门口，掀起帘子）小翠，你还不起来？你再不听话——（忽然）这死心眼的孩子，我没有那么大工夫理你。

〔进来一个小矮子。短打扮，提着水壶，厚嘴唇向上翻，两个大门牙支出来，说话有些关不住风，还有点结巴。他走到方桌面前，放下水壶，数数角票，翻着白眼望翠喜。

翠　喜　你看嘛[1]？小顺子?

小顺子　这是那胖……胖……胖……胖子二爷给的?

翠　喜　你嫌少？人家留着洋钱置坟地呢。

小顺子　（摇摇头）都……都交柜么?

翠　喜　不都交柜，掌班的印子钱一天就一块，你给?

1 “什么”的意思。——底本注。

小顺子 可你……你……你吃嘛？

翠　喜 还用着吃？天天喝西北风就饱了。（走到煤球炉子前烤火）

小顺子 （回转身子，仿佛不大肯说）你的老……老……老头子又……又……又来了。

翠　喜 来了也不是白搭，打死我我也没有钱给他。我要是事由混的好，谁不愿意往家里捎个块儿八角，三块两块的？家里孩子大人，都喜欢！要他一趟一趟地来找我？（低头沉思，忽然）妈的，我刚在班子混事的时候，事由儿多“火棒”[1]，一天二十几帮客，小顺子，连你不一天也从我的屋里拿个块儿八角的？哼，（摇摇头）不成了，人过时了。

〔在窗下有一个唱数来宝的乞丐，打着“七块板”，右手是“五甩子”，左手甩起两块大竹板，“提提哒，提提哒，提提哒，提提哒，提提哒”地响起来。

〔乞丐咳一声，用很轻快的声音唱起来：

嘿，紧板打，慢板量，

眼前来到美人堂。

美人堂前一副对，

能人提笔写的详。

上写白天推杯来换盏，

天天晚上换新郎。

〔提提哒，提提哒，提提哒提哒提哒。

---

1 “热闹”的意思。——底本注。

一步两步连三步，

多要卖茶少卖铺，

黑脸的喝茶白脸的住；

老板陪客也在行，

又有瓜子又有糖，

小白脸，小宝贝，

搂在怀里上洋劲儿。

〔乞丐的声音:（用原来那样苍老的腔调）掌班的，老板们，可怜可怜我瞎子吧。

翠　喜　去，去去。别在这门口吵殃子，没有钱!（把嘴上的烟蒂头扔到门外）去，赏你一个烟卷头抽。（看见乞丐拿起烟头）咦，你看年头改良啦，瞎子看见烟卷头就伸手啦。

〔乞丐的声音:（笑嘻嘻地）我一个眼儿瞎。回见，大老板。

小顺子　你爷……爷儿们要你带着孩子回家住。

翠　喜　（啐一口痰）回家？这大冷天回家找冻死去？孩子搁在这儿死不了。你跟瘸子说我这儿有客，回头我就出去。瘸子在门口站着不是么？

小顺子　让他进来，他不进来，瘸子说：他，他……嫌寒伧。

翠　喜　哼，自己养不起自己的娘儿们，活王八也当那么些年了，脸上还有什么挂不住的!

小顺子　（擦桌子）新搬来的那孩子呢？

翠　喜　你说小翠？在屋里。

小顺子　（低声）我看一会儿黑三又要来。

翠　喜　（叹一口气）你看吧！这一晚上她一个盘儿也没有卖。你看黑三来了，还不把她揍死。

〔由左面慢慢走出来小东西。

小东西　（与从前大不相同，狠了心，慢慢地，不哼一声地）揍死就揍死，反正是一条命。

翠　喜　（惊异地）哟，小翠，怎么啦？

小顺子　小翠改……改……改了词了。不怕黑三了？

〔小东西擦擦眼泪，不说话，她穿着蓝布夹上衫，黑裤子，几天的遭遇，磨得她改了样子。脸上一团孩子气为一层严肃沉郁的神色遮盖着。

小顺子　你这孩子也“格涩”[1]，放着生意不做，一天就懂得哭。娘儿们不擦个粉，不抹个胭脂，你……你想，你怎么挂得上客？

〔小东西坐在方桌旁，低头摩弄自己的衣裾，不理他。

翠　喜　（对小顺子）你别理她，这孩子天生刺儿头！你跟她说一百句，她是土地庙里泥胎，是个死哑巴。

〔小顺子提水壶由正左门下。

〔半晌。

小东西　黑三就快来了吧？

翠　喜　还怕他不来？我跟你说，你到这儿三天啦，一天也没挂上个客人，可哪一天黑三又让你好好地过啦？你别想你是从

1　“与人不同”的意思。——底本注。

大旅馆搬来，看过好客人。到这儿来，就得说这儿的规矩，你今天一天又没有好生意，你看黑三那个狗杂种会饶过你？

小东西 罪也有受够的时候。

翠　喜 受够？这个罪没个够。我跟你说，咱们姐妹不是什么亲的热的，东来西往的，你在老姐姐我的屋子搭住这三天，也是咱们姐儿们的缘分。我不是跟你小妹妹瞎“白货”[1]，我从前在班子的时候也是数一数二的红唱手[2]，白花花的千儿八百的洋钱也见过。可是“人老珠黄不值钱”，岁数大了点，熬不出来，落到这个地方，不耐心烦受着，有什么法子？我告诉你，亲妹子，你到了这个地方来了，你就不用打算再讲脸。妈那个 ×，四面叫人搂着三面。无论谁来，管他生的熟的，说拉铺就拉铺，就得把裤子拉下来，人家爱怎么样就怎么样；叫他妈的哪儿讲脸去？

小东西 （又想哭）可……可是——

翠　喜 可是什么？男人没有一个是好东西。到这儿来的，哪个不是色催的？打打闹闹说说笑笑，有钱的大爷们玩够了，取了乐了，走了，可是谁心里委屈谁知道，半夜里想想：哪个不是父母养活的？哪个小的时候不是亲的热的妈妈的小宝贝？哪个大了不是也得生儿育女，在家里当老的？哼，

---

1 “夸口”的意思。——底本注。

2 “妓女”的意思。——底本注。

都是人，谁生下就这么贱骨肉，愿意吃这碗老虎嘴里的饭？（低头，似乎要落泪）

小东西　（拿出手帕，给她）你……你擦擦。

翠　喜　我没有哭。（嘘出一口气）我好些年没有眼泪了。我跟你说，人心都是肉长的，我这是老了，早晚替家里大的小的累死了，用芦席一卷，往野地一埋就完事。你年轻，你还有的是指望。熬几年，看上个本分人，从了良，养个大小子就快活一辈子。你现在跟黑三用不着别扭，顺着他点，少受多少眼前的罪。咱们到这儿来，出不去，顶不济是死，还说到哪儿去？凭什么受这兔崽子一顿一顿的打？咱们娘儿们“恼在心里，喜在面上”，心里分就得了。他说得好听的，听着；说得不好听的，就给他一个“实棒槌灌米汤”，来个寸水不进，我算是满没有听提，这才能过日子。

小东西　我……我实在过不去了。

翠　喜　这叫什么话，有什么过不去的。太阳今儿个西边落了，明儿个东边还是出来。没出息的人才嚷嚷过不去呢。妈的，（叹气）人是贱骨头，什么苦都怕挨，到了还是得过，你能说一天不过么？

〔卖报的声音：看报，看晚报，看看小录事跳大河的新闻。看报来，看小晚报，看看全家子喝鸦片烟的新闻。

小东西　你听！

〔卖报的声音：（渐远）看报，看看小录事跳大河的新闻。

翠　喜　别听这个，“尽听拉拉蛄叫，别种庄稼了。”打扮打扮回头好见客。

〔左边小门传出小孩子哭醒了的声音。

小东西 你的孩子醒了。你进去喂喂他吧。

翠　喜 嗯。（下）

〔外面叫卖声，在门内小儿的哭声和翠喜唔唔地拍着孩子睡觉的声音。

〔小东西一声不响地坐在床上。

〔隔壁散出一个女人淫荡地随着四胡唱小曲的声音。

叫声小亲亲哪，眼瞅着到五更，五更打过哥哥就起身哪。

亲人啊，小妹妹舍不得呀，一夜呀夫妻呀百日的恩哪。

小妹妹坐房中啊，越坐越冷清，思想起哥哥热上旁的人儿啊。亲人啊，小妹妹舍不得呀，狠心的哥哥呀太无情啊。

〔唱了几句，忽然停住，男女欢笑声喧然。

〔小东西扑在床上抽咽起来。小顺子由正左门走进来，走到小东西面前。

小顺子 （望着小东西）我……我说，小翠……你这样……是自己……

〔小东西望了他一眼。

小顺子 （叹一口气）小翠，你……打算怎么样？

小东西 我没有打算。

小顺子 （厚嘴唇翻上翻下地）你怎么这么个死心眼呢？这儿不是咱们庄稼地，卖点苦力就一样吃窝窝头过好日子。到了这个地方，你还有……有个什么讲究。你看，你看这三天叫……叫黑三打……打……打成什么样？

小东西　（忽然）为什么我爸爸就会叫铁桩子砸死呢？

小顺子　你爸爸活着，不也是臭屎壳郎，没人理；一个破砸夯的，他能怎么样？

小东西　（追思地）我也许不会苦到这一步。他比黑三有劲多了。又高又大。他要看见黑三把我下了窑子，他一拳就会把黑三打死。我爸爸是个规矩人。

小顺子　（往左右睃一睃眼）可是……这不是已就已就！……他不是也死了。

小东西　（低沉地）嗯，他死了。我眼瞅着一个大铁桩子把他……把他砸死的。（忽然扑在床上）哦，爸爸！（抽咽起来）爸爸呀！

小顺子　你这孩子，你有叫爸爸的工夫，你为什么不想法挂个客。

小东西　（哭着）谁说我不想去挂……挂客？可我去见客，客……客们都……都……都嫌我小，嫌我小，挑不上我，我有什么法子？

〔小顺子坐方桌旁。

〔在窗外有一个人敲着破碗片按板，很有韵味地唱《秦琼发配》：

（流水）将身儿，来至在大街口，

尊一声列位听从头。

一非是响马兵贼寇，

二非是强盗把诚投。

杨林他道我私通贼寇，

因此上发配到登州。

舍不得大老爷待我的恩情厚，

舍不得衙门众班头，

舍不得街坊四邻好朋友，

实难舍老母白了头。

儿是娘身一块肉，

儿行千里母担忧。

眼望着红日坠落在西山后，

尊一声公差把店投。

〔唱戏的声音：（唱完重重地将碗片铿然一击，又恢复本有的凄凉的嗓音）有钱的老爷们，可怜可怜吧。我是出门在外，困在这个地方了。大冷天的，赏个店钱吧，有钱的老爷们！

小东西 几点了？

小顺子 十二点多了。

小东西 快完事了吧？

小顺子 倒……倒也该落灯了。可也说不定，客人也……也许这时候哄哄地来一大帮子。

小东西 （看了看小顺子，叹一口气）熬吧，再熬一会就完了。

小顺子 （不懂）哼，不熬得客人都走了，你能……能睡觉？可也说不定，说不定一会来……来个住客，看上你，住这儿，你不就可以早点睡了么？

〔外面尖锐的声音：前边！请这边走，腾屋子。

小顺子　有客。（向里面）三姑娘，有客来了。（提着水壶走出去）

〔翠喜由左屋出来。

翠　喜　你一个坐着发愣干嘛？

小东西　（擦泪）你孩子睡着了？

翠　喜　睡着了。

〔外面尖锐的声音：见客啦！

翠　喜　（对小东西）去吧，看看去吧。挂上一个好住客，你也省得今天再受罪。

〔小东西呆呆地站起来。

〔外面尖锐的声音：见客啦，前院后院的都出来呀！见客啦！

〔小东西被翠喜推出去。

〔外面尖锐的声音：（嚷完每一个花名都停顿一下）宝兰，金桂，翠玉，海棠，黛玉……

〔铃声响。

〔另一个声音：让屋子，让屋子。二爷这边坐。请这边坐。

〔小顺子掀开帘子，让进来福升和胡四。胡四穿着皮大衣，琵琶襟紫呢坎肩，高领碎花灰缎夹袍，花丝袜子，黑缎鞋，歪戴着西瓜帽，白衬衫袖子有寸来长甩在外边，风流潇洒地走进来。福升也是兴高采烈的，油光满面，他穿一件旧羊皮袍子，里面看得见他的号衣底襟，猜得出他是很忙地抄上衣服就跑出旅馆来的。进门来，胡四四面望望，拿出手帕掩住鼻子。

王福升　怎么？

胡　四　这屋子好大味。（倚着桌角斜坐下去）

王福升　（用手在桌上一抹）瞧衣服。

胡　四　（忙站起，撣大氅）他妈的，这缺德地方。

王福升　（油嘴滑舌地）四爷，我可把您送到这个地方来了。我得回旅馆去了。

胡　四　（一把拉住他）不，不成。你得陪着我，你不能走。

王福升　我的爷爷，旅馆正忙，潘经理正请客，我得回去照应。

胡　四　你不是托别的伙计照应了么？

王福升　您叫我陪您到这儿来，这可是谁都不知道。回头叫顾八奶奶知道了，我可把话描在头里，这可是您一个人来的。

胡　四　我哪一次玩的时候连累过你？

王福升　好，那我待一会，一会我就回去。

胡　四　我一会儿也回去。

小顺子　（对福升）二爷，您好久没来了。您招呼那五姑娘都挪了地方了。您另招呼个人吧。

王福升　不，不是我，是四爷。（指胡四）我们胡四爷要到这儿来开开眼，玩玩。

小顺子　那么，叫几个您看看？

胡　四　（非常在行地）嗯，见见，先叫几个来见见。

小顺子　是，四爷。（出去）见客来，见客啦。

王福升　那么，您费半天的劲叫我陪您看看这小东西，到这儿您不要了。

胡　四　（翻翻白眼）为什么不？大爷花了钱，不多看几个不有点冤的慌，傻瓜蛋，反正回头我们挑那孩子玩玩就得了。

〔小顺子撩开正右门的帘子，自己立在外边。

小顺子　（对着那些妓女）向里边站。

〔胡四和福升立在门口向外看。

〔另一个声音：见客啦！前院后院都来见客啦，玉兰！

〔便有个妓女在他们眼前晃晃。

胡　四　（吐舌头）老倭瓜啦。

〔另一个声音：（很快地接下去）翠玉！金桂！海棠！黛玉！

〔随着名字一个个妓女在门口晃一下，各种各样的笑声。

胡　四　（仿佛检查牲畜一般，随着每个妓女的出进做各种姿态的评断）不好，简直地不好，这个不错，可惜瘦点！（向福升丢眼色）好肥母猪！越看越不济！——这个名儿倒不错，哼，可惜模样有点看不下去。

〔福升也在随和着。

〔另一个声音：翠喜！

胡　四　（望见翠喜）劲头不小。

〔另一个声音：小翠。

王福升　（低声对胡四）就是她，就是这孩子。

〔另一个声音：凤娥！小小！月卿！

小顺子　（对胡四）都齐了，四爷。有告假的，有病的，都齐了。

胡　四　（对小顺子）翠喜，小翠，这是姐儿俩？

小顺子　嗯，都是一屋子的姐妹。

胡　四　招呼这姐儿俩！

小顺子　三姑娘，八姑娘。

〔翠喜和小东西进了门。小顺子出去。

翠　喜　（非常老练地）侍候哪位?

胡　四　（指自己）我。

翠　喜　我这妹子呢?（指小东西）

胡　四　（指自己）也是我。

翠　喜　（笑嘻嘻地）这合适么?

王福升　这有什么不合适的。

〔小东西认出福升。

翠　喜　（对胡四）二爷贵姓?

胡　四　胡，胡四。

翠　喜　（朝胡四）胡四爷。（指福升）四爷，您引见引见。

胡　四　这是王八爷。

王福升　王倒姓王，可还没有八。

〔小顺子提茶壶进。由口袋拿出一包瓜子，打开放在方桌上一个铁盘里，等一个伙计奉手巾。

翠　喜　（奉瓜子）四爷，八爷。四爷您不宽宽大衣。

胡　四　不，我有点怕冷。（用手帕大掸床上的被单才坐下）

翠　喜　（向小东西）你这么愣着干嘛,（对着胡四）四爷，您得多包涵着点，这孩子是个“雏”，刚混事由没有几天。

王福升　（替胡四说）没有说的。

胡　四　（拉着小东西的手）我得瞧瞧你。这孩子倒是不错，难怪金八看上她啦。

王福升 （指自己）你认识我不认识我？

小东西 （切齿）你磨成灰我也认识你。

王福升 （高了兴）喝，这小丫头在这儿三天，嘴头子就学这么硬了。

胡　四 （赏鉴）这孩子真是头是头，脑是脑。穿几件好衣服，不用旁人，叫我胡四给她出个衣服样子，我带她到马场俱乐部走走，这码头不出三天她准行开了。

王福升 那赶子好。可是您问她有这么大福气么？

胡　四 可是……（忽然对小东西）是你把金八爷打了么？

〔小东西狠狠地向福升身上投一眼，又低下头，一语不发。

翠　喜 四爷跟你说话啦，傻丫头。

〔小东西石头似地站在那儿。

王福升 瞧瞧，这块木头。

胡　四 （点着烟卷）奇怪，这么一点小东西怎么敢把金八打了？

王福升 要不庄稼人一辈子没出息呢？天生的那么一股子邪行劲儿。你想，金八爷看上她，这不是运气来了？吃，喝，玩，穿，乐，哪一样不是要什么有什么。他妈的，（回过头对小东西）这孩子偏偏一心要守着黄花闺女，贵贱她算是不卖了。（指着小东西）可你爸爸是银行大经理，还是开个大金矿？大洋钱来了她向外推，你说（对翠喜）这不是邪行？

翠　喜 咳，“是儿不死。是财不散。”这都是罡着，该她没有那份财喜。

王福升 （对小东西越看越有气）妈的，这一下子玩完了，这码头你以后还想待得住？他妈的，我要有这么一个女儿，她也跟我装这份儿蒜，把这么一个活财神爷都打走了，我就“ㄎㄟ”[1]了她，宰了她，活吃了她。（指指小东西）真他妈的“点煤油的副路”[2]。（非常得意地说出这句洋文）

胡　四　福升，你这是干什么？

王福升　我……（笑）我这是越说越有气，替这浑孩子别扭得慌。

小东西　（走到那一头对福升）你到这边来。

王福升　怎么啦？（望望胡四，丢个眼色，自得地走过去）你说什么？

小东西　（硬冷地）那天在旅馆里，你把我骗出来。

王福升　怎么？

小东西　现在黑三死看着我，我一辈子回不去啦。

王福升　人家旅馆陈小姐也没有要你回去呀。

小东西　（浑身发抖）我好容易逃出来，你把我又扔到黑三手里。

王福升　小东西，妈的，我们送你到这儿来，给你找婆家，你他妈的还不知情，还埋怨人？

翠　喜　（对小东西）你这孩子又犯了病了？

小东西　（不理她）我，我恨死你。

胡　四　（走到小东西面前，故意打趣）别恨啦，疼还疼不过来呢。（又拉小东西的手，叫她坐在他的膝上）

小东西　（甩开胡四的手，跑到福升面前）我要……（连着打他两个

1　“ㄎㄟ”为注音符号，对照汉语拼音作“kei”。

2　英语“damned-fool”的译音，意思是“大傻瓜”。——底本注。

嘴巴，揪着福升拼命）

王福升 这东西。（想法脱开她的手）

翠　喜 （拉着小东西）你发疯了。

〔小顺子进来。

小顺子 怎么啦？

〔正在开门，黑三——翻穿皮袍，满面胡髭，瞪着凶恶的眼睛——进。

翠　喜 （对小东西）黑三来了！

小东西 （立刻放下手，仿佛老鼠见了猫，瘫在那里）啊！

黑　三 （狞笑，很和气地向小东西招手）过来！

〔小东西望着房里每个人的脸，不敢走到黑三面前。

〔寂静。

王福升 去吧！孩子！（把小东西一推）

黑　三 （更和气地）过来呀！

〔小东西慢慢走过去。

黑　三 （一把抓住小东西的小手，对胡四）您受惊。四爷！这孩子有点不大懂规矩。（对翠喜）三姑娘，你先好好陪陪四爷，跟他老人家多多上点劲。八兄弟，今天可委屈你了。

〔小东西出来。

〔狼咬着小鸡子似地黑三把小东西拉出房门。门一关上就听见：

〔黑三的声音：（狠狠地）妈的！（在小东西脸上一巴掌）妈的！（又一巴掌）

〔小东西倒吸口气迎着黑三的粗重的手，“啊！啊！”叫出来。

〔半晌。

〔黑三的声音：到那屋去！走！走！

〔外面仿佛小东西又哭又不敢哭地跟着他走。

翠　喜　这是怎么说的？这孩子的脾气也是太“格涩”，八爷，您刚才没有撞破哪儿？这真怪过意不去的。

王福升　没有说的，没有说的。

小顺子　（笑）可不是，孩子小，小孩子脾气，二位多……多包涵着点。

胡　四　去你的，谁问你啦？

小顺子　是，没……没问我，就算我没说。（搭讪着出去）

胡　四　福升，怎么样？刚才那两下痛不痛？

王福升　没什么！这孩子连金八爷都劈拍两耳刮子，我王八爷挨这两下子打，算什么委屈。

〔外面铃声。

〔外面的声音：让屋子，来客啦。

胡　四　人就是那么一回子事，活着不玩玩就是个大混蛋，挨两下子打算个什么？

王福升　走吧，四爷。我看您也该回旅馆了。

翠　喜　谁说的？（对福升）去！去！去！你看你这个忙劲儿。

王福升　挨了打，还在这儿死赖皮做什么？

翠　喜　八爷，混事由的，都不易，得原谅着点，就原谅着点。

〔小顺子进屋。

小顺子 二爷，迁就迁就，拉拉帐子。

〔小顺子把左边方桌的东西移到右边，将中间的帐子拉起，于是一间屋子隔成两间。他走到左边打开门，让进来方达生。方达生穿一件棉袍，外套毛蓝布大褂，很疲乏地走进。

小顺子 （对方达生）二爷，请您这边落落。

方达生 嗯。

小顺子 您有熟人提一声。

〔方达生四面望望，忍不住，用手帕掩住鼻子，摇头。

小顺子 二爷，有熟人提一声吧。

方达生 没，没有。（咳嗽）

小顺子 这屋子冷点，二爷！

〔同时，在屋子的右半，胡四把翠喜拉在一旁。

胡　四 你来，我跟你说一句话。

翠　喜 （笑着）干嘛呀！

胡　四 （拉住她的手）你过来呢！（低语）

翠　喜 （格格地笑）去你的吧。

胡　四 真的？（又低语）

翠　喜 （拧了胡四一把，胡四哎哟叫一声）看你馋不馋？

胡　四 （对翠喜挤眼）馋！（又低语）

翠　喜 （故作怒状）去你的！喜欢浪，坐飞艇去。

胡　四 怎么？

翠　喜 美得你好上天哪！

〔胡四大笑，又拧了翠喜一下，翠喜叫一声，两个人对笑起来。这时福升渐渐注意到左面的客人。

〔在布幔的左面，戏还同时进行着的。方达生傻傻地立在那里，很窘迫的样子。最后——

小顺子 我给您叫来见见。

方达生 我走了好些家了。

小顺子 （搭讪着）二爷，闲着没事逛逛玩玩。

方达生 （自语的样子）还是没有找着。

小顺子 您是——

方达生 我要找一个人。

小顺子 （莫名其妙）找……找人?

方达生 嗯，一个刚到这一带来不久的姑娘。

小顺子 这一带百十来家娼户……可您说出个名儿。

方达生 （为难）她，她叫，呃，呃——这个，她没有名字。

小顺子 那可就难了。那么，多……多大岁数?

方达生 十五六岁。

小顺子 那倒有几个，我叫几个给你瞅瞅。

〔同时，在右面——

王福升 （偷偷拉开缝由布幔帐向左一望，忽然低声）四爷，四爷！方，方先生来了。

胡　四 谁?

王福升 方达生。

胡　四 什么?（跑去偷看）可不是他?他也会跑到这儿来啦！

〔福升忽然由右正门跑出去。胡四便立在幔帐右边偷看，翠喜走到胡四面前，仿佛问他那是谁……一些事，但他只笑着摇摇手，好奇地在那里等待左面的人说话。翠喜看见不得要领，便废然地走到镜台旁，点起一支烟，踱到正右门，斜倚着门框闲着。

〔在左边——外面是黑三的声音叫："小顺子！小顺子！"

小顺子 （答声，向方达生）二爷，我给您找找去。

方达生 嗯。（很疲倦地坐在方桌旁）

〔一会儿，小顺子回来。

小顺子 二爷，这儿大概没有您找的人。

方达生 我没有看见，你怎么说没有？

小顺子 要不，我叫几个岁数相仿的您瞧瞧，好不好？

方达生 你去吧。

〔小顺子又出去。

〔半晌。

〔这时在右边，由正右门又传进一个乞丐的声音。打着带铃的牛胯骨唱数来宝。

〔乞丐打着牛胯骨："提提哒，提提哒，提提哒提哒提哒。"唱：

喂，毛竹打，响连声，

看见头子站在门口拉走铃。

拉上走铃更不错，

未曾来人好见客：

有翠喜，和宝兰，

各的各的个赛貂蝉，

拉一个铺，开一个盘，

拉铺还得一块钱？

〔乞丐的声音：（又恢复原来的苍老的声调）有钱的老爷们，老板们，赏一个大，凑个店钱吧。

翠　喜　（立在门口）讨厌，又是你。

〔乞丐的声音：老板，可怜可怜吧，您行好，明天就从良，养个胖小子。

翠　喜　去你的，今天晚上就冻死你兔崽子。

〔在左面——黑三进来了。

黑　三　二爷！找着两个，您瞅瞅。（掀起门帘）

〔方达生立起向外望。

黑　三　对不对？

方达生　（看了一时）不对，不是她们，这个小孩岁数不大，圆圆的脸，大眼睛，说话愣里愣气的。

黑　三　哦，您是说刚来不几天那个？

方达生　对了，不几天，我想也就四五天吧。

黑　三　这么高，这么瘦，圆脸盘，大脚板鸭子，小圆眼，剪发。

方达生　对了，对了。

黑　三　我给您找找去，您候候。（出去）

〔在右边，继续着——

乞丐打着牛胯骨："提提哒，提提哒，提提哒提哒提哒。"唱：

毛竹打，更不离儿，

老板本是个大美人儿！

曲青头发大辫子儿，

尖尖下颏红嘴唇儿，

未曾说话爱死人儿。

〔提提哒，提提哒，提提哒提哒提哒。

毛竹打，更不错，

老板身穿华丝葛。

人才好，穿的阔，

未曾说话抿嘴乐，

哪天都有回头客！

〔乞丐的声音：老板，可怜一个大吧。

翠　喜　（故意地）我还是不给你！

〔乞丐的声音：（嬉皮笑脸地）您不给，我还唱。

翠　喜　唱吧，谁拦你啦？

〔乞丐打着牛胯骨："提提哒，提提哒，提提哒提哒提哒……"

〔同时，在左边屋子——门开了，进来一个卖报的，单裤子，上面穿一件破棉袄，一脸胡子，规规矩矩地抽出一份报，放在书桌上，打手势要钱，行外国礼，立正，打恭，口里呀呀地叫着。

方达生　我，我没有零钱。

哑　巴　（伸手要钱）啊……啊……

〔方达生给他一张角票，不让他找。哑巴又作揖，又行礼，千恩万谢地走出去。

方达生　（拿起报读，扔在桌上，靠在椅背，望着天，叹出一口闷气）啊！

〔同时，在右边——

胡　四　（撂下帐子，独语）小疯子！（踱到门口）

〔乞丐还打着牛胯骨："提提哒，提提哒，提提哒提哒提哒。"唱：

喂，好话说了老半天，

还是老板不给咱。

别瞧要饭低了头，

要饭不在下九流。

将门底子佛门后，

圣人门口把你求。

念过诗书开过讲，

懂得三纲并五常，

念过书识过字儿，

懂得仁义礼智信儿。

〔乞丐的声音：怎么着，老板。还不赏一个大么？

翠　喜　大冷天，挺难的，有钱也不给你！

〔乞丐接得快：

要说难，尽说难，

你难我难不一般。

老板难的事由儿小，

我难没有路盘缠，

傻子要有二百钱，

不在这儿告艰难。

〔提提哒，提提哒，提提哒提哒提哒。

〔乞丐的声音：喂——

胡　四　去，去，去！（扔出一个铜元）少在这儿麻烦。

〔乞丐的声音：费心，老爷。（脚步声，又在旁处打着牛胯骨，唱起来）

〔福升走进来。

胡　四　（指左边）怎么样啦？

王福升　（狞笑）您看哪。（二人立帐幔旁偷看）

〔在左边——黑三同小顺子走进来。

黑　三　您看，二爷，这一定就是您的相好的。

方达生　（到门口看，大失所望）不，不是，不是她。

小顺子　可您总得说出个名字啊。

方达生　（突然）你们这儿有个叫小东西的有么？

小顺子　小东西？

方达生　嗯。

小顺子　没有。

黑　三　（狞笑）这名字就“格涩”。

方达生　（拿起帽子）对不起，打搅你们了。（低头正要出门）

〔黑三拦住他的去路，伸出手。

方达生　你这是干什么？

黑　三　您叫我们跑了半天，您不赏点嘛么！

方达生　（惊愣）这也要钱？

黑　三　您瞅瞅来的是什么地方；我们是喝西北风长大的？

方达生　（看看他那亡命的样子，可怜地笑笑，拿出钱来）你拿去吧！

小顺子　（忙着伸手）谢谢。

黑　三　（打开小顺子的手）您这是打哈哈，您这一点是给要饭的？

〔左面小屋内孩子哭起来，翠喜拉开中间的幔帐，走到左面，她看见方达生，停下来眼盯着他。方达生厌恶地回过头去，咳嗽起来，一只手掩住鼻子，一只手扔在桌上一些钱，他立刻跑出去。

〔翠喜莫名其妙地跑进左面的小屋子，又唔唔地哄着小孩睡觉。

〔黑三魔鬼般地大笑起来。

〔小顺子拉开幔帐。

黑　三　四爷！您先歇着，我给您叫小翠来陪您。

王福升　不用啦，黑三，我们该走啦。

胡　四　我们待的时候不少了。

黑　三　别截，您先玩会儿。（忙走出去，叫）小翠！

王福升　快回去吧，您这身新衣服也该在八奶奶面前显派显派。

胡　四　（又想起他的“第一美男子”的浑号，很高兴地）你说，这身衣服我穿着不错吧？

王福升　“赶子”[1]，我看您这身比哪一身都好。

胡　四　（不自主地又开始搔首弄姿，掸掸衣服，自满地）我看也不

---

1 “当然”的意思。——底本注。

大离。

〔黑三进，后随小东西。

黑　三　好好地侍候四爷一会。四爷好多照应你。叫声四爷。

小东西　（一字一抽噎）四……四……四爷。

黑　三　跟王八爷赔个罪。

〔小东西望着福升。

黑　三　说，说，下次不敢了，王八爷。

小东西　（一字一抽噎地）下……下……下次不敢。王……王八爷。

王福升　没有说的。没有说的。

黑　三　（得意扬扬）给四爷倒杯茶，求八爷明儿陪着四爷来"回头"来。

胡　四　明儿见。（起身）得了，别客气啦，没有什么说的。

〔翠喜由屋内出来。

翠　喜　谁说走？谁也不许走，四爷，您刚才怎么说的？（耳语）

胡　四　（频频点头）对，对——（坏笑）可我实在有事。今儿个不成，明儿见。

王福升　（笑）有事，明儿见吧！

黑　三　这是碰着四爷，好说话的。好，要碰着个刺儿头，这不连窑子都砸了。

翠　喜　（拉着胡四）那明儿你一定来？

〔胡四嘻嘻哈哈地点头。

〔这时小东西已斟好茶，正向胡四送过去。

王福升　（开玩笑）小心点，别烫着手，小姐。

〔小东西低头，走到胡四面前，眼泪汪汪的。

王福升　四爷，你瞧，小翠跟你飞眼呢。

〔小东西气得回首向福升望一眼。

胡　四　（高兴）是么？（想拧小东西的脸蛋）小东西看上了我么？

小东西　（蓦地回过头来，没想到胡四这样近靠着她，茶碗碰着胡四的手，茶水溅湿他的衣服）啊！

胡　四　你看！

黑　三　（大吼）妈的，你看你！

小东西　（吓破了胆，失手，一碗茶整个地倒在胡四的新衣服上）啊！

胡　四　（急青了脸）我 × 你奶奶的，这个不是人揍的孩子！（连忙用手帕揩）

黑　三　（跳到小东西面前，举手就要打）你他妈的——（小东西躲在翠喜背后）

翠　喜　（拦住黑三）你先别打！

王福升　（也拦住黑三）黑三，先别急，人家衣服要紧。

黑　三　（忙）小顺子，赶快拿手巾来。

〔小顺子拿手巾跳进。大家一起擦衣服。只有小东西吓得立在一旁。

胡　四　（恼怒）去，去，去，别擦了！（将衣服拿在灯下看看）哼，这一身新衣服算毁了。妈的，（对福升）走！走！走！（忽然跑到小东西面前）你这贱骨头，我——（仿佛就要动手，小东西后退，他一扭身）死货！（忽然从袋里取出一束钞票，对小东西）你瞧见这个么？大爷有的是洋钱。可就凭你这德

性（向黑三）一个子也不值！（对小顺子）把这个拿给三姑娘盘子！（一张钞票给小顺子）这个给外边。（又一张钞票）

小顺子 谢谢。

胡　四 （点点头）走！（对福升）回旅馆。（扬长走出）

〔福升后面跟着，小顺子也随出去。

翠　喜 （送到门外）明儿来呀，四爷！明儿来呀！（忙回屋内）

黑　三 （野兽似地盯着小东西，低低地）过来。你跟我到这屋子来！（指左面小屋）

〔小东西走了两步，两腿无力，扑腾跪下。

黑　三 （走到小东西面前，拉她）走！

翠　喜 （抱住小东西）黑三，你别打她！（哀求）这不怨她，你别打她！

黑　三 （在方桌下抽出一条鞭子）你别管！

翠　喜 黑三，这孩子再挨不得打了。

黑　三 （一手推倒她）你他妈的，去你个妹子的吧。

〔翠喜叫一声，摸着她受了伤的手。

黑　三 走！（拉着小东西进屋，把门关上）

翠　喜 （忽然想起自己的孩子，跑到左小门前，敲门）开门，黑三，我的孩子在里面。开门，开门。

〔里面不应，黑三诅咒着，鞭子抽在小东西的身上，小东西仿佛咬紧了牙挨着一下一下的鞭打。

翠　喜 （慌急，乱打着门）开门，开门！你要吓着我的孩子。我的儿！

〔孩子开始哭起来。

翠　喜　（不顾一切地喊着）开门，开门，黑三。我的宝贝，你别怕！妈就来！

〔小东西忍不住痛，开始嚎叫，和小儿哭声闹成一片，外面有许多人看热闹，小顺子跑进来。

翠　喜　（疯狂的样子）你开门！（乱打着门）你开门！黑三！你再不开，我就要喊巡警了。

小顺子　黑三，外边有人找你。

〔黑三开了门，提着鞭子出来，一脸的汗。

黑　三　（回头向左小门）这次先便宜你小杂种。

〔翠喜立刻跑进房里，屋里一片啼哭和抽噎声。

黑　三　（向小顺子）谁，谁来找我？

小顺子　旅馆来的人。

〔外边有小铃声。

〔半晌。

黑　三　干嘛？

小顺子　说金八爷有事找您。

〔另一个声音：见住客！没有住客的见住客！

黑　三　走！（向左旁小门）你出来！出来！

〔小东西很艰难地走出来。

黑　三　（用鞭子指）这一次先饶了你，外面有住客，你去见客去。他妈的，你今天晚上要是再没有客，你明日早上甭见我。听见了没有？

小东西　（抽咽着）嗯。

黑　三　去！把眼泪擦擦，见客去。

〔小东西低头出了门。

黑　三　小顺子，我去了。明儿见。

小顺子　您走吧，明儿见。

〔黑三走出去。

小顺子　三姑娘，出来吧，瘸子可等急了。你快出去见见他吧。

〔翠喜由左小门走出。

翠　喜　唉！这是什么日子！

〔翠喜和小顺子一同出门，屋内无人。

〔外面伙计的声音：落灯啦！落灯啦！

〔外面叫卖的声音：（寂寞地）硬面饽饽！硬面饽饽！

〔木梆一声一声地响过去。

〔另一个声音：（低声地叫出花名，因为客人们都睡了）宝兰，翠玉，海棠，小翠。

〔小顺子进来把灯灭熄，由抽屉拿出洋蜡头点上，屋子暗下来。

〔小顺子正要出去，小东西缓缓地走进来。

〔隔壁和对面有低低的男女笑语声。

小顺子　怎么样，挂上了么？

小东西　（摇头）没有。

小顺子　怎么？

小东西　（抽噎）那个人嫌我太小。

小顺子　（叹一口气）那你一个人先睡吧。

小东西　嗯。

小顺子　（安慰她）去……去他的！明天是明天的，先别……别想它。

〔老远翠喜哭着嚷着。

〔一个男人的声音：你走不走？你走不走？

〔翠喜的声音：你打吧！你打吧！你今天要不打死我，你不是你爸爸揍的。

小东西　（立起来）这是谁？

小顺子　三姑娘——翠喜。她……她……她男人打她呢。（由窗户望外看）可怜！这个人也是苦命，丈夫娶了她就招上了脏病瘸了，儿子两个生下来就瞎……瞎了眼，还有个老婆婆，瘫在床上，就靠着这儿弄来几个钱养……养一大家子人。

小东西　（又坐在那里发呆）嗯，嗯，嗯。

小顺子　她来了。（往外叫）三姑娘。

〔翠喜哭哭啼啼地走进门。

小顺子　怎么啦？

翠　喜　（自言自语）妈的，我跟你回去！今天我就跟你回去！回去咱们就散，这日子还有什么过头？（叨叨地进了左小门）

小顺子　（望她进门）唉！

〔翠喜抱着孩子由左小门走进来。

小东西　孩子睡着了？

翠　喜　（抽噎地）嗯，妹……妹……妹子，（一字一噎地）刚才，刚才，那个住客……你……你，你挂上了么？

〔小东西低头——

小顺子 （摇头）没有。

翠　喜 怎……怎么？

小顺子 又是那句话，还是嫌她人小。

翠　喜 （一手摸着小东西的脸）苦……苦命的孩子。也……也好，你今天一个人在我这个床睡吧。省得我在这儿挤。半夜里冷，多盖着点被。别……别冻着。明天再说明天的……你自己先别病了……落在这个地方……病了更没有人疼，疼了。

〔小东西望望她，忍不住，忽然抱着翠喜大哭起来。

翠　喜 （心酸地掉下泪，将她拉在身边）妹……妹子，你……你，你别哭。我……我走了。我明天……一大清早，我……我就来看你。

〔小东西抽咽。

翠　喜 我走了。

小东西 嗯。

小顺子 我也歇去了。（对小东西）你睡吧。

小东西 嗯。

〔翠喜和小顺子同下。

〔外面一个人的声音：落灯啦！落灯啦！

〔木梆声，舞台更暗。

〔外面叫卖的声音：（凄凉地）硬面饽饽！硬面饽饽！

〔小东西忽然立起，很沉静地走进左面小屋内。

〔屋内无人。

〔对面屋子里男女笑声。

〔女人的声音：去，去，去——七十多里地多的是小媳妇，你找我干嘛？

〔男人含糊的声音：……我……

〔女人的声音：去，去，去，（笑）头上摸下的，好意思的么？

〔男人含糊的声音：……嗯……

〔小东西由左屋靸着鞋出来，手里拿着一根麻绳，她仿佛瞧见什么似地在方桌前睁着大眼，点点头。她失了魂一般走到两个门的前面，一一关好，锁上。她哆嗦起来，鼓起勇气到了左边小门停住。她移一把椅子，站在上面，将麻绳拴在门框上，成一个小套。又走下来。呆呆地走……走，走了两步。忽然她停住。

小东西 （低声，咽出两个字）唉，爸爸！

〔小东西向那麻绳套跪下，深深地磕了三个头，立起。叹一口气，爬上椅子，将头颈伸进套里，把椅子踢倒——那样小，那样柔弱的一个可怜的小生命便悬在那门框下面。

〔外面叫卖的声音：（荒凉地）硬面饽饽！硬面饽饽！

〔同时外面听见木梆声之外还有——

〔一个男人淫荡地唱：

叫声小亲亲，眼瞅着到五更，五更打过哥哥就起身哪。

亲人啊，小妹妹舍不得呀，一夜呀夫妻呀百日的恩哪。

〔一个女人隐泣的声音:(如在远处)唔……唔……

〔小东西挂在那里，烛影晃晃照着她的脚，靸着的鞋悄然落下一只，屋里没有一个人。

〔舞台渐暗。

——幕落

附　记：

也许末尾的刺激太重了些，我为着上演的方便，曾经把收场这样改过，现在一并记在下面：——

小东西由左屋靸着鞋出来，手里拿一根麻绳，她仿佛瞧见什么似地在方桌前睁着大眼，点点头。她失了魂一般走到两个门的前面，一一关好，锁上。她的全身发抖，噙住眼泪，惊恐地走到左边小门停住。

〔外面叫卖的声音：（荒凉地）硬面饽饽！硬面饽饽！

〔远远的木梆声。

〔她将一把椅子移在门下，站在上面，把麻绳拴在门框上，成一个小套，她稳一稳心，正要——但一个恐怖的寒战，她又走下来，呆呆地立在那里。

〔一个男人淫荡地低声唱：

叫声小亲亲，眼瞅着到五更，五更打过哥哥就起身哪。

亲人啊，小妹妹舍不得呀，一夜呀夫妻呀百日的恩哪。

〔一个女人隐泣的声音：（如在远处）唔……唔……

〔恍恍惚惚地小东西随着那哭声，踉跄了两步，她实在忍呆不下去了，忽然扑在地上，哀哀地哭泣起来。

〔外面叫卖的声音:（荒凉地）硬面饽饽！硬面饽饽！

〔远远地木梆声。

〔舞台渐暗。

——幕落

第四幕

与第三幕在同一个夜晚。

半夜后，大约有四点钟的光景，在 × × 大旅馆那间华丽的休息室内。

屋内帘幕都深深垂下来，在强烈的灯光下，那些奇形怪状的陈设刺激人的眼发昏。满屋弥漫着浓厚的烟氲和恶劣的香粉气，酒瓶歪在地上，和金子一般贵重的流质任意地倒湿了地毡，染黄了沙发的丝绒，流满了大理石的茶儿。在中间，一张小沙发的脚下，香槟酒杯的碎玻璃堆在那里。墙上的银耀耀的钟正指着四时许。

左面的屋子里面还是稀里哗啦地打着牌，有时静下来，只听见一两下清脆的牌声，有时说话的，笑的，骂的，叫的，愤愤然击着牌桌的，冷笑的……和洗牌的声音搅成一片。

开幕时，白露一个人站在窗前，背向观众，正撩开帷幕向下望。她穿着黑丝绒的旗袍，周围沿镶洒满小黑点的深黄花边，态度严肃，通身都是黑色。

她独自立在窗前，屋内没有一丝动静。

半晌。

左面的门大开，立刻传出人们打牌喧笑的声音。

〔里面的男女声音：露露！露露！

〔白露没有理他们，还是站在那里不动。

〔张乔治的声音：露露！露露！

张乔治 （一面走出，一面向里面的人说）不，不，我就来。（自负地）你看我来请她。

〔张乔治走出来，穿着最讲究的西服，领带散着，背心的扣子没有扣好。他一手抓住香槟酒瓶，一手是酒杯，兴高采烈地向白露走过来。

张乔治 （一步三摇地走近白露，灵感忽然附了体）哦，我的小露露。（上下打量着白露，指手画脚，仿佛吟诗一样）So beautiful！So charming！ And so melancholic！[1]

〔白露看着窗外，不动。

张乔治 （走到她侧面）你真美。你今天晚上简直是美！（摇头摆尾，闭目吟味）美！美极了！你真会穿衣服，你穿得这么忧郁，穿得这么诱惑！并且你真会用香水，闻起来（连连嗅着，一声长长的"嗯！"）这么清淡，而又这么幽远！啊！我一闻着那香水的香味，oh no，[2]你的美丽的身体所发出的那种清香，就叫我想到当初我在巴黎的时候，（飘飘然神往）哦，那巴黎的夜晚！那夜晚的巴黎！（赞美地）嗯！ Beautiful！

陈白露 （依然没有回头）你喝醉了吧。

张乔治 喝醉了？今天我太高兴了！你刚才瞧见刘小姐么？她说她

---

1 英语，意思是："这么美！这么娇媚！又这么忧郁！"——底本注。

2 英语，意思是："哦，不，"——底本注。

要嫁给我，她一定要嫁给我，可是我跟她说了，（趾高气扬的样子）我说："你！（藐视）你要嫁给我！你居然想嫁给我！你？"（一甩手）这世界上只有陈白露才配嫁给George Chang[1]呢！"（等白露的笑，但是——）咦，露露，你为什么不笑？

陈白露 （态度依然）这有什么可笑的？（低沉地）你还有酒么？

张乔治 （奇怪）你还想喝？

陈白露 嗯。

张乔治 你看我多么会伺候你，这儿早就预备好了。（倒酒的时候，由右屋传来顾八奶奶叫白露的声音。把酒倒好，递给白露）

〔白露一口灌下，看也不看，就把酒杯交给乔治。

〔顾八奶奶由右门出，她穿戴仍然鲜艳夺目，气势汹汹地走进来。

顾八奶奶 （在门口）白露，究竟你的安眠药在哪儿？（忽然看见张乔治）哟！博士，原来是你们俩偷偷地躲在这屋子说话呢。

陈白露 在我床边那个小柜子里。

张乔治 怎么啦，八奶奶？

顾八奶奶 （摸心）我心痛，我难过。

张乔治 又为什么？

顾八奶奶 还不是那个没良心的东西气的我。你看这一气，三天我也睡不着。我非得拿点安眠药回家吃不可。得了，你们俩好

---

1 "张乔治"的英文拼法。——底本注。

好谈话吧。（反身就要进门）

张乔治　别，别走。你先坐一坐跟我们谈谈。

顾八奶奶　不，不，不，我心痛得厉害，我先得吃点杜大夫的药。

张乔治　你看，你在这里吃不一样？

顾八奶奶　可是你听听我的心，又是扑腾腾扑腾腾的，（捧着自己的心，痛苦的样子）哟！我得进去躺躺。

〔忽然左门大开，又传进种种喧笑声。

〔顾八奶奶由左门下。

〔刘小姐的声音：Georgy！ ~~~~

张乔治　（向左门里的刘小姐，以手抵唇）嘘！（指白露，做势叫刘小姐进来）

〔刘小姐的声音：（严厉地）Georgy！！

张乔治　（做势叫她不要喊，仍以手抵唇）嘘！

〔刘小姐的声音：（更严厉地）你来不来！

张乔治　我来，我来，我就来。（慌慌张张地笑着走进左门）

〔半晌。

陈白露　（缓缓回过身来，神色忧伤，酒喝多了，满脸红晕。轻轻捶着胸，捶了两下，仿佛绝了望似地把手又甩下来。叹一口气）嗯！（仰起头，泪水由眼角流下来，她把手帕铺在脸上）

〔敲门声。

陈白露　（把手帕取下来，擦擦眼睛）谁？

〔福升的声音：我，小姐。

陈白露　进来。

〔福升进。他早已回到旅馆，穿起他的号衣。

王福升　小姐。

陈白露　你来干什么？

王福升　（看见白露哭了）哦，您没有叫我？

陈白露　没有。

王福升　哦，是，是……（望着白露）小姐，您今天晚上喝多了。

陈白露　嗯。

王福升　（四面望望）方先生不在这儿？

陈白露　他还没有回来。有事么？

王福升　没有什么要紧的事。刚才又来了一个电报。是给方先生的。

陈白露　在哪儿？

王福升　（由口袋取出来）您要么？

陈白露　回头我自己交给他吧。

〔福升把电报交给白露。

陈白露　还早吧？

王福升　早？已经四点来钟了！

陈白露　（失神地）那些人没有走。

王福升　（望左面的房门）在这儿又是吃，又是喝，有的是玩的，谁肯走？

陈白露　（悲戚地点头）哦，我这儿是他们玩的地方。

王福升　那可不是！

陈白露　他们玩够了呢？

王福升　您瞧，那回家去呀。各人有各人的家，谁还能一辈子住旅馆？

陈白露　（还是不动声色地）那么他们为什么没有玩够？（低声，自语）是啊，谁还能一辈子住旅馆！（摇摇头）我大概是真玩够了。（坐下）够了！（沉思）我也想回家去，回到我的老家去。

王福升　（惊奇）小姐，您……有家？

陈白露　嗯，玩够了，该回老家了。

王福升　小姐，您真有这个意思？

陈白露　嗯。

王福升　（赶紧）小姐，您要是真想回老家，那您在这儿欠的那些账，您得——

陈白露　对了，我还欠了许多债。不过这些年难道我还没有还清？

王福升　小姐，您刚还了八百，您又欠了两千，您这样花法，一辈子也是还不清的。今天下午他们又来了，您看，这些账单，（又从口袋往外拿）这一共是——

陈白露　不，不用拿，我不要看，我不要看。

王福升　可是他们说您明天下午是非还清不可的，我一个劲跟他们说好话——

陈白露　谁叫你跟他们说好话？冤有头，债有主，我自己没求过他们，要你去求？

王福升　可是小姐——

陈白露　（烦躁地）我知道，我知道了。你不要再提了，钱！钱！钱！为什么你老这样子来逼我。

〔电话铃响。

王福升　（拿起耳机）喂……你哪儿！哦……我这儿是五十二号陈小姐的房间。

陈白露　谁？

王福升　（掩住喇叭）李太太，（又对耳机）哦，是是。李先生他不在这儿。他今天下午来过，可是早走了……是……是……李先生刚才给这儿潘四爷打过电话，说请他老人家候候，说一会儿还要来这儿的。要不，您一会儿再来个电话吧。（放下耳机）

陈白露　什么事？

王福升　李先生的少爷病得很重，李太太催李先生赶快回去。

陈白露　嗯。好，你去吧！

〔潘月亭喜形于色，由中门走进来。

〔福升让进潘月亭，由中门下。

潘月亭　露露，露露，客没有走吧。

陈白露　没有。

潘月亭　好极了。都别让走，今天大家得玩个痛快。

陈白露　干什么？

潘月亭　我现在大概才真正走了好运，我得着喜信了。

陈白露　什么？喜信？是金八答应你提款缓一星期了？

潘月亭　不，不是，这个金八前两天就答应我了。我告诉你，公债到底还要涨，涨，大涨特涨。这一下子真把我救了！你知道，我今天早上忽然听说公债涨是金八在市面故意放空气，闹玄虚，故意造出谣言说他买了不少，叫大家也好买。其实他是自己在向外抛，造出好行市向外甩。那时候我真急了！我眼看上了他的当，我买的公债眼看着要大落特落，我整个的钱都叫他这一下子弄得简直没有法子周转，你看我这一大堆事业，我一大家子的人，你看我这么大年纪，我要破产，我怎么不急？我告诉你，露露，我连手枪都预备好了，我——（咳嗽）

陈白露 （无动于衷）可怜。

潘月亭 （兴高采烈）我现在一点也不可怜，我跟你说，人不能没有钱，没有钱就不要活着。可是，露露，我现在真真有钱了，我过两天要有很多很多的钱，再过些天，说不定我还要有更多更多的钱。（忽然慷慨地）哦，我从此以后要做点慈善事业，积积德，弥补弥补——

陈白露 不过，你们轻轻把小东西又送回到金八手里，这件事是很难弥补的。

潘月亭 （忽然想起来）哦，小东西怎么样了？你难道还没有把她找回来？

陈白露 找回来？她等于掉在海里了。我找，达生找，都没有一点影子。

潘月亭 不要紧，有钱，我有钱。我一定可以把小东西还是活蹦乱跳地找回来，叫你高兴高兴。

陈白露 （绝望地）好，好吧！哦，你知道李石清要这时候来见你么？

潘月亭 知道。他说他有好消息告诉我。可是这个东西太混账，他以为我好惹，这次我要好好地给他一点厉害看。

陈白露　怎么？

〔顾八奶奶由左门上。

顾八奶奶　露露！露露！——哟，潘四爷，这一晚上你上哪儿去了？（撒娇地）真是的，把我们甩在这儿，不理我们，你们男人们，真是的！——对了，四爷，您看胡四进了电影公司正经干多了吧。还是四爷对，四爷出了主意，荐的事总是没有错儿的。（不等潘月亭回答，就跑到左面立柜穿衣镜前照自己，忽转向白露）露露，你看我现在气色怎么样，不难看吧？

潘月亭　（无可如何）露露，你陪八奶奶谈吧，我去到那屋看看客人去。（由左门下）

顾八奶奶　四爷，您走了。（对白露，贸然）你说他还来不来？这个没有良心的东西，他叫我在你这儿等着他，他要跟我说戏，说《坐楼杀惜》，你看快天亮了，他的魂也没有见一个。唉，我真，我……我，我真想叫福升问问他……

陈白露　（厌烦，不等她说完便叫）福升！福升！

〔福升由中门进。

陈白露　你知道胡四爷上哪儿去了？

王福升　不，不知道。

顾八奶奶　（没好气地）他就会说不知道。

王福升　实……（谄笑）实在是不知道。不过仿佛胡四爷说他先去——

顾八奶奶 （暴躁地）换衣服去了。

王福升 （假笑地，同时说）换衣服去了。

顾八奶奶 （急躁地）换衣服！换衣服！你就会说换衣服。

陈白露 怎么?（对福升）你知道胡四干什么去了?

王福升 （谦逊地）顾八奶奶刚才问了我四五遍，怪不得她老人家听腻了。您想，她老人家脾气也是躁一点，再者……

顾八奶奶 去！去！去！什么“她老人家，她老人家”的。我瞅你就生气，谁叫你进来给我添病的。

王福升 是，是。（由中门下）

顾八奶奶 （捶自己的心）你看我的心又痛起来了，胡四进了电影公司两天，越学越不正经干。我非死了不可！露露！你的安眠药我都拿去了。

陈白露 怎么，你要吃安眠药?

顾八奶奶 嗯，我非吃了不可。

陈白露 那你又何必呢?你还给我。（伸手）

顾八奶奶 不，我非吃了不可，我得回家睡觉去。我睡一场好觉，气就消了。杜大夫说睡一点钟好觉，就像多吃两碗饭。我要多吃两碗饭，气气他。

陈白露 哦！不过我先警告你，这个安眠药是很厉害的。你要吃了十片，第二天就会回老家的，你要小心点。

顾八奶奶 （拿着安眠药看）哦！吃十片就会死。

陈白露 十片就成了。

顾八奶奶 那……那，我就……我就吃半片。

陈白露 我刚才听你的话，我以为——

顾八奶奶 哦,（忽然明白）你说我吃安眠药寻死？我才不呢。我不傻，我还得乐两年呢！哼，我刚刚懂一点事，我为他……哼，胡四有一天要跟我散了，我们就散。我再找一个，我……我非气死他不可！

陈白露 （冷冷地望着她）你不累么？

顾八奶奶 可不是，我是有点累了。我得打几副牌休息休息我的脑筋。你跟我一块来吧。

陈白露 不，你先去吧！我想一个人坐一坐。

〔顾八奶奶由左门下。

〔中门敲门声。

陈白露 谁？

〔方达生由中门进。

陈白露 你刚回来？

方达生 回来一会了，我听见顾太太在里面，我就没进来。

陈白露 （望着他）怎么样？小东西找着了么？

方达生 （摇头）没有。那种地方我都一个一个去看了。但是，没有她。

陈白露 （失望）这是我早料到的。（半晌，扶他坐下）你累了么？

方达生 有一点，不过我很兴奋，我很兴奋。我在想，这两天我不断地想着个问题。（忽然）我问你，人与人之间为什么要这么残忍呢？

陈白露 （笑）这就是你所想的问题么？

方达生 我奇怪，为什么你们允许金八这么一个禽兽活着？

陈白露 你这傻孩子，我告诉你，不是我们允许不允许金八活着的问题。而是金八允许我们活着不允许我们活着的问题。

方达生 （沉思）你对我说的话是对的。我应该多观察观察这一帮东西。现在我看清楚他们了，不过我还没有看清楚你，我不明白你为什么要跟他们混？你难道看不出他们是鬼，是一群禽兽。竹均，我看得出你也厌恶他们，而你故意装出满不在意的样子，天天自己骗着自己。

陈白露 （忽然——倔强地嘲讽着）你很相信你自己的聪明。

方达生 竹均，你又来了。不，我不聪明。但是我相信你的聪明。你不要瞒我，你心里痛苦。请你看在老朋友的分上，我求你不要再跟我倔强。我知道你嘴头上硬，故意说着谎，叫人相信你快乐；可是你眼神儿软，你的眼瞒不住你的恐慌，你的犹疑，不满。竹均，一个人可以欺骗别人，但欺骗不了自己，你这样会把你闷死的。

陈白露 （叹一口气）不过你叫我干什么好呢？

方达生 竹均，你应该结婚。我要替你找个丈夫，一个真正的男人。你应该立刻离开这儿。

陈白露 （思虑地）离开，是的。不过，结婚？（嘘出一口气）我试过。但是（叹一口气）——平淡无聊，并且想起来很可笑。

方达生 这个人是谁？

陈白露 这个人有点像你。

方达生 像我？

陈白露　嗯，像！——他是个傻子。

方达生　哦。

陈白露　因为他是个诗人。（追想）这个人哪……这个人思想起来很聪明，做起事就很糊涂。让他一个人说话他最可爱，多一个人谈天他简直别扭得叫人头痛。他是个最忠心的朋友，可是个最不体贴的情人。他骂过我，而且他还打过我。

方达生　但是，你爱他？

陈白露　（肯定）嗯，我爱他！他叫我离开这儿跟他结婚，我就离开这儿跟他结婚。他要我到乡下去，我就陪他到乡下去。他说："你应该生个小孩！"我就为他生个小孩。结婚以后几个月，我们过的是天堂似的日子。他最喜欢看日出，每天早上他一天亮就爬起来，叫我陪他看太阳。他真像个小孩子，那么天真！那么高兴！有时候乐得在我面前直翻跟头，他总是说："太阳出来了，黑暗就会过去的。"他永远是那么乐观，他写一本小说也叫《日出》，因为他相信一切是有希望的。

方达生　不过——以后呢？

陈白露　（望着前面）以后他就一个人追他的希望去了。

方达生　怎么讲？

陈白露　你不懂。后来，新鲜的渐渐不新鲜了。两个人处久了，渐渐就觉得平淡了，无聊了。我告诉你结婚后最可怕的事情不是穷，不是嫉妒，不是打架，而是平淡，无聊，厌烦。两个人互相觉得是个累赘。懒得再吵嘴打架，直盼望哪一天天塌了，等死。于是我们先只见面拉长脸，皱眉头，不说话。最后他怎么想法子叫我头痛，我也怎么想法子叫他头痛。他要走一步，我不让他走；我要动一动，他也不许我动。两个人仿佛捆在一起扔到水里，向下沉……沉……沉……

方达生 不过你们逃出来了。

陈白露 那是因为那根绳子断了。

方达生 什么？

陈白露 孩子死了。

方达生 你们就分开了？

陈白露 嗯，他也去追他的希望去了。

方达生 那么，他在哪里？

陈白露 不知道。

方达生 那他有一天也许回来看你。

陈白露 不，他决不会回来的。他现在一定工作得高兴。（低头）他会认为我现在简直已经堕落到没有法子挽救的地步。（悲痛地）哼！他早把我忘记了。

方达生 （忽然）你似乎还没有忘记他？

陈白露 嗯，我忘不了他。我到死也忘不了他。喂，你喜欢这两句话么？“太阳升起来了，黑暗留在后面。但是太阳不是我们的，我们要睡了。”你喜欢么？

方达生 我不大懂。

陈白露 这是他的小说里一个快死的老人说的。

方达生 你为什么忽然要提起这一句？

陈白露 因为我……我……我时常想着这样的人。

方达生 （忽然）我看你现在还爱他。

陈白露 （低头）嗯。

方达生 谢谢你，竹均，你真是个爽快人。（立起来）竹均，我要去收拾东西去了。

陈白露 你就要走？这里还有你一封电报。（拿出来交给他）

方达生 （拆开看）嗯。（把电报揉成一团）

陈白露 是催你回去么？

方达生 嗯，是的。（停顿）再见吧！竹均！（伸出手来）

陈白露 为什么这么忙？难道你天亮就走么？

方达生 我想天亮就离开旅馆。

陈白露 你坐哪一趟车？

方达生 不，不，我不回去。我只是想搬开。不过我也许不能常来看你了。

陈白露 （奇怪）为什么？这句话很神秘。

方达生 我在这里要多住些天，也许我在这里要做一点事情。

陈白露 你在这里找事做？

方达生 事情自然很多，我也许要跟金八打打交道，也许要为着小东西跑跑，也许为那小录事那一类人做点事，都难说。我只是想有许多事可做的。

陈白露 这么说，你跟他要走一条路了。

方达生 谁？

陈白露 他——我那个诗人。

方达生 不，我不会成诗人。但是我也许真会变成一个傻子。

陈白露 （叹一口气）去吧！你们去吧！我知道我会被你们都忘记的。

方达生 （忽然）不过，竹均，你为什么不跟我走？（拉起她的手，热烈地）你跟我走！还是跟我走吧。

陈白露 我告诉过你，我是卖给这个地方的。

方达生 （放下手，怜恤地望着她）好吧。你——唉……你……你这个人太骄傲，太倔强。

〔敲门声。

陈白露 谁？

〔李石清由中门进。李石清忽然气派不同了，有些趾高气扬，马褂换了坎肩，头发也贼亮贼亮的梳成了好几绺，他不像以前那样对白露低声下气，他有些故为傲慢。

陈白露 哦，李先生。

〔福升随进。

李石清 （看看方达生和白露）陈小姐，（回头对门前的福升）福升，你下去叫我的汽车等着我，我也许一会儿跟潘经理谈完话就回公馆的。

王福升 是，李先——（忽然）是，襄理。您太太方才打电话，说——

李石清 （厌烦地）我知道了。你下去吧。

陈白露 李先生，你的少爷好一点了么？

李石清 好，好，还好。月亭在屋里么？

陈白露　月亭大概在吧。

李石清　我要跟他谈一点机密的事。

陈白露　（不愉快）是要我们出去躲躲么？

李石清　（知道自己有点过分）不，不，那倒不必。我进去找他谈也是可以的。少陪！少陪！（扬长地走入左门）

陈白露　（看他走进去，嗤笑）唉！

方达生　这个人忽然——是怎么回事？

陈白露　你不知道，他当了襄理了。

方达生　（恍然）哦！

〔胡四由中门进。他又换了一套衣服，更“标致”了，他一边拿着大衣，一边夹着烟卷，嘴里哼着流行调，开了中门。

胡　四　（仿佛到了自己的家，把帽子和大氅扔在沙发上，口里不住地吹着哨，他仿佛一个人也没有看见，径直走到穿衣镜前照照自己，打着呵欠对白露说话）她呢？

陈白露　谁？

胡　四　（还是那一副不动情感的嘴脸）老妖精！

陈白露　不知道。

胡　四　（又打了一个呵欠）困么？

方达生　（嫌恶）你问谁？

胡　四　哦，方——方先生。您刚回来？我们总算投缘。今天晚上见了两面。

方达生　（不理他）白露，你愿意到我屋里坐一下么？

陈白露　嗯，好。

〔两个人由中门下。

胡　四　（望着他们走出去）妈的加料货！刺儿头带半疯！（整整自己的衣服，又向那穿衣镜回回头，理两下鬓角，正预备进左门——）

〔左门开了，由里走出潘月亭和李石清。

李石清　（对潘月亭）里面人太多，还是在这儿谈方便些。

潘月亭　好，也好。

胡　四　（很熟稔地）石清，你怎么现在还在这儿？还不回家去？

李石清　嗯，嗯。

胡　四　潘经理。

潘月亭　胡四，你快进去吧。八奶奶还等着你说戏呢！

胡　四　我就去。石清，你过来，我跟你先说一句话。

李石清　什么？

胡　四　（笑嘻嘻地）我昨儿个在马路上又瞧见你的媳妇了，（低声对着他的耳朵）你的媳妇长得真不错。

李石清　（一向与胡四这样惯了的，现在无法和他正颜厉色，尴尬地）岂有此理！岂有此理。

胡　四　没有什么说的，石清，回头见。（很伶俐地由右门下）

潘月亭　请坐吧。有什么事么？

李石清　（坐下，很得意地）自然有。

潘月亭　你说是什么？

李石清　月亭——（仿佛不大顺口）经理知道了市面上怎么回事么？

潘月亭　（故意地）不大清楚，你说说看。

李石清 （低声秘语）我这是从一个极秘密的地方打听出来的。现在您可以放心，我们这一次买的公债算买对了，金八这次真是向里收，谣言说他故意造空气，好向外甩，完全是神经过敏，假的。这一次我们算拿准了，我刚才一算，我们现在一共是四百五十万，这一“倒腾”[1]说不定有三十万的赚头。

潘月亭 （唯唯否否地）是……是……是。（但是没有等李石清说完，忽然插嘴）哦，我听福升说你太太——

李石清 （不屑于听这些琐碎的事）那我知道，我知道——我跟你说，我们说不定有三十万的赚头。这还是说行市就照这样涨。要是一两天这个看涨的消息越看越真，空户们再忍痛补进，跟着一抢，凑个热闹，我跟你说，不出十天，再多赚个十万二十万，随随便便地就是一说。

潘月亭 是的，是的，是你的太太催你回去么？

李石清 不要管她，先不管她。我提议，月亭，这次行里这点公债现在我们是绝对不卖了。我告诉你，这个行市还要大涨特涨，不会涨到这一点就完事。并且（非常兴奋地）我现在劝你，月亭，我们最好明天看情形再补进，明天的行市还可以买，还是吃不了亏。

潘月亭 石清，你知道你的儿子病了么？

李石清 不要紧，不要紧——（更紧张）我看我们还是买。对！我们

1 “掉换”的意思。——底本注。

就这么决定了。月亭，这是千载一时的好机会。这一次买成功了，我主张，以后行里再也不冒这样的险。说什么我们也不必拆这个烂污，以后留点信用吧。不过，这一次我们破釜沉舟干一次，明天，一大清早，我们看看行市，还是买进。

潘月亭　不过——

李石清　我们再加上五十万，凑上一个整数。我想这决不会有错的。我计算着我们应该先把行里的信用整顿一下，第一，行里的存款要——

潘月亭　石清！你还是先回家看看吧，你知道你的儿子病得很重么？

李石清　你何必老提这个？

潘月亭　我看你太高兴了。

李石清　不错，这次事我帮您做得相当漂亮。我的确高兴！

潘月亭　（冷冷一笑）对不起，我忘了你这两天做了襄理了。

李石清　经理，您这句话是什么意思？

潘月亭　（不搭理他）李襄理，现在我手里这点公债是一笔钱了？

李石清　自然。

潘月亭　这一点赚头已经足够还金八的款子了吧。

李石清　我计算着还有富余。

潘月亭　好极了。有这点富余再加我潘四这点活动劲儿，你想我还怕不怕人跟我捣乱？

李石清　我不大明白经理的话。

潘月亭　也许有人说不定要宣传我银行的准备金不够？

李石清 哦?

潘月亭 或者说我把银行房产都抵押出去。

李石清 (谄笑)经理,何必提这个?这不——

潘月亭 我不愿意提。不过说不定有人偏要提。

李石清 经理,这话说得太远了。

潘月亭 (冷冷地看着他)就在前六七天,李襄理,你还跟我当面说过。

李石清 经理,您这是何苦呢?圣人说过:"小不忍则乱大谋。"一个做大事的人多忍似乎总比不忍强。

潘月亭 (睃他一眼)我想我这两天很忍了一阵。不过,我要跟你说一句实在话:我很讨厌一个自作聪明的人在我的面前多插嘴,我也不大愿意叫旁人看我好欺负,以为我心甘情愿地叫人要挟。最可恶的是行里的同人背后骂我是个老糊涂,瞎了眼,叫一个不学无术的三等货来做我的襄理。

李石清 (极力压制自己)我希望经理说话无妨客气一点。字眼上可以略微斟酌斟酌再用。

潘月亭 我很斟酌,很留神。

李石清 (狞笑)好了,这些名词字眼都无关紧要:头等货,三等货,都是这么一说,差别倒是很有限。不过,经理,我们都是多年在外做事的人,我想,大事小事,人最低应该讲点信用。

潘月亭 信用?(大笑)你要谈信用?信用我不是不讲,可是要看谁。我想我活了这么大年纪,我该明白跟哪一类人才可以讲信用，跟哪一类人就根本用不着讲信用的。

李石清 那么，经理仿佛是不预备跟我讲信用了。

潘月亭 （尖酸地）这句话真不像你这么聪明的人说的。

李石清 经理自然是比我们聪明。

潘月亭 那倒也不见得。不过我也许明白一个很要紧的小道理。就是对那种太自作聪明的坏蛋，我有时可以绝对不讲信用的。（忽然）你知道你的太太跟你打电话了么？

李石清 （眩惑地）我知道，我知道。

潘月亭 你的少爷病得快要死了，李太太催你快回家。

李石清 （怒目向潘月亭）我就要回去。

潘月亭 那好极了。你的汽车在门口等着你。（刻薄地）坐汽车回家是很快的，回家之后，你无妨在家里多多练习自己的聪明，你这样精明强干的人不会没有事的。有机会，你还可以常常开开人家的抽屉，譬如说看看人家的房产是不是已经抵押出去了，调查调查人家的存款究竟有多少……不过我可以顺便声明一下，省得你替我再多操心，我那抽屉里的文件现在都存在保险库去了。

李石清 （目瞪口呆）嗯！

潘月亭 （由身上取出一个封套）李先生，这是你的薪水清单。我跟你算一算。襄理的薪水一月一共是二百七十五元[1]。你做了三天，会计告诉我你已经预支了二百五十元，不过我想

---

1 “二百七十五元”底本作“二百七十元”，据戏剧版改。

我们还是客气点好，我支给你一个月的全薪。现在剩下的二十五块钱，请你收下，不过你今天坐的汽车账，行里是不能再替你付的。

李石清 可是，潘经理——（忽然他不再多说了，狠狠地盯了潘月亭一眼，伸出手）好，你拿来吧。（接下钱）

潘月亭 （点起雪茄）好，我先走了，你以后没事可以常到这儿来玩玩，以后你爱称呼我什么就称呼我什么，你叫我月亭也可以；称兄道弟，跟我“你呀我呀”地说话也可以；现在我们是平等了！再见。（由右门下）

李石清 （愤怒使得他麻木了）好！好！（手中紧握着钞票，恨恨地低声）二十五块！（更低声）二十五块钱。（咬牙切齿）我要宰了你呀！（电话铃响一下，他不理）我为着你这点公债，我连家都忘了，孩子的病我都没有理，我花费自己的薪水来做排场，打听消息。现在你成了功赚了钱，忽然地不要我了。（狞笑）不要我了。你把我当成贼看，你当面骂了我，侮辱我，瞧不起我！（刺着他的痛处，高声）啊，你瞧不起我！（捶着自己的胸）瞧不起我李石清，你这一招简直把我当作混蛋给耍了。（电话铃又响了响。嘲弄自己，尖锐地笑起来）我是“自作聪明”！我是“不学无术”！我是“坏蛋”！我是“三等货”！（怪笑，电话铃又响了一阵）可是你以为我就这样跟你了啦？你以为我怕你——哼，（眼睛闪着愤恨的火）今天我要宰了你，宰了你们这帮东西，我一个也不饶，一个也不饶你们的。

〔忽然中门急急敲门声。

李石清 谁？

〔李太太慌张走进，颜色更憔悴，衣服满是皱纹，眼中含泪。

李太太 石清！你怎么啦？你出去一天为什么现在还不回家！

李石清 （眼直瞪瞪地）我不回家！

李太太 （哭出声音）小五儿快不成了，舌头都凉了，石清。我现在同妈叫了个车送他到医院，走了三个医院，三个医院都不肯收。

李石清 不收？是治不了啦？

李太太 医院要钱。他们要押款[1]，都要现钱。最低的都要五十块押款。现在家里只有十五块钱，我都拿出来也不够。（抽噎）石清，你得想法子救救我们的孩子。

李石清 （摸摸自己的身上，掏出几张零碎票子）都拿去吧。

李太太 （忙数）这……这只有十七块多钱。

李石清 那……那……那有什么法子。

李太太 （擦眼泪）石清，（望着他）小五这孩子——

李石清 （悲愤）为什么我们要生这么一大堆孩子呢！（然而不由己地拿起方才的钞票，紧紧握着，咽下愤恨交给李太太，辛酸地）拿去！拿去，这是二十五块“卖脸钱”。

李太太 （连忙接下，急切地）你不一块去么？

李石清 你先去，我一会来。

---

1 “押款”底本作“现款”，当作“押款”。

李太太 那怎么成？你不去怎么成？

李石清 （咆哮起来）叫你先走，你就先走。你还吵什么！快走！快走！你不要惹我！

〔叩门声。

李太太 （恳求）石清——

〔叩门声。

李石清 谁？

〔外面不答，叩门声。

李石清 进来！谁？

〔外面不答，叩门声仍响。

李石清 （暴躁地）谁？进来。（走至中门，猛地开了门）

〔黄省三像一架骷髅立在门口，目光灼灼地望着他。

李石清 （吃了一惊，低声）你！

〔黄省三幽然进，像吹来了一阵阴风。他此时的形象叫人联想到半夜从坟墓里爬出来的僵尸。他的长袍早不见了。上身只是一件藏青破棉袄，领扣敞着，露出棱棱几根颈骨，底下只穿一条单裤。他头发非常散乱，人也更佝偻了，但他不像以前那样畏怯，他的神色阴惨，没有表情，呆滞地望着李石清，如同中了邪魔一样。

李石清 （对李太太）你走吧。有人来了。

李太太 石清——你……（向李石清投一道怨望的眼光，嘤嘤地哭泣走出中门）

李石清 （望她出了门，愤怒地）哼，我不走的，我不走的，我想不

出办法，我死了也不走的。（来回走，忘记黄省三在他面前）

黄省三　经理！

李石清　（忽然立住）你——你这流氓。

黄省三　经理！

李石清　（疑惑地）什么，经理？谁是经理？谁叫你叫我经理？

黄省三　（依然呆板地，背书一样）经理，我是银行的小录事。我姓黄，我叫黄省三，我一个月赚十块二毛五，我有三个孩子，经理，我有三个孩子……我一个月赚十块二毛五！

李石清　（看着他，忽然明白）你！你是——（厌烦地）你为什么又找上我了？

黄省三　潘经理！我求你，我求你！

李石清　（急躁）滚你的潘经理，我不姓潘，我姓李！（指自己）你难道不认识我？不认识我这个人？

黄省三　（点头）我认识你。认识你，潘经理。

李石清　真！你是怎么回事？你为什么单拣这个时候找我来跟我开心？

黄省三　（还是呆滞地）他们不叫我死！他们不答应叫我死。

李石清　你死就死吧，死去吧。

黄省三　可是，那些官儿们，老爷们，他们偏要放我，他们偏说我那个时候神经失常，硬说我没有罪。（诚恳地）我求您，我求您，您行行好，您再重重地给我一拳，（指着自己的肺部）这儿，给我一拳，您行行好，潘经理。

李石清　（高声）听见没有，我不姓潘，你看清楚一点，我不姓潘，我姓李，我叫李石清。

〔半晌。

黄省三 （忽然嘤嘤地像一个女人哭起来）我的孩子，我的可怜的孩子们，我把你们害死了，爹爹逼你们死了。

李石清 怎么，你的孩子——

黄省三 都上了天了。（忽然）你们为什么不让我死？（神经错乱，以为仍在法庭）我没有犯神经病！我跟您说，庭长！我实在没有犯神经病！我很清楚，我自己买的鸦片烟。那钱是潘经理给我的三块钱，两块钱还了房钱，我拿一块钱买的鸦片烟。庭长，我自己买的红糖掺上的，叫孩子们喝的，我亲手把他们毒死的。我没有钱再买烟，你们难道就不许我跳河？你们为什么不让我死？我明白，我没有犯神经病。国家有法律，你们不能放我。（抓住李石清的手）庭长，我亲手毒死了人，毒死我的儿子，我的望望，我的小云，我的……（抱着李石清）我的庭长，您杀死我呀！

李石清 （用力挣脱）躲开我，你放下手。你这个混账东西！你看看，你到了哪儿？（用力摇撼他）你看看我是谁？

黄省三 （看李石清，四面望，半晌，忽然）潘……潘……经理，我这是到了哪儿了？

李石清 真！死鬼，你跟我缠些什么？走，走，滚，滚，你再不滚开，这就要叫警察抓你了。（要按电铃）

黄省三 你别，你别叫他们。（沉痛辛酸地）潘经理，人不能这么待人呀，人不能这么待人呀！前些日子我孩子们在，我要活着，我求你们叫我活着，可是你们偏不让我活。现在（涕哭）他们死了，我要死，我，我求你们叫我死，可是你们又偏不要我死。潘经理，我们都是人，人不能这么待人呀！（绝望地）不能这么待人呀！

李石清 真！……你这个混蛋！你简直把我的心搅乱了。你快滚，快滚，（连连顿足）我也要疯了。滚，你这个流氓，你给我滚哪。

黄省三 不，我求您，潘经理，您行行好吧。我再也活不下去了，我活不下去了！（跪下，双手捧面，哀哀哭泣）

李石清 （拉起他）好，我让你死，我让你死。你先起来，你得先认识我是谁，我姓李，你再听一遍，我姓李，李，李，李。

黄省三 （记不起来）李？

李石清 你不记得那一天你到这儿找我？……我……我劝过你拉洋车？

黄省三 哦？

李石清 我还劝过你要饭？

黄省三 哦？

李石清 我还劝过你偷？

黄省三 哦，你还劝过我跳楼！（忽然疯狂一般欢喜，向四面望，看到窗户，直奔过去）

李石清 （追上去一手拉住他，一面向门大嚷）福升！福升！

〔福升由中门进。

李石清 把他拉出去。这个人疯了。

王福升　（一把抱住黄省三的腰）你又来了！

〔福升生拉活扯地将黄省三向外拖，黄省三徒然挣扎着。

黄省三　李先生，我没有疯！我没有疯啊！

〔黄省三为福升拉下去。

李石清　天啊！（愤愤地）这个傻王八蛋，你为什么疯了？你为什么疯？你太便宜他了！

〔电话铃又急响。

李石清　（拿起耳机）喂，哪儿？报馆张先生么？哦，我是石清。什么？刚才是你打电话来？什么事？哦……哦……你已经派人送一封信来了。哦！……什么？消息不好？谁说的？……怎么，还是金八的人露出来的。不会吧！这两天，不是听说金八也在收么？……啊？他一点也没有买！……啊，那么这一星期看涨完全是他在造谣言！……啊？他从昨天起已经把早存的货向外甩了……这是真的？（面露喜色）什么？这个消息已经传出去了……哦，哦，那么明天行市开盘就要大落。哦，你想可以落多少？……（拍着桌子）啊？第二盘就会停拍。（坐在桌子上）哦……哦……（拍着自己的屁股）你说……大丰这次公债简直叫金八坑了……是……是，我也是这么想，我怕金八说不定就要提款……好极了——哦，糟极了。好……好，信已经送来了，好，回头见，回头见，我就交给四爷。（放下耳机，急忙走到门口）

李石清　福升，福升！

〔福升上。

李石清 刚才报馆张先生派人给四爷送来一封信，你看见了没有？

王福升 早看见了。

李石清 在哪儿？

王福升 这儿。（由身上掏出来）

李石清 拿来！拿来！怎么早不说？（由福升手里抢来，连忙看）

王福升 （在旁边插嘴）我刚才倒是想给四爷的，可是我瞅见四爷正在打牌，手气好，连着“和”三番，我就没送上去。

李石清 去，去！出去。少在这儿多嘴。

王福升 是，襄理。（下）

李石清 （兴高采烈地）你来的好！你来的好！你来的真是时候。

〔白露由中门上。

李石清 （满面笑容）陈小姐。

陈白露 哦，襄理，请坐，请坐。

李石清 客人都走了？

陈白露 他们就要走了。

李石清 小姐要是到那屋里去的时候，就费心您请四爷赶快来一会，有人送来一封信，有很重要的事情，请他老人家立刻吩咐吩咐该怎么办好。

陈白露 好的，您先请坐一坐，襄理。

李石清 是，是。（鞠躬）

〔白露由左门下。

李石清 （颤抖）哦……哦……我怎么反而稳不住了。（来回地走）

〔潘月亭由左门进。

潘月亭　哦，你还没有回家？

李石清　是，经理，我心里老惦念您行里的公事，所以总是不想回去。

潘月亭　你找我做什么？

李石清　（低声下气）您的牌打得怎么样？

潘月亭　（看看他）还顺遂！

李石清　我听说您现在手气很好。

潘月亭　是不坏。信呢？

李石清　信？

潘月亭　（急躁地）那封信呢？

李石清　哪封信？

潘月亭　白露说我有一封信在你手里。

李石清　哦，是，是，报馆张先生派人送来的。

潘月亭　拿来。（自语）可能是公债——（向李石清）给我。

李石清　自然是公债，我一看，我简直惊讶极了。

潘月亭　你怎么知道的？

李石清　经理，我又先拆开看了。

潘月亭　（强压下愤怒）你怎么能把我的信拆开？把信给我。

李石清　（笑嘻嘻地）不拆开，我怎么能知道是喜信，好给您报喜呢？（慢慢掏出信）您不会生气吧。您不会说我自作聪明，故意多事吧？（故意慢慢把信由信封抽出，摊开在桌上）请您慢慢地看吧。

〔潘月亭仿佛觉出来里面很蹊跷。他不信任地望着李石清，急忙拿起信。

李石清　（慢吞吞地）这件事我简直是没想到，不会这么巧，不会来得这么合适。我想这一定是谣言。

潘月亭　（看完信，脸色大变）我……我不相信，这是假的。（又看信）这个消息一定是不可靠的。（连忙打电话）喂喂，是新报馆么？我姓潘，我是潘四爷呀！……我找总编辑张先生说话。快点！快点！……什么？出去了？他刚才？……哦，他刚出去……你知道他上哪儿去了么？……不知道？……混蛋！你怎么不问一声？……（放下耳机，稍停，又拨电话。）喂，你是会贤俱乐部么？我找丁先生说话……就是金八爷的私人秘书，丁牧之，丁先生……什么？他回家了！他怎么会这时候回家？现在不过（看自己的手表）才——

李石清　现在不过才五点多，快天亮了。

潘月亭　（望了李石清一眼）那么他家里的电话号码呢？……四三五四三，好……好。（放下耳机）这帮东西，求着他们，他们都不知跑到哪儿去了！（又拨电话）喂……喂……喂，你是丁宅么？喂……喂……喂。（自语）怎么会没有人接？

李石清　自然是底下人都睡觉了。

潘月亭　（重重放下耳机）都睡死了！（颓然坐下）荒唐，荒唐！这消息一定是不可靠的。不会的，不会的。

〔李石清目光耽耽，不转眼地望着他。

〔白露由左门进，望望他们两人。

潘月亭　劳驾，你给我倒一杯开水。

陈白露　怎么啦？

潘月亭　我有点头痛。

〔白露去倒水。

李石清　我也想这消息是不可靠的。（似乎很诚恳地）您早上不是还没听说什么么？

潘月亭　（自语）开玩笑。这简直是开玩笑。

陈白露　（把水递给潘月亭）月亭，什么事？

潘月亭　（指信）你看！（坐在那里发痴）

李石清　（走到潘月亭的面前，低声）经理，其实这件事没有什么大不了的关系。公债要是落一毛两毛的，也没有什么大损失。您忘了细看看，经理，那信上提了要落多少？

潘月亭　（霍地立起来）哦，露露，把信给我。（一把抢过来，忙忙地看）

李石清　（在潘月亭后面，指指点点）不，不，在这一张，在这一张。

李石清
潘月亭　（低声读信）"……此消息已传布市面，明日行市定当一落千丈，决无疑义……"

陈白露　他明明说行市一定要大落特落。

潘月亭　（呆望着信）嗯。他的意思是说明天开了盘就要停拍。

李石清　这封信以后，张先生又来了电话。

潘月亭　（又燃起希望）又来了电话，哦，他说什么？

李石清　他说没有办法。金八在后面操纵，没有一点法子。

潘月亭　（颓然）这个混账东西！

〔福升推中门进。

陈白露　什么事？

王福升　报馆张先生来了。

陈白露　请他进来。

王福升　他说这边人太多，他还在十号等您。

〔潘月亭立刻向门走。

〔与福升进门差不多同时，电话铃响。

李石清　（接电话）喂，你哪儿？……我是五十二号。哦……我是石清，哦……哦，您找潘四爷？他就在这儿。（拦住潘月亭）金八的秘书丁先生要找你说话。

潘月亭　（忙接电话）喂，丁先生么？我月亭。刚才我找了你半天……是……是……是……不要紧！没什么……什么？他要提……什么，明天早上他就完全要提……喂，喂，不过我跟金八爷明明说好再缓一个星期……那他这……这简直故意地开玩笑！……（暴躁地）喂，丁先生。他不能这么不讲信用……"信用！"你告诉他。他说好了再缓一星期，他现在忽然……喂……喂……我要请金八爷谈一下，什么？他现在不见人？……喂，我问你，牧之，八爷这两天买什么公债没有？……啊？……他卖都卖不完？……哦……喂，喂……（乱敲半天，没有回应。放下耳机）这个狗食，奴才，到了这么晚他才把这件事告诉我。（废然倒在椅上）

王福升　四爷，报馆张先生……

潘月亭　去，去，去！你们别再来搅我。

〔福升下。

李石清　不过，经理——

潘月亭 （咆哮）走！走！（对李石清）你走！

〔李石清走出中门。

潘月亭 （对白露）你先到那边去，让我歇歇。

陈白露 月亭，你——

潘月亭 （摇摇手）你先去看看客人，他们大概都要走了。

〔白露走出左门。

潘月亭 （来回徘徊，坐立不安）这简直是开玩笑！金八简直是故意要收拾我。

〔中门悄悄推开。

潘月亭 （心惊肉跳）谁？谁？

李石清 是我，经理。自作聪明的坏蛋又来了。

潘月亭 你，你要干什么？

李石清 我想我们两个人谈谈可以痛快一点。

潘月亭 你还要谈什么？

李石清 不谈什么，三等货来看看头等货现在怎么样了。

潘月亭 （跳起来）混蛋！

李石清 （竖起眉）你混蛋！

潘月亭 跟我滚！

李石清 （也厉声）你先跟我滚！（半晌，冷笑）你忘了现在我们是平等了。

潘月亭 （按下气，坐下）你小心，你这样说话，你得小心。

李石清 我不用小心，我家没有一个大钱，我口袋里尽是当票，我用不着小心！

潘月亭 小心有人请你吃官司，你这穷光蛋。

李石清 穷光蛋，对了。不过你先看看你自己吧！我的潘经理。我没有债，我没有成千成万的债。我没有人逼着我要钱，我没有眼看看钱到了手，又叫人家抢了走。潘经理，你可怜可怜你自己吧。你还不及一个穷光蛋呢，我叫一个流氓耍了，我只是穷，你叫一个更大的流氓耍了，他要你的命。（尖酸地）哦，你是不跟一个自作聪明的坏蛋讲信用的。可是人家跟你讲信用？你不讲信用，人家比你还不讲信用，你以为你聪明，人家比你还要聪明。你骂了我，你挖苦我！你侮辱我，哦，你还瞧不起我！（大声）现在我快活极了！我高兴极了！明天早上我要亲眼看着你的行里要挤兑，我亲眼看着你付不出款来，看着那些十块八块的穷户头，骂你，咒你，他们要宰了你，吃了你！你害了他们！你害了他们！他们要剥你的皮，要挖你的心！你现在只有死，只有死你才对得起他们！只有死，你才逃得了！

潘月亭 （暴躁地敲着桌子）不要说了！不要说了！

李石清 我要说，我要痛痛快快地说——你这老混蛋，你这天生的狗食，你瞎了眼，昏了头——

潘月亭 （跳了起来）我……我先宰了你再说。（要与李石清拼命，一把抓着李石清的头颈正要——）

〔白露跑出。

陈白露 月亭，月亭。你让他去吧！

李石清 （头颈为潘月亭掐住，挣扎）你杀了我吧！你宰了我吧。可是金八不会饶了你，在门口……门口……

陈白露 月亭，你算了吧。

潘月亭 （甩开李石清，高声）在门口，怎么样？

李石清 怎么样？门口黑三在等着你。

潘月亭 为……为什么？

李石清 金八叫他来伺候你，他怕你跑了。

〔半晌，潘月亭垂头。

陈白露 （低声）李先生，你走吧。

潘月亭 （忽然对李石清惨笑）你现在大概可以满意了吧！

〔李石清望望潘月亭，没有说话。

〔电话铃急响。

潘月亭 白露，你先替我接一下。

李石清 让我接。

陈白露 不，不，我接。（已经拿起耳机，李石清与潘月亭各据左右，二人都紧张地望着她）喂，你哪里？我是五十二号！陈白露！哦？李太太……是的……你找李先生，他就在这儿。（回首向李石清）李太太由医院打来的电话。

李石清 （拿起耳机）我石清！你们到了医院了。哦，哦……小五怎么？（焦急地，和方才不关心的心情恰恰相反）什么？你再说一遍……我听不清楚……什么？小五断……断……断了气了？那……那你找医生啊！（痛苦地拍着桌子）找医生啊！不是已经带了钱么？给他们钱！你给他们钱哪！……什么？他……他在路上死……死的……（眼泪流下来）叫着爸爸……就……（扔下耳机，呜咽起来）哦，我的儿子啊！……我的小五啊。（忽然又拿起耳机）我就来！我就来！

〔李石清一边抓起帽子，一边揩着眼泪望了潘月亭一眼，潘月亭也呆呆望了他一眼，李石清便由中门走出去。

陈白露 （望着李石清走出，转向潘月亭）月亭，你们这是为什么？

〔远处鸡叫。

潘月亭 白露，客走了么？

陈白露 早走了，只有胡四，顾八他们还在这儿。

潘月亭 我难道会有这一天么？白露，你等等，我想跟报馆张先生再商量商量。

陈白露 月亭，你好一点了么？

潘月亭 还好，还好，我去一下，我回头再来。

陈白露 你就走了么？

潘月亭 不，回头就来。

陈白露 好，你去吧！

〔潘月亭由中门下。

〔远处鸡鸣声。

陈白露 （低声，忧郁地）天又要亮了。

〔由左门走进了胡四和顾八奶奶。胡四烟容满面，一脸油光。他用手在脸上抹了一把，一面继续地说。顾八奶奶崇拜英雄一般地跟在后面。

胡　四 （满意地嘘一口气）这一口烟还不离，真提神！（接说）底下紧接着鼓点。大锣，小锣，一块儿来：八拉达长，八拉达

长，八拉达长，长长令长，八拉达，达，达……（咳嗽，吐一口痰在地上）

顾八奶奶　又吐痰，你倒好好地跟我说啊。（完全不觉察到白露的心情，得意地）露露，你听，你听胡四跟我说《坐楼杀惜》呢。（卖弄地）这家伙点叫“急急风”。

胡　四　（烟吸多了，嗓音闭塞发哑，但非常有兴味，翻着白眼）这怎么叫“急急风”，你看你这记性这还学戏呢。

顾八奶奶　（掩饰地）哦，哦，这叫“慢长锤”[1]。

胡　四　去，去，得了吧！这不叫“慢长锤”。算了，算了，你就听家伙点就成了。（重说）八拉达长，八拉达长，八拉达长，长长令长。八拉达！（突停，有声有色，右手向下敲了三下，当作鼓板）达！达！达！（手向下一敲锣）长！（满身做工，满脸的戏，说得飞快）你瞧着，随着家伙点，那“胡子”一甩“髯口”，一皱眉，一瞪眼，全身乱哆嗦。这时家伙点打“叫头”，那“胡子”咬住了银牙，一手指着叫！（手几乎指到顾八奶奶的鼻端）“贱人哪？……”

顾八奶奶　什么“贱人贱人”的！我不爱听“胡子”，我学的是花旦。

胡　四　（藐视）你学花旦？（愣一下）可你也得告诉我是哪一段呀！

顾八奶奶　（仿佛在寻思）就是那一句“忽听得……”什么来着，前面是谁唱着来着：“叫声大姐快开门”的。

胡　四　哦，那容易，那容易！

---

1 “慢长锤”底本作“慢长锥”，据原刊改。

顾八奶奶　你给我连做派带唱先来一下。

胡　四　那容易，那容易，胡琴拉四平调：已格弄格里格弄格弄格弄，唱，（摇头摆尾）"叫声大姐快开门！"白口："大姐，开门来！"

顾八奶奶　我要花旦。

胡　四　别着急！紧接着，掀帘子，上花旦，（自己便扭扭捏捏地拿起手绢扮演起来）台步要轻俏，眼睛要灵活，出台口一亮相，吃的是劲儿足！就这样！（非常妩媚而诱惑的样子）已格弄格里格弄格弄格弄，（用逼尖了喉咙）"忽听得，"（又用原来的声音）弄格里格弄格弄格弄格弄，（混身做工）"门外有人唤，"弄格弄里格弄格个弄格……

〔远处鸡叫。

陈白露　（视若无睹）你们听，听。

胡　四　（还摆着姿势）什么？

陈白露　鸡叫了！

〔远处鸡再鸣。

顾八奶奶　可不是鸡叫了！（忽然望到窗外）哟，天都快亮了。（对胡四）走吧！走吧！快回去睡吧。今天可在这儿玩晚了。

胡　四　（满不在乎的样子）不过我那五百块钱的账怎么办呢？

顾八奶奶　回家就开一张支票叫大丰银行给你。可是你——

胡　四　（伶俐地）听你的话，下一次我再也不到那个坏女人那里去了。

顾八奶奶　好啦，别在露露面前现眼啦。你快穿衣服，走吧。你明天，哦，你今天不还要到电影厂拍戏去么？

胡　四　（应声虫，一嘴的谎）是，是啊，导演说今天我不来，片子就不能拍了。

顾八奶奶　那你就赶快穿衣服，回家睡吧。我今天也跟你一块去电影厂参观参观。

胡　四　（吃了一惊）哦，你，你也……（但先不管这个，于是非常仔细，慢吞吞地穿衣服）

顾八奶奶　（一回转身，向白露，极自满地）露露，现在我告诉你，胡四要成大明星了。眼瞅着要红起来了，公司里说他是个空前绝后的大杰作，要他连演三套片子。过两天，电影杂志就都要登他的相片，说不定也要登我的相片。

陈白露　你的？

顾八奶奶　嗯，我的，我跟胡四的；顾八奶奶跟中国头等杰作大明星胡四的。因为（低声，女孩子似地羞怯，不好意思说出来）我想……我想，我现在还是答应他好。我想……我想我们后天就……就结婚。你看，露露，那好不好？

陈白露　好，好的很。不过——

顾八奶奶　露露，你给我当伴娘，一定，一定。

陈白露　（更低）好，好，不过——

顾八奶奶　（打白露一下，喜滋滋的）瞧你，什么呀，不过不过的。

陈白露　我问你，你的钱是不是现在是存在大丰银行里？

顾八奶奶　自然是存在那里头。你问这个做什么？

陈白露　不做什么！随便问问。

顾八奶奶 （望着胡四，赞美地）啊！（把自己的皮包打开，拿出粉盒，正预备擦粉，忽然看见那药瓶）露露，你看我，我现在还要这个东西干什么？（拿出药瓶）谢谢你，这安眠药还是还给你，我不用了。

陈白露 谢谢你，（接过来）我正想跟你要回来呢。

顾八奶奶 好极了，还是你拿去用吧。

胡　四 （穿好衣服）走吧，走吧！

顾八奶奶 不，让我还得擦点粉呢。

胡　四 （一把拉住她）得了吧，天快亮了，谁还看你？走吧，走吧！（拉着顾八奶奶向中门走）

顾八奶奶 （得意地，对白露）你看我这个活祖宗！（被胡四拉了两步）再见啊！

胡　四 白露，再见。

〔胡四把帽子戴好，向下一捺，与顾八奶奶一起由中门走出。

〔白露一个人走到窗前，打开窗户，外面静悄悄的，对面房屋的轮廓逐渐由黑暗中显露出来，一切都和第一幕一般，外面很幽静又很凄凉，远远隐隐听见工厂的汽笛声，夹杂着自市场传来一两声鸡鸣，是太阳还未升出以前的黎明时光。

〔中门敲门声。

陈白露 （未回头）进来吧。

〔福升由中门进，微微打了一个呵欠。

陈白露 （没有转身）月亭，怎么样？

王福升 小姐。

陈白露 （回转身）哦，是你。

王福升 四爷叫我过来说，他不来了。

陈白露 哦。

王福升 他说怕这一两天都不能来了。

陈白露 我知道。

王福升 他叫我跟您说，叫您好好保重，叫您以后凡事要小心点，多多爱护自己，他说……

陈白露 我明白，他不能再来看了。

王福升 嗯，对了。不过，小姐，您为什么偏要得罪潘四爷这么有钱的人呢？……您得罪一个金八还不够，您还要——

陈白露 （摇头）你不明白，我没有得罪他。

王福升 那么，我刚才把您欠的账条顺手交给他老人家，四爷只是摇头，叹口气，一句话也没有说就走了。

陈白露 唉，你为什么又把账单给他看呢？

王福升 可是，小姐，今天的账是非还不可的，他们说闹到天也得还！一共两千五百元，少一个也不行！您自己又好个面子，不愿跟人家吵吵闹闹的。您说这钱现在不从四爷身上想法子，难道会从天上掉下来？

陈白露 总有办法吧。

王福升 那就看您这几个钟头的本事吧。我福升实在不能再替您挡这门账了。

陈白露 （拿起安眠药瓶，紧紧地握着）好，你去吧。

〔福升正由中门下，左门有人乱敲门，嚷着："开门，快开门。”福升跑到左门，推开门，张乔治满脸的汗跑出来。

张乔治 （心神恍惚地）怎么，你们把门锁上做什么？

王福升 （笑）没有锁，谁锁了？

张乔治 （摸着心）白露，我做了一个可怕的梦。哦，可怕，可怕极了，啊，Terrible！[1] Terrible！啊，我梦见这一楼满是鬼，乱跳乱蹦，楼梯，饭厅，床，沙发底下，桌子上面，一个个啃着活人的脑袋，活人的胳臂，活人的大腿，又笑又闹，拿着人的脑袋壳丢过来，扔过去，嘎嘎地乱叫。忽然哄地一声，大楼塌了，你压在底下，我压在底下，许多许多人都压在底下……

〔福升由中门下。

陈白露 （不听他）你没有走？

张乔治 咦，我走了，你现在还看得见我？我在那屋墙犄角一个沙发上睡着了。

陈白露 你又喝了不少的酒。

张乔治 对了，一点也不错，我喝得太多了，神经乱了，我才做这么一个噩梦。（打了一个呵欠）我累了，我要回去了。哦，（忽然提起精神来）我告诉你一件事……

陈白露 不，我现在求你一件事。

张乔治 你说吧。你说的话没有不成的。

陈白露 有一个人……要……要跟我借三千块钱。

---

1 英语，意思是：“可怕！”——底本注。

张乔治　哦，哦。

陈白露　我现在手下没有这些钱借给他。

张乔治　哦，哦。

陈白露　Georgy，你能不能设法代我弄三千块钱借给这个人？

张乔治　那……那……就当要……另作别论了。我这个人向来是大方的。不过也要看谁？你的朋友我不能借，因为……因为我心里忌妒他。不过要像你这样漂亮的人要借这么有限几个钱花花，那自然是不成问题的。

陈白露　（勉强地）好！好！你就当作我亲自向你借的吧。

张乔治　你？露露要跟我借钱？跟张乔治借钱？

陈白露　嗯，为什么不呢？

张乔治　得了，这我绝对不相信的。露露会要这么几个钱用，No，No！这我是绝不相信的。你这是故意跟我开玩笑了。（大笑）你真会开玩笑，露露会跟我借钱，而且跟我借这么一点点的钱。啊，小露露，你真聪明，真会说笑话，世界上没有再像你这么聪明的人。好了，再见了。（拿起帽子）

陈白露　好，再见。（微笑）你倒是非常聪明的。

张乔治　谢谢！谢谢！（走到门口）哦，对了，我想起来了。我告诉你，到了后来，我实在缠不过她，我还是答应她了。我想，我们想明天就去结婚。不过，我说过，我是一定要你当伴娘的。

陈白露　要我当伴娘？

张乔治　自然是你，除了你找不着第二个合适的人。

陈白露 好，好，再见。

张乔治 再见。就这么办。Good night！哦，Good morning！[1]我的小露露。（挥挥手由中门走出）

〔晨光渐渐由窗户透进。日影先只射在屋檐上。白露把门关好，走到中间的桌旁坐下，愣一下，她立起走了两步，怜惜地望望屋内的陈设。她又走到沙发的小几旁，拿起酒瓶倒酒，尽量地喝了几口。她立在沙发前发愣。

〔中门呀地开了，福升进。

陈白露 （低哑的声音）你来干什么？

王福升 天亮了，老阳都出来了，您还不睡觉？

陈白露 是，我知道。

王福升 您不要打点豆浆喝了再睡么？

陈白露 不，我不要，你去吧。

王福升 （由身上取出一卷账条）小姐！这……这是今天要还的那些账条，我……我搁在这里，您先合计合计。（把账条放在中间的桌子上）

陈白露 好！你搁在那儿吧。

王福升 您不要什么东西啦？

〔白露摇摇头。

〔福升背着白露很疲倦地打了一个呵欠，由中门走出。

〔白露把酒喝尽，放下酒杯。走到中桌前慢慢翻着账条，看

---

1 英语，意思是："早安！"——底本注。

完了一张就扔在地下，桌前满铺着是乱账条。

陈白露 （嘘出一口气）嗯。

〔她由桌上拿起安眠药瓶，走到窗前的沙发，拔开塞，一片两片地倒出来。她不自主地停住了，她颓然跌在沙发上，愣愣地坐着。她抬头。在沙发左边一个立柜的穿衣镜里发现了自己，立起来，走到镜子前。

陈白露 （左右前后看了看里面一个美丽的妇人，又慢慢正对着镜子，摇摇头，叹气，凄然地）生得不算太难看吧。（停一下）人不算得太老吧。可是……（很悠长地嘘出一口气。她不忍再看了，她慢慢又踱到中桌前，一片一片由药瓶数出来，脸上带着微笑，极甜蜜地而又极凄楚地怜惜着自己）一片，两片，三片，四片……十片。（她紧紧地握着那十片东西，剩下的空瓶当啷一声丢在痰盂里。她把胳膊平放桌面，长长伸出去，望着前面，微微点着头，哀伤地）这——么——年——轻，这——么——美，这——么——（眼泪悄然流下来。她振起精神，立起来，拿起茶杯，背过脸，一口，两口，把药很爽快地咽下去）

〔这时阳光渐渐射过来，照在什物狼藉的地板上。天空非常明亮，外面打地基的小工们早聚集在一起，迎着阳光由远处“哼哼唷，哼哼唷”地又以整齐严肃的步伐迈到楼前。木夯一排一排地砸在土里，沉重的石硪落下，发出闷塞的回声，随着深沉的“哼哼唷，哼哼唷”的呼声是做工的人们战士似地那样整齐的脚步。他们还没有开始“叫号”。

陈白露 （扔下杯子，凝听外面的木夯声，她挺起胸走到窗前，拉开帘幕，阳光照着她的脸。她望着外面，低声地）“太阳升起来了，黑暗留在后面。（吸进一口凉气，打了个寒战，回转头来）但是太阳不是我们的，我们要睡了。”（她忽然关上灯又把窗帘都拉拢，屋内陡然暗下来，只帘幕隙缝间透出一两道阳光颤动着。她捶着胸，仿佛胸际有些痛苦窒塞。她拿起沙发上那一本《日出》，躺在沙发上，正要安静地读下去——）

〔很远，很远小工们隐约唱起了夯歌——唱的是“轴号”。但听不清楚歌词。

〔外面方达生的声音：竹均！竹均！（声音走到门前）

〔白露慌忙放下书本，立起来，走到门前，知道是方达生。四面望望，立刻把桌上的账条拾起，团在手里，又拿起那本《日出》，匆促地走进右面卧室，她的脚步已经显得一点迟钝，进了门就锁好。

〔外面方达生的声音：（低声）竹均！竹均！你屋里没有人吧。竹均！竹均！我要走啦！（没有人应）竹均，那我就进来啦。

〔外面有一两声麻雀。

〔方达生推门进。

方达生 （左右望）竹均！我告诉你——（忽察觉屋里很黑，走到窗前把幕帷又拉开，阳光射满了一屋子。雀声吱吱地唱着）真奇怪，你为什么不让太阳进来。（走到右面卧室门前）竹均，你听我一句，你这么下去，一定是一条死路，你听我一句，你还是跟我走，不要再跟他们混，好不好？你看，（指窗外）外面是太阳，是春天。

〔这时小工们渐唱渐近，他们唱着：

日出东来，满天的大红！……

方达生 （敲门）你听！你听（狂喜地）太阳就在外面，太阳就在他们身上。你跟我来，我们要一起做点事，跟金八拼一拼！我们还可以——（觉得里面不肯理他）竹均，你为什么不理我？（低低敲着门）你——（回转身，叹一口气）你太聪明，你不肯做傻子。（陡然振作起来）好了，我走了，再见。

〔里面还是不答应，达生转过头去听窗外的夯歌，迎着阳光由中门昂首走出去。

〔由外面射进来满屋的太阳，窗外一切都亮得耀眼。

〔砸夯的工人们高亢而洪壮地合唱着轴歌：

日出东来，满天的大红！要得吃饭，可得做工！……

〔沉重的石硪一下一下落在土里，那声音传到观众的耳里是一个大生命浩浩荡荡地向前推，向前进，洋洋溢溢地充塞了宇宙。

〔屋内渐渐暗淡，窗外更光明起来。

——幕徐落

一九三五年

小海号[1]

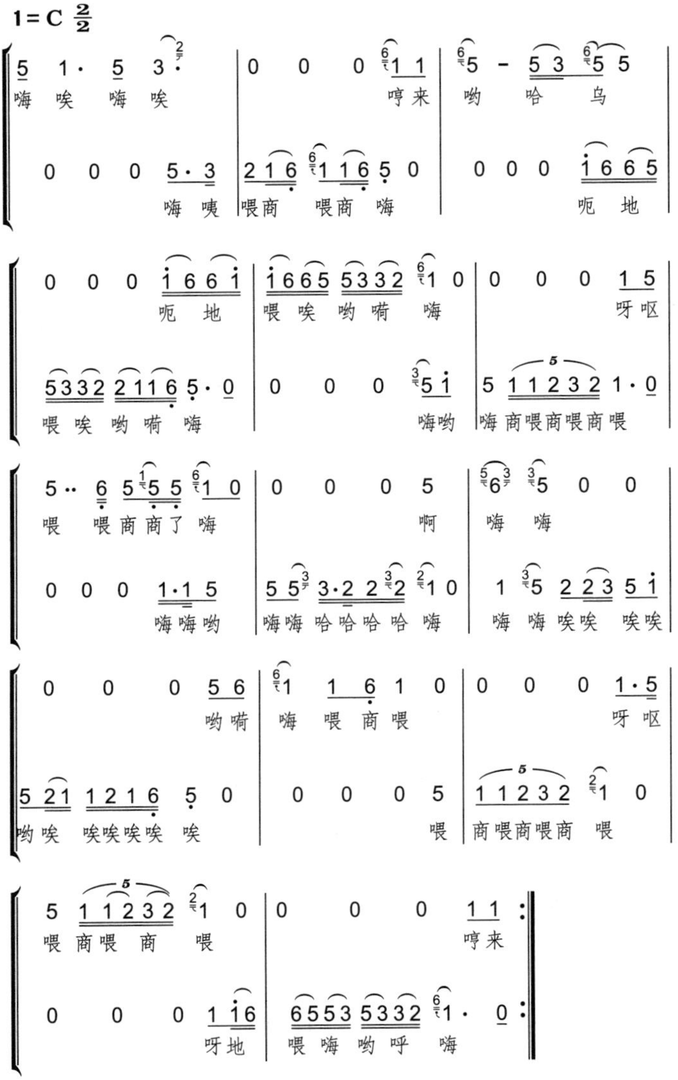

上列谱中，每小节打二拍，第一拍表示重硪，第二拍表示轻硪。

1　第一小节第二个“唉”字的后倚音2原为3，据底本五线谱改。第四小节“嗨”字的节奏原无符点，据底本五线谱加。第七小节第二个“喂”字的6原为6̣，“嗨”字的前倚音6原为6̣，据底本五线谱改。第九小节“唉”字的5原为5̣，据底本五线谱改。第十四小节“嗨”字的前倚音6原为6̣，据底本五线谱改。

轴号[1]

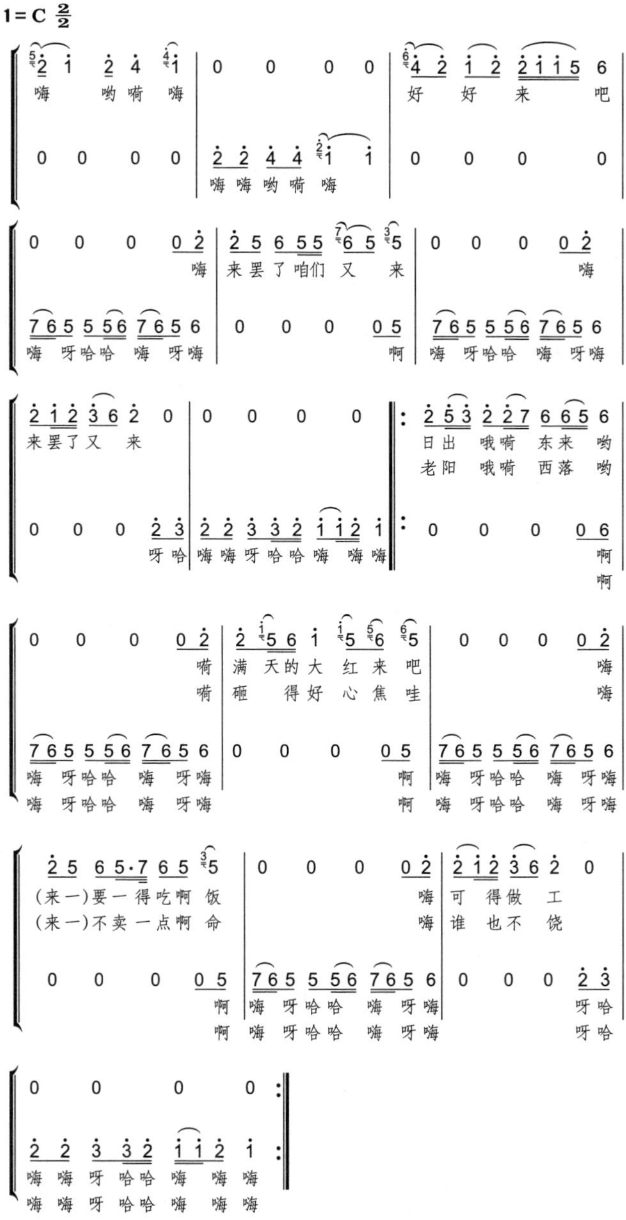

上列谱中，每小节打二拍，每拍表示一轻硪。

1　第一小节第二个“嗨”字的 $\dot{1}$ 原为 $\ddot{1}$，据底本五线谱改。

叫声小亲亲

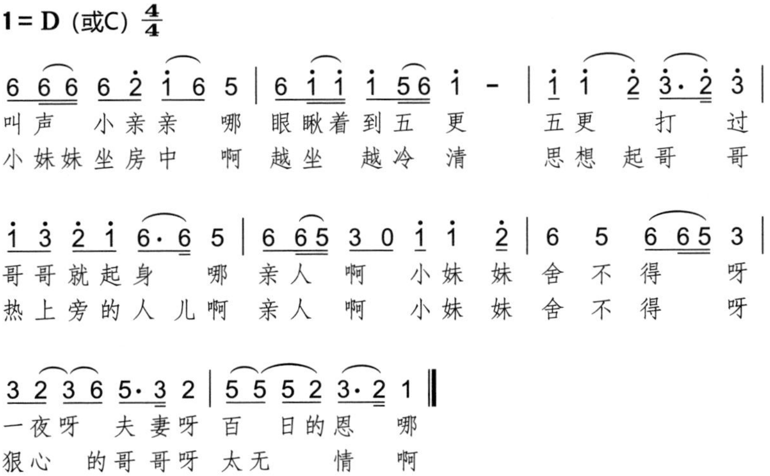
1 = D（或C）4/4
叫声 小亲亲 哪 眼瞅着到五 更 五更 打 过
小妹妹坐房中 啊 越坐 越冷 清 思想 起哥 哥
哥哥就起身 哪 亲人 啊 小妹 妹 舍 不 得 呀
热上旁的人 儿啊 亲人 啊 小妹 妹 舍 不 得 呀
一夜呀 夫妻呀 百 日的恩 哪
狠心 的哥哥呀 太无 情 啊

图书在版编目（CIP）数据

曹禺全集. 第二卷 / 曹禺著. — 北京 ： 北京十月文艺出版社，2023.6

ISBN 978-7-5302-2264-5

Ⅰ. ①曹… Ⅱ. ①曹… Ⅲ. ①曹禺（1910–1996）— 全集 Ⅳ. ①I216.2

中国版本图书馆CIP数据核字（2022）第155339号

曹禺全集 2

CAOYÜ QUANJI 2

曹禺 著

出 版 北京出版集团
北京十月文艺出版社
地 址 北京北三环中路 6 号
邮 编 100120
网 址 www.bph.com.cn
发 行 新经典发行有限公司
电话 010–68423599
经 销 新华书店
印 刷 北京盛通印刷股份有限公司
版 次 2023 年 6 月第 1 版
印 次 2023 年 6 月第 1 次印刷
开 本 700 毫米 ×980 毫米 1/16
印 张 43.75
字 数 483 千字
书 号 ISBN 978-7-5302-2264-5
定 价 126.00 元
如有印装质量问题，由本社负责调换
质量监督电话 010–58572393